**DISCURSO FÍLMICO
LITERATURA Y
POSTMODERNIDAD**

Editorial Persona
Dirección Postal
Matías Montes, Presidente
9759 NW 30 St. Doral, FL. 33172
Dirección electrónica
mmhuidobro@aol.com

Copyright © Matías Montes Huidobro

Primera Edicion, Editorial Persona, 2018

GF Graphic Design
Diseño de cubierta y páginas interiores:
   Luis G. Fresquet
www.fresquetart.com
luisgfresq@gmail.com

Todas las imágenes reproducidas en este libro son de dominio público.

Un proyecto de Pro Teatro Cubano

ISBN: 9781790623297

Está prohibida la reproducción total o parcial de esta obra sin la autorización de Editorial Persona,

DISCURSO FÍLMICO LITERATURA Y POSTMODERNIDAD

Matías Montes Huidobro

TOMO IV

Homenaje a Mary Shelley

En memoria de Gemma Roberts

ÍNDICE

PALABRAS PRELIMINARES 9

I   Angel Ganivet (1865-1898): del Dogma de la Inmaculada Concepción al "vuelo del psícope"   11

II   Postmodernidad fílmica de Unamuno: a partir de *Niebla*   43

III   Unamuno: la hora cero: caos, sexo y metafísica   81

IV   El concepto del doble: 2-1-0   109

V   *Frankenstein* (1818) y *Niebla* (1914) entre Mary Shelley (1797-1851) y Unamuno (1864-1936)   129

VI   Unamuno: la vida es sueño   185

VII   Unamuno: "*Ella*": metafísica del deseo   229

VIII   Vicente Blasco Ibáñez (1867-1928): visión y ceguera en el estilo   249

IX   *Azorín*: Teoría y práctica del cine   273

X   Baroja. Distorsión humorística del cómic: postmodernidad lúdica de *Paradox, Rey*   295

XI   Valle Inclán (1866-1936): *Tirano Banderas* paso a paso   319

XII Análisis fílmico literario de
     Los santos inocentes (1981) de Miguel Delibes
     (1920-2010)   353

XIII Mónada, quanta y entropía del caos celiano   381

XIV *Réquiem por todos nosotros* (1967)
     de José María Sanjuán (1937-1968):
     escribirse a sí mismo   401

XV   Juan Goytisolo (1931-1917):
     el discurso fílmico-erótico de *Reivindicación
     del conde don Julián* (1970)   427

Ficha filmográfica   473

PALABRAS PRELIMINARES

Formo parte de una generación de escritores cubanos que estaba profundamente vinculada al cine, que de hecho nace con el cine sonoro a fines de la década del veinte y principios de los treinta, se va formando en los cincuenta a partir de la revista *Nueva Generación* e irrumpe a principios de los sesenta mayormente en torno a *Lunes de Revolución*. Esto explica mi particular interés en las relaciones entre la literatura y el cine, que después se pondrán de manifiesto en mi trabajo docente como profesor de letras hispánicas en la Universidad de Hawaii (1964-1997).

Las relaciones del cine con la Generación del 98 habían sido parcialmente estudiadas hacia fines del siglo XX, pero cuando más, creo, sólo se habían establecido consideraciones fílmicas respecto a *Azorín* y Valle Inclán, hablándose de la "cinematograficidad" de estos autores. Las mismas, sin embargo, pueden considerarse teóricas ya que los escritores del 98 carecían de un sentido pragmático que los llevara a ser gente de cine, porque hay que tener en cuenta que el cine era una criatura recién nacida. El escritor de su época que rompe con este canon es Vicente Blasco Ibáñez, que se percata de inmediato de las múltiples posibilidades de la cámara y, seguramente, de los beneficios económicos que ello representaba.

Mi doble interés entre el cine y la novela explica que algunas de mis primeras publicaciones universitarias tuvieran esta doble dirección. A partir de Unamuno, que pocas veces ha sido vinculado con el cine, y que me sirve para adentrarme en una cinematografía con vínculos unamunianos, entro en este libro en un diálogo interfílmico con Ganivet, *Azorín,* Baroja, Valle Inclán, y *Los santos inocentes* de Miguel Delibes como arquetipo literario y fílmico del neorrealismo español; hasta llegar a *La colmena* y *Oficio de tinieblas* de Camilo José Cela, acompañadas de *Reivindi-*

cación del Conde don Julián de Juan Goytisolo, que irrumpe explosivamente como discurso homoerótico y discurso fragmentado de la novela histórica; mientras que José María Sanjuán con *Réquiem por todos nosotros,* a través de la literatura y el cine, retorna en este libro de la encerrona de la muerte.

CAPÍTULO I

Ángel Ganivet: del dogma de la Inmaculada Concepción al "vuelo del psícope"

En memoria de Josep Lloveras de Roina

La primera versión de este trabajo, bajo el título de "El dogma de la Inmaculada Concepción como interpretación de la mujer en la obra de Ganivet", apareció publicada en Duquesne Hispanic Review, V. 13, 1968. Después, configuró el segundo capítulo de mi libro "La distorsión sexo-lingüística en Ángel Ganivet" con el título de "El dogma de la Inmaculada Concepción y otras fantasías biológicas de Ángel Ganivet", que ahora presento con cortes y variaciones, que lo ubican no como "precursor" sino como miembro activo de la Generación del 98, un tanto desterrado y "aislotado", como diría Unamuno. Si de "precursorías" se tratase, lo sería de la postmodernidad. En esta edición sigo ambos textos y agrego otros más, con algunas adicionales actualizaciones. Incluso, con su vida, "hago cine", al final, porque la misma tiene mucho de película. En 1998, cuando fui invitado a participar en el "Congreso Internacional Finlandia y Ganivet, A propósito de las Cartas finlandesas (1898-1998)" Universidad de Tampere, Finlandia, con motivo del centenario de su publicación y presenté mi trabajo "El vuelo de psicope", con mi propósito de establecer la entrada de Ganivet en la postmodernidad, me convertí, ipso facto, en el primer ganivetiano cubano de las letras hispánicas.

Las obsesiones maculadas de Ángel Ganivet.

Me vincula a Ganivet su circunstancia de desterrado a un paraje tan remoto como Finlandia, que guarda relación también con mi salida de Cuba y los dos años que viví en Meadville, Pennsylvania, en el "cinturón de nieve", y mi preferencia por la nieve, la niebla y los cielos nublados, como si fuera otro granadino desterrado. Eso me llevó por años a una obsesión ganivetiana muy personal, que culminó con el viaje a Finlandia. La personalidad del autor, sus desgraciadas circunstancias, y la estupenda plasticidad de su vida, que para mí es una aventura fílmica que se presta para un guión cinematográfico, se acrecienta con la complejidad viril de los recovecos eróticos de su sexualidad, que lo lleva a las más descabelladas propuestas, a las que me acerco también desde un punto de vista léxico, un análisis estilístico y estructural del lenguaje. Por otra parte, la obsesión ganivetiana por la mujer, el movimiento pendular que va de Amelia Roldán a Masha Djakoffski, del antifeminismo al feminismo, de las crudezas del coño prostibulario a su idealización mistica, hacen de Ganivet una personalidad absorvente.

Idearium erótico-religioso en las letras hispánicas

Desde que se inicia el marianismo medieval, las letras hispánicas manifiestan una estrecha relación entre los caminos del erotismo y de la fe, alcanzando más tarde el nivel de la acción revolucionaria. Por ese motivo, el sexo se amplía dentro de la estética literaria hispánica al formar parte de lo religioso, en el marco del cual la Virgen María va a ocupar un lugar protagónico, ya sea, como parte de un discurso masculino dispuesto a ejercer su poder hegemónico sobre el virgo inmaculado, que tendrá que convertirse, por fuerza, en una estrategia de sobrevivencia del discurso femenino, que todo tiene su pro y su contra. Deja así el estricto marco de lo individual para formar parte de un discurso mucho más amplio y de la mecánica de las instituciones y el discurso de poder, hasta volverse un complejo marco laberíntico de la sexualidad tanto de un sexo como del otro.

«El problema de la mujer en la obra de Ganivet es grande y está por estudiar... Su actitud ante él es ambivalente: hay, por decirlo así, a veces una veneración inhibitoria, otras una oscilación bi-polar atracción-repulsión. Podría sobre esta tesis aducir numerosas pruebas, que revelan la peculiar posición de Ganivet ante el tema y, naturalmente, ante el acto amoroso, del cual dice él mismo, encarnado en Pío Cid, que "huiré mientras el cuerpo me haga sombra." (cita de Castilla del Pino 5). Estas observaciones, varias veces repetidas en otros comentarios, me sirvieron como punto de partida, hace también algunos años, para hacer las siguientes interpretaciones.

1. La mujer, teóricamente para Ganivet, no tiene voluntad de ser. Esta ausencia de voluntad de ser la mantiene en una especie de estado de pureza, que llamaremos «virginal», que la aísla dentro de la existencia misma. Sin embargo, a pesar de su actitud pasiva, la mujer es el estabilizador máximo de la historia.

2. El hombre representa la voluntad de ser y, al mismo tiempo, la inestabilidad de la historia. El hombre es el que ejecuta el acto. Se encuentra frente al hecho mismo de existir y parece tener derecho a la elección. Su voluntad de ser y su poder creador lo acercan a la divinidad, que es, "por supuesto", masculina.

3. La relación hombre-mujer tiene un fundamento místico (o cuando menos este es el que aparentemente se impone) que puede conectarse con el dogma de la Concepción Inmaculada, al parecer de trascendencia notable para Ganivet.

Maríanismo

El comienzo del *Idearíum español*, sobre el que por mucho tiempo descansó gran parte de la reputación del escritor y que ha sido considerado por muchos su obra capital (aunque no necesariamene por nosotros) es francamente inquietante; punto de partida de un marianismo hispánico que se vuelve tabla de medida con respecto a la mujer y detrás de la cual, muy posiblemente, palpita ese amor inalcanzable de los personajes ganivetianos y posiblemente del propio Ganivet, sedimento teológico de su erotismo existencialista y romántico, y de sus múltiples contradicciones:

"Se me ha ocurrido pensar que en el fondo de ese dogma debía haber algún misterio que por ocultos caminos se enlazara con el misterio de nuestra alma nacional; que acaso ese dogma era el símbolo, ¡símbolo admirable de nuestra propia vida, en la que, tras larga y penosa labor de maternidad, venimos a hallamos en la vejez con el espíritu virgen; como una mujer que, atraída por irresistible vocación a la vida monástica y ascética, y casada contra su voluntad y convertida en madre por deber, llegara al cabo de sus días a descubrir que su espíritu era ajeno a su obra, que entre los hijos de la carne y el alma continuaba sola, abierta como una rosa mística a los ideales de la virginidad" (153).

Hermoso texto en que se transparenta lo más luminoso de su pensamiento, nos da una imagen de la mujer arquetípica de la percepción masculina hispánica, aunque claro que, no podemos ignorar, el paso del tiempo entre la actualidad y la fecha de la escritura a fines del siglo XIX. Pero lo mismo le ha pasado a Cervantes con Dulcinea. Vemos a la Inmaculada Concepción, toda ella allí, tendida como mujer, como si fuera España. Ganivet, que tantos conflictos tuvo en sus relaciones con el sexo opuesto, hace a España mujer, a quien ama, para presentarnos así más contradicciones dentro de sí mismo. Y la Virgen, sin vocación para el matrimonio, aparece sin voluntad frente al Espíritu Santo, hombre, que comete un acto de violación física y espiritual. Porque ella, la Virgen, no fue consultada sino elegida. Ella no tuvo voluntad de ser, sino que fue vehículo involuntario de la historia. De ahí que la Virgen María, de espíritu monástico y ascético, se vea obligada a engendrar historia.

Entre la inmaculada concepción y una concepción inmaculada

El problema no es, sin embargo, tan sencillo como parece y unas aclaraciones se vuelven pertinentes. El dogma de la Inmaculada Concepción no se refiere a la concepción de Jesús por la Virgen María, sino a la concepción de la Virgen en sí misma. Este principio queda dogmáticamente definido por la Iglesia en el año 1854, así que su confirmación es relativamente reciente aunque se creía en él desde hacía muchos siglos. No se refiere a la concepción misma de Cristo por la Virgen, aunque tiende a confundirse, en buena lógica, y forma parte del juego entre una concepción y la otra. De esta manera la Virgen viene al mundo sin el estigma de la "mácula" que es la consecuencia del "pecado original", como privilegio especial que le fue otorgado: esta preredimida, libre de todo pecado, aunque necesita la gracia de Dios para seguir permanentemente libre de pecado. La pureza de la Virgen no se refiere a la santidad de la concepción de Cristo, aunque una cosa no excluye la otra, sino a su propia santidad. Criatura prepurificada, no hay ni la más remota posibilidad de mancha: pureza absoluta. Sin embargo, esta condición no es una consecuencia de los propios méritos de la Virgen, sino que la gana a consecuencia de la vida, pasión, muerte y resurrección de su hijo. Cuando Nuestra Señora de Lourdes se le aparece a Bernadette Soubirous en 1858, el hecho que se le presente como la Inmaculada Concepción ("Yo soy la Inmaculada Concepción") y sea vista como una aparición de la Virgen a la cual se invoca, crea una adicional tendencia popular a confundir una cosa con la otra. Estos hechos estan precedidos por previos cuestionamientos de la Inmaculada Concepción, llevando a más complicados planteamientos.

El caso es que ya sea una Inmaculada Concepción o la concepción virginal del hijo de Dios, la percepción de la Virgen María por Ganivet no contradice ni una cosa ni la otra, y la Virgen forma parte de esa configuración sin pecado concebida y que concibe sin pecado que se le da en el imaginario virginal hispánico.

Nada menos que todo un hombre

Por otro lado, no debemos desconocer que el texto ganivetiano tiene una conciencia de la sexualidad que implícita o explícitamente es masculina. Ese «eje diamantino» del que también nos habla en otras páginas del *Idearium* no es una mujer, sino un hombre, y posiblemente un Hombre como ente abarcador de la Humanidad: «De hecho, el análisis tradicional del Hombre, considerado como la norma humana, excluye de manera sistemática de sus consideraciones lo que pertenece propiamente a los hombres en tanto que hombres» (Brod, citado por Badinter, 24). Pero si bien en muchas de sus páginas es ese Hombre el punto de referencia, en otras entra en conflicto con el ser inmediato, el conflicto del «Varón Sagrado» que tiene que vivir a la altura de un varón mucho más vulnerable, lo cual acaba por configurar su tratamiento de la mujer.

Toda su obra está llena de contradicciones que a veces aclaran pero generalmente aumentan la confusión, y *La conquista del reino de Maya* es un caso representativo. Aunque la Virgen ocupa un lugar privilegiado en el pensamiento ganivetiano, que descansa sobre imperativos de la cultura que han formado la nacionalidad y al escritor, Ganivet manifiesta un movimiento pendular lleno de antinomias que se exponen a través de diversas polaridades: monogamia-poligamia, poligamia-poliandria, Granada-Finlandia, etc. *La conquista del reino de Maya* tiene el carácter de crónica histórica (que es género masculino principalmente por la naturaleza de la acción y la predominante participación masculina en la misma) y por eso tuvo que ser el medio estilístico que seleccionara el escritor. Pero es la crónica del intelectual, no del hombre de acción: no es el documento gestado por la supervivencia de la realidad, una historia narrada por Cabeza de Vaca. Es por eso que estas crónicas de la post-conquista del 98 (como hará después Baroja en su *Paradox, Rey*) tienen un carácter descaracterizador que paradójicamente caracterizan al hombre. «Ser hombre implica un trabajo, un esfuerzo que no parece exigirse a la mujer... La confusión es extrema cuando el lenguaje cotidiano nos habla sin tapujos de un hombre, uno de verdad para designar al hombre viril» (Badinter 18). No sabemos (no podemos saber) cuántas pruebas de masculinidad se exigió Ganivet, pero en la lógica sexo-cultural que lo forma es lógico que así ocurriera: «De ahí que el problema fundamental para Ganivet sea el de llegar a ser hombre. No se nace hombre; se hace uno hombre; la humanidad es el término de un proceso por el cual actuamos sobre nosotros mismos recreándonos» (Herrero, «Ángel Ganivet, humanista y místico», 344). Trabajo de Hércules que no tiene que hacer la mujer. No sabemos tampoco si algunos de estos «trabajos» fueron determinantes de su suicidio, pero sí podemos conocer las «pruebas» caracterizadoras a que se somete Pío Cid. Su épica es la del hombre que se hace día a día en la medida de una virilidad que se impone a sí mismo.

Toda *La conquista del Reino de Maya* es un rito de iniciación viril, un viaje que se hace para ser hombre, para definir la identidad, un ritual de guerra y de conquista donde Pío Cid deja sentada su masculinidad. De ahí la desnudez cuantitativa de la novela, el rito de primavera, la importancia dada a la fecundidad y la conciencia genética. Es un viaje síquico de Pío Cid en el que su identidad sexual se mide a través de la conquista y la colonización, espejo de una masculinidad nacional y colectiva. Toda la novela es un rito de tránsito psico-físico, que lo guiará de un «trabajo» al otro, fortaleciéndolo y mutilándolo. La conciencia fálica del texto se pone de manifiesto primero a través de los atributos viriles que observa Pío Cid en los guerreros mayas, pero al final de la novela la mutilación de los accas muestra una trayectoria que representa una decapitación de la virilidad: el pánico que tiene el hombre a ser castrado, a perder su identidad.

En la «abulia» erótica de Pío Cid en *La conquista del Reino de Maya* hay un residuo de esta mutilación. Mientras que la primera novela de Ganivet es un ritual de guerra, puesto de manifiesto a través de la belicosidad de los mayas dentro de la cual Pío Cid es un participante más activo a nivel mental que a nivel físico, pero participante al fin y al cabo, la novela que le sigue, *Los trabajos del infatigable creador Pío Cid,* representa un rito de trabajo creador. Es un ritual masculino, que implica sin embargo una domesticación por la sociedad civilizada. Esto puede explicar la actitud de derrota, escepticismo, falta de fe y distanciamiento que hay en el conquistador madrileño. Como hombre, Pío Cid es un animal que se mide a sí mismo y ciertamente no parece muy satisfecho de su propia valoración. De ahí el derrotismo injustificado, la falta de fe en la posibilidad de un estado amoroso debidamente compartido. Sin embargo, por dentro está la supervaloración del ego, incapaz de funcionar adecuadamente a nivel inmediato. Todos sus «trabajos» acaban por resultarle inútiles, vacíos, sin mucho sentido: unas amazonas de las que no se puede liberar, una mujer caida que se levanta para volver a caer, una enferma de frivolidad a quien impulsa al adulterio, un maquiavelismo lírico y una propuesta de renovación cívica que ni siquiera intenta poner en práctica. Y al final, se destroza en el titánico ritual de esculpirse a sí mismo.

La obsesión del «Varón Sagrado», que va de la épica del Cid a las gestas de alcoba de don Juan, permea la conciencia del 98, como si se presintiera el contrapunto del siglo XX entre esta concepción tradicional y el resurgimiento de una nueva masculinidad (en lenguaje que le pido prestado a Juan Carlos Kreimer). Esto explica la obsesión por ser «nada menos que todo un hombre» y la descaracterización del hombre de acción en la geografía pública y en la privada. Ganivet y su obra representan la encarnación del gran misterio: el eterno masculino, esa criatura sin brújula, ese gran desconocido. En Ganivet palpita el conflicto de un hombre que se aferra a los postulados más estrictos del machismo ibérico, y otro que cruza el estrecho de Gibraltar, de un lado, para inventarse su aventura africana, y escala los Pirineos del otro para recibir el choque cultural escandinavo. Entre una cosa y la otra no sabe como conciliar lo irreconciliable. «Durante largos años me imaginé que la mujer era un misterio absoluto. Hoy es a mí mismo, en cuanto hombre, a quien no consigo comprender... Creo que puedo llegar a comprender para qué sirve una mujer, pero un hombre, finalmente, ¿para qué puede servir? ¿Qué significa: soy un hombre?» (Philippe Djian, cita de Badinter, 20). Quizás sea este uno de las grandes interrogantes del texto ganivetiano, que termina con la rúbrica suicida de su biografía. Quizás por ello las contradicciones entre la adoración mariana y el rechazo monogámico, con un propuesta poligámica como reafirmación de la masculinidad.

Esta percepción «ideológica», no siempre se cumplirá a plenitud, y mujeres habrá que se le escapan de la mano: la propia Martina, la duquesa de Almadura y en particular Cecilia. En la vida real todo parece indicar que ni el arquetipo hispanocubano, Amelia, ni el nórdico, Mascha, son modelos de pasividad mariana. Como señala González Alcantud: "Lo prosaico y la excepcionalidad encarnados por unos tipos de mujer bien diferentes antropológicamente" ("Nudo biográfico..." 108). En su concepción ideológica la pasividad es el canon, pero la vida es otra cosa.

Trilogía de la conducta femenina

Virginidad, maternidad y voluntad son los términos que, de forma significativa, dominan la introducción del *Idearium español*. Con su percepción de la Virgen como representación de lo español es evidente que Ganivet está poniendo el dedo en la llaga de un conflicto nacional asociado con la sexualidad. Esta mujer concebida sin pecado y que concibe sin pecar, está más allá de las apetencias de eros. La obsesión por la virginidad trasciende los límites de la relación entre los sexos como sistema de valoración masculina, y se convierte en un caso de identidad nacional. Esta existencialidad mariana es pasiva, basada en la concepción idílico-masculina de la virginidad como arquetipo, imagen que ha dominado la cultura española desde la Edad Media hasta el siglo XX, aunque ya para el siglo XX sea otra cosa; y resulta obsoleta. No obstante ello, nos ubica en una trayectoria cultural. Porque si bien la estructura de poder es patriarcal, una identidad subyacente matriarcal juega un papel de indiscutible importancia en la configuración de la identidad nacional. No es de extrañar pues que la misma quede asociada con el arquetipo mariano, que es virginal de modo absoluto, total, libre de cualquier mancha por minúscula que sea de principio (su Inmaculada Concepción) a fin. Para Ganivet, aun en el caso en que la correlación virginidad—física virginidad-espiritual no se mantuviera íntegra en todos los momentos, la ausencia de voluntad de parte de la mujer la mantiene espiritualmente virgen y ajena al resultado del acto sexual. La virginidad es arquetipo de la existencia que se extendía a la nacionalidad.

La complejidad del conflicto se pone de manifiesto porque no lo pierde de vista al pisar el territorio pagano y poligámico de su invención africana, buscando en ello todo tipo de reajuste. Tampoco en su aventura finlandesa: dos polos térmicos opuestos entre el calor y el frío, entre Cuba y Finlandia. Toda una intríncada madeja de las relaciones de los sexos está presente en su obra y sería superfluo simplificarla como una manifestación del machismo hispánico, aunque sería también superfluo desconocer esta dimensión del caso. Guiado por un determinismo machista, el reduccionismo feminista contemporáneo es un determinismo interpretativo que funciona por oposición; una lucha de poder de los sexos en la que está en juego la supervivencia del más fuerte.

La maternidad es para el granadino la razón de ser de la mujer (como seguramente de Unamuno) y esta opinión se reitera en muchas de sus páginas. «Una mujer deformada por el exceso de maternidad es más bella que un marimacho... La belleza de la mujer está en su aptitud para vivir como mujer, y en la obra que realiza como mujer» (*Cartas finlandesas,* 750). «A la mujer iba aneja la idea de la fecundidad, de la que el hombre desgraciadamente carece» (*La conquista del reino de Maya*, 528). Es decir, «el instinto maternal es la razón de ser de la mujer, finalidad específica: el hombre crea y destruye, la mujer asegura la continuidad del combate entre creación y destrucción, entre vida y muerte» (García Lorca, 193). Aunque no se trata necesariamente de una cuestión de supremacía, a menos que la función destructiva (masculina según el texto) sea considerada más válida que la constructiva, a cargo de la mujer; lo cierto es que adopta en este sentido el canon católico más tradicional. Este pasado de la cultura hispanoerótica pesa sobre él. De un lado lo restringe. De otro lo desata. Será interesante observar como el punto de vista lo llevará a contradicciones y el sexo opuesto le hará una que otra.

Las dificultades personales de Ganivet en torno a la mujer son diversas y se ponen de manifiesto en toda su obra, inclusive a niveles lingüísticos, como expongo en mi libro *La distorsión sexo-lingüística en Ángel Ganivet.* Me preceden y me siguen muchos analistas de su vida, que es fascinante, y de su obra, con sus complejidades sexuales (sicológicas y fisiológicas). González-Alcantud lo sintetiza de este modo: "Ganivet se suicida por un conjunto de circunstancias; las relaciones maritales no oficializadas con Amelia Roldán, de la cual tuvo dos hijos –uno de ellos, la niña, fallecida a los pocos meses de nacer– el avance inexorable de la sífilis; y finalmente el enamoramiento de Mascha Djakosky, la bellísima profesora de sueco. Estas circunstancias fueron suficientes y determinantes para el suicidio. Se han querido ver rasgos de enajenación mental a consecuencia del avanzado estado de la sífilis en los últmos meses, idea que no compartimos, a menos que identifiquemos estado depresivo con enajenación mental. Sea como fuese, Ganivet se suicida en un acto dramático y teatral arrojándose al Dvina mientras Amelia Roldán entra en Riga, a su encuentro, demandando la reconciliación" (González Alcantud 98-99). También observa que "El cultivo viril de la amistad aparece como una suerte de contrapeso de sus nunca fáciles relaciones femeninas. Preconiza a lo largo del tiempo Ganivet una comunión espiritual en suerte de marculinidad de los iguales" (108) Para más detalles sobre mis puntos de vista, consultar *La distorsión sexo-lingüística de Angel Ganivet*. Las complejidades de su relación con la mujer y su interpretación del sexo opuesto, no puede ni debe reducirse a una evidente misoginia que se desprende de muchos de sus textos, porque hay otros que lo contadicen. No se nos oculta tampoco que el tiempo no pasa en vano y que las circunstancias de la mujer y la interpretación de las mismas han cambiado pero muchas de estas conceptualizaciones y las relaciones de los sexos siguen en pie.

Masculino-femenino: algunas consideraciones sobre La conquista del Reino de Maya

El héroe de la es un conquistador español, un hombre con minúscula que apunta hacia la hipérbole de su identidad. Hombre sobre el que pesa el hecho de existir como decisión que lo confirme. Esa existencialidad masculina es el resultado de encontrarse frente al acto, dispuesto a ejecutarlo o no. El conquistador español no es un exiliado de la existencia, como un personaje de Camus, sino que se sumerge en ella y da lugar a la acción, aunque desconocemos para qué. No sabemos a ciencia cierta la diferencia fundamental entre los actos iniciales y finales de «la conquista». Pero la inutilidad del acto no excluye el hecho fundamental: la ejecución del mismo. Existir es eso: ejecutar actos que no conducen a ninguna parte, que en última instancia carecen de significado. De ahí que en el conquistador la angustia sea breve y quede resuelta por la acción y que para evadir dicha angustia una acción suceda a la otra y produzca, si es que produce algo, la conquista. Mientras dura la conquista se evade la angustia y surge la epopeya. Y es por eso que la epopeya siempre se mueve en el vacío y encanta a las multitudes. Se reafirma en la nada eliminando la ansiedad, funcionando como sedante. No tiene profundidad, carece de dimensión. Es plana como el Cid. Se escucha, pero sólo produce emociones de superficie. Pero en el mismo vacío está la tragedia del conquistador, condenado al acto. Es un hombre libre que se extingue en la libertad ilusoria de la acción.

Estableciendo así que la historia es inestable e inútil, aniquilando la funcionalidad del acto (hecho masculino), queda el hombre con toda su actividad, reducido a la impotencia, como si nunca pudiera llegar a nada. El hombre de acción, que es el agente propulsor de la conquista, se cree capaz de ejercer su voluntad, de dar lugar al acto; pero a medida que se recrea en él y hace historia, se da cuenta de la inutilidad de ambos, el acto y la historia, y al final de la obra el conquistador no ha llegado a nada. Esta realización de la inutilidad ultima de la acción, lleva a la alienación: «Cuando Pío Cid se harta de su reino y comprueba a través del desengaño la imposibilidad de hacer felices a los seres humanos por medios políticos —y la paradoja del progreso— huye de su obra y del teatro de sus funciones» (Espina 95). Ganivet esta trabajando con anterioridad a los otros escritores del 98 con el sentimiento de fracaso de la conquista y colonización, decisión, angustia y alienación, dando los primeros pasos de avance respecto a la concepción existencialista en el texto literario hispánico. La dicotomía entre el escritor como arquetipo del hombre pasivo, se pone de manifiesto en la creación del «otro», que es lo que no se es, el conquistador, el hombre de acción.

La mujer en *La conquista del reino de Maya,* es la que sabe, la que está en el secreto de la existencia aunque quizás no se haga explícito. Ella tiene la verdadera sabiduría, que acabará convirtiéndola en la enemiga. Conoce, sin actuar, el secreto de lo absoluto y deja en manos del hombre la inutilidad del acto voluntario. Se trata, quizás, como mencionamos en alguna parte, de una especie de conocimiento prehistórico fundamental, el subconsciente de la intuición femenina al que tanto le teme el protagonista. La fuerza activa masculina lleva a efecto los hechos significativos de la Historia: guerras, revoluciones, muertos. Son los organizadores de la matanza. Pero la mujer, a quien no vemos, permanece latente más allá de la acción exteriorizada. La permanencia de la acción y su fijación en lo histórico está a cargo de ella. Su pasividad es lo que le da su fuerza dentro de la Historia. Esta no actuante criatura que deja hacer, sirve para estabilizar la voluntad masculina, jugando ahora un papel, que aunque sea dependiente, es mucho más significativo. Esencial, a su vez, para que el papel del hombre tenga sentido. La obra de Ganivet está formada por esa lucha de fuerzas y de algún modo él lo sabía o intuía muy bien. Se va formando así el universo de la sexualidad ganivetiana.

Dentro del plan narrativo, hay que tener en cuenta que Ganivet inventa, un reino, su propio territorio, donde él se pone a la cabeza. George E. Osborne ha hecho referencia a la influencia que ejercen los textos de Henry M. Stanley sobre sus aventuras en el continente africano. De esta manera, si bien el texto mira hacia atrás, como ha señalado la crítica estableciendo nexos con el colonialismo europeo de la época, no hay que ignorar invenciones seudocientíficas, anticipos lúdicos de postmodernidad que se acercan a una ciencia-ficción obsesionada por la procreación y la sexualidad.

Todas estas aproximaciones de Ganivet tienen momentos de verdadera locura, lo que hace que la novela rompa el molde dentro del marco de la novela española y en nada se parece a lo que estaban haciendo los escritores realistas ni tampoco a lo que escribían los del 98. En realidad se trataba de una ficcionalización postmoderna de la gesta histórica española que se asimila narrativamente de un modo inusitado, inclusive en la estructura total, que no podía entenderse, quizás como una vuelta a la reconquista mediante una ciencia-ficción híbrida que no había cobrado forma. A partir del presente que vivía, interpreta el pasado y anticipa el futuro.

Física y metafísica de la sexualidad

Esto nos reinserta en el punto inicial de este capítulo: el fundamento místico de la concepción del mundo del escritor granadino, el dogma de la Inmaculada Concepción como explicación trascendente basada en un elemento estrechamente unido a las tradiciones hispánicas. Es indiscutible que *La conquista del reino de Maya* es un libro fuera de serie en la literatura española porque no creo que se parezca a ninguno. Está vinculado a dos extremos del péndulo cultural español: de un lado la mujer, en su concepción idílica que nos remonta a la Virgen María y del otro el conquistador español, el hombre de acción, que manifiesta su fuerza viril mediante la procreación a niveles de conquista y colonización. Si tiene un vínculo, habría que irlo a buscar en las crónicas de la conquista y por extensión a textos de otras literarturas. Pero detrás de esta metafísica está también el hombre de carne y hueso dentro del espacio de su propio sexo.

Los oscuros laberintos de la erótica ganivetiana en su relación con la mujer ofrecen incalculables y oscuras perspectivas, en un péndulo que va de la Inmaculada Concepción a la poligamia del harén Maya. Mito pagano y dogma cristiano quedan sincréticamente entrelazados. Es un contrapunto de la masculinidad que va de un extremo al otro, de la única mujer (monogamia virginal), o la mujer única; de todas las mujeres (poligamia prostibularia), a la mujer colectiva identificada con un sexo de servicio público, como si estuviera buscando lo mejor de los dos mundos, un sincretismo erótico entre la idealización del marianismo cristiano y la sensualidad del harén africano-musulmán.

"No es posible exponer ahora, con fundamento suficiente, las motivaciones de que procede la conducta ambivalente de Ángel Ganivet frente a la mujer. A regañadientes no queda más remedio que apuntar hacia el autor de vez en cuando. Contiene en su "Epistolario" una declaración de cómo su ambivalencia ante la mujer (atracción-repulsión) llega a perturbar la relación y comunicación heterosexual, hasta el punto de traducirse bien en una impotencia real, bien en su forma disfrazada de impotencia (huida 'en el momento álgido') según sus palabras" (Castilla del Pino 5)

En conclusión, la mujer es una matriz pasiva que se hace depositaria de la voluntad del hombre, algunas veces de la voluntad de Dios, destinada a la estabilización de los hechos históricos. ¿Qué hubiera sido del cristianismo si la Virgen hubiera sido capaz de la libre elección? Ella, la Virgen, aparece inmóvil frente al acto; mientras Él, el Espíritu Santo, lo ejecuta, hombre y conquistador divino, creador de historia. La virginidad de la mujer es inalterable, ya que se trata de una virginidad dentro del espíritu que no la hace responsable de lo que está pasando. Al inventar su propio universo, incluyendo sus inverosímiles conclusiones y fantasías biológicas, Pío Cid se toma todo tipo de libertades, pero mantiene dentro del contexto poligámico principios paralelos. Esta suprema invención del «Varón Sagrado» es la contrapartida femenina que crea Ganivet frente a ese «eje diamantino» de la nacionalidad. Ambas, las mujeres mayas de Ganivet y la Inmaculada Concepción del cristianismo, explican su tragedia mediante su involuntaria función histórico—femenina que las hace objeto del hombre, del Hombre y de Dios. Sumido en el «eterno masculino», tan complejo y tan difícil de apresar, entre paganía y cristianismo, el autor y el personaje se ven atrapados en un verdadero callejón sin salida, tratando de reconciliar lo irreconciliable.

Como ya sabemos, el cristianismo, y en particular el catolicismo, resuelve el problema en términos muy convenientes. La violación del Espíritu Santo, que impone su voluntad de ser sobre la virginidad femenina, tiene lugar con la conveniente solución de no haber tenido lugar, e inclusive la maternidad no causa el menor problema, al decir que lo que pasó no pasó y que más allá de todo lo que pueda decirse, la Virgen sigue siéndolo después del parto. El ideario católico formativo del escritor se sustenta así sobre la primera violación de la integridad física de la mujer, resolviendo el caso casi celestinescamente, cosiendo el descosido. En el fondo, no hay teología que valga ni Concilio de Trento que lo invalide.

Aunque Ganivet se mantiene parcialmente fiel en su identificación con el canon, no deja de ser enfático en el reconocimiento del estupro: acto que tiene lugar en contra del libre albedrío femenino. La Inmaculada Concepción se mantiene intocable desde la concepción de sí misma a la concepción del hijo. Todo esto podría considerarse una variante de la solución de lo insoluble, pero por otra parte podría verse como una defensa a la inviolabilidad de la mujer, que no es responsable del libre albredrío masculino.

EL VUELO DEL PSÍCOPE

A mí me gusta representarme a Ángel Ganivet en una película en blanco y negro, no en Granada, sino sepultado primero en el fondo del Báltico, en ese auto-destierro de tundra de agua, llevado por las corrientes del Dwina, con la cabeza inmensa de un buzo que no sabe nadar, vuelto psícope ya, petrificado, crustáceo gigantesco que está allí protegiendo la caverna de sí mismo, su cámara negra, su oscuro total, volando hacia lo alto cien años después, hacia el nuevo milenio, chamán que nunca envejece y desaparece, en las alas de un hipopótamo fantástico en que ha resucitado.

A pesar de otras discrepancias, existe un común acuerdo entre la crítica al considerar la gravedad del estado mental en que se encontraba Ganivet en los últimos meses de su vida.

"La perturbación mental que caracterizó los últimos días de Ganivet, así como la manía de ser perseguido por un inglés con el significativo nombre de Mr. Powers y el infausto suicidio que puso fin a su vida en las aguas del Dwina, poseen un componente trágico de obsesión e irracionabilidad que bien pudiera interpretarse como una alegoría de su pensamiento. Pero el discurso ilógico ofrece una variedad infinita de posibilidades, por lo que su materialización en términos concretos seguramente responda a motivos específicos: la locura, la pasión y la arbitrariedad no son rótulos que se agoten en sí mismos sino que demandan la necesidad de una explicación que los justifique" (Tordecilla 363)

Efectivamente, la "locura" y sus variantes no son "rótulos que se agoten en sí mismos; sin embargo, por su propia condición e infinita posibilidad de opciones hacen muy difícil la explicación. No faltan en Ganivet textos alucinados unidos a un especial sentido del humor que no excluye lo grotesco, haciendo que el lector se encuentre con frecuencia en el más profundo desconcierto. Un escritor cuya razón de ser gira alrededor de los trabajos de un "infatigable creador" y de "un escultor de su alma" y que, por otra parte, considera la creación como "eyección" fisiológica, ciertamente pone a la crítica en una posición difícil. No obstante ello, el desequilibrio mental en Ganivet se puede explicar de una manera elemental si nos sostenemos en el concepto ganivetiano de que en todos los grandes personajes hay un destello de "locura". Si quería que Pio Cid se codeara con Hamlet y don Quijote, tenía que ponerle el sello de la demencia, e irse él mismo a vivir en la comuna de los enajenados, como hace prácticamente al volverse "el escultor de su alma".

La imposibilidad de trazar una exacta línea divisoria entre ficción y autobiografía, crea una división entre los ganivetianos, unos aferrador a la biografía y otros, ciertamente los menos, al texto. Hay que reconocer sin embargo que el propio Ganivet deja pruebas textuales de esta división de fronteras y trabaja constantemente con ellas. Recuérdese que tanto las inserciones líricas como las narrativas le sirven para darle al relato una mayor dimensión y establecer un nuevo concepto de la realidad y la ficción. "En la obra de Ganivet desaparece la frontera entre lo real y lo imaginario, el arte y la vida, el sujeto y el objeto" (255), nos dice Santiáñez-Tió. Entre la locura y el desequilibrio, agregamos nosotros. La complejidad y modernidad narrativa se pone de manifiesto en la multiplicidad de puntos de vista, lo que deja la puerta abierta a la interpretación polivalente del texto. Consciente del caso, el narrador juega con estas opciones.

"La revolución que en nuestro tiempo se produce en el arte y en la crítica de la novela, nace en el momento mismo en que el lector, a imagen y semejanza del que escucha una llamada telefónica, pregunta "¿quién habla…?" […] Una historia o una aventura cualquiera puede sernos trasmitida por el que la ha vivido, el que la ha escuchado de otros o quien la ha inventado. La variedad del punto de vista se complica todavía más si tenemos en cuenta que el narrador puede contar con una narración documental fabuladora, en forma de alegato, carta o memoria: epistolario, testamento, diario íntimo o historia maravillosa, todo queda envuelto en la cubierta que lleva el mismo rótulo de novela" (Tacca, 22-23).

Oscar Tacca hace una apretada síntesis de las posibilidades de voces narrativas en la novela moderna y no es difícil reconocer que las dos novelas de Ganivet están abiertas a que nos preguntemos constantemente, ¿quién habla?; es decir, ¿quién cuenta? Ganivet parece tener una "conciencia protagónica" (Tacca, 25), y el narrador puede valerse de la óptica de una mirada" (Tacca, 25) para hacerla suya y darle un perspectivismo múltiple, que sirve para que el autor se encumbre a diversos niveles. La diferencia entre la novela moderna y la realista tradicional consiste precisamente en ello. Esta última simplifica, pero la moderna, a la cual pertenece Ganivet, busca múltiples registros, polifonías y enmascaramientos.

A estas observaciones textuales y estructurales hay que unir las que sugiere una personalidad complicada como la de Ganivet y una corresponde con la otra. La aplicación del análisis de la conducta esquizofrénica a la interpretación del texto, nos parece propuesta válida tratándose de tan complicada madeja. Deja la puerta abierta para hacer una serie de interpretaciones sobre la conducta de los personajes, que muchas veces manifiestan en cuantía suficiente rasgos de tipo esquizofrénico, que los caracterizan con un profundo estado de desequilibrio que refleja al narrador. El chamanismo, el héroe mítico y la conducta esquizoide, y en caso extremo la esquizofrenia, conviven en los textos ganivetianos.

El vuelo del psícope

Guayana Jurkevich ha observado que la presencia de la sicología del siglo XIX en el pensamiento de Ganivet y Unamuno es indiscutible aunque ha sido extensamente ignorada por la crítica. Particularmente en el caso de Ganivet y su deseo de curar "the illness of their country through the application of practices developed in the field of individual psychology" (188), ha sido pasada por alto. No en mi caso, sin embargo. Aunque bien es cierto que no ha sido esta una orientación general de la crítica, hecho sorprendente debido al minucioso análisis a que han sido sometidos los textos de Ganivet, a las referencias explícitas del escritor respecto a la importancia de la sicología y sus propias preocupaciones por los estados sicológicos, desde que escribí mi ensayo sobre *Cartas finlandesas* en 1976, siempre me interesó la dimensión literario-sicológica de la escritura ganivetiana, particularmente en mis dos "trabajos" publicados en 1989 y 1990, que seguramente no fueron consultados por Jurkevich. Aunque observa que le preparación de Ganivet en sicología carece de la profundidad y complejidad de Unamuno (190), no comparto el punto de vista, como he dado a conocer reiteradamente en mis aproximaciones, donde el tratamiento psicoanalítico y hasta la tortura a la que somete a sus personajes indican otra cosa.

A Ganivet me unen razones muy personales afincadas en nuestra condición de desterrados. De un lado, mi obligada condición de desterrado apremiado por las condiciones histórica y políticas que viví en Cuba, que me forzaron a un destierro obligatorio y al mismo tiempo voluntario, y las de Ganivet en su contexto, con cierto grado de libre elección y otro de circunstancias forzosas que lo llevaron a aceptar una posición consular en un país tan alejado como Finlandia. En ambos casos representó una situación intelectual alienatoria, como en el mío, que me llevó al destierro hawaiano, donde viví más de tres décadas, que me puso en negativas condiciones pragmáticas.

Sin embargo, hay que reconocer que con unos personajes que sufren obvios desajustes de la personalidad, productos de un escritor que reconoce sus propios desarreglos (graves síntomas de abulia, falta de concentración de la memoria, desarreglos de la atención y la percepción, dados a conocer explícitamente en sus cartas, etc.), que termina su vida suicidándose, es realmente sorprendente que no se le haya dado mayor énfasis al componente sicológico, que puede a su vez correlacionarse con los elementos míticos de la gesta heroica a la que están sometidos Pío Cid y Pedro Mártir, considerados reflejos del propio Ganivet. Su propia trayectoria geográfica es un esquema inaudito de un escritor español (medularmente español), que traza un semicírculo elíptico único que lo lleva de un lado a otro, del calor al frío, en busca del todo.

```
                    MADRID
                   /      \
       AFRICA ────── GRANADA ────── FINLANDIA
```

DESTIERRO   ALIENACIÓN   LOCURA

En las "declaraciones" con las que cierra Ganivet su vida y su obra, hay comentarios muy significativos. Por si esto fuera poco, a Ganivet sólo le quedaba sellarse a sí mismo en su propio manicomio con el testamento literario que le dirige a su hijo vía Francisco Navarro y Ledesma (Riga, 15/27, noviembre, 1898) que constituye la mejor y más importante evidencia.

Hay que considerar además que los más importantes escritores españoles del siglo XIX (Alarcón, Pereda, *Clarín,* Galdós, Pardo Bazán, Bécquer, Zorrilla, Hartzenbush, Unamuno, Machado, *Azorín*) son escritores "nacionales", bien ubicaditos, con ocasionales escapatorias, a veces diplomáticas (Valera), extravagantes (Valle Inclán), turísticas (Baroja), que siempre vuelven, a lo sumo foráneamente pragmáticos (Blasco Ibáñez) aferrados al terruño. Ganivet no deja de estar intensamente aferrado al terruño, pero cuando se va lo hace de una manera muy especial, intensamente sicológica, que refleja un desajuste.

CINE

A mí me gusta representarme a Ángel Ganivet en una película en blanco y negro, escribiendo siempre desde Helsingsfors, caminando primero por el pasadizo nevado del Brunsparken, con gabán negro, y después encerrado en el despacho del consulado, firmando documentos, llenando cuartillas, emborronando, tachando, escribiendo, volviendo a escribir, textos y más textos que se acumulan, páginas y páginas que ruedan por el piso y cubren las paredes y lo sepultan, recuerdos y olvidos, tertulias, un coro de amistades femeninas, visita a museos y galerías, coloquios amistosos con Hanna Ronnberg, imágenes difusas, su propia madre en un huerto granadino, los torreones del Alhambra, sus hermanas, Amelia Roldán y su hijo Ángel Tristán en un barco ruso que se aleja por el Báltico, mientras él empaqueta papeles, libros, documentos, fotografías, poemas, una fotografía que se le escapa de entre los dedos, el perfil distante de Mascha Djakoffski, y "en una desolada carta a Navarro Ledesma le confiesa que está triste, endemoniado, aburrido –son sus palabras— hastiado, malhumorado, melancólico, abrumado, entontecido…" (Gallego Morell, 162). Después, ya en Riga, caminando de un lado para otro, hablando en sueco, ruso, alemán, sobre todo alemán, la memoria del Brunsparken en la casa de las calles de las Palomas que alquila en Hagemberg. "El río es soberbio, el Dwina, y se tarda una hora en llegar al mar desde el Dwina… Vivo en mi nueva casa, cerca del Dwina, en Hagemberg, que es el lado más pintoresco y silencioso de la ciudad…" (Gallego Morell, 164). Cartas, cuartillas, libros, títulos, cometarios, todos en primeros planos, como en las películas en blanco y negro, ya con la pátina del tiempo, donde las fechas y las manos del escritor que escribe cuartillas y cuartillas se suceden, se disuelven y reaparecen con borrones de tinta, cuartillas en blanco que se llenan después, en una escritura que no se agota jamás, apresurada como si el tiempo le fuera a faltar, una palabra más, una letra más, escribiendo, escribiéndose a sí mismo. "Por primera vez Ganivet es un nombre que va a circular internacionalmente, que va a ser traducido, que va a estrenar y que se encuentra en plena elaboración de su obra. Y sin embargo, todo esto no es más que un rayo de luz en medio de las tinieblas: diecinueve días más tarde Ganivet se había suicidado" (Gallego Morell, 169). No tiene sentido. Amelia y Mascha, "la cubana" y "la rusa", "ambas de reconocida belleza, pero también consideradas como casquivanas, inconstantes, generosas en otorgar sus favores, y responsables en parte de la muerte del desgraciado escritor. En realidad ninguna investigación hasta ahora ha conseguido desentrañar esas vidas…" (Díaz de Alda, "Finlandia y las Cartas finlandesas", 95). "La primera era de origen cubano y poseía una belleza morena; la segunda constituía una encarnación del modelo nórdico…" (González Alcantud, "Nudo biográfico y escritura compulsiva", 107); "lo prosaico y la rutina", una de ellas; "la inteligencia y la espiritualidad", la otra (Díaz de Alda, "Mascha Diakovsky: un retrato", 27). Mientras Amelia cruza "otra vez Europa con un niño de la mano camino de este amor difícil y para ella indescifrable y misterioso […] soñando con recortarle la Barba e intentar reducirle el número de tabacos habanos que Ángel se fuma cada día […] mujer de alcoba que ya comienza a preocuparse de los asuntos domésticos…" (Gallego Morell, 170) Lo que sucedió en esos diecinueve días, en esencia, no podemos saberlo: sólo podemos imaginarlo con algunos datos que suple la realidad. Toda la tensión de una película de *suspense*, de un *thriller* en blanco y negro o apenas sin color, sepia tal vez, unas ramas oscuras sobre un paisaje nevado, un globo negro entre nubes, el cerebro del escritor, conduce a un final no tan inesperado, se acrecientan las tomas de acción en Riga, superpuestas con escenas de Amelia Roldán en España, e imágenes retrospectivas en Granada, Amberes y Helsingfors, incidentes que ocurrieron aquí y allá, tomas vertiginosas de la cámara, mujeres bien vestidas, con peinados elaborados, sombrillas, cortinas, salones íntimos; aventuras amorosas de Ángel Ganivet en Madrid entre 1888 y 1892, prostíbulos madrileños en los cuales se proyectan fantasías poligámicas africanas dentro de una fantasía de sífilis y blenorragia, amores fáciles y casas de huéspedes, lujurias, pruebas de virilidad, logros y fracasos, secuencias recurrentes entre la ficción y la realidad, luces, nebulosas, aquella estupenda flamenca de Amberes, Mercedes en el tren de Granada a Madrid, aquella mujer caída que no llega a tocar, ayuno y abstinencia de carne que no comerás, una impotencia ascética que se reitera en el momento álgido, aquel cerebro gigantesco del que pende un rabillo de serpiente, embrión de psícope que garabatea en la "declaración", ese testamento del hombre al que le falta un tornillo y los tiene todos a la vez, aquella cabeza, aquella barba a veces bien cortada y otras veces mal, descuidada, aquella cámara negra a punto de explotar, de reventarse, de que le mutilen el rabo por una caída en la infancia, aquel cordón umbilical granadino, la madre, y tal vez la escena del segundo entierro de Natalia Ganivet. No sabemos exactamente lo que recuerda y lo que olvida, lo que pasa y deja de pasar. Amelia viaja de Barcelona a Madrid, camina por la calle del Arenal, sube al piso junto al Hotel de Oriente en contubernios con los cantantes del Teatro Real, en comelatas con el tenor Angelotti, variante de Ángel, como si lo estuviera escribiendo *Clarín*. Pero, ¿qué obligación tenía ella con aquel Ángel que se había ido para Riga, que ni siquiera se había casado con ella, en posible devaneo con la hermana del Barón van Bruck? ¿Devaneos? La carta anónima que recibe Ángel, Amalia con mantilla española y el retrato que cae al piso se convierten en flashback. "Belle princesse aux chevauz d'or". Mascha en Montreux como un daguerrotipo, cartas 20-VII-96. 5-VIII-96: II-VIII-96... palabras, palabras, olvidos y recuerdos, posando para Albert Edelfet, días en París, fotos en Berlín, Mascha en San Petersburgo, su retrato en las galerías del Hermitage, álbumes, fotos, notas y más notas, "pero sólo una foto de Ganivet, la que el escritor se hizo en el estudio de Daniel Nyblin" (Díaz de Alda, 37), trocitos de papel, garabatos que apenas se pueden descifrar. "Ángel Ganivet ha conocido aventuras fáciles en Madrid y en Bélgica: por primera vez una mujer extraordinariamente bella no conoce la pasión ni la prisa, por primera vez el huracán y el fuego chocan con la razón, la inteligencia y la frialdad: es entonces cuando Ganivet saborea por única vez el amor y el hombre ruge dentro de una jaula" (Gallego Morell, 133). Corte rápido a Amelia que decide partir y Angelotti que trata de retenerla. Sobre todo, "la joven rubia de ojos increíblemente bellos, largo cuello de cisne y cabellera enloquecedora, iba a provocar celos de pantera en Amelia Roldán, iba a introducir el infierno en el hogar del escritor..." (Gallego Morell, 133). Amelia quisiera romper el recuerdo y hacerlo pedacitos, tirarlos después por la ventanilla del tren, y arrastra a Ángel Tristán por el brazo camino de Riga, ese endemoniado lugar a donde Ángel ha ido a parar. Después, se tranquiliza. Ya lo declarará el amante arrepentido en la cláusula novena de su testamento. "He tenido varios amoríos y un amor más noble a Amelia, a la que he dado muy malos ratos con mis necedades" (323). Entonces, la prueba es que era ella a la que amaba en realidad… Pero a la otra, ¿qué podría importarle? A las tomas de Amelia y Ángel Tristán en estaciones y trenes que los acercan a Riga, se oponen las de Ganivet tomando día a día los vaporcitos que van de la ciudad a las oficinas del consulado. Una y otra vez se repiten las secuencias. Ángel lee un telegrama que le envían sus hermanas: "Sabemos que estás enfermo telegrafíanos", y una carta en la que Amelia le dice que llegará a Riga el 29 de noviembre y que no crea las calumnias que le cuentan. Amelia en el tren y Ángel sin poder dormir, perseguido por el insomnio, las pesadillas, las noches de interminable desasosiego, la angustia de una cabeza que no deja de pensar, los planes de una escritura que no llegará a hacerse realidad, la soledad, el aislamiento, deprimido… Es fácil verlo… Como si yo estuviera aquí para que lo escriba… Amelia espera en los andenes, ansiosa, cada día más cerca, él más distante, tomando aquel vaporeto que lo aleja, caminando por las calles de aquella ciudad donde todo oscurece más temprano, entre la lluvia y la niebla, mirando para atrás una y otra vez, en busca de ese hombre que lo persigue, ese Mr. Powers que no le pierde pie ni pisada, que los otros no ven, pura toma paranoica; agitación, descuidos en el trabajo, noches en vela y mañanas caminando por toda Riga desde el amanecer a la medianoche, con la barba descuidada porque no tiene quién se la recorte (Saldaña 82-83). Amelia a punto de llegar, cada día más cerca, un viaje largo, incómodo, cuidando al niño para que se encuentre con el padre. Él ido como quien no está, con una conducta extraña, irracional. El Barón von Bruck aconsejándole, diciéndole que no puede seguir así, que tiene que ver un especialista en enfermedades nerviosas, que el Dr. Ottomarvon Hacken es lo mejor que hay en Riga, y la hermana de von Bruck, que sí, que tiene usted que ir, y va, para tomar después día a día el vaporeto, con su cabeza cada día más grande, más oscura, más cerebral, repitiendo ahora "parálisis general progresiva", von Hacken recomendando que debe ser encerrado, de inmediato, en un manicomio, loco. "Se han querido ver rasgos de enajenación mental, ideas que no compartimos, a menos que identifiquemos estados depresivo con enajenación mental" (99), nos dice González-Alcantud en "Nudo biográfico y escritura compulsiva". Mr. Powers que le sigue cayendo atrás, manía persecutoria, el dichoso diagnóstico que no le sirvió para nada, el embrión del psícope esculpiémdpse a si mismo, las aguas del Dwina, un buzo que no sabe nadar, un salto y ¡Ya! Igana Iguro otra vez como en la conquista del reino de Maya, aquella aventura africana que se congelaba en Finlandia, el hipopótamo alado esperándolo en el fondo del Dwina, el "gran chamán" resucitado, listo para alzar el vuelo y resucitar finalmente en el reino de Maya, donde lo recibirían con los brazos abiertos, su mejor realidad después de todo, todos los amores muertos de aquella galería de la historia y la ficción idos ya, Martina, Amalia, la duquesa de Almadura, Consuelo, Mercedes, aquella flamenca monumental, todas las mujeres caídas de los prostíbulos de Madrid y de todas partes, "amores muertos" poblados de sífilis, blenorragia, mutilaciones, pruebas de la virilidad, muerto ya en el futuro olvido de Mascha (¿Ángel Ganivet? ¿El Cónsul Español? ¿Quién era ese?); pero sobre todo el escultor de su alma, esculpiéndolo cada día con su cincel y martillo, dándole forma a esa carne que no acababa de pretificarse, daga que le entierra para formarlo hasta que que llega el final, 29 de noviembre de 1898, en que "sube como todos los días a los vaporcitos que cada seis minutos recorren el trayecto que separa la ciudad de las oficinas del Consulado de Hagemberg" (Gallego Morel, 175). Pocos pasajeros, frío, ropaje invernal. Amelia Roldán y Ángel Tristan ya descienden del barco y se dirigen a pie al Consulado. La hora esá cerca en la tundra del agua llevado por las corrientes del Dwina, la cabeza inmensa de un buzo que no sabe nadar, crustáceo gigantesco protegiéndose en la cabeza de sí mismo, cámara negra y oscuro total, en vuelo postmoderno hacia un nuevo milenio, chamán que nunca envejece ni desaparece en las alas de un hipopótamo fantástico. "Son las tres de la tarde. De pronto, cuando el vapor se encuentra a la mitad del ancho río, un hombre se arroja al agua. Algunos pasajeros y el personal del vapor logran arrebatarlo con vida todavía de la corriente de agua y, ya en cubierta, aprovechando un instante de descuido, vuelve el suicida a arrojarse al agua, de la que un rato después es extraído el cuerpo muerto de Ángel Ganivet" (Gallego Morell, 175). Una escena que no he podido olvidar nunca. Amelia y Ángel Tristán llegan al consulado y a las diez de la noche reciben la noticia. El psícope ha dado el salto a la posteridad.

OBRAS CONSULTADAS

Espina, Antonio. *Ganivet. El hombre y la obra.* Madrid: Espasa Calpe, 1942.

Ganivet, Ángel. *Obras completas.* Madrid: Aguilar, 1951.

González Alcantud, "Nudo biográfico y escritura compulsiva. Para una lectura antropológica de Ángel Ganivet. *Revista de antropología social,* N. 7, Publicaciones UCM, 1998".

García Lorca, Francisco. *Angel Ganivet, su idea del hombre.* Buenos Aires: Losada, 1952.

Kreimer, Juan Carlos. *El varón sagrado. El surgimiento de la nueva masculinidad.* Argentina: Planeta, 1991.

Montes Huidobro, Matias. *La distorsión sexo-lingüistica en Ángel Ganivet. (Granada: Universidad de Granada, 2001).*

Osborne, Robert E. "Ángel Ganivet and Henry Stanley", *Hispanic Review, Vol. 23,* 1955.

Osborne, Robert E. "Observations on Ganivet' *La conquista del Reino de Maya. Homenaje a Rodriguez Moniño.* Vo. 2

Santiañez-Tió, Nil. *Ángel Ganivet, escritor modernista. Teoría y novela en el fin de siglo españo*l. Madrid: Gredos, 1994.

Satiáñez- Tió, "Hacia una narrativa modernista: Exotismo y estética del grotesco en *La conquista del reino de Maya (1897)"* Hispanic Journal, Vol. 15. N. 1, 1994.

N.° 50 Enero a Marzo de 1973

AZOR

TERCER VUELO

REVISTA LITERARIA Director: **Luys Santa Marina**

Unamuno: LAS PALABRAS...

Don Juan Manuel: el aislamiento frente a la voz

Por Matías MONTES HUIDOBRO

Unamuno ofrece trayectorias novelescas que se acercan, se alejan, se sumergen, se pierden, en la abstracción formada por las palabras.

En San Manuel Bueno, Mártir, la obra maestra de Unamuno en el terreno de la novela, su última novela, su mundo de trayectorias en relación con la palabra humana, persiste y adquiere su mayor dimensión. Si en otras novelas la actitud parece que limita, en San Manuel Bueno, Mártir, la actitud parece que amplía. Y frente a las mismas palabras existen diferentes trayectorias.

Las palabras claves proceden del Evangelio: "¡Dios mío, Dios mío!, ¿por qué me has abandonado?". Se repiten a lo largo de la novela tanto como el "nada menos que todo un hombre" de Alejandro Gómez, pero sin su monotonía martilleante, sin su limitación egocéntrica; por el contrario, con su multiplicidad que se dirige en varias direcciones que a muchos toca. Y en esas y otras palabras evangélicas viven y mueren los personajes de la novela, acercándose a ellas en busca de eternidad, emborrachándose en ellas para perderse en el vacío. La eficacia de las palabras unamunianas está en sus proyecciones, en su multiplicidad, en oposición a la terminología de otras novelas suyas. Por eso aquí acertó mientras en otras novelas no hizo otra cosa que perderse.

La trayectoria de la colectividad ante las palabras del protagonista, toda su actitud frente a ella, resulta bien diferente a la del protagonista mismo. Mientras los primeros van a las palabras y se sumergen, don Manuel no puede hacerlo y queda fuera del juego salvador. Al contrario de Elvira y don Juan Manuel Solórzano en Tulio Montalbán y Julio Macedo, que descubren el engaño de las palabras hacia el final de la novela, la colectividad que aparece en esta novela se lanzan al vacío sumergidos en palabras rituales que la alejan del dolor. La colectividad participa y se sumerge en el rito verbal y don Manuel conduce a su rebaño hacia ellas. Y el Credo se reza colectivamente para así acrecentar la eficacia de su palabra. Por eso don Juan Manuel sólo acepta la palabra oficial de la Iglesia, que es la que ciega y sumerge. "—A eso, ya sabes, lo del Catecismo: eso no me lo preguntéis a mí, que soy ignorante; doctores tiene la Santa Madre Iglesia que os sabrán responder."[2] "—Sí, hay que creer todo lo que cree y enseña creer la Santa Madre Iglesia Católica Apostólica Romana. ¡Y basta!"

En resumen, don Juan Manuel se coloca ante la palabra que él mismo dice, que es repetición de las palabras del Evangelio, y hacia ella dirige a los otros. Éstos rezan y se dejan llevar, salvados. Y de ahí son trasladados al vacío.

El caso máximo de trayectoria hacia la palabra y de inmersión plena dentro de ella, lo ofrece el bobo Blasillo, que se vuelve, de un lado, agente, ya que su constante repetición de las palabras evangélicas ayuda a que la colectividad se sumerja más y más en ellas a medida que las repite; y de otro lado, máximo representante de la fe, ya que él mismo parece estar en las palabras, en plano absoluto de inocencia. Blasillo vive y muere en ellas.

Sin embargo, Blasillo es un personaje demasiado inquietante, uno de los más inquietantes de la novela. Porque él, precisamente, repite las palabras de la duda, y si bien estas palabras pueden ser vehículos de la fe, como ocurre para la colectividad, también resultan expresión de su ausencia. Por eso, aunque sabemos que el mundo de Basilio aparece limitado por la expresión evangélica, no sabemos si en su palabra vive la quietud o la angustia. Recordemos que el llanto y la risa confunden sus fronteras en él. "Y en aquellos momentos era Blasillo el bobo el que con más cuajo lloraba. Porque ya Blasillo lloraba más que reía, y hasta sus risas sonaban a lloros."

¿Cuál es la trayectoria de don Manuel con respecto a las palabras? Hemos hablado de su actitud funcional con respecto a la colectividad. Con respecto a sí mismo, lo encontramos frente a ella, aislado de la palabra, situado ya en el vacío como si ya hubiera recorrido todos los caminos. Don Manuel parece haber llegado desde hace rato a la conclusión final de los Solórzano, pero en lugar de encerrarse inútilmente dentro de sí mismo, como hacen éstos, decide entregarse a la colectividad y librarla del descubrimiento. Su actitud lo conduce a una proyección social que no está presente en los otros. Sumerge a los demás en las palabras, pero no puede sumergirse él. Comprende, al contrario de Tulio Montalbán, que la rebelión es imposible: hay un vacío; solamente las palabras nos ofrecen una coraza protectora. ¿Por qué considerarlas enemigas, entonces, si pueden ser aliadas? Por eso Julia Yáñez, en Nada menos que todo un hombre, que había vivido en las fronteras del vacío, buscaba protección en ellas. La tragedia de don Manuel es que ha visto el vacío, no puede retroceder a las palabras, pues no es un ser instintivo, elemental, y flota fuera de ellas, ya en la esfera de la realidad última. La muerte es tan sólo un accidente para él. Su trayectoria ocurre fuera de las palabras.

Trayectorias desde (los Solórzano), hacia (Julia), dentro de (Alejandro), contra (Tulio), fuera de (don Manuel) las palabras, estación penúltima antes de llegar a la definitiva.

METROPOLIS
EIN FILM VON FRITZ LANG
UFA FILM IM VERLEIH DER

FRANKENSTEIN

¡más imponente que el mismo monstruo!
La NOVIA DE FRANKENSTEIN
KARLOFF
COLIN CLIVE
ELSA LANCHESTER
SUPERPRODUCCIÓN UNIVERSAL
JAMES WHALE

CAPÍTULO II

Postmodernidad fílmica de Unamuno: a partir de *Niebla*

Los vínculos de la narrativa española con el realismo han sido siempre muy fuertes, incluso desde antes de Cervantes y *Don Quijote de la Mancha,* hasta llegar conceptualmente y estilísticamente a *Niebla* (1914) de don Miguel de Unamuno (1864-1936). Vincular esta novela con el cine, que es prácticamente una novela sin imágenes visuales, es una propuesta realmente alucinada, que tengo metida en la cabeza desde hace mucho tiempo, con un análisis adicional relacionado con *Tulio Montalbán y Julio Macedo*, que nos enfrenta a la lucha entre el documento, la realidad y la ficción; la batalla campal de la otredad, representada por *El Otro*, hasta llegar al onanismo eliminatorio de *La novela de don Sandalio jugador de ajedrez, que* nos consume en la nada, la hora cero de la vida. Pero como explica Leonardo DiCaprio en *Inception,* no hay virus más peligroso y difícil de erradicar que una idea en el cerebro. Del dos al uno y del uno al cero, es la gran zambullida en el vacío.

La novela realista sigue una continuidad racional, con las correspondientes alternativas propuestas por el narrador, cuya figura más representativa es Galdós, pero la distancia que hay entre los *Episodios Nacionales* y *Niebla* es un absoluto salto mortal, donde el documento ocupa un primer plano de una naturaleza opuesta, porque hay muchas formas de documentar un documento.

Del realismo al caos

Caos, cine y postmodernidad son términos que marchan de la mano. Situada la postmodernidad hacia la década del cuarenta, coincide este movimiento con el incremento de los medios de comunicación, particularmente el cine, como expresión de nuestro tiempo. Se podría decir, además, que el principio del caos, otra determinante postmoderna, es un prerrequisito de la misma, órbita dentro de la cual nos parece inevitable insertar *Niebla*.

A medida que el cine va madurando intelectualmente, asimila conceptos de desintegración, fragmentación y caos que caracterizan la postmodernidad. Entonces nos damos cuenta que Unamuno estaba trabajando con una concepción que no estaba solamente asociada con el pasado, sino con el futuro, con la forma en que el hombre de hoy percibe la realidad a través de los medios de comunicación contemporáneos, como es el caso del cine. La simple relación con el paraguas en las primeras páginas no es descriptiva porque todos sabemos que un paraguas es "un paraguas", y si no se dice ni más ni menos se anticipa a Magritte y a Focault: "esto es una pipa", "esto es un sombrero", colocándonos lo más distante posible de Galdós o de Blasco Ibáñez. Un zapato es un zapato. Un calcetín es un calcetín. Cada cosa se define por lo que es. Y Unamuno también hace algo de esto.

Niebla es niebla

Las relaciones que tiene la narrativa de Unamuno con el cine, desde el punto de vista más explícito, son pocas, como si la cinematografía no hubiera existido, sin entrar en sus cálculos, o como si nunca hubiera ido a ver una película, limitándose a menciones ocasionales. Para nosotros, *Azorín* es el cinematografista del 98. Mucho antes de que demostrara su interés en el cine como aficionado, el concepto del montaje fílmico se pone claramente de manifiesto en su obra, conjuntamente con el minimalismo impresionista que lo ha caracterizado. Pero la filmicidad *azoriniana* tiende a un cine de época, rico en detalles y sutilezas a lo *The Age of Innocence* (1993) sobre la novela de Edith Wharton, dirigida por Martin Scorsese, con Daniel Day-Lewis y Michelle Pfeiffer en los papeles protagónicos, donde cada detalle cuenta y es tiempo, de un minimalismo exquisito similar al de *Doña Inés* (1925), que creo nunca se ha llevado al cine. Valle Inclán, asociado al expresionismo, estructura *Tirano Banderas* con un proceso distorsionador y una conciencia temporal que es fácilmente identificable con el cine, particularmente con el expresionismo, dado el fuerte impacto visual. Baroja tiene una pupila opuesta, directa y objetiva, que responde a una óptica neorrealista documental, que a veces recuerda el cine italiano de postguerra, y en otras, como *Paradox Rey,* al *"comic"*. Pero en el caso de Unamuno nos encontramos con un vacío fílmico con pocas referencias cinematográficas, aunque se detectan signos de esta naturaleza. Así lo hace en *Niebla* y en *La novela de don Sandalio, jugador de ajedrez,* en la cual, acorde con el tiempo en que le tocó vivir, y por la concepción formal e ideológica de ambas, podrían establecer nexos con el cine mudo en blanco y negro, dada la tonalidad en gris de la narrativa. Sin embargo, entre los autores del 98, es Unamuno el que muestra un mayor distanciamiento de la óptica fílmica; aunque esto se encaminara hacia un cambio radical a medida que el cine se convierta en mítica y mística de nuestro tiempo, rompa la estructura tradicional realista y llegue a la línea ontológica.

Es en este punto cuando la posición del unamunismo da todo un giro y se vuelve precursora indirecta de una nueva cinematograficidad metafísica que discutimos en estos trabajos. Abandonando la peripecia externa, la línea histórica horizontal, el cine, como ya había hecho la novela unamuniana, rompe con la estructura tradicional y llega a la línea ontológica. Mientras el cine mantuvo su fidelidad argumental a un falsificado realismo ilusorio, su posición era equivalente a la de la novela realista del siglo XIX, a la cual llega con un siglo de retraso y cuyo punto culminante es *Lo que el viento se llevó (1939),* la monumental película que dirigiera Victor Fleeming, basada en una novela histórica, romántica y literariamente obsoleta de Margaret Mitchell, publicada en 1936, de trayectoria narrativa lineal y descriptiva. Culmina en este punto una narrativa visual dispuesta a contar una historia (incluyendo aquellas afianzadas en lo histórico) en la cual la ficción y la realidad permanecían en territorios que se respetaban mutuamente en una especie de acuerdo tácito, y que ha sido, en general, la preferencia narrativa de Hollywood. El realismo galdosiano llena de tal modo el siglo XIX, que viene a ser algo así como un *Lo que el viento se llevó,* que tras filmarse, requiere un reconsideración que obligue hacia otros caminos, porque con ella se cerraba una época racional. Al cine le ha pasado algo parecido más o menos, un siglo después que Unamuno estuviera gestando su novela. Con el siglo veintiuno el cine alcanza el *memento mori,* aunque no podemos negar que se fue desarrollando a lo largo del siglo XX. Con *Niebla* pasa algo parecido.

Distanciamientos

Es necesario, antes de seguir adelante, hacer algunas aclaraciones adicionales respecto a la identidad del protagonista, para situarlo en el marco de nuestro punto de vista. En primer término, de no ser por el capítulo XXXI, en el cual tiene lugar el encuentro de Augusto Pérez con el autor, realmente la novela podría simple y llanamente verse como un texto mediocre, particularmente por su pobreza léxica que frecuentemente es penosa, porque es evidente que a Unamuno no le importaba el estilo en lo más mínimo. Sin el mencionado capítulo en lugar de *Niebla*, la *nivola* sería *Nada*. Pero ese capítulo es una marca de fábrica, porque no se había escrito cosa parecida en las letras hispánicas. Aunque ya, sin salir de esos límites, el problema que se le presenta al novelista es Mary Shelley (1797-1851) que se le adelanta un siglo cuando en 1818 publica *Frankenstein* con el subtítulo de *The Modern Prometheus,* como vamos a plantear más adelante; sin las ambiciones desmedidas de Unamuno, empieza en la novela moderna el diálogo entre el Creador y la Criatura, aunque su importancia, entre ellas por haberla escrito una mujer, por mucho tiempo se pasó por alto. En realidad, Shelley y Unamuno andan más o menos en lo mismo, y Frankenstein, el creador creado en esta compleja concepción de cajitas chinas una dentro de la otra, tiene problemas existencialistas de gran alcance, aunque la diferencia de estilo es descomunal, como si lo de Frankenstein fuera un chiste, aunque no lo es y no tiene la menor gracia.

Si de diferencias se trata, tengo que confesar desde ahora que prefiero a Shelley, porque el estilo de Unamuno, salvo en el caso de *San Manuel Bueno, Mártir* y *La novela de don Sandalio, jugador de ajedrez,* no me convence, y *La tía Tula* me ha fascinado por razones diferentes que explico en otro ensayo. Mary Shelley ha tenido, a su favor, además, dos cosas que no deben descartarse: el inglés, primero, que es el idioma hegemónico a partir del siglo XX, casi el discurso oficial del *to be or not to be* en literatura; y el cine después, que le da el respaldo populista de Hollywood. Esto coloca a Unamuno, a pesar de su importancia y el lugar que tiene en las letras hispánicas, en una posición de desventaja.

Al contrario de toda la narrativa costumbrista, la novela histórica, la romántica, la neogótica o el folletín, en *Niebla* no hay un contexto visual del ser humano en vital convivencia con objetos que vivan emocionalmente con los personajes, que son mayormente seres distanciados, más bien amorfos, con ocasionales destellos de vida. Sabemos, por ejemplo, que todos los días Augusto almorzaba "un par de huevos fritos, un bisteque con patatas y un trozo de queso Gruyére" (115), pero en realidad son porciones gráficas de las cosas a los cuales les falta la vivencia gastronómica, como ocurre, por ejemplo, con las fabulosas comidas de los jueves de Eloísa que describe Galdós en *Lo prohibido.* Si de comidas se trata, las de *Niebla* no despiertan el apetito. En Unamuno las cosas flotan en un espacio vacío. Son primeros planos abstractos donde no hay nada. Al contrario del *set* expresionista que pincha, como en *El gabinete del Dr. Caligari,* todo en *Niebla* es una nada hueca en correspondencia con la existencialidad negativa de Augusto. Pero, en cierto modo, una existencia metafísica que construye el personaje en el vacío.

No faltan momento en que tenemos la sensación de quedarnos con hambre.

Teoría y práctica del cine

La importancia que tiene la imagen visual en la vida diaria, a través de la televisión y toda la cultura mediática que se ha desarrollado desde las últimas décadas del siglo XX y después en el siglo XXI, acrecienta el interés respecto a los límites entre ficción y realidad, que en las letras hispánicas alcanza nuevas fronteras a partir de Miguel de Unamuno (1864-1936) y la publicación de *Niebla* en 1914. La realidad de la guerra, del terrorismo o del *suspense* creado por los asesinos que matan en serie, producen un doble efecto desconcertante donde lo que ocurre parece ficción, ya que la imagen, aunque reproduzca un hecho real, tiene sólo un substrato de lo real pero no un todo: no es la realidad, sino la realidad ante la cámara.

Respecto a *Niebla,* debemos insistir que más allá de todas las pretensiones metafísicas de Unamuno, la caracterización de Augusto Pérez y las relaciones que este sostiene con su creador, se trata básicamente de la metafísica de la ciencia ficción. No sé si Unamuno tenía en su mente idea semejante y sabía qué era exactamente la ciencia ficción cuando andaba escribiendo su novela por el 1907, pero es verdaderamente extensa la lista de filmes donde la invención de Augusto Pérez abriendo el paraguas al principio de *Niebla* anticipa una metafísica de la existencia que entrará en pantalla pero que nos parece que ni siquiera Unamuno podía imaginar.

Lo que es propiamente la novela se reduce a un esquema argumental mínimo que la vuelve *nivola*. Esto no deja de ser curioso, porque el propio Unamuno se encarga de decirnos lo que es, como si el lector no fuera capaz de definirlo por su cuenta. Al hacerlo, sin pensarlo, está haciendo un comentario aplicable al cine, con la cual nos proponemos un análisis genético y comparativo, y a su vez con un número de relaciones fílmicas. *Frankenstein,* la novela de Shelley no tiene nada que ver con la *nivola*, pero sí con la genética de la creación, particularmente por lo contrario: su riqueza descriptiva y el análisis interno del protagonista y hasta de su criatura, al ser llevada al cine, por la naturaleza misma del género y las condiciones específicas de su producción, se vuelve *nivola* al verse obligada a un proceso reduccionista que, de hecho, elimina alguna de las mejores páginas, rica en su "literatura", que no anda midiendo las palabras.

En un artículo publicado por Carlos Fuentes hace algunos años, hizo una observación que constataba la importancia que el escritor mexicano le daba al cine y señaló que Hollywood fue "la fábrica de sueños que nos soñó". En una pieza dramática del propio Fuentes, *Orquídeas a la luz de la luna,* que tiene fuertes correlaciones fílmicas, el unamunismo de Fuentes lleva a las siguientes correlaciones: "Ah, Hollywood, Hollywood, tú lo inventaste todo. Spencer Tracy descubrió la luz eléctrica, Paul Muni la leche pasteurizada, Greer Garson el radio y Don Ameche el teléfono". Ni Edison, ni Pasteur, ni Madame Curie, ni Alexander Graham Bell inventaron nada. Todo lo inventó Hollywood, que es la ficción última, la última realidad, la realidad máxima, porque la realidad no es otra cosa que la ficción en la cual cada uno de nosotros es el protagonista. Casi como si Unamuno lo hubiera escrito, Fuentes afirmó también que Hollywood era "nuestro espejo" y "nuestro espejismo…". Y que una ficción fílmica es "un fantasma eterno en una carne pasajera", que sería el caso de nuestro Augusto Pérez que va de un ensayo al otro. Si tomamos el cine desde esa perspectiva, nos encontramos que, desde el punto de vista de la filmografía contemporánea, Unamuno lleva al planteamiento directo de las relaciones entre el Creador y la Criatura que finalmente llega al cine, que con ello denota una mayoría de edad. En particular *Niebla,* anticipa direcciones fundamentales del cine actual. Es cierto que Unamuno lo hace por un proceso de deshumanización, de distanciamiento síquico, que en *Niebla* rompe con el canon tradicional de la novela realista y el tratamiento sicológico de los personajes, para darnos criaturas irreales que deambulan como *clones*.

En el teatro, el punto de partida del conflicto entre el creador y la criatura, los desdoblamientos, y todas las implicaciones metafísicas del teatro dentro del teatro, tiene una tradición de la que carecía el cine en su etapa inicial, humildemente representada por *Un drama nuevo* de Tamayo y Baus, sin olvidar *La vida es sueño* de Calderón, como excepción que confirma la regla. Pero en el plano más inmediato, hay que irlo a buscar en Pirandello (1867-1936) en una cronología fantasmagórica que los hermana: Unamuno nace en 1864 y muere el 31 de diciembre de 1936. *Niebla* se publica 1914 (aunque estuvo trabajando en ella desde mucho antes) y *Seis personajes en busca de autor* es de 1921, como si ambos autores estuvieran comunicándose inalámbricamente. Pero el hecho del actor personificando al personaje en una cinta de celuloide, es la obvia transferencia contemporánea de los repetidos principios unamunianos sobre el Quijote creando a Cervantes, Hamlet a Shakespeare y, por extensión, Augusto Pérez a Unamuno, en un proceso ascendente que nos ha llevado a niveles metafísicos.

Progresión y regresión analítica: la Generación del 98

La Generación del 98 pareció darse cuenta de ello y era imperativo novelar de otro modo, que es lo que ocurre con Unamuno y en especial con *Niebla.* Lo cual no quiere decir que se novele mejor, sino de forma diferente. Al cuestionarse la realidad, el cine, como la narrativa, da un salto hacia adelante que, paradójicamente, tiene también su consistencia cervantina, como veremos de un momento a otro, quizás porque *Don Quijote de la Mancha* es un precursor múltiple que no se circunscribe a un determinado momento. Sin embargo, marcar el absoluto de un punto de partida es muy difícil, prácticamente porque un antecedente precede al otro, casi como si rebobináramos una película, en una acción retrospectiva, de ahí que el *memento mori* nos rebobina. Pero con toda su torpeza, lo cierto es que el conflicto entre el Creador y la Criatura, en el cine, que es la génesis, empieza en 1920 con *El gabinete del doctor Caligari* y después salta al 1931 con la filmación de *Frankenstein* que nos rebota un siglo atrás, precisamente, 1818, cuando Mary Shelley publica la novela, en un movimiento de progresión y regresión analítica que desarrollaremos en estos ensayos unamunianos.

A pesar de las múltiples señas de postmodernidad a los que haremos referencia, el realismo del siglo XIX es nota dominante en el desarrollo de la novela española, en su forma más tradicional a partir de la picaresca. Lo mismo podría decirse de la compacta trayectoria del cine en el siglo XX, que a pesar de sus sacudidas expresionistas, particularmente germánicas, se va a caracterizar en Hollywood por un desarrollo racional, que tiene su clímax en *Lo que el viento se llevó,* como ya hemos indicado, triunfo absoluto del pensamiento racional norteamericano, que sigue en pie hasta nuestros días, a pesar de las locuras, basado en "historias reales" como máxima recomendación de que la imaginación del cine serio y responsable no se vaya por los cerros de Úbeda, a pesar de Walt Disney, y porque, después de todo el capitalismo es la "ideología del bolsillo". Es por eso que el cine histórico ha tenido siempre la mayor respetabilidad, quizás porque las locuras metafísicas, más complejas e intelectivas, acaban por sacarnos de quicio y son más difíciles de asimilar por un espectador corriente.

Documento de ser

No voy a negar que el empeño en la historia documentada ha dado lugar a grandes películas (y también a muy malas películas) sin ignorarse que un buen número de ellas están mal documentadas, pero que se aceptan como buenas si logran convencernos de que el documento sirve para confirmar los hechos, como si fuera una tradición fílmica, que siempre tiene su público, especialmente porque se asimilan más fácilmente, hay que pensar menos, divierten más y dan más dinero. Lo que pasa es que el *memento mori* se las trae, es inevitable, y tiene su público selecto aunque no se pueda hacer nada, y aquí es donde Unamuno entra en juego. Unamuno no se caracteriza por la descripción minuciosa de la realidad, pero sí por la interpretación metafísica de la misma, que nos lleva a la importancia del documento como hecho que la verifica. Un hecho que no quede confirmado por el documento se vuelve cuestionable por ausencia de datos, como plantea efectivamente Unamuno en *Tulio Montalbán y Julio Macedo*: el documento crea su propia realidad, que a su vez puede crear una nueva ficción.

Repertorio fílmico unamuniano

Para la fecha de escritura y publicación de *Niebla* en 1914 el cine estaba en pañales. Sin embargo puede verse una presencia unamuniana, aunque sea pura coincidencia, en muchos textos fílmicos con rasgos unamunianos, lo que invita al análisis comparativo. Desde un punto de vista conceptual, entre la mortalidad y la inmortalidad; la ficción, la realidad y el sueño, multitud de películas, particularmente en la filmografía más reciente, desde fines del siglo XX, tienen una raíz unamuniana. Pero para la fecha de la escritura y publicación de *Niebla,* la convivencia es muy de superficie para considerar un impacto directo en su ficción. Salvo un par de referencias a lo sumo, debió dejar pocas huellas y por extensión en toda su obra, aunque sus nexos hay con las locuras de *El gabinete del Dr. Caligari* y *Metrópolis,* desde un punto de vista conceptual. Hay que considerar también que Unamuno muere en 1936 cuando apenas había empezado el cine sonoro, aunque ya se habían estrenado un par de clásicos: *Frankenstein* y *La novia de Frankenstein,* que quizás fuera a ver por la novedad o para rendirle homenaje a Mary Shelley, que inclusive estaba más entrenada en este territorio, decididamente vinculado con la ciencia-ficción. Antítesis literaria y fílmica de Vicente Blasco Ibáñez, que "hacía" cine, le sacaba dinero a Hollywood, y era un hombre de "película"; a Unamuno, Rector de la Universidad de Salamanca en una época turbulenta, hombre metafísico y especulativo, es difícil verlo entrando en un cine, y no seré yo quien lo investigue. En su obra creadora las referencias son pocas aunque significativas. Pero para un escritor, no es necesario ir al cine para "hacer cine" cuando escribe y ser capaz dejar un impacto literario y metafísico con repercusiones fílmicas.

El gabinete del Dr. Caligari (1920): empezar por el principio

Podría decirse que *Niebla* nos mete en "el gabinete de don Miguel de Unamuno", que es equivalente al del Dr. Caligari. Augusto Pérez viene a ser Cesare, en nuestra propuesta interfílmica. Es el sonámbulo en el féretro que siempre acompaña a Caligari, y que va a salir de la caja de un momento a otro, para entrar en un mundo que tiene mucho de manicomio y cuyo primer loco es el médico que lo dirige, precisamente el doctor Caligari, como queda planteado en la famosa película alemana (naturalmente) dirigida por Robert Wiene con Werner Krauss y Conrad Veidt.

El sonambulismo de Augusto es una seña de identidad, como en el caso de Cesare en *El gabinete del Dr. Caligari*, que dejará más de una huella en el movimiento de vanguardia que vendrá después. Recordemos que Luis Buñuel era considerado un logrado hipnotizador. Él afirmaba que en cierta ocasión había hipnotizado a una mujer histérica y sin proponérselo varias personas que presenciaban el episodio quedaron hipnotizadas y en trance. Opinaba, además, que el cine era una forma de hipnosis que se conseguía debido a la oscuridad del cinematógrafo, el rápido cambio de escenario, el uso de las luces y el movimiento de la cámara, que debilita el uso de la razón y produce un estado de fascinación. El concepto de la niebla en *Niebla* manifiesta esta impresión de nebulosa fílmica de la novela, que aunque no es londinense, refleja ese imaginario visual de siluetas desplazándose en las tinieblas, de experimento a lo Caligari y de bruma propia de Unamuno. Como veremos gradualmente hay muchos puntos de contacto entre una cosa y la otra, y Unamuno anticipa todo esto.

Tenemos que reconocer que es mucho más comedido, no tiene casi nada de expresionista, y que las calles por donde va a transitar Augusto no son laberínticas, sino las de una ciudad de provincia española absolutamente convencional, más bien cuadriculada, aunque elimina totalmente la preferencia costumbrista de la narrativa española del siglo XIX. Es una ciudad más bien abstracta. El carácter sonambulesco de Augusto tiene algo de Cesare medio muerto, que después aparecerá como un muñeco. Esta condición peculiarísima se manifestará en el protagonista, que deambula en un espacio brumoso y gris donde no va a estar completamente vivo. El dominio tiránico que Unamuno ejerce sobre Augusto, no dista mucho del que tiene Caligari sobre Cesare, al que ciertamente enjaula como ser omnisciente que controla a su criatura, que manipula, casi como si el enjaulado no se diera cuenta, y quizás tenga una implicación adicional si la relacionamos con el pajarito en la jaula en el balcón. Viene a ser como la avecilla cuyas cuerdas maneja el autor como una titiritero hace con sus marionetas. Unamuno lo saca a la calle bajo la lluvia y él, tras abrir el paraguas, se va detrás de Eugenia, por obra y gracia, concepción y concesión suya, que se le aparece de pronto con un movimiento rítmico del sistema de Lorenz, como un tit-tac de aquí para allá y de allá para acá que marca el meneo del culo. Esto explica la sensación de extrañeza que produce, porque a pesar de ser tratado como nuestro semejante nos resulta automático, una cosa algo rara, una criatura mecánica al que el autor le da cuerda. Algo sospechosa, son factores determinantes del desarrollo, de lo que piensa y hace, y del lenguaje de los diálogos que sostiene, especialmente durante los siete primeros capítulos.

Hay que aclarar que la novela, visualmente, poco tiene que ver con el expresionismo, a pesar de la niebla. Aunque, pensándolo bien, no estoy tan seguro, porque después de todo... Y me viene a la cabeza Mr. Hyde y don Sandalio... Porque todo parece indicar que don Sandalio ha ido a parar a la cárcel... Es decir, en la novela de *Don Saldaño, jugador de ajedrez* también pasan cosas raras. El afán unamuniano de eliminar lo accesorio, coloca a los personajes en espacios vacíos donde en realidad no hay nada, y es muy difícil encontrar una pista, la colilla de cigarro que descubra un criminal... Lo cual tiene un sentido metafísico, no menos significativo que el laberíntico espacio de *Caligari*, poblado de toda clase de triángulos que hieren síquicamente como cuchillos, en correspondencia con las anomalías mentales... Tanta niebla, no deja de ser raro, como si escondiera a un criminal... Que puede ser... Unamuno.

Vínculos fílmicos: de la nada a la ciencia ficción

Ciertamente Unamuno no es conocido en el campo de la ciencia ficción, y precisamente pienso que él mismo se sorprendería de la propuesta que me propongo desarrollar. Pero desde el principio de extrañeza que le hace pensar a Augusto que, efectivamente, algo raro está teniendo lugar cuando lo ven, podemos ampliar el análisis por vericuetos cinematográficos. Es la sospecha de que alguien nos mira como si fuéramos un bicho raro, y las imágenes se congelan. El propio Augusto pone de manifiesto no sólo que es él sujeto de la experimentación, la "rana" en el laboratorio, sino que él, como personaje, va llevando a efecto un experimento paralelo con Eugenia. Como si fuera una ficción dentro de la ficción, que también puede leerse como una realidad dentro de la realidad, la novela desarrolla una serie de procesos experimentales, como si se tratara de un laboratorio donde se está tanteando con la vida y la muerte, la mortalidad y la inmortalidad... Como en *Her y Stranger Than Ficction*.

Coinciden sus dudas y proyecto de viaje a Salamanca con una afirmación cinematográfica dicha un tanto al descuido, pero que a los efectos de nuestra interpretación nos parece significativa. El autor conceptualiza el principio existencialista dominante en su cerebro con una idea que se ratifica circularmente en el Yo: "¡Yo soy yo!", mientras que el yo "se le iba achicando, achicando y se le replegaba en el cuerpo y aún dentro de este buscaba un rinconcito en que acurrucarse y no se le viera" (que es una imagen inusitada de consumición del yo en la nada), un viaje físico hacia la ausencia, un largo viaje hacia la noche y la conversión en "hombre invisible", totalmente irreal, suprarrealista, "la calle era un cinematógrafo y él se sentía cinematográfico, una sombra, un fantasma" (211): una disolvencia total hacia la palabra "fin" que es toda la "película"... Como en *The Truman Show*.

Esta referencia fílmica se ajusta a mi pasión por el cine y me lleva a la indagación de ciertas películas que vinculo con el novelista, cuyos nexos han sido como un fantasma que se me ha estado apareciendo por largo tiempo de una película a la otra, y me ha impulsado a redactar estos ensayos, bastante largos y obsesivos, que podrían extenderse mucho más.

La secuencia de la entrevista, eminentemente unamuniana, la vincula a la ciencia ficción porque todo parece indicar que Augusto Pérez ha estado sujeto a un trabajo de laboratorio que lleva al parto de su persona aunque se trate de un laboratorio literario con un planteamiento metafísico. Hasta tal punto que, una y otra vez, Augusto se sospecha que algo peculiar le está ocurriendo: un hombre como otro cualquiera, o incluso menos que otro cualquiera, se va a convertir en el "monstruo" de Unamuno. Estamos hablando de una locura que comienza con el Dr. Caligari, prosigue en *Metrópolis,* cobra forma en *Frankenstein,* encuentra a la mujer en *La novia de Frankstein* hasta llegar a *Her;* se documenta cervantinamente en *Meet John Doe* y *The Three Amigos*, se vuelve absolutamente paranoica en *A Beautiful Mind y Proof,* y exige el enfrentamiento directo con el Creador en *Stranger than Fiction, The Truman Show,* tras crecientes carreras por los espacios intertextuales y interfílmicos de *The Purple Rose of Cairo, Adaptacion, Memento,* y los oníricos de *Abre los ojos, Vanilla Sky, Inception,* como si estuviéramos calderonianamente metidos en "la vida es sueño" con el *suspense* de un *thriller,* para convencernos finalmente que no somos más que unos "replicants" entre *Multiplication* y *Blade Runner.*

Metrópolis (1927): la ciencia ficción entre la Virgen y el Infierno

Tras hacer referencia al caso de Caligari, sería pertinente detenernos en *Metropolis,* aunque las correlaciones son difusas. El análisis es inevitable y cronológicamente no debe posponerse. Dirigida por Fritz Lang, sobre una novela de Thea von Harbou, llevada al cine con un guión de la novelista, en colaboración con Lang, es una película alemana de ciencia ficción cuya importancia ha sido reconocida internacionalmente. Excepto el caso de *El gabinete del Dr. Caligari,* precede a todas las otras que comentaremos en estos ensayos sobre la postmodernidad fílmica de *Niebla* a través de una filmografía conectada de una forma u otra con la novela. *Metrópolis,* que a partir del propio Fritz Lang, representa el ilusionismo mágico de un inmigrante llegando a Nueva York, ubica la trama en una metrópoli absolutamente distanciada de todo lo natural... Como en *Her...*

Metrópolis es una película con conciencia política y de lucha de clases, y las escenas multitudinarias de las clases obreras mecanizadas por el trabajo, la opresión del capital y la revolución del proletariado, tienen implicaciones colectivas y son de las mejores de la película. Los nexos con *Niebla* no son muy explícitos, pero el análisis descubre vínculos y subtextos que son significativos.

No deja de ser interesante que en la búsqueda metafísica unamuniana (que es también la de la ciencia ficción) todo el proceso se desarrolle mediante un alejamiento del espacio "natural" que sería el espacio lógico dado el carácter de la propuesta que nos remite a los "orígenes". Aunque la ficción unamuniana no es la de la gran metrópolis, ciertamente no se orienta tampoco hacia la naturaleza, sino que básicamente la rehúye, y cuando aparece, envuelve al hombre en una niebla tan densa, como el caso de don Sandalio, que la naturaleza apenas se distingue, es secundaria, ubicándonos en un sitio metafísico cerebral, introspectivo, alienado.

El rascacielos (cuyo nombre es un síntoma), en algunas de estas películas constituye el escenario idóneo para el ascenso al encuentro con el Creador, una transferencia urbanística; pero Unamuno a principios del siglo XX se tendría que conformar con un reducido despacho en Salamanca, aunque para el caso es lo mismo, como escenario de su arrogancia trascendentalística. El viaje en tren es una traslación horizontal equivalente al ascensor en la metrópoli contemporánea. *Metrópolis* es la película que introduce el rascacielos como "personaje" metafísico.

La complejidad argumental de *Metrópolis* la aleja de *Niebla*, pero la existencia de un industrial todopoderoso, John Fredersen, que ocupa el lugar de Dios y todo lo controla, establece un nexo, y ubica la crisis dentro del cerebro. Unamuno aísla *Niebla* de toda problemática social y económica, colocando a su protagonista en un espacio ontológico en sí mismo, donde todavía el mundo no estaba conmocionado por el enfrentamiento del capital y el trabajo, que tiene lugar a partir de la Revolución rusa, por donde anda metida *Metrópolis*. Filmada en la segunda mitad de la década del XX del siglo pasado, con Nueva York en su apogeo y toda su inmigración asociada con la clase laboral (que tiene vigencia contemporánea como se refleja en *The Shape of the Water*), el concepto babélico se ajusta a lo que pintara Pieter Brueghel en 1563, que parece ser el modelo arquitectónico que anticipa varios siglos antes a la Babel newyorkina de *Metrópolis*.

No es casual que la película *Inception (Origen* en español) como ocurre en *Niebla* sea como *Metrópolis* una película de gestación masculina, de Padre e Hijo, como queda establecido en el discurso eclesiástico de Dios y el herético de Unamuno. El Hombre (Dios, Capitalista, Hereje –y aquí me refiero específicamente a Unamuno) es una manifestación de la envidia del útero, que es el centro de la vivencia del feto, y desplaza a la mujer, apoderándose del discurso de dominio: el Hijo hereda al Padre y lo duplica, en un proceso equivalente a la relación unamuniana Creador-Criatura. Este principio masculino domina *Niebla*, salvando la monumental distancia intelectual entre Unamuno y Augusto. La relación Creador-Criatura es de naturaleza viril, ya sea en *Niebla*, en *Metropolis* o en *Inception*.

No obstante ello, lo cierto es que Fritz Lang le da una vuelta inusitada donde la presencia de María, virgen y protectora de los desamparados, descompone la relación Padre-Hijo. Al abandonar al Padre en beneficio de los desamparados bajo la protección de la Virgen, el Creador se pone sobre aviso y esto lleva a la creación de una proyección invertida y clonificada de María, que se vuelve imagen de Eva, que es negativa. Unamuno, por su parte, omite toda consideración ética o social, y se concentra en el espacio metafísico, con un concepto de supremacía intelectual.

María aparece como ícono prácticamente religioso, interpretado magistralmente por Brigitte Helm. Su entrada en escena rodeada de niños pobres y desamparados, rompe con el esquema masculino del discurso Padre-Hijo, porque el Hijo se enamora de María y todo lo que ella representa. La reacción del Padre, anticipando la catástrofe que ser bueno y generoso significa, *clonifica* a María y la convierte en su doble, imagen de Eva, *mujer fatal*, ícono deshumanizado. Al crearse técnicamente Hel como *clon* de María, se produce un acto reflejo de la mujer nueva unamuniana, Eugenia Domingo, que conducirá de la mano a Augusto Pérez para que viva su Infierno, que es el paralelismo más directo con la novela. Con estos criterios, colocamos a Eugenia dentro del marco clásico y modernista de *la femme fatale*, que es mucho cine.

El tema de María, que es importantísimo en la película, visto hoy con la suficiente perspectiva, no deja de ser una simpleza engañosa, aparentemente cándida, que aunque poco tiene que ver con el marxismo-leninismo, Lang convierte en un texto político: "El corazón es el mediador entre el cerebro y la mano", motivo constante del film, debe leerse no menos ilusionísticamente como "mediador entre el capital y el trabajo". Mas que una película de ciencia ficción es un film político sobre la lucha de clases que anticipa el triunfo del nazismo, aunque argumentalmente se puede interpretar en términos actuales, una muestra del capitalismo desmedido y el trumpismo populista. Por su mensaje, es una película con conciencia colectiva, que en este sentido poco tiene que ver con *Niebla,* la primera gran novela existencialista, individualista y onanista, mentalmente apolítica. Sirva la contraposición para dilucidar ambos significados.

La creación de un *robot* femenino, que funciona como agente de la destrucción y duplica negativamente la imagen de María, conlleva la idea del doble y del *replicant*, y que podría conducirnos a la identificación de Eugenia, la incógnita femenina de *Niebla,* como duplicidad de la mujer y réplica negativa de ella. Es decir, Eugenia como *robot*, base de una línea antifeminista del mundo unamuniano, desprovista de toda idílica mariana, que no existe, y la sustituye con una *mujer fatal*.

Filmada *Metrópolis* durante la República de Weimar, es interesante observar la concepción cristiana y evangélica, muy cerca del catolicismo, invocación religiosa con el concepto de la misericordia y principios de un socialismo humanista; pero reconstruida y resurrecta por su Doble, que se llama Hel (que se acerca a Infierno en inglés) (Mal en *Inception)* refleja a Eugenia, diabólica criatura "mal" nacida. La escenografía misma con la verticalidad de los rascacielos y también del ámbito de la catedral que apunta al neogótico donde se desarrolla parte de la acción, especialmente la última escena; los signos de pobreza, la implacable geometría abstracta y mecanizada del enfrentamiento del hombre y la máquina, pone la acción en medio de una sociedad que se encuentra ante la inminencia de la catástrofe. La asociación con la Virgen María, figura intercesora ubicada dentro del marco de la lucha de clases entre el proletariado y el capital, tiene implicaciones sociales que no hay en *Niebla*, dada la implacable coherencia egocéntrica del punto de vista metafísico de Unamuno.

Por lo tanto *Niebla* se desarrolla en el ámbito del discurso masculino, pero la importancia de Eugenia no puede ignorarse porque es determinante de la caída de Augusto, su planteamiento suicida y su muerte: un feminismo anti feminista muy unamuniano. En *Niebla* no hay ninguna figura intercesora mariana de signo positivo. Eugenia es una réplica de Eva con la manzana en la mano, dispuesta a manipular a Augusto de forma cruel y deshumanizada. Podría interpretarse, naturalmente, al revés, como una propuesta positiva del autor a favor de la independencia femenina, pero la opción no deja de ser cuestionable.

Siegfried Kracauer observa que en *Metrópolis* "el brillante episodio del laboratorio, la creación de un *robot* es detallada con una exactitud técnica que no es requerida en absoluto por la acción ulterior. La oficina del Gran Jefe, la visión de la Torre de Babel, las máquinas y el manejo de las masas: todo ilustra la tendencia de Lang hacia la ornamentación pomposa" (143). Aunque Lang trabaja en cine y Unamuno en metafísica y algo de literatura, el *nivolista* elimina toda ornamentación y la entrevista en la fábrica del autor sólo esta presidida por un retrato del Creador capaz de impresionar a la inocente e ignorante criatura. Escena que se repite en *Blade Runner, The Truman Show, Stranger than Fiction*.

Por el contrario, lo que sobresale en *Metrópolis* es la peligrosa "vitalidad alemana" que conducirá a la Segunda Guerra Mundial, la dinámica colectiva apabullante y multitudinaria en plena crisis; mientras que en el *robot* unamuniano se perciben los signos de fracaso del 98, la abulia, el desencanto, la parsimonia, la falta de vitalidad de una generación de la cual Augusto Pérez es un subtexto de la indecisión que lo vuelve arquetipo existencialista. La imagen metafísica de los machadianos campos de Castilla. "*Metrópolis* era rica en contenido oculto que, como un contrabando, había cruzado las fronteras de la conciencia sin ser detectado" (Kracauer 154-155). La creación del *robot* nos sitúa en el plano genético de procrear a "imagen y semejanza", tanto cristiano como unamuniano; aunque que nos encontramos con una duplicidad maligna porque la creación de la "otra" María tiene por objetivo "incitar a desórdenes y proveer al industrial de un pretexto para aplastar el espíritu de rebelión de los trabajadores" (Kracauer 155). Encauzarlo acorde con sus propios intereses: artimaña fascista, del marxismo y del capital. Trump, Castro y Hitler. Pero aunque Unamuno elude el compromiso tajante, que quizás se manifieste en el controversial, elusivo y enigmático episodio en el Paraninfo en la Universidad de Salamanca; hay que reconocer que *Niebla* en sí misma, como acto creador de Unamuno, representa la rebelión del Hijo contra el Padre a través de un planteamiento especulativo, que se reiterará, de otro modo, pero más definido todavía, en *San Manuel Bueno, Mártir*. Sin embargo, el apoliticismo de *Niebla* es cuestionable porque el individualismo unamuniano tiene un carácter dominante y tiránico, unipersonal, que tiene implicaciones políticas de diferente naturaleza. Violar los mandamientos de Dios es delito mortal, aunque evadir el enfrentamiento con la Tiranía de carne, hueso y pellejo, no es un pecado venial.

Para Kracauer, volviendo a *Metrópolis*, esto va a resultar en una componenda de marca mayor, porque "la petición de María de que el corazón medie entre la mano y el cerebro podría muy bien haber sido formulada por Goebbels", ya que, interesado en la propaganda totalitaria, pensaba que "ojalá que la llama brillante del entusiasmo no se extinga nunca" (155). Como Goebbels, "toda la composición de la escena final en el pórtico de la catedral denota que el industrial acoge al corazón con el propósito de manipularlo" (155). El episodio anticipa "la disciplina totalitaria" (155) y parece confirmar la declaración de Lang de que Hitler lo quería "para hacer películas nazis" (156), lo cual posiblemente era cierto. Si bien en el marco de la conciencia colectiva y política las dos creaciones poco se parecen, la mentalidad del superhombre por encima de las masas crea un nexo interno que acerca una cosa con la otra. No hay que perder de vista la ambivalencia entre el original (la Virgen María) y la réplica (la imagen de Eva), que perdió a Adán, el que estaba en el Paraíso pasándola estupendamente bien en un piso del rascacielos que le tenía deparado el Padre, hasta que se apareció, aquella muchacha haciendo de la Virgen, la auténtica, comprometida y protectora de los desamparados, los hijos de los obreros, y le puso punto final a la parranda.

Forma parte *Metrópolis* de esta obsesión fílmica por la genética de todos nosotros, el deseo unamuniano de ocupar el lugar de Dios, y la posición herética de llevar a efecto un proceso creador paralelo al divino donde se esconde el origen de la vida, esa gran incógnita de respuesta inasequible: en nuestro atrevimiento nos condenamos por ambición semejante y acabamos procreando criaturas malignas portavoces del mal, como el caso de la diabólica creación de Hel, que es el momento icónico del film, alegoría germánica del nazismo destructor y populista. En esta invención, que es siempre un diabólico quehacer masculino, acabamos inventando lo peor. Unamuno empieza por crear un *replicant* asexual, que aunque parte de una propuesta de acoplamiento, y es factor importante del problema, se desplaza del foco de atención como si no hubiera objeto de deseo, lo cual de por sí tiene sospechosas anomalías. El segundo aspecto a considerar es el enfático distanciamiento de Dios, su amoralidad creadora, donde el "Dios mío, Dios mío, ¿por qué me has abandonado?", es una de las preguntas más notoria y cercana a las dudas del cristianismo, con un subtexto de herejía, El tercer aspecto es el distanciamiento político, ya que no hay en *Niebla*, que culmina en *San Manuel Bueno, Mártir,* la menor conciencia sobre la injusticia social, la lucha de clases, cosas de esta naturaleza, a pesar del carácter totalitario del Creador, que no por ello deja de ser un Tirano.

La recepción crítica no le resultó favorable a *Metrópolis*, vista como manida, trivial, superficial, tonta, que son términos aplicables a cualquier obra de arte, como lo sería la Capilla Sixtina, para citar un caso, que podría verse como una ambiciosa tontería en vista panorámica, sobre la creación del hombre. Toda idea compleja que nadie entiende, es una genialidad; tan pronto se simplifica y todos la comprenden, se convierte en un lugar común. Quizás porque John Fredersen está vivito y coleando en algún rascacielo newyorkino y un millar de inmigrantes siguen lavando los platos sucios en las catacumbas. Aunque la revolución del proletariado, a la que apunta la película, es un hecho que ya pertenece al siglo XX, lo cierto es que con el capitalismo populista del siglo XXI el paralelismo es inevitable. Inclusive, el oscuro mundo subterráneo de Guillermo de Toro en *The Shape of the Water,* le debe mucho a *Metrópolis,* lo que demuestra la vigencia de la película de Fritz Lang. La distopia metropolitana está ahí, con su cabecilla y todo el familión, La actualidad de *Metrópolisis* pone los pelos de punta.

Para entender *Niebla* hay que comprender el principio egotístico del narrador, que inventa la *nivola* para dominar él mismo la situación, alegóricamente como Dios, y eliminar lo secundario, lo que no es. La *nivola* es el *to be or not to be* unamuniano del que Es pero se queda solo: la quintaesencia de la narrativa existencialista total que inventa Unamuno, pero que se circunscribe, literariamente hablando, a una sola persona. Tiene mucho que ver en primer término por mi interpretación de Augusto Pérez, concebido como un *robot, replicant, clon,* de igual manera que Eugenia Domingo es sospechosamente otro posible *robot, replicant, clon* del sexo opuesto, un androide antropomórfico de género femenino, una mujer biónica a la española, metálica, que no se entrega, con movimiento propio desde que se cruza con

Augusto, que si bien puede interpretarse como "la mujer nueva", moderna y agresiva, también puede verse como *la mujer fatal* tradicional cuya fuerza destructora es maligna y capaz de acabar con todo.

Hollywood entre la "realidad" y la "ficción"

Frente a la "realidad ficticia" (que es marca de fábrica del cine norteamericano, a pesar de Walt Disney y los dibujos animados), existe, cinematográficamente hablando, la "realidad documentada", que viene a ser la norma tradicional, aunque gradualmente esto ha ido cambiando, desde "todo parecido con persona viva o muerta es pura coincidencia", hasta asegurarnos que la historia más inverósimil se basa en hechos reales. Esto lleva a interacciones de montaje de todo tipo, entre planos que desarticulan la realidad por darnos versiones divergentes de la misma. Ver, por ejemplo, el caso de *Reds (1981),* dirigida, escrita e interpretada por Warren Beatty, primero, que es excepcional en el proceso de actualización histórica mediante un contrapunto de imágenes, de espacios; y después con *JFK (1991),* dirigida por Olivier Stone, versión cinematográfica de este último y Zachary Skarl basada en un par de libros, *On the Trail of the Assassins* de Jim Garrison, y *Crossfire: The Plot That Killed Kennedy* de Jim Marrs. La complejidad de la teoría conspirativa en torno a la muerte de Kennedy, invita a esta confusión de identidades entre realidad y ficción, y el propio Stone considera la película como un "contra-mito" al "mito ficticio" de la Warren Comission, indicando con ello que la realidad es en sí misma un mito, una ficción.

Por otra parte, los medios visuales confirman la interacción entre una cosa y la otra, convirtiendo al terrorismo en pantalla, por ejemplo, en un *suspense* del presente histórico. Ya en Cuba habíamos sido testigos de todo esto, cuando Fidel Castro llevó al cine con gran sentido fílmico, aquella toma espectacular en que dirigiendo la película, le pidió al pueblo cubano que le abriera paso para pasaran unos periodistas y pudo verse en cámara la panorámica del pueblo, que obedecía lo que se le mandaba a hacer, como si fuera Cecil B. DeMille filmando *Los diez mandamientos de la ley de Dios.* Justo es decir, que desde la revolución rusa, posteriormente con Hitler, y Hollywood durante la Segunda Guerra Mundial, el cine ha estado trabajando con esta ficción y esta realidad que se interceptan mutuamente. *JFK* es una de las primeras películas que establece una interacción entre primeros planos de entrevista "reales" y una acción entre ficción y realidad de episodios históricos, alternativamente, borrando fronteras, aunque ya lo había hecho *Reds,* que es una película superior en todos sentidos.

Por tener una mayor inmediatez temporal, el efecto que produce *JFK* es más directo que el de *Reds,* afincada en un realidad documentada de principios del siglo XX. El gran acierto de *JFK* no fue otro que borrar la línea divisoria entre realidad y ficción mediante un montaje intencional que diluye las fronteras entre una cosa y la otra. La intervención subsiguiente de individuos de la vida "real", participantes en el hecho histórico y representados en el hecho fílmico (como el caso de los médicos que le hicieron la autopsia a Kennedy), acrecienta la "confusión". Es evidente que la intención de Oliver Stone, a pesar de la politización de la imagen, parte cuando menos de la imposibilidad de llegar a una "realidad" histórica, que será siempre manipulada por el que interpreta los hechos y llega al punto de la ficcionalización, de la re-mitificación del hecho histórico. Con estas interferencias de "realidades", Stone acaba creando el caos, hasta convertir los personajes "reales" en personajes que pueden resultar tan ficticios como los de ficción, demostrando que todo hecho histórico está subordinado a la subjetividad del que "manipula" el documento.

Después de ambas han llovido un sinnúmero de películas referidas a la historia contemporánea. Incluso *LBJ,* de fecha tan reciente como 2017, de Rob Reiner basada en episodios de la vida de Lyndon B. Johnson, sobre personajes "reales", con la peculiaridad de que la antigua coletilla que afirmaba que "todo parecido con persona viva o muerta es pura coincidencia", se ha transformado en "basado en hechos reales", como quien quiere convencer al espectador de que la ficción no existe y todo es realidad. Pero es precisamente esta inexistencia de una línea divisoria entre ambas lo que constituye la base de toda ficción, que efectivamente es la única realidad. La creciente filtración de la cámara en la vida diaria, llegando a planos realmente aterradores en muchos casos, ha acrecentado esta convivencia entre la ficción y la realidad, que es la propuesta básica de *Niebla*.

Meet John Doe (1941): la otredad del documento

En *Tulio Montalbán y Julio Macedo*, Unamuno nos enfrenta al problema básico de la identidad a través del texto, que es lo que va a ocurrir en *Meet John Doe* de Frank Capra, guión de Robert Riskin, basada en una narración, "A Reputation", de Richard Connell. Conectada con los aspectos más medulares de la tradición norteamericana, parece difícil pensar que en fecha tan temprana como 1941, Frank Capra, nacido en Sicilia, pudiera haber dirigido una serie de películas tan medularmente americanas como la que ahora es objeto de nuestro análisis.

Tanto la concepción cervantina del mundo como la unamuniana se ponen de manifiesto en varios textos fílmicos, aunque sus propios creadores seguramente lo ignoren, pero no en el caso de Capra.

Este fenómeno de transculturación tiene otros antecedentes no menos significativos, que ponen en sintonía culturas y medios de comunicación que a primera vista carecen de muchos puntos de contacto. En 1937 *Captain Couragous*, basada en una versión de la novela de Rudyard Kipling, dirigida por Victor Fleming con Freddie Bartolomew en el papel del chiquillo insolente y malcriado que lleva a efecto un proceso de crecimiento y conversión, bajo la tutela de Spencer Tracy como pescador paternalista que lo guía entre peces y pescados, forman una pareja entre don Quijote y Sancho, inventando más o menos un refranero, que sirve de juego intertextual muy ocurrente de corte cervantino. Pero se puede decir que Frank Capra es el creador arquetípico del cervantinismo que, como veremos también, será unamuniano. Capra reunía la doble condición de ser un extranjero y representar, al mismo tiempo, valores medulares de los Estados Unidos y de la democracia, en contrapunto con las ambiciones del capital y acorde con los ideales más legítimos del pueblo norteamericano, que como inmigrante italiano debió entender muy bien. Sin perder su raigambre europea y su condición de siciliano, produce alegorías fílmicas representativas del idealismo pragmático sajón, especie de confluencia de don Quijote con Sancho Panza, que se ponen de manifiesto en *Meet John Doe*, con Gary Cooper y Barbara Stanwick a la cabeza del reparto. Importa el quijotismo y le da carta de naturaleza sajona, volviéndolo quintaesencia idílica de lo mejor que hay en la identidad norteamericana y la ideología democrática. Su "Quijote" por excelencia es James Stewart, cuya figura desgarbada, a pesar de su definida identidad sajona que no lo despinta, evoca la imagen quijotesca, pero cuyo lugar lo ocupará Cooper en la película que ahora nos ocupa. En constante lucha contra los distorsionadores de los principios básicos de la democracia e identificándose con el hombre común, Capra juega con las múltiples variantes de un mismo personaje, desde *Mr. Smith Goes to Washington* a *It's a Wonderful Life*. En *Meet John Doe*, Gary Cooper y Walter Brennan forman una pareja dispareja y la referencia al quijotismo es explícita, aunque Unamuno no deja de entrar en juego. La ficcionalización de la realidad es la clave de la película y es por ello que es cervantina y unamuniana.

En el cine, hasta años muy recientes, las incursiones por la "ficción" como agente creador del mundo han sido muy esporádicas y marginales, pero *Meet John Doe* es un temprano ejemplo de un unamunismo fílmico de raigambre cervantina. El planteamiento básico de esta película es la importancia del texto como forjador del mundo. No se trata de un erudito como Paparrigópulos, ni un filósofo como el propio Unamuno en función de novelista, sino de una periodista, Ann Mitchell, interpretada por Barbara Stanwick, que forja el personaje y al mundo con la máquina de escribir, como si fuera don Miguel de Unamuno. En este caso, al contrario de *Niebla*, Capra pone la gestación en un útero femenino, ya que es ella, naturalmente agresiva y dinámica, moderna y norteamericana, de paso firme y largo, la que escribe y publica una carta, que atribuye a un tal John Doe, que después corporeizará Gary Cooper. Este desplazamiento del acto de la creación es importante y representa una inversión significativa, como quien coloca a la mujer en su lugar. Hay en ello una lucha de género, ya que John Doe es paradójicamente una negación existencial, un don Nadie, criatura creada de la nada que ella presenta como si fuera real. Es, en esencia, un hecho literario que se vuelve noticia, inventado por el Verbo. Tomado como realidad por sus lectores, se ve precisada a buscar un individuo (exactamente un hombre), que personifique a John Doe y viva su nivel ideal de acuerdo con la imagen (masculina) proyectada por el texto. En la carta John Doe promete suicidarse en Navidad a consecuencia del desencanto que siente por las presentes circunstancias del mundo en que vive. El caso es que la carta de John Doe, que es una invención de la periodista, adquiere vida propia ante la percepción de los lectores. Se vuelve de carne y hueso, y el momento en que hace su aparición en la radio leyendo su discurso, el texto se apodera de él, y la transición interna y verbal toma posesión del personaje. Lo acompaña en esta peripecia su mejor amigo, que está caracterizado a modo cervantino, con su raigambre, sus ocurrencias, sus puntos de vista y su refranero, como si fuera Sancho Panza.

La elección de John Willoughgby, un antiguo jugador de pelota convertido en vagabundo, no puede ser más certera al asociarlo con el deporte nacional. Un hombre común y corriente, como Augusto Pérez, aunque de muy diferente carácter. A través de una serie de artículos periodísticos, Gary Cooper será el encargado de corporeizarlo. El hecho de que textos ulteriores, proceden de una escritura previa cuya autoría corresponde al padre de Barbara Stanwick, complica la genética textual, que deja de ser una concepción estrictamente femenina y hasta en la cual pueden encontrarse connotaciones incestuosas freudianas. Pero lo que nos interesa destacar es que los textos van documentando al personaje, lo van haciendo, como hace Unamuno en *Tulio Montalbán y Julio Macedo*. De esta forma el texto creado por la periodista se va apoderando gradualmente del personaje interpretado por Gary Cooper, lo va caracterizando, hasta verse obligado a ser en la medida del texto. Y de acuerdo con lo que propone la primera carta inventada por la periodista, acorde con el planteamiento aludido, a menos que se verifique un cambio tendrá que suicidarse. La lectura oral de la escritura que lo forma (particularmente en la escena en que los lee por la radio), acaba por darle una autenticidad que no estaba en él y, a la larga, como si fuera un lector de libros de caballería, se vuelve el texto leído. La palabra crea al hombre. Barbara Stanwick, con una agresividad digna de Eugenia Domingo aunque con mejores intenciones, a la pregunta, "What John Doe?" (¿Qué John Doe?) responde "The one I made up" ("El que yo hice"). Agrega después con la clásica arrogancia de todo creador: "He turns out to be a wonderful person. I am actually falling in love with him" ("El ha resultado en un tipo estupendo. Hasta tal punto que me estoy enamorando de él"). Al modo cervantino de la creación de la mujer ideal, Dulcinea, ella crea su hombre ideal, que en este caso es su versión contemporánea y newyorquina de un don Quijote, dispuesto a tirarse de un rascacielos. A su vez, la primacía dada al texto, colocan a Capra y a Unamuno en una misma posición con relación al proceso creador. En ambos casos el texto forja la realidad. John Doe (como Augusto) se ve precisado a vivir (y a morir si fuera necesario) en la medida del texto que lo ha configurado y predestinado. Los vínculos con los principios conceptuales planteados en *Tulio Montalbán y Julio Macedo* son notorios, así como con los conceptos sobre el proceso creador establecidos por Unamuno.

Punto de partida

Apuntando en esta dirección aunque en términos diferentes, puede decirse que *The Purple Rose of Cairo* fue el primer *link* que me llevó a hilvanar esta serie de ensayos sobre los vínculos unamunianos con el cine, a los que se iban a unir un par de películas de apariencia muy distanciada, *Pennies form Heaven* y *The Three Amigos,* aunque esta última es más cervantina que unamuniana. La idea de tratar todos estos temas desde un punto de vista fílmico, se me metió en la cabeza después de ver la película de Woody Allen donde se plantean todos estos elementos y me sirvió para presentar un trabajo en San Antonio, Texas, *De Niebla a The Purple Rose of Cairo,* en la reunión anual de la American Association of Teachers of Spanish and Portuguese de 1989.

The Purple Rose of Cairo (1985): espacio "real" y espacio "fílmico"

Este film señala, a nuestro modo de ver, un momento significativo en el proceso de maduración del cine norteamericano desde el punto de vista intelectual y creador. Una de las múltiples coincidencias unamunianas hay que buscarla en la oposición de los niveles ficción-realidad, mezclando dentro de un mismo plano ámbitos que la razón mantiene categóricamente separados. Ambos textos, el literario y el fílmico, caen en la categoría pirandelliana del personaje en busca de autor, que es la médula de Unamuno –en última instancia el "personaje" en la búsqueda de Dios –es decir, la médula de la fe. A pesar de la aproximación original de Woody Allen, forma parte de un proceso frecuente de su obra creadora que le gusta pedir prestado materiales procedentes de otros textos. En muchas ocasiones se pasa de un juego de mera intertextualidad fílmica, como el caso de *A Place in the*

Sun (1951) y *Match Point (2005),* que va más allá de castaño oscuro. O lo que hará, peor todavía, con *A Stretcar Named Desire (1951)* y *Blue Jazmine (2013),* donde el préstamo es más significativo y el caso no tiene tan buenos resultados. Siendo un hecho que se repite, es dudoso que Allen le conceda ningún crédito a Unamuno. Las especulaciones religiosas, filosóficas y egocentristas, tanto de Unamuno como de Allen, debieron acercarlos en la interpretación de un proceso creador donde la angustia a consecuencia de la mortalidad del hombre de carne y hueso es en definitiva, la razón última del texto, cuando de forma obligada tenemos que salir de la película que protagonizamos.

En *The Purple Rose of Cairo,* Cecilia, interpretada por Mía Farrow, va a ver en el cine de su pueblo, durante la época de la crisis económica de los años treinta, una película en blanco y negro que le sirve de título al film de Allen, y que es la primera relación interfílmica que se plantea. En una de esas proyecciones, durante una escena del film, Tom Baxter, su protagonista, se fija en Cecilia, sentada en la butaca, se enamora de ella y sale de la pantalla, en un gesto donde predomina la casualidad como agente del amor a primera vista. La trama es relativamente sencilla y el interés surge de la estructura, como ocurre en *Niebla,* donde el hilo argumental es muy endeble. Tom Baxter pasa de la "ficción" a la "realidad", asumiéndose así que el mundo de Cecilia es, efectivamente, el "real". Este enfoque postmoderno hoy en día no es tan novedoso como lo fuera cuando se estrena *The Purple Rose of Cairo,* pero aún así la película tiene su vigencia. En ambas creaciones la anécdota tiene un valor marginal. De hecho el argumento de *Niebla* es en gran medida insustancial, con personajes carentes de profundidad sicológica, realmente huecos. Lo que le da profundidad y dimensionalidad a la novela son los componentes que se interpolan, algunas veces sin aparentes nexos directos, pero que crean un verdadero engranaje narrativo. De ahí que el interés no resida en la acción sino en lo inusitado del concepto. Otro tanto ocurre con *The Purple Rose of Cairo*, cuya historia, contada de otro modo no podría ir muy lejos.

El hecho sorprendente de que un personaje salga de la pantalla y se desplace al mundo "real" es equivalente a lo que muchos años atrás hace Unamuno con Augusto Pérez, que sale de las páginas de su "realidad", de su novela, y se va a enfrentar con el novelista, creándose una situación imposible, entre dos vivencias espaciales que no compaginan. Establecer el nexo comparativo entre dos creadores tan disímiles y que tan poco se parecen, no deja de sorprenderme a mí mismo, pero lo cierto es que ambos cuestionan la realidad. Es decir, el acuerdo implícito que hay entre el creador y el receptor (nosotros), se rompe con estos nuevos planos del discurso.

Nunca ha sucedido que, viendo una misma película, se produzca un cambio en la cinta. Cuando grabamos una película (en un cumpleaños, por ejemplo) la escena siempre será la misma, referida a un mismo hecho real, ya ocurrido, que no puede cambiarse. Siempre pasa lo que ya pasó. Lo vivido vivido está y no hay modo de cambiarlo, aunque uno se disculpe por haberlo hecho cuando se trate de una falta. En el cine pasa lo mismo que en la vida. Lo filmado filmado está y ahí se queda, y si se hace una nueva versión donde se editan escenas que fueron omitidas, en realidad no es la misma película. En la vida real, claro, esto es absolutamente imposible. Podemos pedir disculpas en una "escena" ulterior, pero no podemos borrar lo que ya se filmó. No se puede reeditar lo que ya vivimos y esta es la tremenda diferencia entre una cosa y la otra. Lo más que podemos decir es "lo siento", "I am sorry". No podemos repetir la misma escena y mucho menos sacar de la escena un personaje que ya ha estado en ella, o que diga lo contrario, como si se tratara de otro montaje, como ocurre en el teatro. No hay modo de interpolar una vivencia en una secuencia ya vivida. Ni siquiera en el teatro: cada noche es diferente tanto en escena como en la vida "real". Vista la película una vez, cada escena está predestinada por la anterior. Una alteración es un hecho "racionalmente" inaceptable, como lo sería, por ejemplo, que nosotros saliéramos de "nuestra" cinta y regresáramos después: en la "vida" real se sale solamente una vez, cuando nos morimos, y no hay boleto de regreso.

La movilidad de Tom Baxter, personaje de ficción que se sale de la pantalla dentro de la pantalla (como el caso de Augusto que se sale de la novela para ir a ver a su autor en otras páginas) recuerda el gesto de Augusto reclamándole al escritor su derecho a la libre elección, dentro del marco de "realidad de verdad", donde exclama que "quiere ser libre" y "no quiere seguir en la película por más tiempo". En general, toda la concepción responde al canon que pone en práctica la meta-ficción unamuniana. Cuando Gill Sheppard, que interpreta a Tom Baxter en la película dentro de la película, se entera que su personaje se ha corporeizado y ha salido de la pantalla haciendo uso de su libre albedrío, ocurre el correspondiente choque porque es una situación inadmisible y le exige a Baxter que retorne al film: "¡Cómo te atreviste a irte!", exclama, ya que es el Creador de la Criatura: "I made him alive. I flesh him out. He is my carácter. I created him". La confusion entre sueño y realidad que es la médula del unamunismo, se manifiesta en la relación que los personajes de la "ficción" (en la película en blanco y negro) establecen con los personajes de la realidad: "Vamos a poner las cosas en su lugar. Nosotros somos los personajes en la pantalla. Somos la realidad. Ellos son los sueños." La inaceptabilidad de que un personaje de "ficción" traspase su espacio y entre en el espacio "real", o que un personaje "real" haga lo contrario, como hacen Cecilia y Tom entrando y saliendo de la pantalla, se manifiesta al decir: "Estás del lado equivocado", que lo lleva a exclamar "¡Ella no puede estar aquí!". El texto de Unamuno y la toma de Woody Allen demuestran que tal desajuste de la especialidad es "posible". El acto creador impone y rompe "las leyes de la gravedad" que se vuelven transgresoras y son otras en la narrativa y en el cine.

Posiblemente las preocupaciones de Unamuno y de Allen por la mortalidad y la inmortalidad, la hipocondría que pareció caracterizar al escritor español y que Allen también manifiesta en sus películas (particularmente en *Hanna and Her Sisters*) siempre parecen ser un reflejo de ellos mismos; así como su formación intelectual que los lleva a buscar en la religión, la Biblia, el judaísmo y el cristianismo las explicaciones sobre la mortalidad y la inmortalidad. Territorio común en que se originan estas coincidencias. La secuencia en *The Purple Rose of Cairo* en la cual Cecilia lleva a Tom a la iglesia, ejemplifica lo expuesto:

"--Tú crees en Dios, ¿verdad?
--¿Cómo?
--La razón de todo... el mundo... el universo...
--Sí, sí, comprendo lo que me quieres decir... El que escribió *The Purple Rose of Cairo*... el escritor... los escritores... los colaboradores...
--No, no... Estoy hablando de algo mucho más grande, la razón de todo..."

Es evidente que Unamuno no lo hubiera dicho mejor y lo está diciendo en pantalla. El temor que experimenta la Criatura frente al Creador se pone particularmente de manifiesto cuando se hace la propuesta de apagar el proyector. Los personajes de la película ponen el grito en el cielo, ya que ello representaría la muerte. Está implícito que los personajes "reales" viven una circunstancia parecida: que la muerte no es otra cosa que un proyector que se apaga, y que la película se termina en un "fade out", en un "oscuro total". La diferencia fundamental está en que los personajes de ficción en pantalla están conscientes del peligro. Son ellos, y no los personajes "reales", los agonistas porque ni Liduvina, ni Domingo, ni Fermín, ni Ermenilda, ni siquiera Mauricio, Rosario o Eugenia, lo saben ya que no lo han pensado. Los personajes de celuloloide en blanco y negro, viven dentro de un infinito de celuloide (la vida) en el que están atrapados, encerrados, sin escapatoria, prisioneros dentro de la ficción que los ha creado como si estuvieran en las páginas de una novela. La sospecha de Augusto respecto a su propia existencia, lo convierte en un agonista existencialista. Está encerrado dentro de su pantalla, que es la página escrita. Pero al mismo tiempo, la película que se vuelve a ver o el libro que se vuelve a leer representan una forma de inmortalidad que "viven" las criaturas y no los creadores. De ahí surge la amenazante actitud de Augusto: "Se morirán todos, todos, todos" (284): los seres de carne y hueso, pero no lo personajes de papel o celuloide.

El vínculo unamuniano con el cine, es una supervivencia mediática más allá de su inventada *"nivola"* (especie de doble literario) que confirma la bipolaridad que recorre la espina dorsal de toda su invención creadora. Unamuno construye un esqueleto narrativo por un sistema de eliminación, funcionando en contra de la retórica "clásica" de la narrativa realista, especialmente la galdosiana, donde los personajes *son* y se angustian viviendo. Con Unamuno, los personajes y el lector se angustian muertos. También en *The Purple of Cairo*.

The Three Amigos (1980): cinco años antes

En esta película, dirigida por John Landis, pasa algo por el estilo: la mente salta de un espacio al otro. Patricia Martínez, una campesina de Santo Poco, es víctima, conjuntamente con los restantes vecinos de esta supuesta aldea mexicana, de los abusos de El Guapo, cacique de la comarca, puro estereotipo, un verdadero delincuente que mantiene aterrada a la población. Al salir de la aldea en busca de alguien que los ayude y los libre de las atrocidades de El Guapo, desesperada, entra en una Iglesia (recinto religioso) donde se proyecta en el altar una película silente, *The Three Amigos*, en la cual Steve Martin, Chavi Chase y Martin

Short, que están actuando, se dedican quijotescamente, en pantalla, a enderezar tuertos (en un espacio fílmico). Confundiendo los planos de la ficción y la realidad, Patricia llega a la conclusión de que el pueblo sólo podrá salvarse mediante la intercesión directa de "los tres amigos" (como si fueran santos milagrosos), motivo por el cual les envía un telegrama para que vengan (milagrosamente) a ayudarlos. Es decir, el cine se convierte en acto de fe mientras "los tres amigos" piensan que se trata de un contrato para filmar una película. La confusión de identidades es delirante, ya que los tres amigos interpretan su papel mientras Patricia y los aldeanos no reconocen la línea divisoria entre una cosa y la otra. La ficción es tan real que la "actuación" no existe. La pantalla cinematográfica, colocada en el altar mayor de la iglesia, adquiere una obvia connotación religiosa, que lleva a una reinterpretación de la realidad. Sin saberlo, "creen" en el cine, dándole un significado de mayor nivel a la pantalla, vuelta una "misa" en escena. Lo que está haciendo Patricia al convertir a los tres amigos en tres héroes en defensa de los desamparados, es un acto quijotesco y cervantino donde el espectáculo se transforma en acto de fe, transformando *The Three Amigos* en una película transgresora. Las situaciones son delirantes y un episodio conduce al otro con agilidad y destreza fílmicas. El descubrimiento de que los tiroteos y la sangre son "de verdad" acaba dando lugar a una auténtica confrontación entre ficción y realidad, que es lo que sitúa la película entre Cervantes y Unamuno.

Pennies from Heaven (1981): *un año después y cuatro años antes*

En *Niebla* la transgresión del espacio narrativo es básica por razones de raigambre metafísica. Pero en *Pennies from Heaven* pasa además por razones intrínsecas del *musical*, ese género tan popular que es eminentemente transgresor:

las personas están hablando como ustedes y como yo, entre sí, y de pronto, sin aviso previo, se ponen a cantar y bailar. ¿Cuándo, verdaderamente, se ha visto nada más disparatado? *Pennies from Heaven* es un caso representativo. Procedente de un programa de televisión escrito por Denis Porter para la BBC en 1978, el propio Porter escribe el guión, situando la acción en los años treinta, en medio de la depresión económica que sufre los Estados Unidos, lo que le da una razón de ser más allá de los números musicales, que son excelentes. Detrás de ello hay un mensaje social, evasivo pero también revolucionario. Y hasta metafísico. Las cosas están tan mal, las circunstancias de la vida diaria son tan difíciles, que tenemos que ponernos a soñar, y soñamos cantando. Las transiciones espaciales de un plano al otro, el "fílmico" de la realidad y el "teatral" del músical, crean una duplicación de planos semejante a la que tiene lugar en *The Purple Rose of Cairo*. Ciertamente hay que reconocer que *Pennies from Heaven* se le adelanta y es una mejor película en términos generales. Dirigida por Herbert Ross, con Steve Martin, Bernardette Peters y Christopher Walker en los papeles protagónicos, cuenta a su favor la secuencia magistral en que los personajes dan el salto de la "realidad" a la "ficción" desdoblándose en Fred Astair y Ginger Rogers, en una transferencia que incluye el salto de una vida "real" en colores a una "ficcionalización" en blanco y negro, hasta caer finalmente en la trampa del enrejado final que los encierra. Si uno lo piensa detenidamente estamos ante un momento fílmicamente brillante, donde todas las barreras se rompen e inclusive, el acto de soñar que no cuesta nada es tras la evasión una propuesta revolucionaria. Se trabaja aquí con un plano teatral vuelto cine donde no falta una preocupación social que es un compromiso ideológico, lo que lo vuelve una propuesta política muy compacta. El nivel social y económico en que se ubica *Pennies from Heaven,* en el marco de la crisis económica y la evasión colectiva que representó el cine como escapatoria y terapia síquica, le dan un significado adicional que la distancia de la despersonalización de *Niebla* y *The Purple Rose of Cairo*. En *Pennies from Heaven* los personajes se humanizan al ir de la realidad a la ficción, pero los de Unamuno y Allen se distancian genéricamente porque parecen estar mucho más programados y deshumanizados. Si *Pennies From Heaven* nos llega a conmover porque Peters y Martin viven "en pantalla" emociones desoladoras de carne y hueso, y la ficción tiene un significado metafórico de lo que está pasando en el mundo "real", ello se debe a que los personajes de Allen y Unamuno responden más a una "realidad" fílmica y "nivolesca", pero el hecho es que alternan entre un plano y el otro. Arthur, el protagonista, vende partituras musicales de la época, pero, más que eso, cree en los textos que configuran la película en sí misma, lo que implica una transferencia síquica y textual, que le da una mayor dimensión a las palabras

Shattered Glass (2003): la verdad de la mentira

Dentro del espacio documental, pero estableciendo un contrapunto realidad-ficción, con nexos inter-textuales, *Shattered Glass,* escrita y dirigida por Bill Ray, sobre un joven y carismático periodista, Stephen Glass, ocupa un espacio único. No tiene en sí misma un planteamiento unamuniano y como realización no se le parece en lo más mínimo, pero juega con la interacción entre ficción y realidad. Se basa en hechos ocurridos en *The New Republic,* donde Glass publica 41 artículos de los cuales 21 de ellos se refieren a en hechos inventados por Glass, que hace pasar como reales, lo que lo convierte no sólo en un farsante absoluto y un mentiroso, sino también en un estupendo "cuentista" que se burla con audacia inusitada de toda una empresa periodística, de sus colegas y, más todavía, de sus lectores. Interpretada a la perfección por Hayden Christendensen, que nos engaña a nosotros como hace Glass con los demás, Peter Sarsgaard hace otro excelente trabajo actoral como su antagonista. Pero es el texto, la dirección de los actores, la caracterización del personaje, y la idea en sí misma, lo que representa un logro intertextual entre ficción y realidad. No sólo eso: al filmarse como realidad lo que ocurrió en la ficción "delincuente" de Glass, la película nos vuelve víctimas y cómplices del timo que desarrolla la acción, ya que lo que vemos es lo que no es. El corte de las secuencias, el desarrollo del guión que salta de un plano al otro, particularmente cuando Glass hace lo opuesto de lo que está diciendo, es de un logro absoluto. Esto nos hace pensar en la fina e invisible línea divisoria entre una cosa y la otra: las apariencias engañan y sabe Dios cuántas experiencias de este carácter vivimos día a día sin darnos cuenta de lo que está pasando, sin contar, naturalmente, las que aparecen publicadas o incluso las noticias falsas del discurso oficial y sus antagonistas, lo cual nos remite al episodio "real" que tuvo lugar en Salamanca –y no me refiero al encuentro de Augusto Pérez con Unamuno.

CAPITULO III

Unamuno: La hora cero. Caos, sexo y metafísica

Antes de entrar en otras consideraciones, determinemos que el caos es un factor normativo en *Niebla*. Como si se tratara de un frío planteamiento matemático, que toma como punto de partida pequeñas e insignificantes consecuencias de las primeras páginas de la novela (la casual salida de Augusto y la casual aparición de Eugenia), que dan lugar al comportamiento futuro del protagonista y al desarrollo de las situaciones confusas, la lógica distanciada del autor acaba en un planteamiento angustiosamente alucinado. Un movimiento pendular gratuito de un lado al otro, que es la dinámica de la trayectoria de la acción, bien pudiera ilustrarse con el diagrama del sistema de Lorenz: "*pequeñas variaciones de las condiciones iniciales, pueden implicar grandes diferencias en el comportamiento futuro, imposibilitándose la predicción a largo plazo*", que es lo que sucede en la novela. La lógica racional de la causa y el efecto de la narrativa galdosiana desaparece sujeta a las normas del caos. Un movimiento oscilante de la acción que no se ajusta a un punto fijo, un desarrollo irregular, sin linealidad, dentro de una dimensión infinita, tiene lugar; situaciones comunes iniciales que después se separan debido a comportamientos diferentes, que son determinantes en la teoría del caos, son aplicados literariamente por Unamuno en el desarrollo de la novela.

Con *Niebla* rompe Unamuno con un principio básico de la novela realista de causa y efecto y propone la *casualidad* como agente de la acción, como causa imprescindible, como *chance,* que desarrolla la novela de forma arbitraria.

Está asociado este principio con la mecánica de las cosas, que no surge del contexto racional de otras cosas con las cuales conviven, sino que aparecen sin explicación, aisladas, de acuerdo con el imperativo mental de quien las crea, sin previo aviso, como es el caso de la jaula en el balcón con el pajarito, que se cae, y después la aparición de Orfeo, episodios los dos de apariencia gratuita. La funcionalidad dramática de las cosas es independiente, casi fuera de contexto. "En aquel momento se abrió uno de los balcones y apareció una señora enjuta y cana con una jaula en la mano. Iba a poner el canario al sol. Pero al ir a ponerlo falló el clavo y la jaula se vino abajo" (135). Esta arbitrariedad del objeto le da una autonomía de primer plano que conduce la acción. Si la aparición de Augusto con el paraguas es un parto y si la de Eugenia es casual, también lo será después la del perro, Orfeo, que conducirá al monólogo interior; curiosamente, a partir de este momento la novela se vuelve algo más racional y más directa, como si Unamuno se sintiera más seguro del desarrollo.

La importancia de *Niebla* es obvia, porque la vida es un problema del cual no escapa nadie incluso si estamos muertos. Augusto Pérez es una criatura profana que viola el orden natural, que es el orden de Dios, creada a imagen y semejanza de su creador, que a lo mejor ni siquiera es su creador, con el significado último de tratarse de una violación de los designios de Dios. Pero, como si esto no fuera suficiente, la novela establece el contrapunto entre el Creador y la Criatura, llevando a una lucha brutal entre uno y otro, que es el punto clave entre la vida y la muerte: la hora cero. En términos religiosos, podría interpretarse como una "réplica" del principio "a imagen y semejanza", que es otra metáfora de la creación. *El proceso creador de cada uno de nosotros es el resultado de la escritura de Dios, y a su vez nos coloca en el plano de Dios, como si fuera una competencia metafísica, que de entrada, por serlo, es un pecado mortal, pecado de orgullo, donde tenemos todas la de perder.* Pero tanto en un caso como en el otro, o en la combinación de ambos procesos, la *clonificación* rompe el canon divino por donde nos conducían los caminos de la fe. *Sea como sea, el deseo de apresar esa naturaleza divina es la profanación unamuniana que lo lleva al índice y hace de la novela un libro diabólico, a veces muy difícil de digerir porque es repetitivo, contradictorio, abstracto.* Y otro tanto pasaría en el caso de si lo viéramos como el ejemplo de una *clonificación* literaria, que es hacia donde nos estamos encaminados.

Entre Kierkegaard y Gemma Roberts

En un libro excepcional, *Unamuno: afinidades y coincidencias kierkegaardianas,* Gemma Roberts, una de las ensayistas cubanas más importantes del siglo XX, que tomó el camino del destierro a principios de los sesenta y que ha sido ignorada por el propio exilio, de pensamiento sólido y profundo, investigadora pertinaz que por muchos años enseñara en la Universidad de Miami, apasionada de Unamuno, amiga muy cercana del autor de estas páginas, publica en 1989 el mencionado libro donde recorre minuciosamente la vida de Augusto Pérez a la luz de Kierkegaard, recorrido que viene a ser lo opuesto de mi propuesta, ya que Roberts, con unas convicciones unamunianas de otro tipo, ve al filósofo vizcaíno desde otro punto de vista que se distancia grandemente del mío. Su trabajo va en línea de continuidad con las investigaciones académicas que se han hecho en torno a la novela. Yo lo tomo tan en serio como Roberts, pero la ensayista cubana lo hace en otro tono.

"Unamuno, siguiendo la inclinación agónica de su espíritu, fundamenta la autenticidad existencial con la clara conciencia que alcanza el hombre de su propia mortalidad. Esencial en la temática de *Niebla* es la idea de que el ser humano es ser mortal, mientras que ser una abstracción, un ente de ficción, es ser inmortal. La ironía que subyace bajo esta conclusión, naturalmente, consiste en que Augusto Pérez, en cuanto a mero personaje de novela, es inmortal; en contraste con su autor, Miguel de Unamuno, quien, como hombre de carne y hueso está condenado a morir" (Roberts 58).

Por mi parte, propongo una bifurcación transgresora donde a Unamuno lo llevo al cine, para volver sobre él desde la angustia fílmica unamuniana en una paradoja de celuloide. Dudamos, como seguramente consideraría Gemma Roberts, que Unamuno esté de acuerdo con mi sarcástica ironía, que la justifica el hecho de que todos estamos con el mismo patético problema encima, frente a una ecuación bipolar, insoluble, entre la mortalidad y la inmortalidad en la cual tenemos todas las de perder, y que le da a *Niebla* el significado monumental que tiene. Unamuno nos desnuda y pone nuestro cadáver en la mesa ante un cirujano con el bisturí en la mano, y esto no tiene la menor gracia. Además, moderniza la situación de tal modo que su Augusto Pérez, al contrario de Frankenstein, es un hijo de vecino tan opaco y acartonado que no le mete miedo a nadie, pero que en su insignificancia, en su gestualidad, en sus decisiones, en toda su conducta, sin llegar a ser un monstruo es una anomalía, la caricatura de un hombre común y corriente cuyos trazos crea el autor en un pedazo de papel, sin necesidad de brebajes químicos, probetas humeantes, efectos eléctricos especiales, tormentas, rayos y truenos, o monstruosidad física de ningún tipo, "stranger than fiction", creado como si la naturaleza y Dios fueran sus asistentes. Su evolución al tomar conciencia de sí mismo ya en la antesala de la muerte, lo convertirá en la mueca trágica de la vida.

Sexualidad metafísica: un tratado de gnepsicología

Es a partir del capítulo XX que la idea del largo viaje cobra forma, aunque físicamente se va a reducir a un viajecito a Salamanca. "Emprendería el viaje, ¿si o no?" (214). Como ya lo había anunciado tendría que emprenderlo. Así que "parece" una acción volitiva. "Los hombres de palabra primero dicen una cosa y después la piensan, y por último la hacen" (214). Si lo había dicho tendría que hacerlo: "¡Un viaje largo y lejano! ¿Por qué? ¿Para qué? ¿Cómo? ¿Adónde?" (214). Lo que establece el nexo correspondiente con el sistema caótico, gratuito, donde el *chance* parece mover el péndulo. Pero la afirmación del "Yo" que hace en el capítulo XIX no va a ir más allá del capítulo XX, cuando con la negación de Eugenia, que es el discurso femenino, pasa a decir lo contrario: "Yo ya no soy yo" (219). La presencia de Eugenia es esencial para comprender otro ámbito de la novela, el de la sexualidad, que nos lleva a una ambivalencia entre el cerebro y el deseo, porque ambos elementos están ahí, cabeza adentro e instinto abajo, envueltos en la metafísica de la vida y la muerte.

Es casi obvio en este punto (entre el capítulo XIX y el XX) que la novela parece sufrir un bloqueo creador de esos que se atribuyen a los novelistas, como si el propio Unamuno no supiera qué camino tomar, darle forma al viaje, con las narraciones de Víctor Goti y Paparrigópulos, que parecen dejar su influencia en estos ensayos como interpolaciones fílmicas que avanzan y retroceden sin exacta cronología. Todas estas narraciones interpoladas (las de Unamuno, quiero decir) tienen su subtexto. Entre ellos el de darle una creciente vuelta sicológica a la novela, apartándonos de la vertiente metafísica, como una opción adicional de que, sencillamente, Augusto oye voces y el que oye voces está rematadamente loco.

No hay que olvidar nunca que el subconsciente sexual de la novela se acrecienta con los desplantes de Eugenia y, en particular, el contacto "físico" y "fisiológico" con Rosario, que alguna excitación debió de producirle. El propio Unamuno haciendo de Augusto parece asustarse de lo que está haciendo. "¿Estaré bien de la cabeza?" "¿No será acaso que mientras yo creo ir formalmente por la calle como las personas normales –¿y qué es una persona normal?--, vaya haciendo gestos, contorsiones y pantomimas, y que la gente que yo creo pasa sin mirarme o que me mira indiferente no sea así, sino que están todos fijos en mí y riéndose o compadeciéndome…? ¿Y esa ocurrencia no sea acaso locura? ¿Estaré loco?" (247-248): como pasa en *A Beautiful Mind, Inception, Abre los ojos, Vanilla Sky*. Esta opción sicopática no puede descartarse, como tampoco puede descartarse en don Quijote de la Mancha, que puede que simple y llanamente estuviera loco de remate y sexualmente insatisfecho con el ayuno y la abstinencia. Porque, además, y permítaseme remitirme a la sicóloga de *Stranger than Fiction:* si uno oye voces es esquizofrénico y el que dice disparates (recordemos a Hamlet) está simple y llanamente loco, aunque la cuestión no es tan simple. Los sueños, como sabemos por *Inception, Abre los ojos* y *Vanilla Sky,* no son tampoco sencillamente casuales, no se resuelven con "y los sueños sueños son", como decía Calderón: desde el momento y hora que los soñamos *son* por algo.

El desequilibrio sexual, además, no puede ignorarse, y el toqueteo con Rosarito quizás hubiera podido salvarlo, pero el remedio se vuelve peor que la enfermedad, ya que con Eugenia no podía "resolver". Galdós, sin dudas, lo hubiera resuelto de otro modo. Pero, "a mí para meterme en experimentos psicofisiológicos me falta preparación técnica" y "la psicofisiología exige aparatos. ¿Estaré, pues, loco?" (242), insiste repetitivamente. Estas "incepciones" narrativas son literariamente y sicológicamente inquietantes hasta que nos llevan a preguntarnos "¿quién es el loco?" Hasta tal punto que en un ulterior capítulo, en conversaciones con Víctor Goti, cuando Augusto lee la "nivola" de Goti (recurso sicológico indirecto de Unamuno para evadir la sexualidad de la suya), Augusto observa algo y le dice "te me han cambiado" (¿Quién cambia a quién?): "—Porque ahí hay cosas que rayan en lo pornográfico y hasta pasan a veces de ello" (249). ¿Se referiría Unamuno al episodio con Rosarito que realmente no puede tomarse como "desnudo" o "desvestido" y ni siquiera como realismo mucho menos pornográfico? En resumen, afincado el desarrollo en episodios que conducen a la solución de los conflictos relativos a la sexualidad, el problema hace crisis y conduce al propuesto viaje a Salamanca.

"Y se encerró en su cuarto. Y a la vez que las imágenes de Eugenia y de Mauricio, presentábase a su espíritu la de Rosario, que también se burlaba de él. Y recordaba a su madre. Se echó sobre la cama, mordió la almohada, no acertaba a decirse nada concreto, se le enmudeció el monólogo, sintió como si se le acorchase el alma y rompió a llorar" (270).

Es el momento en que Augusto Pérez está a punto de convertirse en una criatura de carne y hueso. Si "en el principio fue la Palabra y por la Palabra se hizo todo" (ligamen bíblico de la *nivola)*, la convicción de su "realidad" tras la crisis, queda confirmada en el capítulo que precede el encuentro de la Criatura con su Creador: *"¡Ser o no ser!,* que dijo Hamlet, uno de los que inventaron a Shakespeare" (275).

"Empecé, Víctor, como una sombra, como una ficción; durante años he vagado como un fantasma, como un muñeco de niebla, sin creer en mi poca existencia, imaginándome ser un personaje fantástico que un oculto genio inventó para solazarse o desahogarse; pero ahora, después de lo que me han hecho [...], ¡ahora sí!, ahora me palpo, ahora no dudo de mi existencia real!" (275).

Hay que reconocer, y al mismo tiempo descartar, que hay un problema de "sexualidad metafísica en la novela", remotamente parecido a la lujuria de Frankenstein (sobre el cual nos entenderemos extensamente en el capítulo correspondiente) cuando exige que le busquen una novia, que parece saber lo que necesita; pero, con Unamuno, a Augusto no le sale la solución por esa vía. Víctor lo enfrenta a la situación, que para eso está en la novela: "Porque eres un solitario, Augusto, un solitario, *entiéndemelo bien,* un solitario…" (las cursivas son mías) (250). De ahí la incepción de lo "pornográfico" en el texto, que para Augusto está representado por cualquier cosa, que Víctor, Unamuno y la Iglesia resuelven (ver también *La tía Tula* y mis ensayos sobre ella) con el matrimonio como prescripción facultativa. Víctor le sale a Unamuno como médico de su honra, que conduce a la novela (a dónde también iremos a parar) con una componenda sico-erótica digna de análisis:

"La única experiencia psicológica sobre la Mujer es el matrimonio. El que no se casa, jamás podrá experimentar psicológicamente el alma de la Mujer. El único laboratorio de psicología femenina o de ginepsicología es el matrimonio… Jamás te fíes de otro cirujano que de aquel que se haya amputado a sí mismo algún propio miembro, ni te entregues al alienista que no esté loco. Cásate, pues, si quieres saber psicología… Lo de los solteros no es psicología; no es más que metafísica; es decir, más allá de lo natural" (251).

Realmente, hay que estar loco para pensar tal cosa, y Goti parece ser el alienista demente que recomienda el demente que parece cuerdo. Porque, ¿cómo puede haber conocimiento posible a partir del criterio de un siquiatra que prescribe el matrimonio tras la amputación de "algún propio miembro"? Lo cual quiere decir, que si Augusto quiere darle solución a la crisis del "solitario" (y Víctor es enfático en lo del "solitario") mediante la amputación matrimonial, ¿adónde vamos a parar? La medicina sería peor que la enfermedad, y Eugenia (recordemos a la tía Tula) no es una "pastilla monádica" que acepte ser utilizada como medicamento, así que después de asentir a la propuesta matrimonial, como tiene sus propios objetivos, acabará fugándose con Mauricio, que no está interesado en la "ginepsicología". Además, según Goti, si Augusto era un hombre soltero su problema era metafísico y anómalo, porque estaba más allá de lo natural, que parece ser otro disparate. Con un amigo como Goti (y un autor como Unamuno), los enemigos sobran, aunque Augusto siga sus instrucciones y piense en casarse. "Todo estaba dispuesto ya para la boda" (266). Pero, como Eugenia es una mónada ("replicante", "robot", "clon") programada de otro modo, lo deja plantado. Esto explica que, cuerdamente, Augusto decida suicidarse.

El sexo, hay que reconocerlo, juega un papel importantísimo y aparece en el subconsciente cuando uno menos se lo piense. Interrumpe y elabora sueños, como si fuera, *Stranger than Fiction.* Es parte integral de la metafísica como ir al baño lo es del proceso digestivo. Unamuno parece que lo esquiva, pero es un subtexto que controla muchas secuencias, generalmente bajo cuerda, porque entra a regañadientes y sin permiso. En *Niebla* es un hecho.

El descubrimiento de eros se lleva a efecto por medio de una invención teórica de una mujer "nueva" que rompe con el canon tradicional. Al no desarrollarse en los términos de una relación mutua, es un acto de onanismo mental, una manifestación en el vacío porque se trata de una invención donde no hay nada. Eugenia Domingo le sirve, en primer término, para proceder al corte del cordón umbilical con la madre, que es un nexo real del cual el autor tiene que deshacerse mediante la creación de Eugenia. Se trata de un descubrimiento de eros que le inventa el novelista como pareja ficticia, con la ilusión de existir de veras. Como el caso de Eva. Mientras que en la relación de Mauricio con Eugenia hay "carne", en la que sostiene la mente de Augusto con Eugenia no se manifiesta nunca una conducta de eros que vivifique la "vivencia". Esto explica que sea una "entrada en las regiones infernales" de la nada, porque no está al natural, al desnudo: es un sistema de autocreación erótica que no confirma la existencialidad real de Eugenia, sino la teórica del Creador, inclusive considerando un residuo de freudanismo edipal unamuniano.

Además, hay una teoría de la posesión del objeto amatorio que tiene lugar mediante la transacción financiera que lleva a las operaciones bancarias de lo que es, efectivamente, una "compra" de Eugenia, incluso un cuestionamiento sobre su existencia, lo que explicaría la indignación de ella, aunque sería la norma de lo normal: la teatralidad natural de la vida. Un cálculo matemático. Lo cual no excluye otras opciones. La regresión uteral asoma la cabeza, pero no del todo, ya que se trata de un reduccionismo físico que termina en la muerte.

No será hasta el final de la novela donde Unamuno, envuelto en la piel de Orfeo, se desnude como tal en el soliloquio consigo mismo. "¡Y es claro, el perro que se pone en dos pies va enseñando impúdicamente, cínicamente, sus vergüenzas, de cara! Así hizo el hombre al ponerse de pie, al convertirse en mamífero vertical, sintió al punto vergüenza y la necesidad moral. Y por eso dice su Biblia, según les he oído, que el primer hombre, es decir, el primero de ellos que se puso a andar en dos pies, sintió vergüenza de presentarse desnudo ante su Dios. Y para eso inventaron el vestido, para cubrirse el sexo" (299). Toda la sexualidad unamuniana descansa púdicamente bajo un recatado vestuario de la cultura hispánica que cubre las vergüenzas de la desnudez, que después obliga a que llevemos a efecto el destape, que es parte integral de su metafísica.

Un "implante" en el cosmos

Después de haber tomado la decisión de suicidarse, en el capítulo XXXI Unamuno se quita por completo la careta y se pone la máscara de Dios, enfrentando a Augusto de modo inflexible y despiadado al rostro de su Creador. A pesar de todo, no pasa de ser una "representación", puro teatro, donde entra en juego la caracterización de un actor destinado a un Oscar, aunque es realmente actor de reparto, porque el protagónico habría que dárselo a la Criatura. Es sin embargo el momento culminante del guión, ya que se trata de la transgresión de espacios donde extendemos la mano y atravesamos el espejo. ¡Y nos encontramos con Dios! Por eso Unamuno lo hace llevando a efecto un viaje real (en la medida de lo posible), sin descripciones de paisajes, sin probetas de laboratorio, pues no los hay, salvo las letras.

Esto no excluye que *el personaje* no salga de su asombro cuando se encuentra con *su autor*. "¡Parece mentira! A no verlo no lo creería. No sé si estoy despierto o soñando" (278). Como si se tratara de un templo, el despacho está presidido por una retrato de Unamuno, como un ícono (o un capitalista millonario al tope de su rascacielos), que queda en realidad dentro de los límites de un vacío donde no hay escenografía. El texto no es directo, real, inmediato, sino impersonal, y el diálogo se vuelve abstracto, a pesar de cierto carácter confianzudo que en Unamuno casi nunca es totalmente natural. En el colmo de la crueldad impersonal unamuniana, el autor le dice: "Te dije antes que no estabas ni despierto ni dormido, y ahora te digo que no estás ni muerto ni vivo" (278) "Pues bien: la verdad es, querido Augusto, que no puedes matarte porque no estas vivo", y no estás vivo ni muerto "porque no existes" (279), convirtiéndolo en personaje de su *nivola,* puro ente de ficción con la certeza absoluta de que "tú no existes fuera de mi producción novelesca", que equivale a *decirnos que nosotros no existimos fuera de la nivola de Dios.* Esta posición se invertirá en la dialéctica del personaje: "Mire usted bien, don Miguel…, no sea usted y no yo el ente de ficción, el que no existe en realidad ni vivo ni muerto. No sea que usted no pase de ser un pretexto para que mi historia llegue al mundo" (279). Estas pocas líneas son las que crean la diferencia fundamental de *Niebla,* no sólo con toda la producción de Unamuno sino también en contraste con toda la narrativa hispánica hasta el día de hoy.

Como veremos en nuestra interpretación interfílmica hay muchas resonancias en un espacio donde no hay ni vivos ni muertos bajo un inquietante "Vanilla Sky". Quizás *Niebla* falle en muchos sentidos, pero no en concepto, particularmente tomando en cuenta, como le dice el personaje, que había sido él quien dijo que Don Quijote y Sancho son "más reales que Cervantes" (279): Augusto invierte la situación y lo convierte en personaje de ficción. Envalentonándose, agrega "Y yo vuelvo a insinuarle a usted de que es usted el que no existe fuera de mí y de los demás personajes a quienes usted cree haber inventado" (280). Llegando más lejos todavía, *"implanta"* el principio ya inventado por Calderón (y posiblemente literariamente desconocido por Christopher Nolan) de la "conciencia del sueño", procedente del barroco español, que Unamuno retoma dentro de su existencialismo: "y si el soñador" se "sueña él mismo como sueño? –como soñador que se sueña soñado por sí mismo" (280), entonces, ¿qué hacemos dentro de ese quehacer inquietante en que estamos metidos? ¿No es esto lo que plantea Christopher Nolan en *Inception*? "Y fíjese, además, en que admitir esta discusión conmigo me reconoce ya existencia independiente de él" (280). Es decir, la idea clave de muchas de las correlaciones que vamos a discutir en este trabajo.

Esta dialéctica coloca la novela en un territorio que no se había recorrido antes, o si se quiere, que no se había recorrido de manera parecida, entrando en un espacio sicoliterario único como si Augusto fuera un mero implante en el cosmos. *Niebla* es, en síntesis, una novela irritante, un cuento de la buena pipa, un callejón sin salida, que pone al lector en estado agónico, que es el mismo en que se encuentran el Creador y su Criatura, en esta escena *nivolesca* y teatral entre dos empecinados.

Ante la propuesta de Augusto de invertir su idea del suicidio y en su lugar matar a Unamuno, el personaje va demasiado lejos para un "carácter" que está armado con la palabra aunque no sea la mejor literatura. Por ese motivo, cuando Augusto hace la pregunta retórica, "¿O es que cree usted, amigo don Miguel, que sería el primer caso en que un ente de ficción, como usted me llama, matara a quien creyó darle el ser… ficticio?" (283), el Creador concede que la Criatura ha sido demasiado más atrevida de la cuenta y que tendrá que acabar con ella, a la española, fuera de toda lógica y porque sencillamente le da la real gana: "¡Bueno, basta! ¡Basta! ¡Basta!" "¡Te morirás, te lo digo, te morirás!" (283). "¡Quiero ser yo, ser yo! ¡Quiero vivir!" (383). "¡Crearme para dejarme morir!" (284). Se arma, en fin, el gran zafarrancho metafísico, totalmente solariego, porque aquello de "crearme para dejarme morir" es una propuesta que realmente trasciende toda metafísica y no se puede resolver de otro modo. A ladrido pelado, Augusto se va de Salamanca con el rabo entre las piernas, como si fuera Orfeo…" "¡A morir pues!" (285) "Este supremo esfuerzo de pasión de vida, de ansia de inmortalidad, le dejó extenuado" (285), que bien jodido se fue de Salamanca.

Una situación que recuerda a Tom Cruise y Eduardo Noriega tirándose del rascacielos en *Vanilla Sky* y *Abre los ojos* respectivamente, o el caso de Truman luchando contra viento y marea, literalmente, en *The Truman Show*, o el más optimista de Harold Crick presionando a la autora para que cambie el final de la novela "que lo escribe" en *Stranger than Fiction*. Y en particular, la solución radical que propone *Blade Runner:* la más transgresora de todas ellas, que nos lleva de cabeza al Infierno.

Una clonificación transgresora:
una interpretación de película.

Es imposible seguir adelante sin enfrentarse a la *clonificación* y al *replicant*. *Como explicaré gradualmente, mi dislocada e irónica propuesta no es otra que discutir Niebla en términos fílmicos y de ciencia ficción y trazar un paralelismo entre la creación de Augusto Pérez en Niebla y la de Shelley en Frankenstein mediante un proceso de clonificación que conecta una criatura con la otra, porque después de todo ambos son monstruos.* También don Sandalio no es más que un monstruo existencialista jugando onanísticamente para crearse a sí mismo, una masturbación cerebral. Si Unamuno, había leído o no a Mary Shelley no lo sabemos, ni lo voy a investigar, pero como el subtítulo nos a remite a Prometeo, de larga trayectoria, más viejo que andar a pie, hay en ello un punto de partida. Además, Mary Shelley juega con fuego, que como lo define Frankenstein bipolarmente, es bueno y malo, y hasta lo caracteriza cuando da un salto inesperado de lo amistoso y afectivo a lo criminal, en transiciones abruptas.

Génesis: parto de la sexualidad reprimida

Si Unamuno crea a Augusto como Víctor Frankenstein creó al monstruo de su mismo apellido, Eugenia no es un encuentro como otro cualquiera, sino el producto mental que andaba buscando desde hacía tiempo y viene a su encuentro, la aparición de una criatura *clonolizada* en un momento que coincide con el parto de su sexualidad. Su Eugenia, "la mía", que repite una y otra vez, también está *clonolizada* en el momento que nace de la nada mental del autor. Representa también el corte del cordón umbilical con la madre y el correspondiente con el padre, convertido en un puñado de cenizas en un cenicero. Eugenia es la mujer que se ha "forjado sobre la visión fugitiva de aquellos ojos, de aquella yunta de estrellas en [su] nebulosa" (118-119). Su propia invención. *Clon con clon, replicant con replicant, mónoda con mónoda, forman la pareja de la concepción paradisíaca de este abstracto Edén unamuniano.* "Es ella, sí, es ella –siguió diciéndose--, es ella, es la misma, es la que yo, aun sin saber [andaba buscando y vino a su encuentro]" "Estábamos destinados uno a otro en armonía preestablecida; somos dos *mónodas* complementarias una de otra" (130). Esa conjunción *monádica* se convierte forzosamente en una cópula abstracta donde al conjugar dos sexos opuestos pero sin carne, se convierte en una conjunción única, sin materialización erótica común y corriente. Hay que reconocer que el engendro de esta criatura es más anómalo que el del mismísimo Frankenstein. El "parto" de Eugenia Domingo de Arco es genéticamente masculino sin intervención de mujer alguna, un "bien nacido", de acuerdo con su nombre, producto del proceso mental masculino que es el que la inventa. Se trata de un acto fundamentalmente misógino, sin óvulo ni útero femenino. "¿De dónde ha brotado Eugenia? ¿Es ella una creación mía o soy creación suya yo? ¿O somos los dos creaciones mutuas, ella de mí, yo de ella? ¿No es acaso todo creación de cada cosa y cada cosa creación del todo?" (140). *La sospecha de que uno no es ("yo no soy yo",*

149), es la conclusión determinante. Puro machismo creador de un ser que ovula su objeto de deseo a partir de sí mismo, y cuyo antecedente hay que ir a buscar en Dulcinea del Toboso, el más puro de todos los imaginarios masculinos de una criatura del sexo opuesto; un acto de masturbación creadora que es "el Dios creó a la mujer" de los hombres, un producto "literario" que, precisamente, niega a la mujer de carne y hueso: un conflicto de género que va, desde Adán y Eva, naturalmente, a Cervantes y a Unamuno, hasta llegar, a *Her (2014)* de Spike Jonze, con substanciales parecidos y diferencias digitales. Eugenia Domingo es la Dulcinea de Unamuno, porque Cervantes también entra en juego.

A partir del encuentro de Augusto Pérez con Unamuno, el Creador nos pone al borde del abismo, y ninguna película para ilustrarlo mejor que *Blade Runner*, que de paso nos mete en el problema de la vida y la muerte de los *replicants*, que son los que más nos atañen en la interpretación de los orígenes "evangélicos" de lo que somos.

Blade Runner (1982): el concepto del "replicant"

En su interpretación de *Blade Runner*, Juan Miguel Perea observa que en la novela *¿Suenan los androides con ovejas eléctricas?*, su autor, Philip K. Dick, dice: "Hay algo en nosotros de humanoide, morfológicamente idéntico al ser humano, pero que no es humano. De ahí mi idea de que en nuestra especie hay una bifurcación, una dicotomía entre lo que es realmente humano y lo que sólo lo imita" (Perea 37). Este es exactamente el caso de Augusto, de Eugenia, y otros personajes de la ficción unamuniana, que raramente encontramos en la novela de Galdós y nos obliga a distanciarnos porque el propio autor está distanciado. La razón de ser de una falta de empatía, que es la misma que se manifiesta cuando Pérez se encuentra con su Creador, aplicable al distanciamiento de Dios, y que pone de relieve la condición de *replicant* que hay en él, que no invita a que lo tratemos de tú a tú. Este efecto de "sofisticada operación de ingeniería genética" que se practica en *Blade Runner* equivale a la sofisticada operación de ingeniería literaria que utiliza Unamuno en la construcción de su personaje, con su transformación de novela en nivola, y por extensión en ensayo filosófico que representa una anomalía de género.

Dirigida por Ridley Scott, con guión cinematográfico de Hamtpon Fancher y David Peoples, *Blade Runner*, filmada en 1982, se inicia con una cita en la pantalla que dice: "A principios del siglo XXI la Tyrell Corporation desarrolló un nuevo tipo de *robot* llamado Nexus –un ser virtualmente idéntico al hombre –conocido como replicante. Los replicantes Nexus 6 eran superiores en fuerza y agilidad, y al menos iguales en inteligencia, a los ingenieros de genética que los crearon" (Muñoz García 13). Así define la película a los *replicants*. En mi opinión, el aparente vacío interno de Augusto Pérez emerge de que Unamuno lo crea como un *robot*, un *replicant*, copia de sí mismo, que da hacia principios de la acción pasos inseguros, inciertos, que lo acercan a lo paródico y a lo grotesco. Pero a medida que se va desarrollando la novela, el monigote que hay en Augusto Pérez va adquiriendo una mayor seguridad genética, hasta que tiene lugar el encuentro con Unamuno en que aparece, en su mayor parte, más seguro de sí mismo y muy distante de la pusilánime criatura que su Creador engendró en las primeras páginas. En realidad es un replicante, porque le replica a su contrincante.

A imagen y semejanza, gana en arrogancia y rebeldía, aunque su creador, naturalmente, mantiene las distancias. Estos androides productos de la tecnología tienen sus vínculos con el protagonista, producto de la ficción creadora. Una suerte de matricidio y parricidio tiene lugar ya que en particular en el caso del padre, convertido en un puñado de cenizas en un cenicero, los replicantes son el resultado de una manipulación genética, objetos manipulables cuyos creadores no tienen por ellos la menor simpatía. Se parecen a la relación que sostiene Unamuno con Augusto en el encuentro que tiene lugar en el capítulo XXXI donde no hay la menor indicación de que el Padre quiera a su hijo. Esta negación amatoria del amor paterno, está presente en la novela, como lo está también en *Frankenstein* y *Blade Runner*, y es factor determinante del parricidio en ambas propuestas. Los *replicants* en síntesis, están condenados por el discurso oficial de la Iglesia, por anti-cristianos, como ocurre con el discurso de Unamuno, que en la vida real se contradice gracias a su propia creación genética y tiene muchos hijos.

La importancia de la niebla y la lluvia ha jugado un papel notorio en algunas novelas de Unamuno, como en este caso y también en *La novela de don Sandalio, jugador de ajedrez*. La lluvia, muy frecuente en diversos textos fílmicos, es procreadora, efecto de semen, muy palpable en el orgasmo creador de Mary Shelley, tanto en el film sobre su vida como en su propia obra. Son textos uterales que a veces se inclinan a la anulación del paisaje exterior, como en el caso de Unamuno donde no pasa nada por fuera, que apenas entra en la narración.

Significativamente la lluvia es un sello asociable, en todas las instancias, con la gestación y la muerte; una manifestación conceptual, como si tuviera dos caras. Es una composición atmosférica, que también se pone de manifiesto en la vida de Mary Shelley y en las versiones fílmicas. *Frankenstein* se gesta dentro de tal entorno, que se transfiere a la novela. La lluvia en *Niebla* tiene una connotación luctuosa, lacrimosa, y la niebla impide ver con claridad, especialmente si queremos dilucidar un problema genético de tanto peso. En este entorno atmosférico tiene lugar la gestación de textos y criaturas, que representa la omisión de lo real a favor de lo abstracto, lo impreciso en oposición al realismo figurativo. La penumbra no deja ver bien, pero aviva las sensaciones, como en la versión fílmica de la vida de Mary Shelley, en habitaciones oscuras, apenas iluminadas, que acrecientan la intimidad y el misterio. Pero Unamuno prefiere una niebla que distancie, que congele, menos seminal. La omisión o subordinación de la naturaleza al plano de escenario, va en correspondencia con la concepción de la nada, que en *Blade Runner* se expresa con la configuración de la Metrópolis, colectivamente, rasgo representativo de la ciencia ficción desde *Metrópolis* de Fritz Lang, mientras que en *Niebla* llueve, pero no moja.

En el caso de *Blade Runner*, los *replicants*, al volverse peligrosos, dada la igualdad y superioridad de la criatura, deben ser exterminados, en caso de rebelión, por una escuadra de *blade runners* encabezada por Harrison Ford. Todo acto de insubordinación es inaceptable. Lo importante en *Blade Runner* es la audacia y el libre albedrío del personaje que viola la norma de un replicante subordinado al autor. Por su parte, Augusto ha tomado una decisión radical. El pusilánime *robot* unamuniano quiere afirmarse a sí mismo mediante una negación. El acto voluntario del suicidio, que, por cierto, no es aceptable por el canon católico ya que no es una decisión de Dios y como tal va contra sus designios, es un acto doble de rebeldía, contra la cultura y contra el autor. Sólo Dios puede quitarnos la vida. Las argumentaciones de Pérez y su actitud agresiva en este episodio, su fuerza intelectual y su agilidad mental (que son los términos de conducta de Unamuno) no lo hace, en modo alguno, inferior a su Creador, que entre bromas y veras lo creó a imagen y semejanza, como un "doble" que hay que mantener bajo constante observación, y en este momento se le presenta como antagonista, como ocurre en *Blade Runner*. La "tragedia bufa", como se llama la novela a sí misma, efectivamente, va camino de hacerse triste realidad. Quizás a Unamuno se le fue la mano y se pasó de corriente eléctrica (es decir, de textos, de palabras) como le ocurrió a Victor Frankenstein con el monstruo. No es de sorprender, de hecho, que a Augusto se le pegue la retórica del maestro y hasta que ponga en tela de juicio lo que dice. Por un momento, Augusto Pérez replica y se vuelve un *replicant* ealgo sospechoso, dispuesto a enmendarle la plana a su Creador, lo cual es inadmisible. Si embargo, no llega a poner en práctica su propuesta, y no sólo no lo estrangula sino que ni siquiera se suicida.

Programados para una durabilidad de solamente cuatro años, uno de los *replicants* de *Blade Runner*, interpretado admirablemente por el actor alemán Rutger Hauer, decide discutir el caso con su Creador, del cual se afirma que es un tipo genial, y que es precisamente el que lo ha diseñado. La situación es paralela a la de novela, ya que Augusto ha oído hablar de Unamuno, de un ensayo que tiene sobre el suicidio, y de sus trabajos literarios y filosóficos. Aunque bajo diferentes circunstancias el encuentro Creador-Criatura es muy unamuniano, cuando el segundo, en *Blade Runner*, le viene con serias exigencias al primero.

--Me sorprende que no hayas venido a verme mucho antes.
--No es nada fácil encontrarse con su creador.
--¿En qué puedo ayudarte? ¿Quieres que te modifique?
--Yo tengo en mente algo más radical.
--¿Cuál es el problema?
--La muerte.
--¿La muerte? Bueno, mucho me temo que es un pequeño problema fuera de mi jurisdicción.

El ambicioso deseo de la Criatura (que no es otro que le alarguen los cuatro años de vida que le han dado) choca con la indiferencia de todos los creadores de su calaña. Si uno coteja el texto de *Niebla* con el de la película, nos encontramos con circunstancias muy similares. "Quiero vivir, vivir... y ser yo, yo, yo" (283), clama Augusto. La decisión del Jefe de la Tyrell Corporation y la de Unamuno son similares. "No puede ser, Augusto, no puede ser. Ha llegado tu hora. Está escrito y no puedo volverme atrás" (283). La diferencia está en que el replicante de *Blade Runner* no es un flojo como Augusto Pérez, y la criatura, a imagen y semejanza, le da el beso de la muerte que se tiene bien merecido y se ha ganado con creces.

En última instancia, además, toda la obra de Unamuno está poblado de *replicants* que quieren ser, algunos en estado de franca rebeldía contra el Padre que los parió. La propia inconformidad unamuniana con la muerte le da "vida" a su protagonista, que aunque no le da el beso de la muerte, le "replica": "¡Crearme para dejarme morir! ¡Usted también se morirá! El que crea se crea, y el que se crea se muere". (285). Ante el Creador que le tiene los días contados, también quiere una prórroga, pero como es un castrado, no tiene los suficientes testículos para estrangularlo. Como es un ente de ficción, el autor bien hubiera podido hacerlo, pero no le dio la gana.

The Truman Show (1998):
¡Nos están filmando!

Dirigida por Peter Weist sobre un guión original de Andrew Niccol con Jim Carrey en el papel de Truman Burkbank, que es la Criatura, y Ed. Harris como Christopher, el Creador omnisciente, *The Truman Show* es una de las películas más estrechamente vinculadas con el unamunismo fílmico y que culmina al final con el enfrentamiento del Creador con la Criatura. Como película, hay que reconocerlo, es muy superior a *Niebla* como novela, aunque claro sin la resonancia de esta última en las letras hispánicas: Andrew Niccol no ha sido comparado con el novelista vasco, posiblemente no sepa quién es y la sola idea de yo piense tal cosa puede ser vista como sacrilegio para los especialistas unamunianos y una ridiculez incongruente e inexistente para Hollywood.

El protagonista de la historia es captado por la cámara desde el momento de su nacimiento, mañana, tarde y noche, en un *set* para un programa de televisión que lo va a seguir, día a día, por un espacio de treinta años y que convierte "The Truman Show" en uno de los programas más vistos en el mundo. En realidad, confinado a un *set* formado por una isla donde vivirá toda su vida, a modo de *reality show*, que es, precisamente, en el que todos y cada uno de nosotros está encerrado. Pero que, por otra parte, es una panacea del capitalismo, con comerciales intercalados de sus múltiples patrocinadores.

Las implicaciones metafísicas del film, estrenado en 1998, ha llevado a paralelismos tan trascendentes como con la *Utopía* (1516) de Thomas Moore, y es merecedora de muchos más, porque es una película sobre el origen mismo de la vida. Entre el concepto del héroe que se enfrenta a las furias más implacables con el objetivo de vencerlas, que es uno de los grandes aciertos del film, la película va de una reinterpretación moderna de los clásicos y a consideraciones metafísicas, hasta llegar al análisis de la locura. El vínculo esquizofrénico también ha sido establecido a niveles siquiátricos, y ha dado lugar al síndrome conocido como "The Truman Show Delusion" sufrido por varios pacientes "de la vida real" sometidos a investigaciones que han llevado a tal diagnóstico, firmes creyentes de que están siendo filmados, seguramente por Dios, como sería el caso de Augusto Pérez, Unamuno y yo, si fuéramos a consultar a Joe Gold, uno de los siquiatras que ha definido la enfermedad. Afortunadamente, tratándose de pacientes literariamente marginados por la literatura y la cinematografía sajona, nadie nos hará mucho caso por nuestra interpretación unamuniana y dirían que estamos simple y llanamente locos. Cuerdos o locos este es el síndrome de todos nosotros.

Ciertamente la personalidad de Augusto Pérez está bastante distanciada de la de Truman Burbank. Se parecen porque ambos han sido diseñados como si fueran unos hombres comunes y corrientes, tendientes al estereotipo, que poco se diferencian de otros de la clase social a la cual pertenecen. Hay que reconocer que Truman Burkband tiene una personalidad mucho más vibrante que Augusto Pérez. A pesar de ello, hay cierto sesgo artificial que es un guiño cómplice que nos hace la película, para que nos demos cuenta que la naturalidad no es natural del todo, como ocurre también con Augusto. Se parecen ambos en cierta torpeza en los movimientos y la gesticulación, que marca a Truman como un diferente, pero sin exagerar. Se parecen también en la gradual sospecha de que algo está pasando, que en Truman es más marcada y de una mayor dinámica, mientras Augusto va adquiriendo esa sensación de extrañeza muy gradualmente. Como ocurre también en el caso de *Stranger than Fiction*, y de *Niebla*, los están escribiendo y, en este caso, filmando, que viene a ser básicamente lo mismo. Mientras Truman está más consciente del asedio, de una vigilancia que él no puede ni sabe explicar, sospechosa y generadora de la angustia, en Augusto esto pasa en menor grado, dominado por la abulia y la apatía.

Ambos están circunscriptos a un espacio cerrado, del que no pueden salir, incluso en la novela. Sin contar que en la película la niebla juega un papel determinante también. Aunque el film es más obvio, casi con el efecto de persecución policíaca, nosotros lo "sabemos" porque estamos en una posición privilegiada como observadores. Con la novela pasa algo parecido, porque vemos a Augusto como ente de ficción ¡que está vivo! Al mismo tiempo, "vivimos" la analogía. Aunque la "vivimos" viéndola, esto nos da cierto grado de tranquilidad, por lo menos mientras no nos demos cuenta que nosotros somos el personaje que está caracterizado en el libro, e incluso el que está en la pantalla.

Es evidente que Unamuno encierra a Augusto a confines muy estrechos, a modos de vida sistematizados dentro de un espacio de fronteras muy precisas, la casa y el pueblo, del cual no puede salir porque el Creador no lo permite. Dejando a un lado la idea de que es un personaje atrapado en un libro, ¡que es la vida!, la artificialidad del hogar de Pérez concuerda con la asepsia de la vivienda de Truman, meticulosa, ordenada, puro estereotipo acorde con su correspondiente "realidad". La conciencia de que Truman está siendo filmado es patente en la película, pero igualmente, nosotros como lectores sabemos que Augusto está siendo escrito, y es posible que él lo sospeche, pero no que lo sepa, lo cual es una distinción muy importante.

De todas maneras hay una consistencia irreal en las relaciones personales, particularmente con el sexo opuesto, y en especial en el caso de Mrs. Burbank, que está dada en la exacta medida. Respondiendo a un estereotipo norteamericano, Laura Linney en el papel de la mujer de Burbank, es lo suficientemente artificial sin dejar de ser natural, lo que le da ese peculiar carácter de extrañamiento. Incluso el moño con el que sale de vez en cuando tiene una reminiscencia de Kim Nobak en *Vértigo*. Hay que tener en cuenta que salvo Carrey, que hace su papel, todos los otros fingen el suyo, pero con la naturalidad suficiente para convencer a Carrey de que son seres humanos aunque estén inventados por la ficción. Pérez y Carrey tienen en común un deseo de ser, de romper las barreras que obstaculizan la liberación, relacionadas en ambas instancias por la represión de la sexualidad. Pero el síndrome es más grave todavía porque, ¿qué nos hacemos si todos los demás están en la misma posición que nosotros?

La existencia de espacios alternos correspondientes a la realidad de los que ven el *show* o los que leen la novela (aunque estos últimos no se vean) crea una divergencia de tomas que se filman en otro espacio. Aunque nosotros no somos sujetos de la cámara, ocupamos un plano parecido al de aquellos sujetos de la cámara que ven el *show*, y que ven a Burbank como nosotros vemos a Augusto Pérez. Hay que tener en cuenta que el mundo exterior nunca pretende ser mucho más real que el *set* del estudio donde se desarrolla la acción, ni el pueblo tampoco; como tampoco lo son los huevos fritos que se come Augusto Pérez en el comedor de su casa; ni que el desayuno que le sirven Liduvina y Domingo sea mucho más real que los anuncios que entran en cámara para el programa televisado que está siguiendo la vida de Burkbank. Toda la "realidad" es ficción en ambos casos, incluso la luna y los atardeceres. Son atardeceres filmados y en *Niebla* predominan los interiores, porque Unamuno no pasa tanto trabajo.

La diferencia fundamental es que, en la película y en la novela, y por extensión en nuestra vida, el proyecto creador no nos pertenece porque somos los personajes. No escribimos el argumento y no dirigimos las escenas, sino que las "vivimos". Ya sea la megalomanía de Christopher o de Dios, sólo somos los personajes sujetos a la voluntad omnisciente del Creador. Somos unos jodidos personajes al arbitrio de un argumento donde tenemos una movilidad relativa, porque en última instancia no controlamos tormentas, rayos y truenos, y nos vamos a morir en una de esas tempestades. Si bien Augusto Pérez ofrece alguna resistencia, acabará tirándose en la cama esperando que se cumplan los designios de Dios. Claro que Burkbank no hará tal cosa, en primer término porque es americano, y porque los productores de la película han decidido lo contrario y se inclinan al "happy ending" por razones del capital, hasta llegar a un acuerdo menos radical. De todas maneras, la batalla que sostiene Truman contra los intereses de los productores, los delirios de grandeza del Creador, los designios de Dios, y sobre todo los efectos especiales, convierten a Burkbank en un héroe mítico, que tiene la altura de los clásicos y de Supermán. Sabemos que en otras cinematografías (como en la vida real) el héroe tendrá que estirar la pata, pero en este punto The Truman Show hace las concesiones a las que no accedió Unamuno.

El encuentro con el Creador se convierte en la médula unamuniana del texto, y toda la secuencia final, a la cual no le vendrían mal algunos cortes, no deja de tener un *suspense* de película de acción que también es metafísica. Como un Dios implacable, Christopher somete al protagonista a pruebas terribles, con resonancias religiosas, que Truman logra superar. Es, básicamente, el héroe (en la mejor tradición norteamericana e incluso de los clásicos griegos y romanos) y trasciende el anonimato de cualquier hijo de vecino: camina sobre las aguas; asciende al "cielo", físicamente, para chocar con un azul de utilería; y se encuentra finalmente con el Creador, que a pesar que se identifica como el que lo ha creado, reconoce que Truman es la estrella de la película. Toda una componenda, aunque la presencia unamuniana está ahí.

Pero en la novela, Augusto, simple y llanamente se muere, que es otra cosa. Viene a ser fatalmente inevitable que al final Christopher sea el Dios de la Televisión y Truman la estrella del *reality show*, y se produzca el *happy ending*, porque los americanos son así, echando a perder el show metafísico, y los españoles de otro modo, y que en *Niebla* el protagonista se muera, porque Unamuno era español y enfáticamente lo declara en la narración, casi a lo bruto, mientras que por su parte, poniéndose la careta, Riddley Scott afirme que no quería quedarse "en un registro demasiado metafísico." (Perea 41), lo que es seguramente falso, porque aunque él fuera inglés la película estaba pensada en americano.

Finalmente, la importancia del ojo en *The Truman Show* es significativa, porque todo se ve a través del ojo de la cámara, que la hace obligatoriamente fílmica. Funcionando con frecuencia a través del espejo, ese ojo que todo lo ve, lo oye y lo sabe, es la esencia del significado porque es la pupila de Dios, que no vemos pero que nos ve, y que está en todas partes. Unamuno es el ojo omnisciente que ve a Augusto Pérez mañana, tarde y nosotros, desde la perspectiva de Dios. Así que cuando Augusto va a ver a su creador, el ojo lo sabe y nosotros también, pero el que no lo sabe con certeza es Augusto. Unamuno nos está poniendo así en la óptica de la cámara, que viene a ser una cinematograficidad oculta de la novela, a lo Truman Show.

Implica, además, que Truman no es creyente. Tiene la sospecha de que está siendo visto, pero la certeza no llega hasta el final, encontrándose en el callejón sin salida de una manipulación de Dios. Afortunadamente se salva gracias a una componenda fílmica, con la que se identifican los espectadores que no lo saben, pero que no quieren morir ni que él se muera. Esto conduce a un *happy ending*, una conciliación más a menos aceptable, pero que es engañadora. Por el contrario, Unamuno trabaja como un Dios del románico y no acepta tales componendas, como bien sabe Augusto Pérez cuando se encuentra con él y regresa para que lo entierren; pero Truman Burnbank es un "creyente" americano. ¡Menos mal!

El proceso de clonificación

En otras palabras, lo que está creando Unamuno es un *replicant* al modo de *The Truman Show,* que equivale a la crisis existencial de todos nosotros como el "Otro" de Dios. Desde la primera aparición embrionaria de Augusto, tenemos que enfrentarnos a una asexualidad que para evitar la sexualidad de carne y hueso, descansa sobre relaciones encubiertas. Ahora bien, si la Criatura está hecha a imagen y semejanza del Creador (aunque no del todo) algo ha pasado con la copia, que viene a ser una réplica del original, pero no exactamente exacta. Lo que ha pasado es que Unamuno ha tenido en 1914 un parto prematuro (que se va gestando desde 1907) y el autor nos enfrenta al parto de un *clon* que se adelanta a su tiempo, una oveja Dolly como la que van a *clonear* los escoceses un siglo después. Dicho de este modo, todo ese resquemor anómalo que produce Augusto Pérez se explica, y nuestra propia percepción de la novela cambia y nos explicamos las razones por las cuales se le ha dado tanta importancia.

Mario J. Valdés, en su edición de *Niebla,* al llevar a efecto el análisis de estas circunstancias, llega a observaciones muy audaces, a partir del paraguas y esta salida común y corriente pero al mismo tiempo sicológicamente inusitada del protagonista. "El estado psicológico de ensimismamiento de Augusto se simboliza como cerrado y su oposición de interacción libre como abierto; por lo tanto se simboliza la preferencia de Augusto por lo cerrado frente a lo abierto" (26). Es decir, la casa, donde está más protegido, frente a la calle que es más incierta; útero además que lo asocia con la madre. La salida la hace con el paraguas cerrado, cubierto y protegido, que se abre como un pene en erección, que es lo que se pone de manifiesto. Valdés le da una vuelta que complica aún más lo ya complicado, afirmando, que "el paraguas mismo representa la sexualidad y los problemas que tendrá Augusto con el encuentro sexual" (26). De ahí que la aparición de Eugenia encamina al protagonista hacia una cópula que, a pesar de sus mejores intenciones, no va a materializarse.

En cualquier caso, abrir el paraguas como quien abre una cremallera para una emisión urinaria o de otro tipo, no es una operación tan sencilla como parece en el gabinete siquiátrico unamuniano, mucho más si en lugar de ir detrás de un perro (¿Orfeo?) como tenía pensado, lo hace detrás de una "garrida moza", "imantado" y "sin darse cuenta de ello". Es decir, involuntario, como nos ocurre a todos cuando venimos al mundo o cuando estamos bajo el impulso del deseo. Por consiguiente en la primera página de la novela, Unamuno plantea un problema genético múltiple: la concepción del hombre y la concepción de la mujer (por el hombre) (ambos por Dios) (Creador-Criatura) detrás de un acto asexual inodoro, incoloro e insípido, pero que se refiere a la sexualidad que oculta el paraguas bajo la lluvia. Refleja, en fin, todo lo mucho que hay detrás de la *Niebla.*

Unamuno esquematiza y elimina, dándoles a los caracteres una fuerte dosis de irrealidad. Si don Quijote creó a Dulcinea como arquetipo de una mujer ideal que no existe, Unamuno le inventa a Augusto su Dulcinea. Es una propuesta deliberadamente irreal. Dando la cáscara del ser, vuelve a los personajes en criaturas donde falta algo, como si no fueran de verdad. La razón está en que nos escatima la siquis de la situación. Encubre una falsedad inherente del individuo y su conducta, por estar sometidos a un proceso de *clonolización* de donde va a salir Augusto Pérez como salió la ovejita Dolly en Escocia. Una clononización metaforica muy compleja y con múltiples significados.

El número dos

Si la idea del uno nos hace indivisible, la idea del dos nos divide o nos multiplica, y obviamente en el dos uno es replica del otro. Este principio confronta dos realidades (Creador-Criatura) que representa la esencia del uno, que es el Origen *(Inception)*. En *Tulio Montalbán y Julio Macedo* esta propuesta es básica, unida a otra consigna esencial del pensamiento unamuniano, la del documento, que está asociada a su vez con el número uno ya que un dato documentado confirma la existencia del uno (la de cada uno de nosotros) que es lo esencial para *ser.* En la esencia de las cosas somos siempre el uno.

CAPÍTULO IV

El concepto del doble: 2-1-0

En *Tulio Montalbán y Julio Macedo* Unamuno desarrolla la problemática de la angustia existencial considerando tres niveles: (1) el ser histórico, (2) el ser de ficción y (3) el ser de carne y hueso. Incluso el amor no es más que una proyección oculta de los tres elementos mencionados, como si fuera la única posibilidad de ser. La eliminación del tiempo pasado por el hombre de carne y hueso crea el problema básico de Julio Macedo, que quiere colocarse fuera de todo tiempo anterior y termina por eliminar el tiempo futuro. El hombre de carne y hueso se encuentra en oposición a la historia y la ficción, lo cual es un peligro mortal. Al enfrentarnos al mismo, desarrolla el enfrentamiento agnóstico con la existencialidad.

La importancia de *Tulio Montalbán y Julio Macedo* se duplica, más allá del documento y el obvio contrapunto del doble, por el consiguiente tratamiento de la otredad que, gracias a varias bipolaridades implícitas o explícitas, constituye una dicotomía inagotable de la obra de Unamuno: ficción-realidad, Creador-Criatura

Documento

Para don Juan Manuel Solórzano el documento (la certificación de nacimiento, el pasaporte, la tarjeta de identidad) es la garantía de ser. La existencia y la inmortalidad son una cuestión de nombre y apellido, interpretación que explica la importancia de clase social que se le da a tal punto de vista. "Consolábase don Juan Manuel dedicándose en sus largos y frecuentes ocios al estudio de la historia" (382) "Y era su fuerte la genealogía" (382). El nombre vinculado a la historia es parte de nuestra identidad y de nuestra inmortalidad, como piensa el padre de Elvira, aferrado al linaje como reafirmación de lo que somos. Deseaba continuar la vigencia del apellido Solórzano: "¡Y aunque fuera el segundo apellido!" (283), "Salvar el linaje, perpetuándolo…" (383). Detrás de esta aparente arrogancia de clase, Unamuno detecta el fondo mismo de una angustia existencial porque don Juan, que es historiador, aunque fuera un limitadísimo historiador local, desea perpetuar históricamente su apellido dentro de aquella minúscula isla, aislada del resto del mundo. El nombre y especialmente el apellido representan una reafirmación única de su persona porque no había otra opción: "Consumiendo mi soledad en el estudio amargo de la historia, ya que no puedo hacer papel en ella, y tú…, tú…" (384), le decía balbuceante a su hija. Hecho, además, que debía estar documentado: somos lo que nos hace la historia, pero para que una historia nos lleve a la inmortalidad debe estar debidamente documentada. Es por ese motivo que nunca creyó que Tulio Montalbán estuviera muerto. Entre este papeleo hay una biografía de Tulio Montalbán, un héroe épico, que se da por muerto en contiendas revolucionarias que no están debidamente documentadas. "No hay un documento en toda esta historia, hija mía, ni un solo documento. Ni un parte de combate, ni una carta" (288). Y cuando su hija le habla de páginas de la novela transidas de profunda emoción, don Juan Manuel insiste que "eso no es documento" (388). Para don Juan Manuel el documento es tan importante que no se rinde a la evidencia de la existencia inmediata. Cuando su hija le dice que Julio Macedo es hermano de Tulio Montalbán, el padre insiste en que "el libro no habla del hermano" y la hija refuta el argumento diciendo: "¿quién hace ahora caso del libro?" (399). Y cuando la realidad se presenta ante sus ojos y sabe que Montalbán no ha muerto ya que Macedo es el propio Montalbán, el padre vuelve sobre la misma: "¿No te decía yo, hija, que jamás me convenció el relato de aquella muerte no documentada?" (401). Finalmente, cuando Montalbán se suicida, aunque no hay ningún documento, don Juan cede: En el mundo de don Juan Manuel, existir es un problema de documento, de tarjeta de identidad, que en definitiva es lo que va a dejar constancia de lo que somos frente a una realidad efímera y transitoria. El cuerpo es el documento como en la película *Memento*.

Es decir, Elvira se enamora textualmente de Julio Montalbán, personaje de una de las biografías de la biblioteca paterna. Un día llega a la isla un misterioso personaje, Julio Macedo, cuyo origen se desconoce, del que nada se sabe. Se enamora de Elvira, pero esta se encuentra enamorada ya de Montalbán. Como ella está enamorada del personaje histórico, lo rechaza. Sin embargo, Macedo resulta ser el propio Montalbán, el cual es dado por muerto. Este último, cansado de ser un personaje histórico decidió desaparecer, matarse a sí mismo, simbólicamente, y vivir su propia existencia bajo el nombre de Julio Macedo. Ante el interrogatorio que le hace Elvira, él le confiesa que mató a Tulio Montalbán, pero no le dice que él es Tulio Montalbán y que falsificó su muerte para hacer su propia vida como Julio Macedo. Además, la identidad de Macedo se vuelve sospechosa. Al encontrarse con Elvira y ver que esta se ha enamorado de lo que él fue, del personaje histórico, comprende que ella ha revivido el cadáver de sí mismo, por lo cual no le quedará más remedio que suicidarse de veras. Finalmente confiesa la verdad, que ella no acepta como buena, ya que después de todo no está bien documentada, y Julio Macedo, personaje "de ficción" se suicida. El propio personaje se "clonifica", hace una réplica, y lo traslada de una realidad a la otra, lo que es y lo que se finge, así que tiene que suicidarse, como Mal en *Inception*. Sólo pueden "amarse" si existen en un mismo espacio.

Nuevamente Unamuno trabaja el paisaje por ausencias más que por presencias. Lo reduce al hecho de definirlo como "isla", eliminando lo descriptivo y haciendo del "aislotamiento" una representación del todo. La "isla" donde se desarrolla la acción, le sirve como marco del principio de "aislamiento" en donde acorrala o encarcela a los personajes, un "sin salida" sartreano que se vuelve "aislotamiento" (como es aproximadamente el caso de Augusto Pérez), según otra invención verbal, y que recuerda también a *The Truman Show*. La posibilidad de desailar al padre y a la hija, está representada por la llegada de Montalbán-Macedo, que rompe el círculo estrecho de la insularidad de don Juan Manuel Solórzano. Unamuno los aisla. Esta "sin salida" teórica es en parte volitiva, ya que la decisión de "partir", que no se lleva a efecto entre los Solórzanos, padre e hija, es una noción existencialista fundamental.

Aislotamiento

Este concepto "sin salida" es marca de fábrica sartreana. Encerrados en su casa solariega en una isla insignificante, don Juan Manuel Solórzano y su hija se aferran desesperadamente a una existencia que es palabra, documento e historia. Pero tanto Tulio Montalbán como Julio Macedo (dos nombres -doble- para una misma persona) se rebelan contra esta interpretación de la existencia. Don Juan Manuel Solórzano y su hija Elvira viven ("sin salida") en una isla, rodeados de libros y documentos, que es un detalle importantísimo que los fija dentro la existencialidad del documento.

La idea misma del "aislotamiento" en la nada, impide que Elvira o su padre salgan de la isla. Elvira, al principio de la narración, propone irse, pero su padre decide no hacerlo, sumergiéndose en la nada de la inacción entre libros y documentos. Tulio Montalbán se confirma en la acción documentada por la historia, regresa a la isla pero se conceptualiza al no salir de ella, hasta que rompe el cerco existencialista y se suicida, que es su modo de irse.

Este anecdotario aparece contado por Unamuno con extraordinaria precisión geométrica, componiendo una novela formada por una sucesión de bipolaridades (Padre-Hija, Julio-Tulio, Elvira-Tulio, Elvira-Julio) y triangularidades (Tulio-Elvira-Julio, Solórzano-Julio/Tulio-Elvira) en una especie de dinámica numérica de parejas y triángulos llenos de interrogantes que no se resuelven del todo, entre personajes que son entes de ficción, abstracciones históricas, documentos y creaciones literarias indocumentadas, que "viven" entre la verdad y la ficción: niebla, pantano. Por eso, ante el cadáver de Montalbán o Macedo, Solórzano exclama: "¡Es el único documento histórico que he visto con mis ojos!" El ritmo es rápido, como el tic-tac de un reloj y Unamuno lo maneja con precisión de relojero, pero en su afán de compromiso metafísico, nos escatima la vivencia de carne y hueso. Los personajes se vuelven esquemáticos, conceptuales, entes históricos, de ficción, variantes de una ecuación algebraica.

Al afirmarse en algún momento que "el enamorarse de un héroe de novela o de un personaje histórico, ya muerto como ese Montalbán es una locura" (166), Unamuno propone opciones destinadas a confundirnos y que a la larga no nos llevarán a ninguna parte. La constante conceptualización de las relaciones humanas: "Usted irá conociéndome… Usted me irá haciendo…" (173); la idea del desnacer como resurrección uteral: ir "más allá de la niñez, más allá del nacimiento": "me gustaría desnacer, no morir…" (174-175); la bipolaridad de la ficción y la realidad: "sólo son reales los hombres de carne y hueso" (177); representan una sucesión de ideas inquietantes que forman parte intrínseca de los personajes, que Unamuno novela de este modo único, pero que sin embargo flotan en un espacio vacío, cuyo logro es incierto. "Loca de aislamiento" (186), Elvira existe en una identidad teórica hecha de datos que se entremezclan con lo imaginado, que conduce a relaciones imposibles por existir en espacios que se distancian o se contradicen: porque si Tulio Montalbán "era para ella la leyenda, lo que está escrito, yo (Julio Macedo) era el misterio, lo que hay que descifrar. Hombres, ni uno ni otro…" (186). El planteamiento laberíntico nos bambolea. La ensoñación de la realidad es la ensoñación entre la persona y el personaje que nos hace intangibles, como si soñar fuera la confirmación de la vida: "Sí, sí; sé que te gusta soñar y estás muy segura de que los muertos sueñen. Te gusta soñar en la muerte, que no es sino vivir…" (189). "Sueño por sueño, ¿qué más da?" (190). Es como en el cine: esa fábrica de sueños que nos soñó, como decía Carlos Fuentes. Soñar no cuesta nada, porque nos sueñan los que soñamos, que es el abismo insondable de toda la novela unamuniana. Ese soñar la realidad cuando abrimos los ojos todas las mañanas. *Abre los ojos. Vanilla Sky. Inception. The Truman Show. Stranger than Fiction.*

Decisión

Al *hacer* de la "decisión" opone Unamuno el ser como documento. El padre, propone quedarse en la isla, consciente de la inutilidad de la acción. La propuesta de irse, que el padre no acepta, gira en torno a este impulso de ser y permanencia, pero sin limitarla a la documentación. También Julio o Tulio, que viene a vivir en el mismo espacio unitivo, no puede salir de la insularidad existencialista, que es el factor determinante y caracterizador del planteamiento sartreano, como queda confirmado en todo su teatro. Luis Buñuel la llevará al cine, muchos años después, en 1960, en *El Ángel Exterminador,* con un grupo de personajes que no se atreven a salir de escena porque no se "deciden" a dar tal paso, que es el factor determinante del quehacer existencialista. Cuando Augusto Pérez sale de la casa al principio de la novela, decide, y también lo hace cuando se va a Salamanca para discutir su caso con Unamuno; pero se niega a sí mismo cuando regresa y se tiene que morir. Decidir es ser, pero cuando estamos muertos no podemos decidir nada porque ya han decido por nosotros.

Ese momento de la "decisión" es la clave de una reafirmación contra la nada. No lo hay en *Niebla,* salvo en el fortuito episodio a principios de la novela y en el corto viaje del protagonista, que es de ida y vuelta y no lo lleva a ninguna parte. El ser histórico como apetencia de inmortalidad está representado por don Juan Manuel Solórzano, para el cual la genealogía y el documento nos confirman existencialmente: somos en la medida del documento –que es el consuelo que nos queda. La historia misma en una sucesión de documentos que confirman la existencialidad de la persona y forman un determinado árbol genealógico. Somos en la medida del apellido.

Callejón sin salida

El laberinto intertextual que elabora Unamuno crea espacios entre la historia, la ficción y la realidad que se contradicen. Tulio Montalbán representa la rebelión del hombre que quiere vivir fuera de la historia y se inventa a Julio Macedo a los efectos de vivir una existencia real, de carne y hueso, pero al fingir su muerte, los documentos, las palabras, interceptan su vida y tiene que suicidarse: "En aquella noche trágica, junto al río más sagrado de mi patria, creí haber dado muerte a Tulio Montalbán, el de la historia [para ser Julio Macedo, el de la ficción] y poder vivir fuera de toda historia, oscuramente, sin patria alguna, desterrado en todas partes, desterrado en el mundo como un hombre sin nombre y sin historia" (401). Tulio, inmortalizado por la historia, muerto dentro de la inmortalidad histórica, no está interesado en esa inmortalidad que el fondo es una ficción, quiere vivir la mortalidad del personaje que ha creado. Por eso Tulio quiere que Elvira ame a Macedo, porque si ama a Julio Macedo él podrá vivir de verdad, mientras que si ama a Tulio, ama al nombre y no al hombre, que es la paradoja de esta especie de telenovela entre ficción y realidad, donde él es un "náufrago sin nombre" (403), que se convierte en un *thriller* existencialista donde nada existe, y que lleva a que Tulio Montalbán acabe suicidándose.

Curiosamente, la narración es también una historia de amor unamuniana entre seres desubicados entre la realidad y la ficción. En *Her* pasa lo mismo. No se puede amar en dos espacios que difieren existencialmente. No se puede transitar de un plano al otro, como le pasa a Elvira locamente enamorada de Tulio, que es una ficción histórica procedente de una biografía mal documentada. El amor que siente por Tulio, el de la biografía que conoce en la biblioteca de su padre, es un amor hacia una creación histórica incierta. Como el Tulio de carne y hueso le dice, él está vivo haciendo de Julio Macedo, interpretando un papel, por lo cual ella no ama al hombre sino al nombre. Tulio, que se rebela contra el amor, cree "que no es real ningún tipo que anda en libros", porque solamente "son reales los hombres de carne y hueso" (395), lo cual es dudosamente cierto. Por todo lo cual el amor de Elvira es un espejismo. "No, no me quería, no, como tampoco quería a Tulio; pero si este era para ella la leyenda, lo que está escrito, yo era el misterio, lo que hay que descifrar. Hombres, ni uno ni otro…" (403-404). Por lo cual, no le quedaba otro remedio que suicidarse.

En *Tulio Montalbán y Julio Macedo,* Unamuno nos dice que el texto, y en particular el documento, constituye la única prueba de nuestra realidad existencial. En *Memento* Christopher Nolan tiene el texto escrito en la piel. Se escribe a sí mismo, que es un quehacer unamuniano. El héroe, el patriota, es decir, el ser histórico, no existe a menos que su existencia esté documentada. Un individuo *es* en la medida del texto que lo crea y, de existir el texto, este es más importante e impone su supremacía sobre la realidad. Sin documento no hay persona. Pero lo cierto es que con el documento no somos nada tampoco.

La incógnita insoluble: dos versus uno igual a cero.

La idea se repite con múltiples variantes en la obra de Unamuno, pero en *Tulio Montalbán y Julio Macedo* y en *El Otro,* pieza dramática en tres actos, Unamuno se zambulle más todavía en las implicaciones del doble, y es explícito en lo que a la importancia del documento representa. Otro tanto, naturalmente, ocurre en *Niebla,* ya sea a nivel de las relaciones del protagonista con su autor, la interacción Unamuno-Víctor Goti, o variantes adicionales de tono menor, como el caso de Antolín S. Paparrigópulos afirmando que "una frase cualquiera de un gran escritor no adquiere valor hasta que un erudito no la repite y cita la obra, la edición y la página en que la compuso", que nos aproxima al documento, y las relaciones realidad-ficción (239). Es decir, sólo existimos en la medida de los textos y las palabras que nos hacen. La realidad histórica no tiene importancia a menos que esté documentada.

El ejemplo más radical lo desarrolla en el teatro, en *El Otro,* donde llega a extremos obsesivos. En realidad se trata de una pieza dramática totalmente anómala, a punto de parecer irrepresentable. El principio del doble se convierte, a partir de una propuesta racional, en un planteamiento desquiciado hasta tal punto que el texto insiste en la locura como factor determinante de lo que está pasando. Lo cual tiene sentido. Al lado de ella, *Seis personajes en busca de autor* y *Así es, si os parece,* ambas de Pirandello, son piezas racionalmente ibsenianas: los dobles de Ibsen nunca están realmente locos. *El Otro* se escribe en 1926, se estrena en 1932, y sobre ella se han escrito grandes disparates. Sirva esto de excusa para los que yo pueda decir en estas líneas y como justificación de los que escribió el propio Unamuno.

Todo doble, la composición bipartita se impone: Caín-Abel, Verdugo-Víctima, Asesino-Asesinado, Dios-Destino, Uno-Otro. La dramaticidad se manifiesta por un bipolarismo destructor donde las Furias, representadas por la mujer, tienen el carácter de un asedio corporal y colectivo: "Todas las mujeres son una" (37). Rosario es Eugenia. La bipolaridad constituye una fuente temática y metafísica inagotable en la obra unamuniana, pero en la pieza de teatro es una verdadera paranoia, definiendo el espacio dramático como si fuera "parte cárcel", "parte cementerio" y parte "¡Manicomio!" (11), presentando al protagonista como un loco de remate. En el cine, la duplicidad planteada a niveles síquicos por los hermanos monocigóticos configura una galería interminable, en la que no vamos a entrar, casi siempre vista a través de personajes femeninos posesivos y alucinados, entre el bien y el mal, con Bette Davis a la cabeza del reparto, pero en general falta el abstraccionismo metafísico que identifica a la paranoia unamuniana. El contrapunto entre los hermanos monocigóticos que hay en *Adaptation* es una de las locuras que más se le acerca.

A pesar de todo, el nivel externo del cainismo desarrollado en *El Otro* en un ambiente claustrofóbico (oscuridad, cárcel, cementerio), produce un *suspense* metafísico que podría ser un vínculo fílmico. De un lado, el misterio que llega al espanto y conduce a la locura; y del otro, la búsqueda del conocimiento que conduce a la verdad y la muerte, que sería el desenlace; dejan entrever una huella que podría interpretarse como desarrollo fílmico de una acción abstracta. El viaje al subconsciente que tiene lugar es una regresión uteral: "desvivir hacia atrás, retro-tiempo, como en una película que se haga correr al revés… Empecé a vivir hacia atrás, hacia el pasado, a reculones, arredrándome" (16) es un *flashback* específicamente fílmico que no puede filmarse.

En el caso de *El Otro,* Cosme y Damián, que son hermanos gemelos, no entran en escena de forma diferenciada, sino que se resumen en un personaje único, llamado El Otro, que viene a unificar el concepto del doble. Las respectivas esposas, Laura y Damiana, sí entran en escena en representación de la unidad-doble que se disputa la posición del UNO. Está también la referencia al concepto del espejo, que reproduce imágenes, lo cual es pensamiento obsesivo de unos de los locos, dentro del contexto de pabellón siquiátrico que caracteriza la obra donde Unamuno viene a ser el "alienista dramático" (que nos remite al Dr. Caligari) que nos parece el más "loco de remate" entre todos los personajes. El desentrañamiento de la verdad es la propuesta de Ernesto a principios del primer acto, un personaje que no parece estar loco, y la obra en sí misma es el desentrañamiento racional de semejante locura, al cual no podrá llegarse. Ambas mujeres, que supuestamente están cuerdas, luchan por la posesión de El Otro, donde confluyen los dos locos. Al hacerlo se manifiesta un principio de unicidad dentro de la duplicidad, porque "un loco lleva dentro de sí a un muerto" (15). A esto hay que unir una serie de ideas que acrecientan la sicopatología narrativa, con sus connotaciones freudianas: "un espejo (imagen, doble, espejismo) y una llave (puerta que se abre, incógnita que se descubre) no pueden estar juntos" (16): "y cuando sentía en mis santos labios infantiles el gusto de la santa leche materna…, desnací… me morí… me morí al llegar al cuando nací, a cuando nacimos…" (17), como si fuera un caso de desaparición regresiva en el útero, no sólo individual sino colectiva. El desarrollo de "un odio fraternal y entrañable" (22), como si fueran a matarse en el útero, perpetrando un "suicidio mutuo" (24), traslada a escena este brutal conflicto monocigótico que es la obra. Lamentablemente el diálogo y la acción se resienten por un proceso repetitivo con ligeras variantes, que vuelve una y otra vez. En su composición abstracta, Unamuno trabaja con un esquema geométrico del diálogo cuyo significado es casi imposible de descifrar. Ver, por ejemplo:

> LAURA: Ahora…
> OTRO: Ahora, sí…
> LAURA: A ti, a ti, a ti ¡siempre a ti!
> OTRO: No, sino al muerto…, ¡al otro!
> LAURA: Pero el otro…
> OTRO: Cierto, ¡soy yo!
> LAURA: Mío…, mío…, mío…
> OTRO: Tuyo… ¿Quién?
> LAURA: Tú.
> OTRO: ¿Y, yo, quién? (34)

Como es natural este lenguaje monosilábico lleva a una comunicación insostenible, donde Unamuno sacrifica toda visualización, todo color, en beneficio de una abstracción reduccionista que conduce al lenguaje uteral, de un monocigotismo pre-natal que requiere un tratamiento único sin vínculo fílmico. Es una obra dramática cuya acción, en última instancia, tiene lugar en el útero.

Aunque el nivel concreto del argumento tiene rasgos folletinescos que la asocia al melodrama sicológico, también hay melodrama metafísico, casi como una categoría inventada por Unamuno. Esto da lugar a graves dificultades de teatralización del pensamiento unamuniano, como si el esquematismo verbal y de las situaciones fuera una aplicación teatral del concepto de la *nivola*, mediante una eliminación de planteamiento, nudo y desenlace.

Al contrario de la tradición del *thriller* donde el descubrimiento del criminal lleva a la solución de la incógnita, en *El Otro* no se puede llegar a una conclusión que defina la culpabilidad, si la hay, e incluso no podemos saber quién es UNO porque los DOS no están nunca en escena al mismo tiempo. En todo caso, siempre está el Otro. Así que un personaje se escabulle en el otro, se esconde, hasta producir la autoanulación del CERO. Es una dramaticidad turbulenta y abstracta que se desarrolla por eliminación, lo que explicaría el lenguaje esquemático. En el fondo, y si se quiere, es el experimento teatral más avanzado de la dramaturgia española del siglo XX, aunque también es posible que haya sido el más rotundo fracaso.

La idea del *replicant* domina toda la obra de Unamuno. Su inoperancia al no poder crear criaturas de carne y hueso, "a lo Galdós" se "sublima" con la conceptualización que les da una consistencia mecánica. *Blade Runner, Abre los ojos, Vanilla Sky, The Truman Show, Stranger Than Fiction, Adaptation, Her, Inception* son varias películas que reflejan la conciencia metafísica y la genética de la ciencia-ficción cinematográfica con la cual estaba trabajando el novelista desde principios del Siglo XX. Sirva *Multiplicity* para ilustrar estos conceptos en otro tono pero con similar contenido.

Multiplicity (1996):
$1 + 1 = 2 \times 2 = 4$

Dirigida por Harold Ramis sobre un cuento de Chris Miller, *Multiplicity (1996),* con Michael Keaton y Andie

MacDowell, es muy buena comedia que aborda el problema de la *clonificación* y una oportunidad interpretativa única para que Keaton ponga de relieve sus dotes histriónicas, que nunca han sido debidamente apreciadas. Keaton hace el papel de Doug Kinney sujeto a una triple *clonificación* que va más allá del concepto del doble, convirtiéndolo, primero, en un número uno a lo super macho; después en una criatura doméstica, que representa el lado femenino de su persona; y por último, una copia de papel carbón mal hecha, con característica bufonescas, que cae en lo grotesco. La duplicidad del Creador-Criatura, tiene mucho de esto, hasta la grotesca manifestación de la conducta como ocurre en *Niebla*, que también puede verse como una novela duplicada que se burla de sí misma frente a la tendencia unamuniana de tomarse muy en serio. De esta forma, la *clonificación* está sujeta a una burla delirante que viene a ser el lado cómico del desdoblamiento. La película en sí misma no da para mucho, salvo para ubicarnos en el lado humorístico de la patética metafísica unamuniana, porque también Augusto Pérez, visto como una duplicación del propio Unamuno, es un comentario burlón del que, tenemos la impresión, Unamuno no se percataba. El tránsito de la duplicidad masculino-femenina que se pone de manifiesto entre el número dos y el número tres, o el de la inteligencia y la estupidez que va del personaje original a la copia de la copia que tan mal le sale, es parte del chiste que hay en el subtexto. Por este camino, *Multiplicity* llega a la parodia de la otredad. Sobresale entre todo esto la sexualidad multiplicada, o por lo menos duplicada, aunque esto poco tiene que ver con Unamuno, que tenía muy poco sentido del humor y era incapaz de burlarse de sí mismo.

Personalmente, Augusto Pérez siempre me ha resultado molesto, irritante y falso, en contraste con el humorismo de Michael Keaton, como Doug Kinney en *Multiplicity*. En ambos, sin embargo, hay que observar que el autor toma una situación doméstica para crear un subtexto más complicado. Augusto, a la larga, no es más que un solterón con una sexualidad reprimida, y Keaton la consecuencia del complicado entarimado doméstico de las presiones de la vida norteamericana. Detrás de la fachada de una convivencia matrimonial arquetípica hay muchas insinuaciones sobre la complejidad de la sexualidad, que no deja de haberlas, también, en *Niebla* si ahondamos en la parálisis sexual de un solterón en una jaula donde debemos tener en cuenta la presencia materna, la ausencia paterna en el cenicero, y la trastienda femenina de Eugenia y Rosarito.

El hecho es que dada la condición de Doug Kinney metido a contratista, por razones de tiempo, no tiene mucho para pasarlo con su mujer, y para resolver el problema se *clonifica*. Eso da lugar a una comedia de equivocaciones, donde cada uno de los duplicados aprovecha las circunstancias para mantener relaciones sexuales con su mujer, pero como en realidad ella desconoce la situación y cada *clon* es una reproducción exacta de su marido, en realidad el adulterio no tiene lugar, lo que resulta muy cómico, con su trastienda sico-matrimonial.

En cuanto a Augusto, su apariencia fantochesca me fue guiando hasta darme cuenta que Unamuno se adelantaba literariamente a su tiempo, produciendo una nueva criatura que nunca antes había sido novelada: Augusto Pérez es un *clon*, definiéndose como tal el proceso por el cual se consigue, de forma asexual, copias idénticas de un organismo, célula o molécula ya desarrollado. No es Jesucristo a imagen y semejanza de Dios por ser Dios mismo, sino una invención *clonificada* por el novelista. Desde que Augusto Pérez asoma la cabeza es un todo cuyas células han sido *clonadas* por el autor que lo pare y lo expulsa uteralmente por la puerta de la casa, una copia ya desarrollada de un determinado organismo, que no es el que lo engendra, una copia mecanografiada en papel carbón o fotocopiada. Es eminentemente asexual porque no ha sido creado por medio de un acto sexual y por consiguiente no tiene sexo visible y está encubierto, enmascarado, prácticamente ausente. Toda propuesta matrimonial no es más que un hecho teórico impracticable, pero la clonación en sí misma, asexual, de uno a uno, puede llevar al proceso de inmortalización, como muestra el delirante acontecer paródico de *Multiplicity*. Después de lo oveja Dolly que es el mamífero clonado más famoso del mundo, creado por varios científicos del Instituto Rosin de Edinburgo, Augusto Pérez es el *clon* literario más conocido, (en español, naturalmente) creado por Unamuno.

El número uno: Don Sandalio, jugador de ajedrez (1930): negativo fílmico

Sirva para cerrar este breve capítulo, la hora CERO que representa *La novela de don Sandalio, jugador de ajedrez*, cuyo protagonista por algo es una contradicción geométrica, Sandalio Cuadrado y Redondo, en cuya precisión visual entre el cuadrilátero y el círculo plantea la imposibilidad de conciliación racional entre dos geometrías antagónicas, que lleva a una confusión conceptual que no puede ser concluyente. En su forma más elemental el texto (que puede ser sobre don Sandalio o Unamuno) va del escritor al transcriptor (Felipe como personaje ausente), hasta llegar a Unamuno, que lo remite a nosotros, utilizando una técnica de inmersión y omisión.

La novela propiamente dicha aparece encerrada de forma circular entre el prólogo y el epílogo. La misma consiste en una serie de cartas, unas dentro de otras, que llegan a manos del autor, que no se sabe exactamente quién es, incluso en el caso de que fuera Unamuno, dirigidas a un receptor desconocido que, en última instancia, somos nosotros, haciéndonos copartícipe del laberinto estructural y metafísico que es la novela. Mediante una distorsión de la realidad, que en última instancia es intangible y neblinosa, el protagonista deambula de una página a la otra, sin que, realmente, lleguemos a verlo. Nuevamente vuelve con el tema recurrente de la realidad y la ficción, entre el espacio urbano y el rural, donde la única cosa "realmente" tangible es el tablero de ajedrez y sus fichas.

Tanto en tiempo como en espacio, pone en práctica el autor su concepto de la *nivola* llegando a los últimos extremos de la anulación de la persona y el personaje, en un largo monólogo en el cual el autor se regodea en volver y volver más que sobre el personaje, sobre sí mismo, hasta el punto que el Creador es la Criatura mediante una correspondencia donde sólo hay una persona indivisible.

En una especie de ensoñación sonámbula, cada carta se convierte en una ficha en el tablero. El costumbrismo local nunca llega a objetivarse, sin ir mucho más lejos que el nombre de las cosas (café, casino, bosque) donde apenas se ve algo, porque todo se menciona envuelto en niebla, sueños, espesuras. Una técnica anti-descriptiva que elimina el costumbrismo. El encarcelamiento de don Sandalio y su muerte, constituyen atisbos de lo real, afirmaciones de lo anecdótico que se acercan al documento, esquema de lo argumental y lo episódico, que no va muy lejos. La novela se desarrolla por substracción de datos más que por adición de los mismos. Apenas podemos sostenernos en algo que esté pasando.

Se trata en definitiva de una estructura abierta que lleva a la función moderna del lector, que debe completar la lectura mediante su propia elaboración intelectual, ya que no se le da toda la información necesaria, como si nosotros estuviéramos en la obligación de escribir "nuestra novela", en un juego mutuo entre "ficción" y "realidad": la vida como novela o la novela como vida. En medio de ese juego de conceptos que frecuentemente lleva a un repetitivo juego de palabras, particularmente de posesivos (mío vs. tuyo), queda implícita la noción unamuniana de que el escritor hace al lector o que el lector hace al escritor que cuenta la historia, porque en "realidad" sólo hay un personaje, que es el que escribe: el creador se crea a sí mismo a medida que crea a los personajes que parecen soñarse en el texto.

Las múltiples referencias intertextuales (San Agustín, Goethe, Rousseau, etc) amplían el espacio; los sinónimos se oponen a los antónimos; biografías, autobiografías, historias y ficciones se entretejen y se anulan. El supuesto autor de las cartas y el transcriptor, Unamuno y Felipe, entran y salen de la narración de una forma que no puede predecir la causa y el efecto. Toda la novela, a pesar de su continuidad aparente, es una galería de espejos rotos o empañados. Es una novela sin argumento, de ser o no ser, donde la narración se ve sometida a un proceso de auto-destrucción de la acción, la caracterización y hasta del idioma, como si este fuera el proceso técnico utilizado por el narrador. Plagada de narradores, de transcriptores que deforman lo supuestamente real, la novela está concebida como una *charada* sobre un tablero de ajedrez con un solo jugador que juega contra sí mismo.

Esta concepción circular, repetitiva, interminable, eterna, determina un proceso de "cuento de la buena pipa" que parece que no va a terminar jamás. La novela vuelve una y otra vez sobre sí misma, poniéndonos al borde de la desesperación, imposibilitando una realidad tangible que sirva para sostenernos y podamos decir: esto es lo que está pasando. Nos encontramos en una película indescifrable de Christopher Nolan: un *memento* entre la memoria y el olvido. Se reitera la lectura y relectura de cartas, textos, en una obligada relación activa, no siempre agradable o satisfactoria, entre autor, lector y personaje. Los posesivos representan una batalla campal donde el autor se recrea en poseer.

En el Prólogo y en el Epílogo hay referencias específicas sobre este laberinto metafísico del proceso creador. "No hace mucho recibí carta de un lector para mí desconocido, y luego copia de parte de una correspondencia que tuvo con un amigo suyo y que este le contaba con un don Sandalio, jugador de ajedrez…" (29). Son palabras mayores que no están ahí para aclarar sino para confundir…, como también ocurre con el Epílogo: "He vuelto a repasar esta correspondencia, la he vuelto a leer una y más veces, y cuanto más la leo y estudio me va ganando una sospecha, y es que se trata, siquiera en parte, de una ficción para colocar una especie de autobiografía amañada. O sea que el don Sandalio es el mismo autor de las cartas…" (71) "¡Figuras todas de una galería de espejos empañados…" (71) ¡No somos nada! El espejo mismo que refleja a Unamuno.

En cuanto al cine, justo es decir que la cosa no pasa de un par de referencias superficiales que confirman la escasa imaginación fílmica de Unamuno, cercana a la ceguera, escribiendo una narración antifílmica que es una disolvencia en la niebla, como si en la pantalla se proyectara el negativo de la vida hacia la palabra fin, que también es un modo de hacer cine.

Oración fúnebre a modo de epílogo

Como si fuera "la de nunca acabar" o el "cuento de la buena pipa", la muerte de Augusto Pérez no quiere decir que se ha acabado la película, sino que tiene mucho reciclaje, *clonolización,* como si indicara también que Unamuno no se resigna a darlo por terminado. Es entonces que Augusto se duerme y se va por los cerros de Úbeda y por los caminos de "la vida es sueño", y se le ocurre pensar "si le resucitaría" (294). En este largo soliloquio calderoniano que es la novela, el que no se resigna a morir es el narrador, que parece haber firmado un contrato para pedir un "live extensión". Mientras esto piensa se queda dormido, cual si estuviera en el cine, para soñarse y despertarse y le dijeran: "Abre los ojos", apareciéndosele el espectro viviente de Augusto, como si aquello no se terminara nunca y se soñara y como si estuviera dirigido por Christopher Nolan. "Me escribo para recordarme". Pero, ¿hasta qué punto podría hacer algo el autor en una *nivola* en que ya había fallecido? El recurso no podría ser otro que el mismo utilizado por *Abre los ojos* donde el protagonista se despierta dos veces, en la vida y en el sueño, reafirmando el concepto calderoniano de que "la vida es sueño", que Unamuno plantea al final, en una transición onírica (o real) de una realidad a la otra, que es el imposible: "Hacer un hombre mortal y carnal, de carne y hueso, que respire aire, es cosa fácil, muy fácil, demasiado fácil por desgracia…", y matarlo también, agrega; "pero,

¿resucitarlo? ¡resucitarlo es imposible!" (295). ¿No este también un cuestionamiento final de todo lo que la eternidad representa teológicamente en el cristianismo? No obstante lo dicho, ¿acaso la muerte de Augusto no podría verse como "un acto de fe" para resucitarlo más tarde, sin determinarse claramente una cosa o la otra? ¿Volver a soñarse en el círculo vicioso del "Origen" al modo de *"Inception",* y lo releyéramos en pantalla, a través del cine?

Lo que nunca se dijo

A Unamuno el documento le va a jugar una mala pasada en la vida "real". Un par de reportajes que aparecen en *El País,* los días 8 y 9 de mayo de 2018, parecen indicar que la filmografía unamuniana está todavía por hacerse, y que Unamuno revive en el marco de un debate político y fílmico, con el proyecto de Alejandro Amenábar de hacer un largometraje en Salamanca sobre el escritor, donde "la sombra del mito se hará más larga" ya que una de las secuencias principales transcurrirá en el paraninfo de la universidad, para recrear el "indocumentado" incidente de lo que allí se dijo el 12 de octubre de 1936. Cae específicamente, como observa Sergio de Molino, en la categoría de "lo que Unamuno nunca dijo" ya que al no quedar texto escrito de lo que dijo o no se dijo, limitándose al se dijo que dijo, nos quedamos como con don Saldaño que no sabemos qué hizo y dijo, porque lo metieron en la cárcel, y como indica en *Tulio Montalbán y Julio Macedo,* sin documento no hay palabra que valga.

La polémica a la que dio lugar sobre lo que dijo o no dijo tendrá que seguir en pie, porque no hay documento válido que lo confirme. Al terminar su discurso, se dice que dijo:

"Este es el templo de la inteligencia y yo soy su sumo sacerdote. Estáis profanando su sagrado recinto. Venceréis porque tenéis sobrada fuerza bruta, pero no convenceréis. Para convencer hay que persuadir, y para persuadir necesitaréis algo que os falta: razón y derecho en la lucha. Me parece inútil el pediros que penséis en España. He dicho" (29).

La ficción y la realidad entran en un estupendo contrapunto, aplicable a toda su obra creadora, en plan de *nivola,* recreada como novela realista comprometida sobre lo que no fue, que ha sido repetida al modo y manera de muchos que ni siquiera lo escucharon. La referidas palabras atribuidas a Unamuno, en respuesta a la bestialidad del mutilado general José Millán Astray, que gritó por su cuenta "¡Muera la intelectualidad traidora!", y que dio lugar a un tremendo barullo en el paraninfo, sirvieron para redimir "al intelectual vasco de su apoyo a los golpistas" y se convirtieron "en símbolo de la democracia contra la dictadura, la civilización contra la barbarie y el bien contra el mal". Sus palabras medianamente documentadas, porque el documento se lo llevó él a la tumba ese mismo año, forman parte "de la mitología española" y "un evangelio de valentía cívica" (29), basándose en una información indirecta de la cual, inicialmente, "se tuvo noticia" en París a través de la prensa republicana y francesa. Según un libro reciente de Severiano Delgado, investigador y bibliotecario de la Universidad de Salamanca, el cine ha jugado parte en el asunto de un episodio laberíntico que parece diseñado por Christopher Nolan: "Portillo acomodó la escenografía a la imagen difundida por el cine y la prensa ya concluida la Guerra Civil. En realidad, el Paraninfo no estaba presidido por un retrato en sepia de Franco, quien había sido elegido Jefe del Estado unos días antes, ni se dieron los que en el franquismo se llamaban los gritos de rigor. Y el discurso que Portillo puso en boca de Millán Astray es de su propia invención (¿de Rosillo?) de arriba abajo" (30). El desacuerdo de los investigadores, y la confusión nominal de un hecho mal documentado (porque no hay documento que lo atestigüe) es un episodio vivido por Unamuno donde ficción y realidad se confunden.

CAPÍTULO V

Frankenstein y *Niebla* *entre* Mary Shelley y Unamuno

Montaje

En Niebla Unamuno hace converger en un mismo espacio (el texto) dos mundos antagónicos que existen en dos esferas diferentes: el mundo del autor y el mundo del personaje. La lectura de todo texto narrativo tradicional se basa en la previa aceptación de la separación de estos dos espacios, al que hay que agregar el que le corresponde al lector. La intención de Unamuno es romper las fronteras que separan un espacio del otro, particularmente los dos primeros. Mediante esta meta-ficción lingüística surge el efecto de irrealidad que produce la lectura. Los autores viven en un plano y los personajes viven en otro, buscando una convergencia del imposible, como veremos después en una serie de películas claves. El montaje ha jugado siempre un papel muy importante desde que Sergei Einsenstein lo concibió como el contrapunto de dos tomas separadas que al ponerse una detrás de la otra producen una nueva lectura, siendo sin dudas el medio idóneo para romper las fronteras de espacio y construir una nueva realidad. El concepto es gráfico, perceptual, y todo está relacionado con el nervio óptico, con sus relaciones tan enigmáticas, como veremos cuando hagamos referencia a Abre los ojos y Vanilla Sky. El caso es que este concepto metáfisico entre espacios antagónicos realidad-ficción representa la base fílmica pre y post textual, intertextual, de la filosofía unamuniana según vamos a comprobar en estos ensayos.

Intrigado por la identidad de Augusto Pérez, a partir del principio reduccionista Creador-Criatura, vine a parar en el cine, en una perspectiva de mundos paralelos, donde se me apareció Víctor Frankenstein, que estaba en lo mismo, por donde deambulaba Unamuno con su barrenillo Creador-Criatura, y fue de esta manera que el análisis me llevó al film, e inevitablemente a la novela y a Mary Shelley (1797-1851), que es un flashback que se publicó hace doscientos años, en 1818, mientras que la película que se estrenó en 1931 es un flashforward, fecha curiosa además porque fue cuando el autor de estas líneas vino al mundo, año en que, para acrecentar esta serie de coincidencias cronológica se publica San Manuel Bueno Mártir, *esta síntesis magistral del sentimiento trágico de la vida. Como Unamuno mismo diría, casi para joder: "Confundir sobre todo, confundirlo todo. Confundir el sueño con la vela, la ficción con la realidad, lo verdadero con lo falso; confundirlo todo en una sola niebla" (272), que viene a ser el punto de partida de* Niebla, *anticipo adicional de la teoría del caos que aplica en toda la novela.*

Debo advertir que mi pasión por Frankenstein *no es reciente, y en realidad precede a Unamuno. Tiene una resonancia en mi propia obra creadora, que uso como intertexto, a principios de los setenta cuando escribo* Desterrados al fuego, *donde el protagonista rememora su propia vida. que yo versifico en mi novelización:*

> *"Shall each man,*
> *cried he,*
> *find a wife for his bosom*
> *and each beast has his mate,*
> *and I be alone?" (Desterrados 214)*

Lo que indica la alta estima que siempre he sentido por la novela de Mary Shelley.

Una clonificación transgresora: una interpretación de película.

Propone este libro, por consiguiente, una correlación entre el pensamiento metafísico de *Niebla* y otros textos de Unamuno, con una serie de películas, ulteriores al escritor, que tienen un nexo con principios y planteamientos unamunianos. Sobresale en esto mi propuesta de trazar un paralelismo entre la creación de Unamuno en *Niebla* y la de Mary Shelley en *Frankenstein* mediante un proceso de clonificación que conecta una novela con la otra, así como a Frankenstein con Augusto. Ambos son monstruos. También don Sandalio el jugador de ajedrez jugando solo, que no es más que un monstruo existencialista jugando onanísticamente para crearse a sí mismo, una masturbación cerebral. Si Unamuno había leído o no a Mary Shelley no lo sabemos, pero como el subtítulo nos a remite a Prometeo, de más larga trayectoria, más viejo que andar a pie, hay en ello un punto de partida. Además, Mary Shelley juega con fuego, que como lo define la criatura bipolarmente, es bueno y malo, y hasta lo caracteriza cuando da un salto inesperado de lo amistoso y afectivo a lo criminal, en transiciones abruptas. Pero a Unamuno todo esto le resulta superfluo, y aunque como Prometeo les roba el fuego a los dioses, no los mete en la novela, y Augusto Pérez, más prudente, nunca juega con fuego. La palabra es el recurso unamuniano del proceso creador con el cual va a inventar, a imagen y semejanza de Dios, su *replicant* (como lo llaman en *Blade Runner*) y su *clon* (como explican en *Multiplicity*).

Para alcanzar su objetivo, Unamuno no necesita ni electricidad ni magnetismo, ni pólvora ni químicos de ningún tipo, porque la electricidad procedía de su cerebro, la concepción filosófica y las relaciones mentales entre el Creador y la Criatura. Ni galvanismo de ninguna clase, como puede que le pasara a Mary Shelley y su concepto de la resurrección. En Unamuno la gestación es fundamentalmente *clónica*, y su Prometeo se encuentra inoculado del "sentimiento trágico de la vida", que es adonde vamos a parar todos; convirtiéndose en una copia intelectual de una concepción unamuniana: una replica, un duplicado, un "semejante". A su vez, un "creador" del que lo "crea". De hecho el actor personificando al personaje en una cinta de celuloide, es la obvia transferencia contemporánea de los repetidos principios unamunianos sobre el Quijote creando a Cervantes, Hamlet a Shakespeare y, por extensión, Augusto Pérez a Unamuno.

Esta ocurrencia la convierte en la obra clave de la postmodernidad que rompe definitivamente las barreras entre ficción y realidad en 1914. También en una forma inusitada de entrar en la novela existencialista por su cuenta y riesgo. En este sentido, todo lo que se escribe después, en español, inglés, francés, italiano, ruso (e inclusive checo) o chino, es una secuela de *Niebla,* ignorada realmente por el poder hegemónico del inglés. Hay que considerar sin embargo, que el carácter de marionetas sin vida que tienen los personajes, empezando por Pérez y seguido de inmediato por Eugenia, imprimen un sello necesario a unos caracteres que no parecen tener sangre, cubistas y rígidos. Incluso aquellos secundarios que nunca tienen la existencia galdosiana de la narrativa realista donde los personajes están "vivos", con todos sus perifollos. Porque *Niebla* es una novela conceptual, convertida en esqueleto, una *nivola*, ya fuera porque a Unamuno le faltara "carne" para novelar o porque realmente lo quiso hacer así.

Como veremos, Unamuno aplica un proceso descaracterizador para caracterizar a los personajes, que le sirve para la construcción de un protagonista cuya existencialidad total le niega. Todos los pasos que da para *ser* son sometidos a una técnica de descaracterización que utiliza el autor desde su aparición. Le sirve para ofrecernos la negatividad del retrato, pasando a desvitalizarlo por todos los procedimientos a su alcance, incluyendo el monólogo interior del fluir de la conciencia. Eso explica la constante aparición y reaparición de textos que descaracterizan, tanto en lo lingüístico como en lo sicológico, con el objetivo de negarlo, incrementando el existencialismo alienatorio al que está sometido. Sexualmente alienado, Eugenia y Rosario establecen los territorios de la enajenación erótica, convirtiéndolo en un diferente que no puede acoplarse. Su madre y su padre, Liduvina y Domingo, don Fermín y Ermelinda, acoplan por su cuenta, más o menos, como también lo hacen, pero de otra manera Mauricio y Eugenia, que sí acoplan sexualmente. Víctor y Orfeo representan acoplamientos léxicos y conceptuales que configuran una dialéctica externa. Pero todos confirman que Augusto está solo, salvo el acoplamiento de otro a otro (de fuera a afuera) que sostienen Creador-Criatura. Unamuno descansa en el soliloquio como modo de ser, configurando a lo largo de la narración una sucesión de discursos alienatorios.

Un narcisismo patológico

En el caso de *Frankenstein* y *La novia de Frankenstein,* el principio del doble se pone de manifiesto en la concepción de la relación Creador-Criatura, donde Elsa Lanchester interpreta ambos papeles, y confirma que en la literatura, en el cine fantástico y en la ciencia ficción los monstruos representan una visión de nosotros mismos. Pero dejando a un lado el concepto del doble, la confusión de Frankenstein, ansioso de amor y amistad, que lo lleva a un tránsito del amor al odio, confundiendo el impulso amatorio con la repulsión, es representativa de una monstruosidad que yace en el fondo de cada uno de nosotros. El desdoblamiento caracteriza toda la temática de lo fantástico, el bien y el mal, Dr. Jekyll y Mr. Hyde, y también el caso de Unamuno atrapado entre la mortalidad y la inmortalidad, donde entra en consideración el asesinato de Dios, que a su vez es un asesino en serie cuando tiene lugar la muerte "natural" del ser humano, como si morir fuera la condición inherente de nuestra identidad. Por su parte el lector se encuentra ante el texto y la pantalla como copartícipe de un proceso experimental desdoblado ante el espejo, vuelto agonista del mismo problema que sufren autor y personaje. En el caso de Unamuno lo circunscribimos al texto, que nos sumerge en el lodo de un narcisismo patológico.

Por consiguiente, en este recorrido analítico, insistiremos una y otra vez en la importancia que tiene el doble para

Unamuno, que está articulado a sistemas binarios, entre los cuales la creación del hombre es el núcleo Creador-Criatura del que parten todos los demás (orden vs. caos; bien vs. mal; normalidad vs. anormalidad), que es la base de *Niebla*. El concepto se repite una y otra vez desde las más variadas perspectivas, y encuentra en *Abel Sánchez* y *El otro* dos de sus más notorios arquetipos. Los esquemas binarios, favoritos de Unamuno, explícitos en varios de sus títulos *(Tulio Montalbán y Julio Macedo, Dos madres, El otro)* son reiteradamente utilizados como procedimiento creador. Igualmente, por extensión, en la ciencia ficción el doble es medular. El "monstruo" es esencialmente una réplica del hombre, un proyecto que sale mal a partir de lo que planifica Mary Shelley desde que lo inventó. Tan es así que Frankenstein no tiene nombre y lleva el apellido de su creador. Más exactamente, la criatura asume el apellido del padre como su nombre propio, fijándose aún más la relación Padre-Hijo que integra dos planos.

Sin la recurrencia del doble, de buenos y malos, no podría hablarse del cine fantástico o de la ciencia ficción tal como lo conocemos y como se "fabrican". Hecho con muertos descuartizados, imperfectamente cosidos y sometidos a "electroshocks", con la ayuda de rayos y truenos que parecen vincularlos a una divinidad de mal carácter, a Víctor Frankenstein le sale un monstruo muy mal hecho, aunque Mary Shelley, bajo monstruosas circunstancias, da precisamente en el blanco. El cine es la esencia del doble que nos refleja en la pantalla: una "reflexión" de nosotros mismos.

Mary Shelley: doscientos años atrás y doscientos años después

Por lo tanto, en tiempos modernos, para ubicarnos específicamente en alguna fecha, la caja de Pandora de la ciencia ficción la destapa Mary Shelley cuando publica en 1818, precisamente hace doscientos años, *Frankenstein or The Modern Prometheus*. No diré que la novela no tenía antecedentes, incluyendo el Frankentein de Nogarte porque ya la propia autora, al mencionar a Prometeo, apunta a los mitos clásicos, así que tomo su novela como punto de partida de los "tiempos modernos", a los efectos de llegar al cine. Denota también sus ambiciones ocultas, como mujer, a la sombra de su marido. No tengo tampoco la menor idea en qué medida Unamuno conocía la novela, ni si la había leído o si la tenía en la menor estima, que mucho dudo; pero lo cierto es que para la fecha que escribe *Niebla*, nada menos que una escritora fuera de serie para su época había dado el primer paso para que se lleve a efecto un encuentro entre el Creador y la Criatura, con una confiancita tal que en uno de ellos Frankenstein (es decir, la Criatura) le pide a Frankenstein (es decir, al Creador) que le busque una mujer para que le haga compañía, y algo más, naturalmente.

Si Unamuno, había leído o no a Mary Shelley no lo sabemos, pero como el subtítulo nos a remite a Prometeo, de más larga trayectoria, más viejo que andar a pie, hay en ello un punto de partida. Además, Mary Shelley juega con fuego, que como lo define la criatura bipolarmente, es bueno y malo, y hasta lo caracteriza cuando da un salto inesperado de lo amistoso y afectivo a lo criminal, en transiciones abruptas. Pero a Unamuno todo esto le resulta superfluo, y aunque como Prometeo les roba el fuego a los dioses, no los mete en la novela, y Augusto Pérez, más prudente, nunca juega con fuego. La palabra es el recurso unamuniano del proceso creador con el cual va a inventar, a imagen y semejanza de Dios, su *replicant* (como lo llaman en *Blade Runner*) y su *clon* (como explican en *Multiplicity*).

En el prefacio Mary Shelley trata de convencernos de la posibilidad científica de los hechos apoyándose en Darwin y algunos escritores "fisiológicos" alemanes; algo que realmente pudiera pasar, e insiste en que ella no estaba escribiendo una "serial" de terror sobrenatural, como pasaría actualmente con el cine o la televisión. Lamentablemente, después de doscientos años, no se ha adelantado mucho respecto a las motivaciones de la autora y su protagonista, y lo que comenzó como una conversación casual, sobre lo fantástico, la mortalidad y la inmortalidad, no se ha podido documentar de forma concluyente a pesar de Boris Karloff y Elsa Lanchester, aunque sí se ha enriquecido con nuevas propuestas, sin contar que las condiciones del laboratorio que Shelley le escatima a Víctor en su novela han mejorado mucho con el cine.

Justo es decir que *Niebla* es una "película" de bajo presupuesto, cuyo laboratorio se reduce a lo esencial cuando Augusto se entrevista con Unamuno en Salamanca, sin necesidad de salir de la Plaza Mayor y desarrollando la acción en un interior, que apenas describe, y cuya "realidad" no pasa de *set* cinematográfico. La novela de Mary Shelley, por el contrario, no pierde nunca de vista la majestuosidad del paisaje iluminado y oscurecido por la tormenta. "When I was about fifteen years old we have retired to our house near Belrive, when we witnessed a most violent and terrible thunderstorm. It advanced from behind the mountain of Jura, and the thunder burst at once with frightfull loudness from various quarters of the heavens. I remained, while the storm lasted, watching his progress with curiosity and delight" (26). A lo largo de la narración este paisaje se convierte en el laboratorio natural del experimento, aunque Mary Shelley, consciente de la electricidad pero ignorante del bombillo de Edison, no puede ir muy lejos.

El tiempo no pasa en vano y el laboratorio de Víctor Frankenstein resulta verdaderamente penoso, mal iluminado, elemental y primitivo, porque la "filosofía natural" que se menciona un buen número de veces, no daba para mucho. Se pueden anticipar las limitaciones desde que el profesor Waldman invita a Víctor a su despacho. "Chemistry is that branch of natural philosophy in which the greatest improvement has been and may be made" (dijo M. Waldman). "He then took me into his laboratory and explained to me the uses of his various machines, instructing me as to what I ought to procure and promising me the use of his own when I should have advanced far enough in the science not to derange their mechanism" (34). Hay que reconocer que será el cine quien le prepare a los Frankenstein, al Padre y al Hijo, el escenario adecuado para que la propuesta hiciera más viable el parto.

¿Cómo iba a ser posible que Víctor pudiera hacer trabajo semejante con tan limitados recursos? Hay que concederle a la escritora que tenía mucha imaginación para concebirlo en tan paupérimas circunstancias. En aquella guardilla de principios del siglo XIX, no podía parirse nada bueno. A lo sumo, un aborto fuera de la ley, resultado de una cópula de mala muerte. Nada, por muchas pretensiones que tuviera el doctor, que se creía nada más y nada menos a punto de descubrir el misterio unamuniano de la inmortalidad. No en balde lo que iba a salir de allí sería un feto monstruoso y mal hecho, porque aquello no prometía gran cosa, dejando a un lado los logros literarios. "I collected bones from charnel-houses and disturbed with profane fingers, the tremendous secrets of the human frame. In a solitary chamber, or rather cell, at the top of the house, and separated from all the other apartments by a gallery and staircase, I kept my workshop of filthy creations… The dissecting room and the slaughter-house furnished many of my materials; and often did my human nature turn with loathing from my occupation, whilst, still urged on by an eagerness which perpetually increased, I brought my work near to a conclusion" (39). Intentar darle vida a unos cadáveres descuartizados, formado de retazos de cuerpos muertos y enterrados, decididamente mal cosidos, indica la magnitud de la faena científica y literaria a la que Mary Shelley se estaba enfrentando, que Unamuno resuelve inventando la *nivola*, con un mínimo de utilería. Sólo el cine, doscientos años más tarde, podrá visualizar lo que era inimaginable.

No hay que ignorar la funcionalidad del vacío físico de la *nivola*, que juega con la identidad del personaje en correspondencia con el carácter acartonado de las localizaciones, la sensación de vacío en el cual se mueven. Es cierto que hay un paraguas, un cenicero, unos huevos fritos, otros objetos, pero se evita la sensación de un todo palpable que se saliera de lo común y corriente. Aunque las cosas se mencionan, la misma sensación que tiene con frecuencia Augusto de que no existe, de que no está o no lo perciben, se manifiesta descriptivamente en la narración, como hace Unamuno en otras de sus novelas abstractas, que podríamos llamar no figurativas. Salvo en el caso de *San Manuel Bueno Mártir* (y en algunas páginas de *La tía Tula)* las cosas no se sienten, no parecen estar ahí. La sensación de "extrañeza" caracteriza lo real de los objetos. Por otra parte, en contraposición con *Frankenstein*, que se construye por interiorización, *Niebla* es una zambullida en el hueco de la angustia, donde el protagonista si se angustia lo hace por omisión, no por presencias. Curiosamente *Niebla* es una novela de espacios abstractos e impersonales que también aparece envuelta en una niebla: un concepto difícil de explicar pero fácil de ver leyendo la novela.

Sin embargo, lo que sí logra Shelley es una buena zambullida en el estado mental de Víctor, que al querer llevar a efecto una propuesta descomunal, la de desentrañar el misterio de la vida, se enfrenta a la realidad material de la descomposición de los muertos "Now I was led to examine the cause and progress of this decay and forced to spend days and nights in vaults and charnel-houses" (36), "I saw how the worm inherited the wonders of the eye and brain" (37). Esto no le sale mal. La madre (porque después de todo Mary Shelley es una escritora y no un escritor) se adentra con verdadera audacia síquica a lo que le pasa a Víctor por dentro. Todo lo contrario de lo que hace Unamuno con su hijo, que está hueco, quizás por tratarse de una "maternidad" masculina. *Ser* Padre no es lo mismo que *ser* Madre.

Hay que fijarse en un detalle importante: el Ego de Mary Shelley no parece ser tan descomunal como el de Unamuno. Pero no lo sabemos. Una mujer que a los diecisiete años es capaz de acostarse con un hombre casado en un cementerio, es de armas tomar, y el orgasmo se transparenta. No es una criatura insignificante, sino una mujer capaz de escribir *Frankenstein* y entrar en las entrañas del monstruo. Después de todo, Augusto es un monstruo casero que puede pasar inadvertido, pero no Frankenstein. Algún "monstruo" personal e inmediato ayudaría a gestarlo, aunque no sabemos de dónde lo sacó. Hay que tener en cuenta que cuando Unamuno crea a Augusto Pérez (¿a imagen y semejanza?) pare a un hombre insignificante, con muy poca cabeza, por cierto, al que realmente nunca trata de igual a igual porque en realidad lo desprecia. Por el contrario, Mary Shelley desde un principio crea a un hombre gigantesco. O Víctor Frankenstein, que para el caso es lo mismo. Unamuno prefiere que el "Otro" sea un homúnculo, porque quiere estar seguro de que no se le va por encima.

Merece observarse también que Unamuno crea a Augusto Pérez sin intermediarios. Lo hace por sí solo y él mismo lo pare, sin Virgen María ni Espíritu Santo. Es un parto sin intercesión femenina y con poco de milagro. Si tiene padre y madre biológicos, Unamuno lo hace como referencia anecdótica para desarrollar el argumento. Si Dios, además, se supone que sea Hombre, el novelista ocupa su lugar para parir la criatura, todo un discurso masculino. Por oposición Mary Shelley es mujer y no mantiene una relación directa con el monstruo que literariamente crea, sino que Víctor ocupa su lugar. Ella se elimina como agente genético de la concepción. Víctor ocupa el lugar de Dios y esa es una transgresión inadmisible, pero si Shelley hubiera puesto como contrapartida a una Diosa del Paleolítico, o de la Fertilidad, hubiera incurrido en una transgresión más transgresora todavía, en su tiempo, que hubiera sido ya mucha transgresión.

Debemos reconocer que a pesar de la discreción de la autora, al protagonista se le va el ego a la cabeza, que después de todo es un hombre. "I often asked myself, did the principle of life proceed?" "To examine the cause of life, we must first have recourse to death." "I became acquainted with the science of anatomy, but this was not sufficient; I must also observe the natural decay and corruption of the human body" (35). En ese sentido la novela toca una cuerda unamuniana, pero no en la caracterización, porque Víctor es más de carne y hueso. Sin embargo, cuando Víctor piensa, "No father could claim the gratitude of his child so completely as I should deserve theirs" (39), el personaje se delata y llegado el momento tendrá que pagarlas todas juntas. ¡Ni que fuera Unamuno! "After days and nights of incredible labour and fatigue, I succeeded in discovering the cause of generation and life..." (37) "I doubted at first whether I should attempt the creation of a being like myself, or one of simpler organization; but my imagination was too much exalted by my first success to permit me to doubt of my ability to give life to an animal as complex and wonderful as man" (39). "A new species would bless me as its creator and source; many happy and excellent natures would owe their being to me" (39). "It was on a dreary night in November that I beheld the accomplishment of my toils. With an anxiety that almost amounted to agony, I collected the instruments of life around me, that I might infuse a spark of being into the lifeless thing that lay on my feet. It was already one in the morning; the rain pattered dismayed against the panes, and my candle was nearly burn out, when, by the glimmer of the half-extinguished light, I saw the dull yellow eye of the creature open; it breathed hard, and a convulsive motion agitated its limbs" (42). "How can I describe my emotions at this catastrophe...?" "I had selected his features as beautiful. Beautiful! Great God!" "His yellow skin scarcely covered the work of muscles and arteries beneath..." (42) "For this I has deprived myself of rest and health..." (42) (¡¡¡¡¡) "Oh! No mortal could support the horror of that countenance. A mummy again endued with animation could not be so hideous as that wretch (43) (¡¡¡¡¡) "I watched the tempest, so beautiful yet terrific..." "A flash of lightning illuminated the object and discovered its shape plainly to me; its gigantic stature, and the deformity of its aspect [...] instantly informed me that it was the wretch, the filty demon to whom I had given life" (60). Es, decididamente, un parto con todas las de la ley, y hay que reconocer que dejando al lado si lo escribía un hombre o una mujer, Mary Shelley lo hizo muy bien.

Desde el Prólogo y Post-prólogo de *Niebla*, Unamuno trabaja con una concepción binaria contrapuntística: autor-personaje; ficción-realidad. Parecen espacios duales separados por un cristal, que en la novela realista están perfectamente identificados, pero que ahora van de una dimensión a la otra, rompiendo las leyes de la espacialidad, la temporalidad, la identidad y la conciencia del género. Se trata de una voluntad de ser del Creador, basada en el Yo Creador que se afirma en el SI SOY como vehículo de la inmortalidad. Este principio se transfiere a la Criatura, que, al salir a la calle en el momento del parto se afirma a imagen y semejanza del Creador, aunque se trata de un "sí" condicional. Para hacerlo Unamuno utiliza, técnicamente un sistema narrativo escueto de monólogos, mono-diálogos y semi-diálogos, con el uso de unos personajes secundarios de una identidad entre artificial, dudosa y semi-realista, con criaturas que flotan como mónadas.

"Atmosféricamente" empieza estableciendo el principio confusionista de la "niebla" que juega en la ambientación, conjuntamente con la lluvia, que dan una tónica intangible e incierta. Por eso anula el espacio exterior de las cosas, que no se ven en el todo de unas con otras, sino alienadas en su aparición, en su función y carentes de una interacción real, como se ve cuando uno mira alrededor y confirmamos lo real como un todo lleno de cosas. A lo sumo, hace uso de un esquematismo costumbrista que coloca a los personajes en universos vacíos, que anulan y llevan a cuestionar la realidad. Esto es un paso esencial para crear el concepto de la *nivola* que es un mundo diferente al "natural", al mundo dado por Dios, con todas sus cosas e incluso con las que los hombres inventan. La *nivola* viene a ser un "*replicant*" de una novela. Crea así una nada existencialista, que es la del autor, vista frecuentemente, para despersonalizarla, con una óptica paródica de no ser, con lo cual construye una novela abstracta.

Un húmedo verano

Lo cierto es que Mary Shelley no una era una mujer convencional. A pesar de tener una educación privilegiada debido a la clase social a la cual pertenecía, era de carácter difícil hasta que a los diecisiete años conoce al poeta inglés Percy Shelley, de ideas liberales, alocado y mujeriego, de veintidós años, con el cual mantiene una apasionada relación amorosa, que se materializa físicamente, según se ha dicho, en el cementerio de Saint Pancras Old Church, donde se acuestan, lo que parece dejar constancia de un par de temperamentos apasionados y radicales, dentro del canon romántico, borrascoso, que se percibe en las páginas de *Frankenstein*. Además, como Percy estaba casado, el 28 de julio de 1814 la pareja se escapa secretamente para París, bajo difíciles circunstancias económicas, y se van por Francia, Suiza, Alemania, Italia, regresando después a Inglaterra. Los acompañaba Clair Clearmont, hermanastra de Mary, que no era ninguna mojigata. Acabará acostándose con Shelley y, principalmente, con Lord Byron, del que tiene una hija. La convivencia era tal que, entre bromas y veras, no conforme con Mary, Percy se acostó ocasionalmente con la Clearmont, y como tenía una legítima esposa, no es extraño que se refirieran a una de ellas como "la segunda esposa de Shelley", lo cual le venía bien a cualquiera de las dos. La Clearmont concebía el amor como una relación entre tres, y Shelley aparentemente ponía en práctica tal ecuación, sin importarle cual de ellas ocupara el lugar que le tocara en suerte. A Percy no le importaba gran cosa, pero Mary, aparentemente, no estaba de acuerdo. En todo caso, entre una depresión y la otra Mary tiene un hijo con Shelley en 1815, un niño sietemesino que muere ese mismo año. La muerte del niño la deja en un gran estado depresivo por lo cual se ve asediada con pesadillas, pero de inmediato vuelve a salir en estado, el segundo hijo de la unión con Percy, que sobrevive.

Mientras tanto en 1816 alquilan una modesta villa cerca del lago Leman, no muy lejos de la villa Diodatti, donde vivía Lord Byron, que en esos días le había hecho un hijo a Clair, como si todo fuera una telenovela. Como el clima era de perros, con lluvias, rayos y truenos, en algo tenían que entretenerse, reuniéndose todos ellos, con frecuencia, en la villa, pasando el rato bien protegidos de la tormenta, durante aquel "húmedo verano" seminal en el cual contaban historias de fantasmas, discutían sobre varias doctrinas filosóficas y devolverle la vida a los muertos, según observa Diane Johnson (vii) hasta que un día a Byron, tras una conversación sobre galvanismo, se le ocurrió proponer que cada uno de ellos se pusieran a escribir alguna historia escalofriante.

Por esos años la electricidad estaba en su apogeo, aunque todavía no se había inventado el bombillo eléctrico. Mary Shelley asistía a conferencias sobre la electricidad y se discutían las teorías de Darwin sobre el origen de las especies. El galvanismo, la propiedad de la corriente eléctrica de provocar contracciones en los nervios y músculos de los seres vivos y de organismos muertos, tenían resonancias literarias relacionadas con la resurrección de los muertos. Por consiguiente un cadáver podría reanimarse y llevarnos a descubrir el origen mismo de las especies. De todas estas ideas entre la ficción y los hechos, iba a surgir el *Frankenstein* de Mary Shelley.

De ahí iba a salir también Víctor Frankenstein fascinado hasta la locura por la filosofía natural ("natural philosophy"), como lo llamaban, que representaba la búsqueda del origen mismo del ser humano, consecuencia indirecta de aquellas tertulias que no dejaban dormir a Mary Shelley. Bajo tales circunstancias, entre el sueño, el insomnio, las conversaciones y la sexualidad, Mary no sólo sale en estado sino que el astrónomo Donald Olson, en el 2011, después de inspeccionar diversos documentos sobre los movimientos de la luna y las estrellas, concluye que en uno de sus *sueños lúcidos,* entre las 2 y las 3 de la mañana del 16 de junio de 1816, Mary Shelley se pone a escribir *Frankenstein,* que terminara en 1817, ya en Inglaterra. "When I placed my head on my pillow, I did not sleep, not could I be said to think. My imagination, unbidden, possesed and guided me, lifting the successive images that arose in my mind with a vividness far beyond the usual bonds of reverie" (ix), cuenta Mary Shelley, citada por Diane Johnson. Ella se despierta horrorizada y se encuentra con Frankenstein de pie al lado de la cama. Johnson agrega que muchos artistas han tenido experiencias creadoras parecidas cuando algún problema los ha mantenido insomnes, pero la de Mary Shelley "is one of the most complete accounts of the emergence of a literary work from the onconscious into the conscious mind" (ix), como si fuera un estado paranoico.

Lo que pasó, realmente, no podemos saberlo, pero lo expuesto resulta convincente, y en medio de una oscuridad caravaggiesca no es difícil pasar gato por liebre. No sabemos, sin embargo, quien realmente tomó parte más directa en la concepción, y cual fue la criatura con la que compartió los mencionados *sueños lúcidos*. Tal vez el insomnio, que la llevó a escribir páginas estupendas a la medianoche, fue suficiente.

Mary Shelley y Miguel de Unamuno: entre un hijo y el otro

Al regreso de la escapatoria con Percy, para sorpresa de la joven, su padre no la recibe con los brazos abiertos, a pesar de un liberalismo que al parecer no llegaba a tanto, y sin un centavo, se establecieron en Londres, perseguidos por los acreedores. Mientras, la situación económica empeoraba, con Mary en estado y frecuentemente enferma. Poco después, en Bath, Mary recibe la noticia de que su media hermana, Fanny Imlay, se suicida por envenenamiento y que Harriet, la que fuera primera esposa de Percy, se ahoga en un lago cerca de Hyde Park. La muerte adquiere un papel protagónico y se entremezcla con la gestación.

Un peregrinaje constante y una muerte detrás de la otra, parecen gestar a *Frankenstein* en una nebulosa de acontecimientos que se precipitan, como si la monstruosidad no saliera de la nada y la propia novelista estuviera cosiendo los cadáveres que la acompañaban en la realidad inmediata. El mismo año en que se publica la novela regresan a Italia con Claire Clairmont acompañada de la hija de Byron, para ponerla en custodia de su padre, que está en Venecia, donde va a morir Clara, la hija de Mary y Percy, primero, en septiembre de 1818, y después William, en Roma, en junio de 1819. Antes y después de *Frankenstein,* todas estas idas y venidas conviven o coinciden con estos avatares.

Unamuno, por su parte, va directamente al cerebro, y describe lo menos posible. La propuesta de Shelley tiene a su favor el paisaje donde se desarrolla la acción, que Unamuno reduce a cero para crear la *nivola* y dejarnos con el esqueleto. Pero hay otras consideraciones de mayor calado: sencillamente, si uno ve como realidad cosas que no están ahí, pues eso es síntoma de esquizofrenia. Si se oyen voces (como las de un perro, por ejemplo), eso quiere decir que no se anda bien de la cabeza, que es lo que le pasa a Augusto Pérez con Orfeo. Y al propio Unamuno (¡tan cuerdo!) cuando Augusto Pérez va a hablar con él. Por el contrario Shelley se apresura a aclararnos que ella no está describiendo las visiones de un loco. Pero no debemos ignorar la irracionalidad de su biografía, y en particular de algunos de los "personajes" que conviven con ella, porque la monstruosidad de Frankenstein no surge de la nada sino de su cabeza. Y de los muertos que la acompañan.

Para ver a qué conclusiones podemos llegar, valga con trastar, por un momento, la vida privada de Unamuno que, básicamente, puede resumirse en un par de líneas. El 31 de enero de 1891 se casa con Concha Lizárraga, de la que estaba enamorado desde niño y con quien tuvo nueve hijos: Fernando, Pablo, Raimundo, Salomé, Felisa, José, María, Rafael y Ramón. La biografía profesional y política llena páginas y páginas. Pero, realmente, ¿qué es lo que está pasando? ¿Qué hay detrás de las noticias en la primera plana? Una búsqueda por la biografía de Unamuno deja una plenitud de datos profesionales, de luchas intelectuales y políticas, que es el recorrido por un archivo donde lo que imperan son los hechos, la información documental. El mismo vacío que hay detrás de esa escueta referencia biográfica lo distancia de una cópula en un cementerio, con algo macabro entre la procreación y la muerte, también romántico, entre Percy y Mary Shelley, que no hay en Unamuno con sus nueve hijos en una especie de "la vida con Papá" a la española. En Mary Shelley hay una genética de lo macabro. Comienza con una fuga apresurada con un hombre recién casado, a la que sigue una muerte detrás de la otra entre truenos y relámpagos. Por oposición, el dato escueto reduce la existencia de Unamuno al esquema de una *nivola,* que es precisamente el contraste con una narrativa, la de Mary Shelley, donde las palabras se desbordan.

La vida de Mary Shelley es un proceso creador y destructor entre la vida y la muerte, del orgasmo al cementerio. Parece una novela, mientras que la de Unamuno se acerca más a una *nivola,* como puede verse en el congelado y deshumanizado encuentro con Augusto Pérez, a sangre fría, mientras Víctor se desgañita corriendo detrás del monstruo. La tormenta metafísica del sentimiento trágico de la vida, en *Niebla,* se vuelve a lo sumo una angustia teórica, donde la vida es accesoria y por eliminación se llega profesionalmente a ese sentimiento. A pesar de todos los aspavientos y disidencias unamunianas, ciertamente sus nueve hijos representan una afirmación genética, un acto creador de confirmación de sí mismo que sigue las instrucciones matrimoniales del canon católico que dice "creced y multiplicaos", como si el filósofo siguiera un manual de educación sexual aprobado por el Papa y la herejía se negara con el ejemplo. Bueno, quizás no fuera exactamente así, porque después de todo Unamuno era de carne y hueso, y no sabemos (o cuando menos yo no lo sé) lo que pasó entre un hijo y el otro.

Tanto la maternidad de Mary Shelley como la paternidad de Unamuno resultan importantes a los efectos de temas de mayor trastienda, en síntesis la mortalidad y la inmortalidad, la descomposición de los cadáveres y la creación de la vida mediante el acto procreativo de la cópula. Mary Shelley está en plan de una concepción detrás de la otra en el momento en que escribe *Frankenstein* y los nueve hijos de Unamuno atestiguan, la importancia que le da al matrimonio y a la procreación, siguiendo su evidente compromiso con el canon eclesiástico de creced y multiplicaos.

Para Mary Shelley, a partir de su propia introducción a la novela, el momento de la creación de Frankenstein representa una sacudida cuyos detalles no nos escatima, como si fuera un "acute mental vision", donde ella se ve a sí misma arrodillada ante la "cosa" a la cual ha dado vida, lo cual representa una doble visión ya que en el mismo momento ambos se enfrentan al "monstruo" que ella y el protagonista han creado. "I saw the hideous phantasm of a man stretched out, and then, on the working of some powerful engine, show signs of life and stir with an uneasy, half vital motion" (xxiv). Este estado identifica el momento de su propia creación con aquel en el cual su personaje crea al monstruo, rompiendo el espacio que la separa de su personaje donde ellos "endeavour to mock the stupendous mechanism of the Creator of the world". El "parto" de Frankenstein por Víctor es en la experiencia vívida de Shelley, una sola experiencia, donde además, al llevar la Criatura el nombre del Creador produce una unidad de opuesto (el Bien y el Mal) donde Mary Shelly es la creadora del todo. Poseída por la idea y las circunstancias, un escalofrío la recorre por la espina dorsal en el espacio "real" en la cama donde hay una contraposición de realidades: "I see them still: the very room, the dark parquet, the closed shutters wth the moonlight struggling through, and the sense I had that the glassy lake and high Alps were beyond" (xxv). La luna, el lago, los Alpes, las alfombras, confirman una realidad "palpable". Todo el *set* de la recamara "real", con los elementos plásticos dados por la luna, las montañas y el lago, van a contraponerse en otro espacio y otro tiempo, con la recámara de Frankenstein frente a Frankenstein donde "ellos" crean al monstruo. "With an anxiety that almost amounted to agony, I collected the instruments of life around me, that I might infuse a spark of being into the lifeless thigh that lay at my feet" (42). Es difícil imaginar como Victor Frankenstein logra su objetivo, ya que Mary Shelley no nos da datos suficientes.

Una bibliografía selecta

Por las lecturas de Víctor Frankenstein como personaje, se deducen las de Mary Shelley de acuerdo con las referencias que hace a principio de la narración. Por sus autores la reconoceréis y no deja de ser sorprendente. Son ellos, Alberto Magnus (1200-1280), Cornelius Agrippa (1486-1535) y Paracelsus (1493-1591) El primero vincula al protagonista a la alquimia y la química, como indican títulos o tratados que se le atribuyen: *Metals and Materials, Secrets of Chemistry, Origins of Metals, Origins of Compounds, Theatrum Chemicum, De Menirabilus,* hasta llegar a transmutaciones y la piedra filosofal. Heinrich Cornelius Agrippa, tras vincularse con la magia y el ocultismo, renunció posteriormente a ambas, exorcismos, encantamientos y magias endemoniadas, que se reflejan sin embargo en las tribulaciones de Víctor Frankenstein. Mary Shelley trabaja con él como personaje en "The Mortal Inmortal", vinculado a *Frankenstein* y como el título obviamente indica, a Unamuno: la historia de un joven, Winzy, que vive 323 años sin envejecer externamente pero sufriendo las consecuencias de la vejez, por haberse tomado un elixir preparado por Agrippa. Ya están ahí las semillas de Robert Louis Stevenson con *Dr. Jekyll and Mr. Hyde*, o extrañas historias sobre la vejez y la reversibilidad del tiempo como en *The Courious Story of Benjamin Buttom* de F. Scott Fitzgerald, adaptada por Eric Roth. La mortal inmortalidad que se plantea pertenece también a la condición unamuniana de Mary Shelley, que precede a Unamuno y los lleva por similares derroteros. La carrera de Paracelsus fue excepcional y es imposible ir sobre ella, pero incluye el hermeticismo, la creencia de que la enfermedad y la salud descansaba en la armonía del microcosmos (los seres humanos) con el macrocosmos (la naturaleza); la toxicología con el uso de elementos químicos en la cura de las enfermedades; el phsycosomatismo, donde la imaginación, a través de la vista y el oído, puede tener un impacto tan fuerte en el inconsciente que conduce a fantasías de la imaginación y los sueños. Estos autores eran para Victor Frankenstein "the lords of my imagination", que supuestamente tiene que descartar a principios de la novela porque, según dice, se habían vuelto científicamente inaceptables, "deformed and abortive creations" (26-27) y le hacían pensar que nada puede conocerse. Aunque ignoro en qué medida Unamuno tenía un conocimiento substancial de estos autores, que requeriría investigaciones que no voy a hacer, dudo mucho que las ignorara. Todas estas lecturas, sin embargo, ponen a Víctor Frankenstein en el camino de la mortalidad y la inmortalidad, y colocan a Mary Shelley en la encrucijada filosófica de la ciencia y la ficción, que es el subconsciente unamuniano de dos mundos (de una bipolaridad) que parecen contradictorios pero que tienen algo medular en común. Si bien Shelley se sustenta físicamente en estos componentes, Unamuno no necesita de ellos en su laboratorio literario y metafísico, que carece de materia física, pero la relación Creador-Criatura es la misma, entre dioses y monstruos.

Frankenstein (1931): entre la biología y la electroquímica, la pantalla y el texto

Es obvio que Augusto Pérez es el *Frankenstein* fílmico de Unamuno, su ciencia ficción creada en el cerebro del autor. El planteamiento de la película, originado a su vez en la novela de Mary Shelley, es unamuniano desde que "se descorre el telón", Edward Van Sloan aparece delante de una cortina teatral, y hace algunas advertencias a nombre de Carl Leammele Jr., productor, anticipándonos la historia de Henry Frankenstein, "un científico [un escritor en el caso de *Niebla*] que quiso crear un hombre a su imagen y semejanza sin tener en cuenta a Dios", como si el que hablara fuera el mismísimo Unamuno. Las palabras le vienen como anillo al dedo al escritor, sin intención de ofenderlo, naturalmente, pero hay que reconocer que Shelley, Unamuno y James Whale transitaban por parecidos territorios, cada cual a su modo y manera. Generaban un punto en común entre todos los caracteres que eran víctimas de aquella enfermedad incurable, acuñada como "el sentimiento trágico de la vida". El "experimento" de crear vida sin pedirle permiso a nadie, entre la electroquímica y la biología, mediante una técnica de descuartizamiento aprendida en el Colegio Médico de Glostad, una aldea alemana donde se desarrolla la acción, sienta las bases de una filmografía emparentada con la propuesta de *Niebla* que no ha cesado desde que Boris Karloff lo hizo cine en 1931. Dentro de la torre fálica en que se desarrolla el trabajo de laboratorio, correlacionada con la boda que planea Colin Clive con Valerie Hudson, como si fuera un desliz del subconsciente freudiano, el doctor Frankestein, como Unamuno hizo en Salamanca, se propone hacer el monstruo con sus propias manos utilizando un cerebro que robó en el Colegio Médico. Lamentablemente el cerebro estaba genéticamente dañado, porque a consecuencia de un accidente y un error de cálculo, el científico usa el de un asesino. El "hombre nuevo" que piensa crear con la materia gris de un tarado, le sale mal y las consecuencias son funestas (como pasó históricamente en Cuba cuando Castro se propuso crear al "hombre nuevo", que fue el monstruo de su cosecha). En fin, que a pesar de las mejores intenciones del Dr. Frankenstein, de aprovechar la tormenta que se avecina y "descubrir todos los secretos electrónicos del cielo", para "sarcarlos a la luz", como quien dice, "parirlo", no llevó a resultados tan felices como había calculado y al Dr.

Frankenstein le va a salir el tiro por la culata. Quizás el búho, que sabe más, haga un comentario irónico cuando asoma la cabeza cuando aparece en pantalla como testigo del caso y nos guiña un ojo. Naturalmente, al doctor Frankenstein lo tildan de loco, particularmente cuando exclama: "¡Ahora sé lo que es ser Dios!", como bien pudiera haberse sentido Unamuno después de escribir el capítulo XXXIII de la novela. A Colin Clive haciendo de Henry Frankenstein, que parece un tipo normal como seguramente parecería Unamuno, que era tan respetable, no le faltaba, como puede verse, una pizca de locura, marca de fábrica del genio.

No pretendo llevar a cabo un tratamiento paródico con este paralelismo entre *Frankenstein* y *Niebla*, pero el nexo es evidente: *Frankenstein* es la ciencia ficción literaria que anticipa hace doscientos años la cienciaficción como cine, y *Niebla* es un enunciado metafísico de la misma incluso fílmicamente hablando. Claro está que el cine estaba técnicamente en pañales, pero eso no le quita su trascendencia. Filmográficamente, las mejores escenas de Frankenstein son las que se desarrollan en el cementerio, en el laboratorio, los pasadizos de la torre, la persecución con las antorchas en las afueras del pueblo. Hay su enfoque expresionista con la sombra gigantesca de la criatura, la caracterización física del monstruo y algunos otros detalles pero más atenuados que en *El gabinete del Dr. Caligari*. Cabe observar también el subtexto de la otredad: la confusión nominal que se desarrolla entre el apellido del médico y lo que pasa a ser el nombre del paciente. Es realmente cosa de pabellón siquiátrico. Al inventar al monstruo y darle su identidad, el Creador lleva a efecto una peligrosa mutación. Su apellido además, como si lo reconociera como su propio hijo, pisa un terreno resbaladizo, que confirma Augusto cuando le dice: "Mire usted bien, don Miguel..., no sea que esté usted equivocado y que ocurra precisamente todo lo contrario de lo que usted se cree y me dice" (279), que bien pudiera ser el subtexto irónico de la imagen del búho. Aunque simplificada la película es fundamentalmente fiel a la novela.

Si bien la novela de Mary Shelley esta muchísimo mejor escrita que la de Unamuno, porque no pretende transformar el lenguaje sino disfrutar de cada palabra, la de Unamuno, por conciencia de otro tipo de laboratorio que nada tiene que ver con la química y la electricidad, cae dentro de los términos del laboratorio literario, ya que es en el texto donde se realiza el experimento. Finalmente, la advertencia inicial de la película que parece querer meternos miedo, nos ubica en una nada espacial entre la vida y la muerte, la ficción y la realidad; nos enfrenta, sin descubrirlos, a todos los secretos eléctricos del cielo. Recorremos además, subiendo y bajando escaleras amuralladas, por los laberintos electrónicos de la mente de Mary Shelley, que entre rayos y truenos, por muchos golpes de pecho que se dé entre renglones, es el monstruo mismo haciendo de las suyas.

A pesar de las diferencias abismales que hay entre *Frankenstein* y *Niebla*, ambas novelas tienen un cordón umbilical indisoluble: la relación Creador-Criatura. Aunque Mary Shelley delega en Víctor Frankenstein la función creadora, quizás su condición de mujer la lleva una relación más directa y personal, más humana, que la que sostiene Unamuno como creador, que es de genética paterna. Unamuno crea una criatura apática e impersonal, mientras Shelley propone un mayor desarrollo caracterológico, elaborando una personalidad romántica. "Cursed, cursed creator! Why did I live? Why, in that instant, did I not extinguished the spark of existence which you had so wantonly bestowed? I know not; despair had not yet taken possession of me; my feelings were those of rage and revenge. I could with pleasure have destroyed the cottage and his inhabitants and have glutted myself with their shriek and misery" (121) Por ese motivo sus relaciones con el Creador son volcánicas, motivadas apasionadamente por el deseo de venganza: "No, from that moment I declared everlasting war against the species, and more than all, against him who had formed me and sent me forth his insupportable misery"... (121). A pesar de la monstruosidad, Mary Shelley quiere y comprende a su hijo mucho más que Unamuno al suyo, quizás porque el Ego de Dios sea mayor en el caso de los hombres, y además procrean pero no paren. La criatura frankensteinica, indignada por el monstruoso resultado, se enfurece por la incompetencia o maldad de su Creador que lo trajo al mundo de manera tan deforme que produce horror en todos los que lo ven. "Hateful day when I received life!, I exclaimed in agony. Accursed creator! Why did you form a monster so hideous that even *you* turned from me in disgust? God, in pity, made man beautiful and alluring, after his own image; but my form is a filthy type of yours..." (115). Con las mejores intenciones trata de comportarse bien, esperando de los seres humanos un mínimo de comprensión, pero ocurre todo lo contrario y es objeto del más brutal rechazo, que lo conduce a un profundo resentimiento que no le permite adoptar una posición racional y controlar sus emociones, que en más de una ocasión lo conducen hacia la violencia y el crimen. Mary Shelley le da al personaje múltiples oportunidades de presentar su caso, en espera de un mayor entendimiento, pero en definitiva la rebeldía de Frankestein lo vinculan a otros íconos de la monstruosidad que se rebelan contra Dios. Mientras busca amistad y compañía, salvo el ciego que no puede verlo, todos se violentan contra él, lo atacan, y lo conducen a engendrar deseos de venganza frente a las actitudes asumidas conta su persona. "I am malicious because I am miserable. Am I not shunned and hated by all mankind? You, my creator, would tear me to pieces and triumph, remember that, and tell me why I should pity man more than he pities me. Let him live with me in the interchange of kindness, and instead of injury I will bestow every benefit upon him with tears of gratitude at his acceptance" (130). Lo que está haciendo Mary Shelley trasciende el hecho de un enfrentamiento con el Creador no sólo por haber sido concebido, sino por ser un "diferente" rechazado no sólo por Dios, sino también por sus semejantes de forma violenta e injusta, gestándose así sus deseos de venganza, y en primer término una creciente antipatía por

Víctor Frankenstein. Por consiguiente, esta condición de "diferente", lo lleva a declarar una batalla eterna contra las "especies" y principalmente contra su Creador que lo condenó a semejante miseria.

La necesidad de compañía es un imperativo vital en *Frankenstein*, lo cual permite una identificación, un punto de contacto a pesar de la monstruosidad, como ser humano. Frankenstein no quiere ni puede estar sólo. La necesidad de compañía emerge genéticamente desde el momento y hora de la concepción, pero en el caso de Augusto Pérez no ocurre así, a pesar de que Unamuno le crea la pareja desde que empieza la novela. Sabe que la pareja está ahí, pero la vivencia está en seco, estéril, lo que acrecienta la caracterización del personaje como una clonificación ficticia, hasta que gradualmente adquiere una conciencia de su circunstancia, se enfrenta a ella y Unamuno lo elimina.

En el caso de Víctor Frankenstein se trata en realidad de una petición que le hace Frankenstein, más bien una demanda, una exigencia, impelido por algún imperativo biológico, una gota de semen, que se le escapó al Creador. En realidad Augusto Pérez es una entidad mucho más deshumanizada que Frankenstein, que tiene una apetencia social y comunicativa, un impulso gregario, un deseo de convivencia con sus semejantes, que es parte de su genética pero que sus semejantes le niegan. Por su parte, cuando Frankenstein entra en la cabaña de los Lancey, el interior de la misma estaba a oscuras y no se oía nada, pero él "cannot describe the agony of this suspense" (122), porque, precisamente, no quería estar solo. Y es en textos de esta naturaleza que Shelley difiere de Unamuno. En el caso de Frankenstein su enfrentamiento con la soledad lo lleva a la desesperación. "For the first time the feelings of revenge and hatred filled my bosom" (122) "a kind of insanity" (123), "that burst all bounds of reasons and reflection" (123). Odio, venganza, locura, se vuelven insostenibles. Es en ese momento de desolación que se le ocurre lo que no había pensado antes, que emerge del "instinto" de su propia identidad humana y específicamente masculina. Al identificar al Padre, al Creador, se dispone a hacerle la petición de una vida más llena de significado. "At length the thought of you crossed my mind. I learned from you papers that you were my father, my creator, and to whom could I applied with more fitness that to him who had given me life?" (124). Es el propio Frankenstein quien lo exige, fijando de paso su identidad sexual. "You must create a female for me with whom I can live in the interchange of those sympathies necessary for my being. This you alone can do, and I demand it of you as a right which you must not to refuse to concede" (130). "I am alone and miserable; man will not associate with me; but one as deformed and horrible as myself would not deny herself to me. My companion must be of the same species and have the same defects. This being you must create" (129). Y es por eso que Whale le buscó a Elsa Lanchester.

La reacción inmediata de Víctor Frankenstein ante la propuesta de su homólogo es muy sencilla. "Conmigo no cuentes, y no hay ningún tipo de tortura que me lleve a consentir cosa semejante. ¿Voy a crear yo otro tipo como tú para que acabe con el mundo y se ponga a fabricar monstruos en serie? ¡Ni lo pienses!" *(La traducción es obviamente mía)*. Creado por una novelista inglesa que, con su marido y su mejor amigo, se entretienen en contarse narraciones fantásticas y legendarias de los alemanes, nos enfrentamos a una de las más importantes conversaciones de sobremesa de la literatura. Metiéndose miedo unos a otros, entre rayos y truenos, los funestos resultados y la raigambre germánica de un invencible "hombre nuevo" capaz de acabar con la quinta y con los mangos se hacen evidentes. Quedan sentadas las bases del advenimiento del nazismo desde principios del siglo diecinueve, aunque los escritores sean ingleses, por lo cual ofrecen alguna resistencia a crear tal cosa y Víctor no se cansa de darse golpes de pecho, como la propia Mary Shelley. Sin embargo, los hechos históricos y el origen de los cuentecitos, dejan constancia de un subtexto germánico que no se despinta, especialmente con semejante apellido. Ese monstruo es alemán, porque los ingleses son diplomáticos. Es por eso que Víctor Frankenstein no está dispuesto a crear raza de tal calaña. No obstante ello, las carantoñas de Frankenstein tienen su efecto. "What I ask of you is reasonable and moderate; I demand a creature of another sex, but *as hideous as myself*, the gratification is small [*las cursivas son mías*] It is true, we shall be monsters, but on that account we shall be more attached to one another. Our lives will not be happy, but they will harmless and free from the misery I now feel. Oh! *My creator, make me happy* (¡¡¡¡¡¡¡)* (131). "His words had a strange effect upon me", nos dice Víctor, y no sabía qué hacer. Después de una larga pausa y profundas reflexiones le dice: "I consent to your demand, on your solemn oath to quit Europe for ever...", a lo que Frankenstein le contestó que juraba por el sol y por el cielo, que si le concedía lo que él con tanto fervor le pedía, lo dejaba tranquilo para que hiciera su trabajo y se iba cuando el trabajo estuviera terminado.

Coincide esta decisión con un encuentro con su padre que le propone que regrese a Londres para casarse con Elizabeth, lo que auguraba un final feliz con la pareja: Creador y Criatura, Padre e Hijo, Frankenstein con Frankenstein. (Y de paso con su prometida). Después de un largo viaje de ida y vuelta por Ginebra, Lucerna, Colonia, Strasburgo, Mainz, Rotterdan, Edinburgo, hasta un remoto paraje en Escocia, se dispone a construir la novia de la criatura. "During my first experiment, a kind of enthusiastic frenzy had blinded me to the horror of my employment; my mind intently fixed on the consummation of my labour [...] But now I went to it in cold blod..." (149). Nada, que se raja, da marcha atrás y piensa lo peor, ya que encima de todo va a crear a la mujer, porque por lo menos Frankenstein era un hombre, una criatura más de confiar... pero, ¡una mujer! ¡Imagínense! ¡Sabe Dios lo que podría ocurrírsele! Él le había prometido largarse, esconderse en el desierto, pero ella ¡no le había prometido nada!, y hasta podría ser diez mil veces más malévola, negándose a cumplir con un pacto previo a su nacimiento.

"They might even hate each other; the creature who already lived loaded his own deformity, and might he not concieved a greater abhorrence for it when it came before his eyes in the female form?" (150) (¡¡¡¡¡¡?????). Nada, que Víctor rompe el contrato, su palabra de honor, y decide no "concebir" a la mujer: "Begone! I do break my promise; never will I create another like yourself, equal in deformity and wickedness" (152). "Leave me; I am inexorable" (153). En todo caso, estas fueron las exactas palabras del protagonista al enfrentarse a la crueldad del Otro, dando paso a la amenaza terrible de Frankenstein que conducirá al final, que es una insinuación de mal tono y un atrevimiento: *"I will be with you on your wedding night (153)"*. ¡Una novia por otra!

Todo esto, que parece un chiste, no lo es. El planteamiento no se queda corto en cuanto al unamunismo del subtexto, que además es político. Porque si algo bueno puede decirse de Augusto Pérez es que tiene las dimensiones de un insecto, de una hormiguita casera que no le hace, ni puede, ni quiere, hacerle daño a nadie, y mucho menos crear una raza de supermachos o superhembras. Después de todo, el no se mete en política y es un personaje existencialista que va a parar en la nada que Unamuno le ha inventado siguiendo a Kierkegaard y anticipando a Sartre.

La novia de Frankenstein (1935): Y James Whale creó la mujer

Ciertamente hay que darle crédito a Boris Karloff en el papel de Frankenstein por dejar entrever un resquicio de humanidad en el monstruo. Prisionero de la rústica concepción visual que hay en la película, como una criatura primitiva, torpe, no muy bien hecha, y ciertamente poco atractiva para que alguien se enamorara de él; el actor deja la puerta abierta para dejar entrever, en la mirada indefinida, en los ojos medio entornados y hasta nostálgicos, un resquicio de humanidad que indica que es capaz de enamorarse; inclusive, enamorarse locamente. La invención, por cierto, es un acto viril, porque a Mary Wollstonecraft Shelley no se le ocurrió tal cosa a pesar de la pasión creadora de una noche de insomnio. Pero el *Génesis* del Paraíso (es decir, Hollywood), lo exigía y los guionistas, William Hurlbut y John Balderston le metieron mano.

La novia de Frankenstein es más refinada y con mayores implicaciones, con una primera parte con Elsa Lanchester como Mary Shelley que se duplica al final como la Novia. La idea es estupenda porque apunta a la dicotomía de la relación de la autora con el personaje, en una situación donde la primera entra a formar parte de la genética de su propia obra, incluso después de su rechazo al ver la criatura que había creado. Esto indica una clara visión, en la película, del concepto binario que hay en el desarrollo, porque si Elsa Lanchester es Mary Shelley y la Novia, se entreteje la ficción con la realidad, el concepto del doble y del *replicant*, y la sexología que va de un espacio al otro. El contraste es muy marcado, así como la riqueza de sus implicaciones. Porque, ¿de dónde saca Mary Shelley a su Frankenstein? ¿De Percy? ¿Lord Byron? ¿Su padre? ¿De su hermanastra? ¿Del tratamiento que ella recibe como mujer? ¿Cuáles son los monstruos de la vida real que inoculan la gestación de criatura semejante?

El principio nos remite al punto de partida, la conversación entre Mary Shelley, su marido y Lord Byron, que se convierte en un prólogo que a pesar de tener su *glamour* no pierde su intimidad, y que corresponde a la "realidad" inmediata que vive Mary Shelley. "I passed the summer of 1818 in the environs of Geneva. The seasons was cold and rainy, and in the evenings we crowded around a blazing wood fire and occasionally amused ourselves with some German stories of ghosts which happened to fall into our hands" (xxviii). No hay que ignorar el toque germánico vinculado a estos siniestros laboratorios "a lo doctor Caligari", que no es mera coincidencia que fueran alemanes, asociados a su vez con la creación de una nueva raza de "dioses y monstruos", que podría ser el significado último de Frankenstein. Donde los españoles gestan a don Quijote, don Juan y Dulcinea, los alemanes se buscan, a Fausto y otros arquetipos, entre los que se cuela Frankenstein. Aunque el parto sea el de una inglesa curiosamente el personaje no resulta británico. La ambientación fílmica es inglesa a lo "masterpiece theater" y el parentesco no se pierde con los rayos y truenos que iluminan y amenazan por fuera, y que se enriquece con el "resumen" de las tomas expresionistas procedentes de la otra película

Introduce subtextos sexuales que acrecientan el interés, además de un sentido del humor que no tenían ni Shelley ni Unamuno, como si los guionistas se estuvieran burlando no sólo del monstruo sino de la "invención" en total. El episodio inicial, donde entran Lord Byron y Percy Shelley, además de la autora, como personajes reales, responde al concepto del doble y también del *replicant*, especialmente en el caso de Elsa Lanchaster. Mientras Colin Clive es el más respetable del grupo a pesar de ser el más loco de todos ellos con su proyecto frankensteinico, Una Oconnor como la histérica ama de llaves expresionista y Ernest Theisinger como el Dr. Prethorious, se llevan buena parte de las escenas.

En especial el Dr. Prethorious se las trae. Tiene la imprudencia de aparecerse en el momento en que Henry Frankenstein se casa con Elizabeth, con su peculiar humorismo expresionista, y suena a una delirante idea de Whale, aunque no lo puedo documentar, que en la vida real era homosexual. Que en el momento de la cópula venga a interrumpir la relación de pareja y aguarles la fiesta a Henry y a Elizabeth, recién casados, para seducir al primero con sus investigaciones y sacarlo de la cama, entrando en la recámara, tiene mucha trastienda homoerótica. Le muestra, de paso, para incitarlo, el peculiar resultado de sus investigaciones, su propio parto, porque trae embotellados varios embriones, muy bien hechos, de una pareja formada por una especie de Enrique VIII lujurioso que se sale del frasco con la intención de meterse en el frasco donde se encuentra su pareja. La secuencia es delirante. En realidad se trata de unos homúnculos, muy graciosos, plenamente formados pero pequeñitos, y se ha indicado que debió haber sido una idea esencial en la concepción de Mary Shelley, hasta el punto que Radu Florescu ha sugerido que Johann Conrad Dippel, un alquimista nacido en el Castillo de Frankenstein, puede haber sido la inspiración de Mary Shelley para inventar el suyo. Nicolaas Hartsoeker en 1655 creía en el preformacionismo, una teoría que nos dice que dentro del espermatozoide hay una criatura plenamente formada y que el único problema es el tamaño. Esto explica la diabólica y pícara propuesta del también siniesto Dr. Prethorious que se aparece como una gota de semen con un hombrín pequeñito para experimentar con Víctor y parir a una criatura, físicamente más grande, que no podía hacer sin un compañero que lo ayudara. El doctor Frankenstein, que era una ingenuo, se tragaba todos esos cuentos, pero lo cierto es que con Ernest Theisinger, que en la vida real no ocultaba su homosexualismo, en el papel de Prethorious, con todas sus insinuaciones, cualquier cosa era posible, aunque al científico estas cosas no le pasarían por la cabeza.

En resumen, con su *curriculum* genético, Prethorius, interpretado maliciosamente por Theisinger, le propone que deje de experimentar con Elizabeth y se ponga a hacerlo con él para procrear al monstruo de esa relación ilícita. Henry se excita con la idea y abandona a su novia la noche de bodas para crearle a Frankenstein la novia que le faltaba. Después le dan una calurosa bienvenida al monstruo y se ponen a comer y a beber al lado de un esqueleto.

Naturalmente, se trata de una antítesis que dista mucho del sentido del humor unamuniano (si es que lo había) y una total falta de respeto a todo el concepto de Creador-Criatura, y en particular a las relaciones de pareja y a la novia "de verdad", Valerie Hudson, que se ve en muy difíciles circunstancias ante un marido que se va con un científico que se hace el loco para procrear un monstruo. Pero Henry Frankenstein toma todo esto muy en serio, entre laberínticos pasadizos, efectos lumínicos bastante buenos, y la posibilidad de descubrir el misterio de la vida y la muerte --como si fuera el mismísimo Unamuno. El pensamiento, profano por excelencia, de crear una nueva raza gestada por el hombre y darle vida a los muertos, en lugar de ponerse a procrear con Elizabeth, como es natural, intercepta la cópula, y lo mete de lleno en un nuevo mundo de dioses y monstruos, con el Ave María de Schubert como fondo musical y el búho haciéndonos un guiño malicioso.

El interés se acrecienta al final de la película. Ya desde el principio, Mary Shelley, como personaje, ha puesto en duda su condición angélica, asociada a las criaturas de su sexo, codeándose con Lord Byron y su propio marido de igual a igual. Esto implica una posibilidad diabólica, que se mostrará al final cuando "reencarna" como la novia de Frankenstein, que es su *replicant,* y momentáneamente desplaza a Elizabeth, la recién casada que se encuentra en una situación muy desairada, como si aquel dichoso experimento fuera una fantasía erótica del científico. La novia del monstruo rompe con el canon femenino y a modo de Eugenia Domingo (la de Unamuno) no es exactamente los que todos esperaban, porque es de armas tomar y de carácter agresivo. Se trata de un duplicado donde hay mucho de burla macabra.

Cuando Elsa Lanchester cobra vida, entre vapores químicos, efectos especiales, y una tempestad de rayos y truenos que indican una participación metafísica de Dios, a Henry Frankenstein se le sube el YO a la cabeza y exclamativamente se identifica con Dios mismo creando al Hombre en el preciso momento en que Frankenstein, monumental, abre la puerta y se enamora locamente de Elsa Lanchester. "The introduction of the monster's bride is one of the great moments in Hollywood movies. In part this is because of experts buildup, with the mad scientists working hard to create her with all their absurd-yet-inspired laboratory equipment, but it's mainly due to the presentation an performance of Elsa Lanchester herself. In a very little screen time, she makes an unforgettable impression as a most stylish bride, twitching as if from electrical jolts. Her makeup is glamorous (if one overlooks the neck scars), and there's simple no word to describe her iconic hair style, which was created by means of a cage covered by her real and a gray hairpiece […] And composer Franz Waxman in one of his earliest and most notable Hollywood scores after arriving from Germany, outdoes himself with a triumphant musical cue completed with church bells" (Arnold 53-54). En toda su carrera no va a tener un papel parecido ni a superar momentos como este.

El hombre invisible (1935):
Superhombre de la nada

Es sorprendente que entre la multitud de sugerencias que hay detrás de *Frankenstein,* gracias sin dudas a Mary Shelley, *El hombre invisible (1898),* basada en una novela de G. H. Wells (1866-1946), apenas dos años más joven que Unamuno, considerado el padre de la ciencia ficción, dirigida también por James Whale, y filmada en 1933 entre *Frankestein* y *La novia de Frankenstein,* fílmicamente se quede corta. La idea del hombre invisible invita a muchas opciones, particularmente metafísicas, incluyendo el existencialismo, el concepto de la nada y cosas de este tipo, pero el film las pasa por alto, limitándose a un par de parrafadas diabólicamente totalitarias que indican la gravedad del caso.

El concepto del superhombre anula la metafísica e impone un texto político, que la distancia de *Niebla,* en consonancia con las ideas germánicas que se encaminan al nazismo alemán y al concepto del superhombre, basadas en la anomalía de criaturas monstruosas y diferentes capaces de lo peor que uno pueda imaginar. El protagonista está interpretado por un gran actor, Claude Rains, que no se ve pero se oye, del que sólo se le ve la cara en su lecho de muerte al final de la película, por lo cual era imposible anticipar sus futuros logros cinematográficos, pues era un gran actor. En todo caso, este rol lo hizo famoso, por razones francamente difíciles de imaginar, ya que casi nunca lo vemos con cabeza, tronco y extremidades. A G. H. Wells no le gustó, porque dijo que su personaje era un científico brillante y en la película lo habían reducido a un loco de atar, a lo que Whale contestó, con muy buen juicio, que salvo a los locos, a ninguna persona racional, que era la audiencia a la que la película estaba dirigida, se le ocurriría ser invisible. A consecuencia de sus experimentos, Griffin se toma una sobredosis de monocaína, una substancia química que lo ha vuelto invisible, y está desesperado por dejarse ver, especialmente por su novia, Flora, interpretada por Gloria Stuart, que es una mujer bellísima que existe en otro espacio físico, el de las personas normales de carne y hueso. Aunque un ser invisible tiene posibilidades ilimitadas, la de un acoplamiento entre las parejas tiene serias limitaciones. De ahí que Griffin caiga en las redes de su propia trampa. Delira con el descubrimiento, porque ser invisible presentaun poder inusitado, no sólo a nivel inmediato sino mundial. Y se dispone a hacerse dueño del mundo. Pero, en última instancia, ¿quién es este tirano irreversible, que está ahí pero no se ve?

No hay dudas de que la monocaína se le ha ido a la cabeza, con delirios de grandeza, que anticipan el nazismo, lo que nos hace recordar que Wells era un escritor de izquierda que da un salto a la extrema derecha.

Con ese poder en sus manos, se considera un superhombre, con la particularidad de que, al no encontrar el antídoto que le devuelva el cuerpo que él mismo ha eliminado, no puede consumar una relación sexual que le dé la posibilidad de procrear algo. Se establece una imposibilidad corporal entre la pareja, como le pasaba a King Kong por exceso. En realidad, a nivel personal y dejando la metafísica a un lado, Angusto Pérez es un hombre invisible y esto explica que no pueda acoplar con Eugenia y que se quede corto con Rosarito a pesar de sentársela en las piernas.

Para dejar claramente definidas las cosas, Griffin esta locamente enamorado de Flora, a la que trata con toda clase de deferencias, y nos sospechamos, con buenas razones, que para hacer realidad sus deseos de casarse y acostarse con ella, a pesar de sus ambiciones ideológicas, sería imprescindible readquirir el cuerpo que ha perdido y encontrar el antídoto para ser lo que físicamente había sido antes. El problema es mayúsculo, como puede verse. La idea de que toda esta crisis corporal la pudiera resolver en un laboratorio improvisado en un hotelito sin luz eléctrica en Iping (¿?), Alemania, parece indicar que está rematadamente loco. Whale abandona los toques expresionistas, salvo por la actuación y la gritería de Una Merkel, que se "roba" la película, como era su costumbre. No deja de ser delirantemente cómico ver camisas y pantalones corriendo por el aire, lo que le da un toque humorístico que no es germánico.

Conectar todo este anecdotario con *Niebla* no es fácil, pero no imposible. Metafísicamente hablando, Augusto Pérez es el hombre invisible de Unamuno, el que no está, que es como si no se viera, identificado a partir del título con la niebla, donde se pierde. Forma parte de un experimento del laboratorio literario y mental de un escritor que trabaja con la esencia de la nada. También es la historia de una sexualidad mutilada. Una historia de la irreconciabilidad de los cuerpos que por existir en condiciones incompatibles, no pueden cohabitar en una cama. Como también le pasaba a King Kong.

Víctor Frankenstein (2015): un Prometeo desencadenado

Aunque basada en la novela de Mary Shelley, dirigida por Paul McGuigan, con un guión de Max Landis, *Victor Frankenstein* es una de esas películas que parecen quererle enmendarle la plana al original. Con James McAvoy como

Víctor Frankenstein y Daniel Radcliffe como Igor, desde cuya óptica se narra la historia en lugar de hacerse desde la de Víctor, que sería lo indicado, cambia el punto de vista. No hay que pasar por alto que Omar tiene una joroba que lo acerca a la monstruosidad a consecuencia de un líquido acumulado en la espalda, que Victor le extrae con una jeringuilla y lo convierte en un hombre hecho y derecho, bastante guapo, estableciéndose una relación Creador-Criatura. De la novela se pierde el esquema básico que destaque lo esencial, es decir, la mortalidad y la inmortalidad, las relaciones inmediatas y últimas entre el que crea y lo creado, que se dispersan en medio de diversos episodios y personajes. Incluye la de un detective de Scotland Yard, con conciencia ética, que sospecha que algo anómalo está pasando, asumiendo la conciencia de Dios. En *Niebla* el principio Creador-Criatura es motivo único que da coherencia a la novela, diferencia básica de la concepción narrativa, que se dispersa algo en la novela de Mary Shelley. Se reitera, no obstante ello, el subtítulo que se refiere al Prometeo moderno que propone Shelley, con conciencia del Otro, del Doble, que es una contraseña secreta de *Frankenstein,* como lo es de *Niebla,* y que se repite varias veces en la película.

En el caso del film hay que observar que Omar duplica a Víctor y que el primero es en cierta medida una extensión del segundo, el más o menos bueno en oposición al más o menos malo, que es el que tiene la idea de "hacer" al monstruo. De todas formas, a Víctor no le hace la menor gracia la relación entre Omar y Loriley, la trapecista de altos vuelos de la que se enamora Omar, hasta el punto de una interrupción de la cópula cuando Omar deja a la joven para irse a encontrar con su amigo que, en buena medida, lo ha creado, como hombre hecho y derecho. Unamuno, claro, no se mete en estas intimidad decididamente opuestas al canon eclesiástico y no pasa de crear un Augusto Pérez que no es maricón, naturalmente, pero que está sexualmente distanciado, con una relación sexual sin consumarse, hasta que al final saca las uñas del plato y se muestra decidido a superar sus limitaciones. Hay en la película sus deslices *gays,* particularmente en la concepción de Finnegan, bastante amanerado, arrogante y mala persona, que provee los medios necesarios para que Víctor siga haciendo sus experimentos en un castillo que tiene por Escocia. Todo esto inventado, pura ficción de la película que poco tiene que ver con Mary Shelley, pero que tiene sus nexos con *La novia de Frankenstein* que hemos discutido.

Este subtexto *gay* no parece haber pasado por la cabeza de Mary Shelley porque no hay trazas del mismo en el original. Es un agregado del siglo XX, que no estaba ni remotamente presente en Unamuno, naturalmente, ¡Dios lo libre!, a pesar de la apocada virilidad de Augusto.

Hay que reconocer que lo más logrado de *Víctor Frankenstein,* con nombre y apellido, para dejar claramente establecido de qué Frankenstein se trata, es el espacio monumental y sombrío en que se ubica el laboratorio, mucho más apropiado para investigar prácticamente el origen de lo que somos que el miserable cubículo que le otorga Mary Shelley para que Víctor se ponga a diseccionar cadáveres entre moscas y larvas. De estos experimentos sale primero un chimpancé con pedazos de chimpancés que consigue en el zoológico. La concepción anatómica y fisiológica del film, donde la putrefacción se hace explícita de una manera asqueante, es bastante desagradable.

Estos detalles contrastan con la pulcritud que procede Unamuno en la concepción de Augusto Pérez, porque él no quiere mancharse con semejantes inmundicias y hace de Augusto un monstruo casero e inofensivo. Afortunadamente en *Niebla* el laboratorio unamuniano elude la fisiología porque toda la experimentación es estrictamente literaria, y cuando Augusto Pérez sale a la calle ya Unamuno ha resuelto los detalles más repugnantes del caso, incluyendo la putrefacción de la carne, y sale bien vestido y con paraguas, pero con la sospecha que algo "raro" está teniendo lugar, aunque nada tiene que ver con las preferencias sexuales, incluso teniendo en cuenta su amistad con Víctor Goti.

Alguien advierte que "nadie iba a recordar al hombre que creó al monstruo", que es lo más importante que se dice en la película, porque apunta a esa peculiaridad de Mary Shelley que no le dio nombre y apellido a la criatura, como si se le hubiera olvidado o pasado por alto, con lo cual destaca, sin embargo, la consistencia del doble. Pero el distanciamiento unamuniano, aunque es a imagen y semejanza, como si tuviera la pulcritud de la tía Tula, es inflexible y deshumanizado. Al final se arma la debacle con Frankenstein, al que le han implantado dos corazones, que quizás tenga algo que ver con la pareja de científicos, porque Omar se queda con la trapecista y Víctor se va para Escocia a ver qué pasa.

Pero el problema metafísico es el mismo, como explica Víctor dispuesto a enmendarle la plana a Dios: "Si Dios existe, no fue lo suficiente bueno y nos hizo débiles, frágiles, imperfectos, destinados a morirnos". Lo cual lo impulsa a crear su propia criatura, que le sale mal hecha. El resultado es un Frankenstein, malísimo, que acaba con todo, fabricado con parecida pirotecnia a la que usó Whale, aunque mucho menos lograda; un Prometeo desencadenado que arde en el fuego transgresor conque ha sido creado.

Gods and Monsters (1998): una comedia sobre la muerte

Gods and Monsters, dirigida por Bill Condon, con Ian McKellen en el papel de James Whale y Brendan Fraser en el de Clayton Boone, su jardinero, basada en una novela de Christopher Bram sobre la vida de Whale, es una adicional vuelta a la tuerca en torno a *Frankenstein* y *La novia de Frankenstein*, cuyo tema más obvio parte de un texto de la novela donde se le da la bienvenida a Frankenstein y tiene lugar un brindis celebrando su llegada a un nuevo mundo poblado de Dioses y Monstruos: equivalente, podría ser, al episodio en que Augusto Pérez en la primera página de *Niebla* abre la puerta de su casa, sale a la calle y penetra en la novela, que es el nuevo mundo que Unamuno le ha creado, como un hombre común y corriente, para que deambule por él como un sonámbulo, haciendo el papel de la más inofensiva de las criaturas. *Gods and Monsters,* basada en la novela de Bram, crea un espacio de dobles donde Frankenstein se multiplica de muchos modos y maneras. Hay en *Gods and Monsters* infinidad de subtextos.

El parecido físico de Ian McKellen con Theisinger, el actor que hace del Dr. Pretorius en *La novia de Frankenstein,* acrecienta el juego del doble. Implícito y explícito, sutil y borrascoso, McKellen cubre muchos aspectos del múltiple discurso que hay detrás. A nivel síquico, las imágenes inesperadas que interceptan el pensamiento racional y realista de Whale, interrumpido por planos "reales" que le asaltan hasta culminar en la escena de la máscara de gas, reproducen su paranoia y tienen que ver con episodios aislados de la propia Mary Shelley durante el proceso creador de la novela, y del propio Víctor cuando crea al monstruo, contexto no menos paranoico que la relación entre Augusto y Unamuno en el capítulo XXXI, donde es difícil decidir quién es el loco, si el autor o el personaje.

La secuencia más significativa tiene lugar cuando McKellen, que es otro monstruo, en la escena más lograda y espectacular del film, trata de matar a Clayton con la máscara de gas puesta, una variante enigmática de Frankenstein, difícil de definir, como si el creador quisiera destruir una criatura que se ha desarrollado dentro de sí mismo. Desconcierta a Clayton que, dispuesto al sacrificio, se le entrega a Whale, como escultura en vivo, una estatua de carne y hueso, casi un ícono, para que este último haga con él lo que le dé la gana, y se encuentra que Whale está a punto de matarlo.

El parecido corporal de Bernard Fraser con Frankenstein enriquece la situación, porque, después de todo, ¿no era eso lo que Whale quería? Fraser no entiende lo que está pasando, y en ese momento se enfrenta al complejo estado emocional de Whale que no logra ajustar los planos en que vive. Está presente en todo esto la sombra latente de *Frankenstein*, la película que dirigiera Whale en 1931, de cuya vivencia no puede deshacerse. Refleja el concepto dual de Creador-Criatura, como en *Niebla*, y también la frecuentemente irreconciliable relación entre la ficción y la realidad, que no acoplan ajustadamente. Una situación mucho más compleja que la de una pareja, del sexo que sea, acostándose en un misma cama. Ciertamente, Clayton y Whale tampoco "acoplan".

La estructura osea de Brendan Fraser, la cara y el corte de pelo, estupendamente seleccionado para el papel, es la misma que tiene Frankenstein, y la máscara de gas que le pone Ian McKellen va en correspondencia con la cara encubierta del monstruo, por lo cual la "lectura" tiene multiplicidad de significados. Incluye, la imagen retroactiva del soldado de la Primera Guerra Mundial (una monstruosidad bélica), que ha sido el objeto de deseo de Whale, visto aquí como máscara. Entonces, también representa que el Creador (el "padre" de Frankenstein) quiere matar al hijo, la Criatura con la máscara, afán exterminador que se hace explícito y que se confirmará con el suicidio de Whale al verse en un callejón sin salida. El uso de la máscara apunta a la duplicidad en choque que no encuentra la conciliación, como ocurre heterosexualmente en *Niebla* y en otro tono.

Los vínculos con Augusto Pérez se manifiestan en la intención de Augusto que quiere suicidarse, aunque en el "encuentro" con Unamuno lo que hace este último es una propuesta criminal, que es realmente el giro maestro y delator de la novela. Después de todo, Augusto Pérez es una "máscara" de Unamuno aunque no sea Unamuno. En la novela de Mary Shelley, que es el subtexto de *Dioses y monstruos*, Creador y Criatura son fuerzas auto destructoras que, particularmente en el caso de Shelley, se persiguen para matarse, batalla campal entre padre e hijo, que recorren el mundo, barrancos y páramos congelados, en un trasiego interminable, para matarse como si fueran enemigos mortales, que es todo un acierto de Shelley. En realidad, cuando Augusto va a Salamanca no va a encontrarse con su Creador sino con el criminal que acabará con él. Son relaciones sicopáticas, filosóficas y religiosas del carajo, para decirlo del modo más preciso posible. Por eso la intensidad de este momento en la película, la escena con la máscara, es la clave de todo lo que se ha venido desarrollando, aunque no sabemos que adicional significado tiene con la "verdadera" historia de Whale. Si el jardinero es el reverso de Frankenstein, Whale lo crea como monstruo del deseo, al mismo tiempo que quiere acabar con él, lo que representa toda una contradicción, porque ¿por qué está a punto de matarlo cuando Clayton se entrega como chivo expiatorio? ¿Un complejo de culpa homoerótico? Se establece así una duplicidad a niveles del delirio.

En *Niebla*, detrás de la cual están los nueve hijos de Unamuno como garantía, no hay ni asomo de mariconería de ninguna clase, pero sí de antipatía pasional y la opción de un Dios verdaderamente monstruoso capaz de matar a su propio hijo. En todo caso, cuando Ian McKellen apunta al cerebro y dice que todos los monstruos están allí y se sugiere que hay una tormenta en la cabeza, da una idea de la guerra a muerte que hay en las circunvalaciones del cerebro. Falta por considerar las múltiples opciones de un discurso homoerótico, porque McKellen se autodestruye con una propuesta suicida, que a la larga lleva a efecto; o propone la destrucción del objeto de deseo, que sería un modo también de acabar con lo que él ha sido.

Decididamente ni *Dioses y monstruos,* ni *Frankenstein*, ni tampoco *Niebla,* como alguien dice en algún momento de la película, es una comedia sobre la muerte. Es en el fondo, una película sobre la vida, con un subtexto humano que es mucho más que un *happy ending.* El salto final cuando en el sueño de Whale vuelve la imagen expresionista de Clayton llevando de la mano a Whale para en el encuentro con el soldado que muere en las trincheras, el amor de su vida, tiene una textura conmovedora y es uno de los grandes momentos del discurso homoerótico en el cine, filmado con patético refinamiento en medio de una filmografía frecuentemente vulgar e insustancial.

La secuencia interfílmica en blanco y negro de la escena del ciego y Frankenstein, que es el corte hacia el plano "real" de la película, es otra clave esencial para comprender el humanismo del mensaje. En *Frankenstein* y todas sus variantes, el concepto de la amistad es tema tan importante como el de la inmortalidad, de ahí que el texto del ciego, que no ve la apariencia externa de Frankestein y que toca la fibra interior del personaje, que es el que "ve", destaca la idea de "no es bueno estar solo" como un antídoto contra la monstruosidad. También eso explica la necesidad de la pareja como base de la familia, lo cual es un último mensaje de la película, evidentemente representativo de un pensamiento sexualmente conservador. De ahí que la película, a pesar de su explícito discurso homoerótico, mantenga un equilibrio racional que finalmente se inclina, en el "epílogo", a una posición conservadora. La presencia de Frankenstein no queda sin embargo eliminada, dada a través del diseño que hace Whale de la cabeza de Frankenstein, que conserva, con la palabra amigos y una interrogante ("¿Friends?") en el dorso de la imagen que Whale que le deja a Clayton. En última instancia, ¿qué quiere decir?

Finalmente, cuando su mujer le pide a Clayton que saque la basura (que bote la mierda) se hace un comentario irónico que sella todo lo que ha sucedido, aunque en esta reconstrucción de lo ocurrido, la estupenda imagen de Clayton bajo la lluvia, envuelto en la niebla, vuelve a darle otra vuelta a la tuerca. Paradójicamente, la película es fiel al mensaje evangélico, creced y multiplicaos, que es lo que Hanna, la criada, le perdona a Whale. Clayton Boone caminando bajo la lluvia, paródicamente, imitando a Frankenstein es una deliciosa burla expresionista que pone en ridículo el sentimiento trágico de la vida unamuniano y las contradicciones de la sexualidad, hasta hacernos pensar que, en última instancia, *Dioses y monstruos* en una comedia sobre la muerte (¿cómo *Niebla?)* aunque, personalmente, no estoy seguro.

Esta raigambre humana, que es una búsqueda desesperada, es algo que en *Niebla* no se pone de manifiesto. Concentrado en la crisis de la mortalidad, el planteamiento de la convivencia personal con un amigo no es el problema de Augusto Pérez, que después de todo tiene a su perro. El desafortunado encuentro con su Creador, que se mantiene distanciado, indica claramente que con él no puede contarse para nada. Ciertamente, la incapacidad unamuniana de "darse" aísla a Pérez. Es verdad que tiene a los sirvientes e incluso a Víctor Gotti, pero incluso en este caso, que prácticamente es el más íntimo, es un "sujeto" de conversación, otro Unamuno que se desdobla. Amigo, lo que se llama amigo, Augusto no tiene ninguno, pero como dice el ciego, "no es bueno estar solo", y las fatales consecuencias conducen al desenlace. La incapacidad de comunicación íntima es el gran vacío de la ficción unamuniana, que nos hace pensar en el *Frankenstein* de sí mismo.

Mary Shelley (2017): la audacia de los lobos

No deja de ser peculiar que a pesar de su vida compleja y fuera de serie no se hubiera hecho una película sobre Mary Shelley hasta el año 2017. Dirigida por Haifaa al-Mansour con guión de Emma Hensen, Elle Fanning no nos da la Mary Shelley que nosotros imaginamos, y se queda realmente muy corta con respecto a lo que ella debió haber sido, que a los diecisiete años se enamora locamente de un joven poeta de veintiún años, casado, mucho mejor caracterizado por Douglas Booth, que nos da una idea más convincente de lo que pudo haber pasado entre ellos. De acuerdo con la apasionada relación que se establece entre los dos, la frialdad que transpira Ella Fanning no nos va del todo con una joven apasionada que no duda mucho en escaparse con un joven poeta con el que se decía tuvo relaciones en un cementerio. La fotografía, especialmente en los estupendos exteriores, crea toda una ambientación neogótica, frankeinsténica, y nos da inclusive un ángulo de los sombríos lugares por donde estuvo Víctor creando a Frankenstein, tomando notas a la luz de una vela y cosiendo cadáveres entre frascos y vapores químicos. A pesar de Percy, las locuras de Claire, y la acertada caracterización de su padre, el film no adquiere forma hasta el episodio de la invitación de Lord Byron a que se fueran a pasar una temporada por su casa, hacia la tercera parte, que con motivo del mal tiempo ni siquiera podían asomar la cabeza dada las lluvias torrenciales. El episodio, ya llevado al cine en *La novia de Frankenstein* en 1935, viene a ser el momento hacia el cual se dirige el film, correlacionado con el proceso creador y la crueldad de la conducta humana, que le sirve a Mary Shelley para darle forma a su personaje, una clonificación monstruosa entre el bien y el mal, la inocencia y la culpa, donde mucho tienen que ver las personas que la rodeaban, entre ellos los seres que más amaba, particularmente Percy Shelley, apasionado, desequilibrado, inseguro, irresponsable, que no por ello deja de quererla a su modo y manera. Sin contar las locuras, y disparates de su media hermana, que también se acuesta con Byron y tiene un hijo con él. De ahí que la monstruosidad de Frankenstein quede también explicada por la de los caracteres que conviven con ella y utiliza a los efectos de construir su propio monstruo, en el cual revive la perversión de los otros mediante la super-imposición, gracias a la voz en off, de textos significativos de la novela.

Todo eso está muy bien a pesar del frío distanciamiento de Emma Hensen, superado con creces por Percy, que luce más atormentado que ella, más humano, viviendo su monstruosa culpabilidad como hombre y su decadencia moral, muy bien lograda. En este conjunto, sobresale la importancia subyacente de algunos personajes que parecen secundarios, su hermana Claire, que forma parte una patética monstruosidad cotidiana, y la del propio Byron que es un endemoniado y corrupto payaso, el más retorcido del grupo y el menos convincente. No obstante ello, la situación se enriquece gracias a Byron, marcadamente grotesco, que propone que compitan unos con otros escribiendo narraciones de fantasmas y aparecidos, para leerlas bajo aguaceros torrenciales durante la reclusión forzosa. De este andamiaje surge *El vampiro,* que escribe John William Polidori, al servicio de Byron, el cual se apodera de la autoría de la narración.

La última parte de la película asimila el concepto de la maldad de la condición humana, que es esencial para comprender a *Frankenstein,* que sin dejar de ser monstruoso es también un atormentado anhelante de cariño, como la propia Mary y tal vez Percy. Algunos detalles, como el de Byron quitándole a Shelley una gota de sangre que tiene en la comisura de los labios y llevándosela a la boca, dan la medida de las posibles razones de que el monstruo de Shelley fuera más allá de un acto de galvanización literaria. Después de todo, la enfática e inesperada presencia de John Willam Polidori (que se suicidaría pocos años después) autor de *El vampiro,* víctima de la sangría de Byron, tiene mucho que ver con la coincidencia de que Mary Shelley estuviera escribiendo *Frankenstein.* Las memorias de Claire Clairmont, que no dejaba de ser una buena pájara pinta, acusan a Lord Byron y Percy Shelley de ser unos monstruos mentirosos, crueles y traicioneros, calificativos que colocan a Frankestein como un resultado de la convivencia con la maldad humana que la llevó a la creación del monstruo.

Nada, efectivamente, es tan casual como pudiera parecer. No le falta a la caracterización de Byron un sesgo homosexual, besando a Percy Shelley en la boca a modo de bienvenida, situación muy embarazosa que hace que Mary vuelva la cabeza y mire para el otro lado. Lo que pasó entre los dos poetas no se hace explícito, pero Percy, de una borrachera a la otra, muestra un estado de desequilibrio tal que, si pasó algo, no se acordaría de nada, mientras Byron, que no pierde oportunidad para meterse donde no debe, le dice a Mary que "el amor encontrará su camino por senderos tan peligrosos que desafían la audacias de los lobos…", insinuación que se pasa de castaño oscuro.

Finalmente, no es casual tampoco que Byron tenga sobre la chimenea un cuadro de Henry Fusely, que fuera amante de la madre de Mary Shelley, conocido como *La pesadilla: la maldición del Incubus,* que representa la cópula del Demonio con una mujer toda vestida de blanco que está dormida, una síntesis del desdoblamiento erótico que va teniendo lugar a la sombra de *Frankenstein,* gestándose en la penumbra de la alcoba donde lápiz en mano Mary Shelley escribe la novela. Sin embargo, no sospechamos que Byron se vuelve el doble del Incubus y hace de las suyas. Como dice Noelle Paulson:

"*The Nightmare's* stark mixture of horror, sexuality, and morbidity has insured its enduring notoriety. In January 1783, *The Nightmare* was engraved by Thomas Burke and distributed by the publisher John Raphael Smith. The relatively low price of this reproduction following on the heels of the attention the work received at the Royal Academy helped to distribute the image to a wider audience. Fuseli later painted at least three more variations with the same title and subject. *The Nightmare* became an icon of Romanticism and a defining image of Gothic horror, inspiring the poet Erasmus Darwin (Charles Darwin's grandfather) and the writers Mary Shelley and Edgar Allan Poe among many others".

Como bien pudiera tratarse de un quehacer síquico que tiene lugar mientras Mary sueña su fantasía erótica, y como de noche todos los gatos son pardos y la recámara a oscura apenas permite distinguir lo que está pasando, entre Freud, Mary Shelley y Unamuno, vamos a dejar el asunto por terminado.

Hay que tener en cuenta la importancia de lo que estaba pasando en Villa Diodati en aquel par de semanas, donde se reunían una de las importantes novelistas inglesas de todos los tiempos, escribiendo una novela que anticipa la ciencia ficción en la literatura y el cine, y sienta las bases del movimiento feminista contemporáneo, en compañía de los dos poetas que iban a la cabeza de la lírica romántica, de repercusiones universales, sin contar un trágico escritor de menor importancia, John William Polidori, a punto de suicidarse, que es víctima del plagiarismo y la voracidad de los editores, y de Claire Clearmont, una mujer notoria, improductiva, envidiosa, mediocre, aparentemente sin conciencia moral y escrúpulos, cortesana de pacotilla, que forma parte de un juego de manipulaciones que parece orquestrado por el Diablo y los genitales: la pesadilla sexual y creadora de unos entes entre la realidad, la ficción y el sueño; la sexualidad, la siquis y la fantasía. No en balde de todo ello tenía que tomar forma, retazo a retazo, miembro a miembro, la inmortalidad de *Frankenstein* que cobra vida dentro de un subconsciente atormentado.

Otra vuelta de tuerca

Hasta el último capítulo, Unamuno insiste en el barrenillo que se le ha metido a Augusto en la cabeza. "¿Será verdad que no existo realmente? ¿Tendrá razón ese hombre al decir que no soy más que un producto de su fantasía, un puro ente de ficción?" (286). Al no sentir el cuerpo piensa que desaparece. Y al llegar a la casa, Liduvina lo confirma: "¡Jesús! ¡Jesús! El señorito parece más muerto que vivo. Trae cara de ser del otro mundo…" (287). En realidad, no se dice nada nuevo. Y simple y llanamente se muere como otro cualquiera. "Se salió con la suya" (293), exclama Ludovina, "¡Ya, ya!" con sentido pragmático. "Pero en fin, la cosa no tiene ya otro remedio que preparar el entierro" (293).

Aparentemente, Unamuno crea a Eugenia Domingo, bien nacida un día de descanso y sosiego, para el disfrute de Augusto, aunque este hecho no se materializa. Mientras que para el narrador, al momento y hora en que se termina la entrevista en Salamanca, tal parece que Augusto es un estorbo y habrá que enterrarlo lo antes posible; los vínculos entre Víctor Frankenstein y su criatura son más humanos ya que Víctor no es Dios, ni nunca pretendió serlo, aunque se entusiasmó muchísimo con su trabajo, con grandes sentimientos de culpa ante Dios y sus semejantes por los inconvenientes que había causado y la conducta impropia de Frankenstein. "His voice became fainter as he spoke, and at length, exhausted by his effort, he sank into silence. About half an hour afterwards he attempted again to speak but was unable; he pressed my hand feebly, and his eyes closed forever, while the irradiation of a gentle smile passed away from his lips" (200). El lenguaje de Shelley y el de Unamuno casi es un diálogo en dos idiomas diferentes, entre dos autores que escribiendo sobre lo mismo no llegan a comunicarse.

En cuanto a la criatura, el Frankenstein que Víctor había creado, aunque asegura que se va a morir de un momento a otro, da un salto por la ventana de la cabaña y en una balsa congelada se pierde entre el frío, las olas, la oscuridad y la distancia, seguramente esperando salvarse para reaparecer resucitado en otra película, como si anticipara la serie de monstruos frankensteinicos que iban a aparecer en pantalla.

Esto nos lleva nuevamente al problema del doble, común a ambas creaciones pero de diferente tratamiento, que implica contraposición de planos temporales y espaciales entre ficción y realidad. No creo que exista un antecedente de *Niebla,* literariamente hablando, de mayor notoriedad que la novela de Shelley, idea que seguramente a Unamuno no le haría la menor gracia. Es verdad que Unamuno desde las primeras páginas va dándonos claves del principio genético que hay entre el Padre y el Hijo, que se remontan a "primero fue el Verbo"; en este caso el Padre, el propio Unamuno, lo cual simplifica de forma compacta la relación, cuya génesis radica en el autor que crea el personaje. Es pues un origen estrictamente literario. Mary Shelley transfiere su identidad creadora a Víctor Frankenstein, que es narrativamente quien lo crea en su laboratorio, aunque obviamente es ella el narrador que crea al narrador, como si fuera una narrativa dentro de otra. En el caso de *Niebla,* Unamuno entra explícitamente en ella, pero en el de *Frankenstein,* Mary Shelley delega en Víctor, como personaje e intermediario, que es el agente de la creación, para que se comunique directamente con nosotros. Por consiguiente, el planteamiento excepcional de Unamuno (que ya como personaje toma cartas directas en el asunto) no tiene lugar en *Frankenstein.* No obstante ello, si tomamos a Víctor como una proyección ficcionalizada de la autora, nos quedamos que Unamuno es a Augusto lo que Víctor es a Frankenstein, y que ambos son "duplicados", como si fueran hermanos gemelos en el proyecto y una variante del principio de la "otredad", como ocurre también entre el escritor y los personajes que crea. Se vuelven réplicas de una réplica. Las novelas nos enfrentan a situaciones paralelas, separadas por el abismo del estilo.

No creo que Unamuno tuviera una idea tan claramente definida antes de escribir su *nivola.* La *nivola* empezó primero y la definición surgió durante el proceso creador, no importa lo que afirmara o dejará de afirmar. El concepto evolucionó a medida que lo hacía, y que ya estaba en camino en otras novelas tendientes a la esquematización. Los escritores pueden planificar, pero la novela se define al final. En mi opinión, los pasos que da el propio Unamuno muestran una cierta inseguridad, un desarrollo gratuito de episodios interpolados sin un objetivo claramente determinado, siguiendo, muy distantemente, la técnica de narraciones intercaladas a modo cervantino. La más sobresaliente es la de Víctor Goti, cuyas conversaciones con Augusto sirven para desarrollar conceptos y variantes, como si el texto se discutiera a sí mismo durante varios capítulos. La historia de don Eloino, la del ciego de Portugal, el encuentro con Paparrigópulos, son, sin embargo, interpolaciones de dudoso logro literario en sí mismas, no ausentes de razón de ser, pero en última instancia prescindibles. Lo más sobresaliente es el monodiálogo con Orfeo, convertido en el confidente de Augusto, que implica además una caracterización del perrito, aunque en realidad no es más que otra variante de Augusto hablando consigo mismo.

Lo que confirma todo lo expuesto es que Augusto Pérez, creado a imagen y semejanza de su Creador, es una "replica" con apariencia de hombre, y Eugenia es la "replica" de Eva, a pesar de su propuesta de "mujer nueva". En el cerebro de Unamuno tiene lugar un proceso de "clonificación" que se pone de manifiesto en el conjunto de detalles que hemos mencionado.

La prosa de Shelley es la antítesis de la de Unamuno, de un calado romántico espectacular, intimista también, sicológica, que a su vez es realista. El paisaje, con montañas cubiertas de nieve y bosques, está iluminado constantemente por la tormenta, con abismos y barrancos en contraposición con espacios desérticos y tundras heladas y también aparecen en el inusitado trasiego de Víctor y Frankenstein. Esa inmensidad es abrumante, determinando la pequeñez individual del protagonista, consumido por las angustias del proceso creador, de su persona, que se desnuda en las páginas de la novela. El aislamiento, como hemos discutido previamente, es la base de la premisa y una seña de identidad que los une.

Por oposición a Shelley, la prosa seca de Unamuno, áspera y sin retoques, nos da un espacio narrativo sin paisaje, esquemático, reducido a observaciones mínimas y estrictamente funcionales, de acuerdo con su concepción de la *nivola*. Un paso esencial, resultado de esta actitud, que va contra las reglas de la realidad y de la ficción realista, es la aridez verbal, la sequedad léxica que elude la adjetivización y, peor, la vitalizante riqueza del adverbio, que da la cadencia real del verbo. En *Niebla* se habla solamente para comunicar lo esencial y escabullir la persona, para alienarnos dentro de uno mismo, hasta tal punto que la erótica sensual, de carne y hueso, pasa a anularse para dejarla en un esqueleto, convirtiéndola en una danza de la muerte, metafísica, que es la sexualidad unamuniana de la novela.

Pero a pesar de estas y otras antítesis, el problema de la mortalidad y la inmortalidad están vigentes por oposición en todas y cada una de las páginas de ambas novelas. Desde las primeras páginas de *Frankenstein* sobresale el espacio monumental del paisaje y el carácter de confesión íntima que se desprende de las palabras del narrador o los personajes. Mientras Víctor Frankenstein no tiene empacho en contarlo todo, desnudando sus sentimientos y angustias, Unamuno distanciado, guardándolo todo para sí, evita que entremos en los resquicios de su persona. Víctor se nos entrega y no tiene secretos para nosotros, pero la austeridad unamuniana es tajante.

Entonces, el concepto binario se pone de manifiesto también como una cuestión de estilo, donde una conciencia paródica caracteriza las relaciones del binomio Creador-Criatura en torno al contrapunto básico de Mortalidad-Inmortalidad. Incluso la personalidad de Augusto funciona como antítesis de Unamuno. Un hombre bastante obtuso, seguramente al autor no le causaría ninguna gracia que lo identificaran con él: Unamuno descaracteriza el "ser" en la construcción de la nada, dado que la existencia "real" se cuestiona. La ecuación paródica y contradictoria crea la tragedia bufa entre la intención progresiva afirmativa de Augusto, en lucha con la regresión negativa del autor, como si fuera un rechazo síquico que le hace a la Criatura. Lo cual no excluye que cada cual esté aislado dentro de su propia cápsula.

Postdata: El Hombre Nuevo

En *Frankenstein of the French Revolution,* publicado por la Universidad de Chicago en el 2012, Julia V. Douthwaite lleva a efecto una interesante investigación sobre una *novella* de Francois-Félix Nogaret, donde Frankenstein tiene un papel importante, que antecede al que le da Mary Shelley. Douthwaite destaca el contenido original planteado en la *novella* de Nogaret, de carácter político, con la creación de un "hombre nuevo" en una nueva nación, que tiene inusitadas connotaciones equivalentes al concepto de "hombre nuevo" retomado en recientes procesos revolucionarios, como sería, el del castrismo cubano. ¿Es esto acaso lo que hay detrás de *Frankenstein?* Bajo tales premisas, no sería distanciado pensar que la propia Mary Shelley concibiera ese "hombre nuevo" cosido y cocido por Víctor Frankenstein como una metáfora del desastre que tiene vigencia hasta nuestros días: un "hombre nuevo" convertido en un monstruo que se nos fue de la mano. La ficción de Nogaret (según Douthwaite) da lugar a estos nexos sociales y políticos, que yo extendería a parecidos monstruos contemporáneos creados por nosotros mismos que sirven como "fable of revolutionary social engineering" y premoniciones neonazis. Ciertamente la novela de Shelley no es explícita en este sentido ni las películas tampoco, pero algo hay detrás de las descargas eléctricas y los implantes mal cosidos. En una nota que aparece en Wikepidia, se da el nombre completo y original de nuestro personaje: "Yote-Wak-wik-Yeet-vauk-anson-frankenstéin or (Pinga Percy)", procedente de las investigaciones de Douthwaite, con la curiosa inclusión del léxico cubano y la sorprendente adición de Pinga Percy, que parece un chiste con subidas implicaciones sexuales originadas en nuestro vernáculo.

Otro antecedente de particular importancia es el "automaton", que jugó un particular papel en espectáculos teatrales que tenían lugar en varias capitales europeas a partir de la última década del siglo XVIII, objeto también de sátiras y burlas. Definitivamente, estas invenciones que se convertían en espectáculos más o menos de carácter teatral, dando lugar a movimientos mecánicos que imitaban torpemente y quizás sorpresivamente acciones humanas, lo más probable es que dejaran sus huellas en Mary Shelley, que debió tener alguna información de las propuestas de Nogaret y las invenciones del "automaton", las cuales, además, anticipaban las "corporeizaciones" cinematográficas del siglo XX. Douthwaite discute en uno de los capítulos del mencionado libro como el entusiasmo y el desdén ante semejante propuesta se deja sentir en *Frankenstein,* disonancia entre humano y humanoide, que lleva a la destrucción de cualquier propuesta idílica que impulsara a la joven novelista inglesa, no a la creación de un "automaton", de un robot, sino de un monstruo que nacía de sus entrañas. Un aborto fatídico, metáfora de un buen número de monstruos que llegan hasta el aquí y ahora del siglo XXI, donde Frankenstein está vivito, coleando, y haciendo lo que le da la gana: una invención maligna que ella misma parecía sentir en muchas páginas y referencias, principalmente hacia el final de la novela. El péndulo de la "concepción" iba de lo idílico a lo deforme, el abismo entre lo que no fue y lo que pudo haber sido, la soledad en oposición a la compañía, incluyendo su relación con Shelley, que tuvo que ser tumultosa. "In destroying the idyll", nos dice Douthwaite, Mary "Shelley mark the end of functional family life in *Frankenstein"* (93), acompañada de un sinnúmero de catástrofes.

Estas observaciones nos llevan quizás al meollo del fracaso de Frankenstein. Si Víctor es capaz de crear vida, por medios, diremos, físicos, químicos y electrónicos, que es encomiable, lo cierto es que el resultado es un desastre y nos deja con las ganas. Sin contar que en los círculos científicos londineses de la época, en conferencias públicas, se discutía la propuesta de la creación de la vida humana, a través del "Vitalist Debate", que culminó, entre otras cosas, en un libro de William Lawrence que proponía rejuvenecer a la humanidad por medios biológicos, en lugar de procedimientos artificiales, mediante el matrimonio y relaciones sexuales "between strong and handsome people" algo más convencional y saludable pero que dicho así suena a eutanasia y racismo, considerando además que el fracaso de Victor Frankenstein mucho tuvo que ver su incompetencia y lo mal orientado que estaba (me remito a Douthwaite, 94). Por el momento habría que conformarse con los "automatones" que subían a escena, hasta los que hoy crea la ciencia ficción para la pantalla de los cines. Quizás por ello haya también una ambivalencia en Mary Shelley, un cierto arrepentimiento por lo que había hecho (que se refleja en la caracterización de Victor Frankenstein), a pesar del desastre biológico que fue su vida y de su apasionada relación con Percy que no fue conducente a la felicidad entre ambos. Quizás la desafortunada maternidad de Mary Shelley algo tuviera que ver con la "concepción" de su criatura. Unamuno, por su parte, por muchas vueltas que le demos, preferiría en la vida "real" procrear por medios más conservadores, en situaciones aprobadas por el discurso oficial de la iglesia católica, apostólica y romana, y dejar la búsqueda de instrumentos mecánicos, físicos o químicos para otros.

Pero nadie es perfecto, incluyendo el caso de Víctor. "In his single-minded pursuit to find a way to infusing life into an inanimated boby, the scientist apparently forgot to think through the consequences, such as the body' potential to procreate" (Douthwaite, 95). Por supuesto, esto no es culpa de la criatura, que se sospecha que falta algo (como quizás fuera alguna ausencia que notara Augusto), pero quizás esto fuera también el caso de Mary, de Percy y hasta de su hermanastra, cuyo papel de intrusa entre la pareja no estaba claro. En conclusión, las razones de la monstruosidad se las llevó Mary Shelley a la tumba, como se las llevaría Unamuno al crear la sexualidad apática de Augusto Pérez.

Como señala Douthwaite, todos estos puntos de vista tienen en común la fascinación por el impacto de la tecnología y la creación artificial, que para bien o para mal va a dejar sus huellas mas profundas desde que Frankenstein vino al mundo, como digo yo. Aunque Nogaret confirma en su narrativa la presencia del "silent father" como Dios creador, y Mary Shelley introduce subversivamente el discurso creador de la mujer que procrea en una sociedad de discurso masculino; los creadores, incluyendo Unamuno y los que llegan al cine, se muestran incapaces de mantener en vivo el "spark of life" que los inspirara, y todo se queda en veremos y en agua de borrajas.

Paradójicamente, incapaz de procrear un "hombre nuevo", como ha mostrado políticamente la historia contemporánea, el renacimiento literario de figuras monstruosas a partir de una mujer, hace que resurja un agente viril gigantesco y poderoso, sexualmente lujurioso, pero operativamente impotente, nada favorecido y que mete miedo, con un subyacente complejo de inferioridad. Para remachar el clavo, "in our own day audiences are still struggling with the unease that results from blurred categories between androids and humans, thanks to the uncanny villainess of Ridley Scott's science fiction film *Blade Runner (1982)...* As robot infiltrate more aspects of our daily life and simulates increasing human affects, we may one day realize that these early authors got it right" (Douthwaite, 97); lo que parece indicar que no estoy solo ni tan despistado como creía. Parece que vamos a tener "hombres nuevos" para rato: aunque hasta ahora ninguno sirve para nada.

CAPÍTULO VI

Unamuno: la vida es sueño

SEGISMUNDO:

¡Válgame el cielo, qué veo!
¡Válgame el cielo, qué miro!
Con poco espanto lo admiro,
con mucha duda lo creo.
¿Yo en palacios suntuosos?
¿Yo entre telas y brocados?
¿Yo cercado de criados
tan lúcidos y tan briosos?
¿Yo despertar de dormir
en lecho tan excelente?
¿Yo en medio de tanta gente
que me sirva de vestir?
Decir que sueño es engaño
bien sé que despierto estoy.
¿Yo Seguismundo no soy?
Dadme, cielos, desengaño.
Decidme: ¿qué pudo ser
esto que a mi fantasía
sucedió mientras dormía,
que aquí me he llegado a ver?
Pero, sea lo que fuere,
¿quién me mete en discurrir?
Dejarme quiero servir
y venga lo que viniere.

Ciertamente, no era mi intención meter a Calderón en todo esto, pero indagando en estos *links* unamunianos llego a *Inception* que es una película medularmente calderoniana. Con el apoyo de *Abre los ojos* y *Vanilla Sky,* la referencia era inevitable. Afortunadamente no hay que adentrarse mucho en Calderón porque el título mismo lo abarca todo, y la transición de Segismundo de una "realidad" a la otra es una concepción tan simple, tan básica, tan de pan onírico de cada día, que no deja de ser sorprendemente que Calderón de la Barca la haya llevado a escena, sin ningún truco, sin efectos especiales, que como en las películas mencionadas se resuelve con un corte simple de un plano al otro, que no se explica, que no se anticipa en la mayor parte de los casos. Como es natural esto crea mayor confusión, no sólo en la mente de los personajes, sino del espectador que va de un despiste al que le sigue sin saber dónde se encuentra, como Segismundo que se pregunta quién diablos lo ha llevado de aquí para allá y de allá para acá.

La mortalidad y la inmortalidad, la realidad y la ficción y el concepto del doble, son los vínculos que tienen estas películas con *Niebla,* y de paso con la locura, la esquizofrenia, porque a todos los creadores, criaturas e intérpretes les falta un tornillo, como agente cerebral que nos ubica en el cosmos. No hay que ignorar, tampoco, la sexualidad, encabezada por arquetipos de la sexualidad masculina (tanto Cruise como Noriega), que juegan un papel genético también protagónico. Esto incluye también, en sentido menos lúbrico, a Leonardo di Caprio que se lleva la palma en el proceso procreativo, con la genética de *Origen,* que es el título en español de *Inception,* que bien pudiera llamarse "implante".

Del todo al doble y del doble a la nada

La peripecia "argumental" de *Niebla* termina la novela en su punto de partida, confirmando el "aislotamiento" de los personajes dentro de una niebla donde realidad, ficción e historia se confunden. Cuestionar la realidad, como hace el propio Augusto, es peligrosísimo, porque conduce al no somos, no sólo el de nosotros, sino el del todo. Es en esto en lo que difiere Unamuno de toda la novelística previa. Eso que llaman realismo. En general, los personajes de Galdós, son: comen, fornican y defecan, lo cual acaba siendo tranquilizador; pero los de Unamuno, acaban por ser nada. Las fronteras entre todas "las realidades", como en el estado esquizofrénico, se eliminan y se produce el terror del "no somos", que lleva a la depresión mortal que sigue al encuentro en Salamanca. Sirvan la "incepciones" de este capítulo, para dar el *leap of faith* que lo cierra.

Ojos para no ver

SEGISMUNDO:

Decir que sueño es engaño,
bien sé que despierto estoy.

Abre los ojos (1997) y *Vanilla Sky (2001): programa doble*

Abre los ojos y *Vanilla Sky* podrían discutirse bajo el tema de la *otredad* porque ambas películas son monocigóticas, y en sí misma configuran, una junto a la otra, dos documentos unamunianos al modo de *Tulio Moltalbán y Julio Macedo*, como si una se hiciera pasar por la segunda y la segunda se hiciera pasar por la primera, pero en inglés. Tan correlacionadas están con el tema de "la vida es sueño", que con motivo de la interacción entre la ficción y la realidad, ya las han vinculado, muy de fuera a fuera, con la obra de Calderón, con la cual no se parecen argumentalmente, pero sí en su contenido último. Los académicos más recalcitrantes se sentirían escandalizados, en parte porque ninguna va mucho más allá de la mediocridad, aunque tienen componentes argumentales, temáticos y metafísicos que las vuelven intelectualmente estimulantes.

Saltar al vacío

Abre los ojos, dirigida por Alejandro Amenábar, guión de Amenábar y Mateo Gil, con Eduardo Noriega, Penépole Cruz y Cheta Lera en el reparto, fue la primera, así que viene a ser el original de *Vanilla Sky,* que apareció tres o cuatro años después, dirigida por Cameron Crowe, con un guión de Crowe basado en el de la otra película, con Tom Cruise, Penélope Cruz y Cameron Díaz en los papeles principales. *Vanilla Sky* viene a ser una clonación de la primera. Las dos son dos rompecabezas, siendo la norteamericana la más enredada, muy lenta al principio y no menos larga al final en la secuencia de las explicaciones, con esa preferencia del cine norteamericana de racionalizarlo todo, hasta lo que no se puede racionalizar, para que no queden cabos sueltos, aunque tengo que reconocer que esto es lo que hago yo con frecuencia. Como estas películas, *Niebla* es un *thriller* metafísico.

En realidad, toda esta tramoya puede interpretarse calderonianamente, teniendo en la cabeza *La vida es sueño,* como seguramente saben Amenábar y Gil, simple y llanamente por ser españoles y haberse criado en una cultura donde "la vida es sueño" es un lugar tan común como "don Quijote de la Mancha". En todo caso ambas películas, en español y en inglés, no prueban otra cosa, y el proceso de *cryonization* no es más que una aplicación en términos de ciencia-ficción de lo que Calderón propuso bajo otras circunstancias "escénicas". No son grandes películas pero sí textos fílmicos muy inquietantes que parten del contrapunto (unamuniano) de la mortalidad vs. la inmortalidad, que en definitiva no es más que la metafísica de la ciencia ficción. En síntesis, la mayor parte de la ciencia ficción es medularmente unamuniana porque se basa en un cuestionamiento de la realidad que subyace en un planteamiento global y masivo de la conciencia colectiva. La preservación del cuerpo humano más allá de la muerte a bajas temperaturas con el propósito de una conservación de la vida para llevar a efecto la correspondiente resurrección en un futuro, es la clave metafísica del argumento, donde la ciencia ficción confluye con Unamuno, que en definitiva están hablando de lo mismo, en cuyo caso la muerte de Augusto Pérez sería parte de un proceso de resurrección, como ocurre realmente con todo el pensamiento cristiano. La ciencia ficción descansa en un concepto teológico que explica su carácter masivo. Por consiguiente, la resurrección viene a ser clave importante que sostiene ambas películas como toda la crisis del sentimiento trágico de la vida.

No puede interpretarse lo que venimos diciendo, y lo que dice el cielo de vainilla cuando abrimos los ojos, como si fuera una cosa de locos que engendra un cerebro paranoico. De hecho, James Bedford (haciendo el papel del doctor Frankenstein) en 1967, fue el primero en practicar la *criogenización*, y para el 2014 alrededor de 250 "cuerpos" habían sido sometidos al proceso de *criogenización* en los Estados Unidos y alrededor de 1,500 personas habían hecho los arreglos legales para ser *criogenizalizados*. La memoria a largo plazo, además, se encuentra almacenada en células y moléculas dentro del cerebro, y teóricamente se considera que el cerebro no tiene que estar mentalmente activo para sobrevivir daños neurológicos y retener la memoria a corto o largo plazo, que es un tema recurrente en ambas películas, y que podría aplicarse a frecuentes olvidos y recuerdos que van y vienen. La intercepción de los sueños (que tienen que ver también con el caso de *Inception)* se menciona varias veces, lo que podría convencernos que *Vanilla Sky* no es tan loca como parece.

La ubicación "cerebral" de lo que sucede no dista en mucho de las obsesiones unamunianas y su conciencia unipersonal de la vida, que parece congelarse en el uno mental de lo que, tomándole la palabra, representa un "aislotamiento" paranoico y metafísico. La duplicidad de las primeras escenas en la ciudad, primero sin nadie y después con gente, son particularmente efectivas con un concepto del doble que trasciende lo personal y llega a lo metafísico, que es en definitiva la visión calderoniana y unamuniana del "texto", el nexo no sólo con *Niebla* sino con *La vida es sueño* que nos lleva enfrentarnos con dos "realidades". Si una es sueño, la otra no lo es, o puede, incluso que las dos sean sueños. La duplicidad básica de las escenas que inician *Abre los ojos*, una de ellas con César manejando por calles donde no hay una sola persona, y después las tomas por las mismas calles pero con transeúntes, nos advierte de la duplicidad con la que se está trabajando.

Al dar saltos atemporales en lo que para simplificar podríamos considerar una doble narrativa, la trayectoria nos enfrenta dentro de sí misma a una convivencia con la duplicidad, sin que sepamos, como le pasa al protagonista, de qué lado estamos. En realidad, el viaje de Augusto Pérez a Salamanca es eso: un sueño que se sueña en el sueño. Se desarrolla, además; una doble relación sexual entre César, interpretado por Noriega, primero con Nuria (Najwa Nimni) y después con Sofía (Penélope Cruz), y la película se podría discutir a partir de esta concepción; simplemente, como el episodio de un joven mujeriego que se acuesta con dos chicas, hasta el punto de confundir una con la otra, por el consumo del alcohol o de drogas, y no saber exactamente con cual se va a la cama. Es muy posible que esta fuera la base financiera del film: el folletín contemporáneo de lo que pasa todos los fines de semana entre jóvenes que se van a un bar para consumir alcohol, drogas, y ver con quién se acuesta, que es un modo de "leer" el film. Al saltar la acción de una relación a la otra, sin una separación lógica de los planos, duplicarse las secuencias, la complicación se acrecienta y no sabemos si nos encontramos en la realidad o en el sueño. Las transiciones no están marcadas por efectos especiales, y despertar es una transición que nos pasa a todos nosotros diariamente. De ahí que no sea anómalo que el protagonista se acueste con Nuria y se despierte con Sofía.

SEGISMUNDO:

Es verdad, pues reprimamos
esta fiera condición,
por si alguna vez soñamos;
y si haremos, pues estamos
en mundo tan singular,
que el vivir sólo es soñar;
y la experiencia me enseña
que el hombre que vive sueña
lo que es hasta despertar

Debido a un accidente automovilístico, César, joven, guapo y con dinero, está a punto de matarse, pero no ocurre tal cosa, y de la noche a la mañana queda todo desfigurado y convertido en un monstruo, lo cual coloca el filme en una posición calderoniana digna de los mejores momentos del barroco. Porque la desfiguración es para César caer en la cueva de sí mismo, todo jodido, a consecuencia de una aventura de fin de semana. Este episodio cualquiera lo entiende, y hasta se desprende de lo sucedido una moraleja, una peligrosa confusión que le puede ocurrir a cualquiera que salta de una cama a la otra. Como no hay línea divisoria entre una cosa y la otra, ni orden temporal, César está a punto de volverse loco, y nosotros también, saltando de un lado para otro, sin saber si estamos antes o después, y sin ningún efecto especial que nos ayude a poner orden y concierto en este argumento. Incluso los lapsus de la memoria, que se manifiestan a veces como tales, no ayudan (ni quieren ayudar) acrecentando la confusión. Él se las ha buscado; el guión se encargará que las pague todas juntas, consecuencia de su libre albedrío. Nada de esto, en su médula argumental, tiene de inusitado, y con estos materiales funciona toda la primera parte de la película, el montaje de las dos secuencias paralelas que la inician, el doble principio, aunque indique que algo raro está pasando. Un espectador que no se arme tanto lío puede interpretar la situación de este modo sin siquiera preguntarse si está soñando. César, después del accidente que le ha deformado el rostro y ha dejado de ser el joven tan majo del principio, se cubre la cara con una máscara y se establece un movimiento pendular en el cual ni él, ni nosotros, sabemos exactamente si debajo de la máscara está el rostro desfigurado de César, o el reconstruido por la cirugía estética, que establece un contrapunto basado en la otredad que vive el personaje, y que es otra estupenda idea de la monstruosidad dual de la película.

Tampoco sabemos con exactitud de donde han salido esas dos chicas, que representan de entrada una dualidad de la incógnita femenina entra la mujer fatal, la mala, que conduce a César a la muerte, y la buena, que lo salva, que podrían ser sencillamente el resultado de un encuentro ocasional estrictamente realista en un bar, pero más tarde o más temprano veremos que las apariencias engañan. Lo cierto es que ambas podrían verse también como una invención mental de César, representativas de la incógnita del sexo femenino en figuras contrapuestas, una fantasía sexual donde Nuria queda asociada con la muerte y Sofía con la salvación, especie de contrapunto entre la concepción de las dos mujeres como variación de un esquema. Pero, definitivamente, el accidente que conduce a la transformación física y síquica de César es provocado por Nuria, como mujer fatal, mientras que Sofía es la buena que lo saca del abismo. En fin, que por debajo, hay un plan mucho más metafísico que la ley del deseo, complicado por los imperativos del subconsciente.

Al desarrollarse la acción supuestamente real en el pabellón siquiátrico de una cárcel, donde César está sometido a un tratamiento con motivo de haber matado (posiblemente) a Nuria, la acción corta de un plano al otro, sin aviso previo, creando considerable confusión para el receptor (nosotros) en correspondencia con la confusión del protagonista y el siquiatra. Pero un echo fortuito, sin embargo, uno de los pocos momentos racionales de una acción, que, paradójicamente, vuelve loco a cualquiera, se convierte en una luz al final del túnel. Afortunadamente la proyección en la cárcel de una entrevista a uno de los altos funcionarios de *Life Extension*, dedicada a la *crionicalización*, le dará a César una pauta sobre lo que le está sucediendo.

En realidad todo esto es parte de un contrato de la ciencia ficción metafísica firmado por César con *Life Extensión*, realmente una compañía especializada en *crionic* que lo ha *crionicalizado* y que ha dado lugar a estos sueños vívidos que lo llevan de un lado para otro sin saber exactamente donde se halla él y donde nos hallamos nosotros. En realidad el núcleo hay que irlo a buscar en el contrapunto entre mortalidad e inmortalidad, realidad y sueño, desarrollado en términos paranoicos o/y metafísicos (es decir, Unamuno con su mucho de Calderón), conectado con la ciencia/ficción. Hasta tal punto que la solución final tiene algo que ver con el viajecito de Agusto Pérez a Salamanca, donde todo se aclara para no aclarar nada, haciéndose explícito que no hay solución posible.

En todo caso, de modo casual, ante un programa de televisión que se proyecta en el pabellón siquiátrico, César reconoce entre lapsus de la memoria, el posible contrato que firmara con *Life Extensión*, lo que determina un viajecito a la oficina de la agencia en un rascacielos metropolitano. Para ello requiere la colaboración de Antonio, el sicólogo que lo tiene bajo tratamiento, que lo lleva para que tenga lugar el encuentro, no diremos que con su creador, pero sí con su agente más inmediato. Es en este momento cuando la participación del sicólogo, que ha sido aparentemente secundaria, adquiere un primer plano (gracias en parte por la excepcional actuación de Chepe Lera) y se confirma un componente esencial del desarrollo sico-metafísico, ya que el siquiatra es víctima del mismo juego en que se encuentra encerrado César, sueño dentro del sueño, y no es una figura real, sino inventada por el soñador protagónico, César, como ha inventado a todos los demás; momento en el cual Unamuno entra en pantalla. Esta "incepción" invierte o desfigura el esquema, ya que todos los personajes se vuelven "personajes" del sueño, incluyendo la propia Sofía, interpretada por Penélope Cruz que por esta vez está muy bien al traslucir, de una forma muy sutil, su propia circunstancia como criatura soñada, y que le da una dimensión adicional al sueño en que nos sueñan. La angustia de Antonio, reclamando su derecho de ser dentro del sueño de César, es un logro absoluto, particularmente teniendo en cuenta la personalidad relativamente amorfa que lo antecede, el ser o no ser que reclama su derecho a ser, que es puro Unamuno, con Sofia al fondo como aparición soñada. En esta secuencia final todo queda expuesto, pero la ecuación realmente no se resuelve, porque nadie puede darnos la certeza de que el suicidio de César no es más que otra pesadilla, y que el protagonista vuelva a despertar al final de la película y abra los ojos para escapar de una pesadilla recurrente -y nosotros también—y saltar al vacío, *leap of faith,* como se dice en inglés con mayores sugerencias metafóricas, donde, más allá de la traducción, son dos cosas diferente: no es lo mismo un *leap of faith* que saltar al vacío. Y decir "¡salto mortal!" sería peor todavía.

Un orgasmo metafísico

Vanilla Sky es lo mismo, pero diferente. A partir del título. Porque *Abre los ojos* se refiere a un acto cotidiano, que básicamente nos conecta al nervio óptico, de la oscuridad a la luz, del "sueño" a la "realidad", para ver, enfrentarnos a otro espacio, además de ser un aviso: *Whatch Out!* "¡Despierta!", con signos de exclamación. Entonces, ¿qué significa más concretamente el título? Más específicamente, viene de un cuadro de Monet, "El Sena en Argenteuil" que no dice mucho, con un fondo azul celeste, vago, indefinido, transparente, sin mucho de vainilla, cambiante, que produce más quietud que intranquilidad. En fin, a mi modo de ver, que poco tiene que ver con la película, aunque algo tendrá que ver, supongo. Más sentido tiene otra explicación, más pornográfica, que proviene del film en sí mismo: "Una relación erótica entre tres que termina en un múltiple orgasmo". A pesar de lo mucho que esto pudiera significar, y la excitación sexual que pudiera producir la frotación, *Vanilla Sky* es más que eso: es, en síntesis, un orgasmo metafísico que, para colmo, se repite cuatro veces, lo que acaba por perder a los personajes. Claro, es más entretenido, y gran parte del público lo vería en estos términos, con un reparto tan *sexy*. El impacto que deja en Julie es realmente múltiple, pero para "citizen dildo", conocido así por sus amigos que lo envidian, apodo que le dan a David, interpretado por Tom Cruise, ícono de la virilidad fílmica, es cosa de todas las noches. Vista en primer término como un golpe de efecto dirigido a un público masivo interesado en las vivencia personales de Tom Cruise entre Penelope Cruz y Cameron Diaz, y mal interpretada por la crítica, *Vanilla Sky* es mucho más que un *affair* entre tres desconocidos, y más compleja que el cuadro de Monet que le sirve de título y viene a ser el trasfondo del "orgasmo místico" al final de la película. Mucho más, naturalmente, que el "consolador" que se vende en una tienda pornográfica que determina el apodo que se le da a Tom Cruise. Clasificada como *thriller sicológico,* con el asesinato de Julie sería suficiente, pero esto es poco y la película propone también un *leap of faith* en medio de tal desparpajo.

 Aunque sigue la línea argumental de *Abre los ojos,* también es mucho más que la variante de una pesadilla que termina cuando se "abren los ojos". *Vanilla Sky* es un *thriller* metafísico, que no deja de ser factor determinante de la pasión que desata el referido ciudadano identificado por un pene que es un artificio: un doble, un "replicant" de *sex-shop,* aunque Cameron Díaz está convencida de todo lo contrario gracias a estupendo *performance* de Tom Cruise, y Penélope Cruz piense otro tanto. Pero lo cierto es que el concepto del *replicant* subyace en el apodo y se extiende a la persona. Nada más distante, naturalmente, de Augusto

Pérez (que no se acuesta con nadie gracias a la aséptica concepción unamuniana), y que sin embargo, pasando por una crisis de los genitales, entre Eugenia y Rosario, aunque anda igualmente confundido, le da lo mismo la una como la otra, y se ve precisado a entrevistarse con su Creador para ver cómo puede resolver su problema ya sea dormido o despierto.

En ambos filmes el pabellón siquiátrico es eje de la acción a consecuencia de los sueños lúcidos del protagonista, incapaz de resolver el salto de la ficción a la realidad, un salto mortal, que no solo lo enloquece a él, sino también a nosotros, que no sabemos en qué momentos estamos en medio de la realidad o el sueño. Se remontan las comparaciones a las que ya se han hecho entre *Vanilla Sky* y *La vida es sueño*, donde el protagonista se está soñando, antecedente también de *Niebla*. *Vanilla Sky* se extiende considerablemente en este sentido, empezando por crear una visión surrealista newyorkina bajo un cielo de Monet, que inserta la ficción onírico-pictórica de la película. Pero si en *Niebla* se reduce el encuentro con Unamuno a un modesto viajecito a Salamanca donde crea su metafísica en un despacho, el viaje de David Aemes tiene lugar en un ascensor newyorkino hasta encontrarse con la espectral y cadavérica Tilda Swinton, sin faltar un documento unamuniano firmado por Aemes autorizando a *Life Extensión* para que lo ponga en un sueño cataléptico por ciento cincuenta años, que Unamuno, sin tales recursos a su alcance, despacha en un modesto encuentro metafísico con la criatura donde se da por terminado el contrato, después de lo que probablemente fuera un incómodo viaje en algún destartalado tren de principios del siglo XX. No faltan en un caso y el otro sus aclaraciones, que no resuelven nada. Estos detalles dan la dimensión laberíntica de toda esta metafísica.

La concepción de Tom Cruise como *dildo* metafórico, tiene sus agallas, y lleva, "realmente", a la creación de Sofía (que es una mujer soñada, como si fuera Dulcinea del Toboso), creada en su cerebro por obra y gracias de la experimentación de

Life Extension, aunque su propia imaginación y participación física entran en juego, muy diferente a la incompetencia sexual de Augusto Pérez. Fundamentalmente Sofía no existe, entre muerta, viva y soñada, aunque parece aprovechar la ocasión para tener un rápido *affair* con el mejor amigo de David, en esta complejísima tramoya donde todos los participantes, incluyendo el espectador, no saben si están en un antes o un después, en una realidad o en un sueño, y la acción está hecha, precisamente, para despistarnos, lo que podría considerarse el mayor acierto (o disparate) de "las" películas. Este montaje que corta de un lado al otro sin aviso, nos identifica con el plano cerebral de David Ames, que no sabe que realidad está viviendo, oyendo voces que nos dicen "abre los ojos" para no ver, claramente, nada. A lo mejor es un sueño, puede que estrictamente en el subconsciente, como ocurre con las figuras congeladas en el bar, esa inquietante sensación que nos coloca en el limbo de no poder precisar si estamos soñando o somos soñados.

El hecho de que el protagonista oiga voces, incluyendo el "abre los ojos" que sirve de título a la versión original, el primer plano del ojo que se reitera tanto como la voz, acrecienta la irrealidad de lo real, la consistencia esquizofrénica del siquiatra, que produce un dudoso efecto de normalidad, hasta crear la posibilidad de que el siquiatra sea otra imagen mental. Unamuno trata de ser más convincente, pero su "entrevista" acaba por descartar que lo sea. En este caso, si el psiquiatra tampoco existe como "nosotros", pues arreglados estamos. Como Víctor Gotti, su confidente y mejor amigo, Brian Shelby, parece ser de "verdad" (hasta el punto de acostarse con Sofía), pero tampoco lo sabemos y, cuando menos, puede ser otra variante de David, doble. Si David "vuelve" como al principio de la película, antes del accidente en que muere Julie (es decir, Cameron Díaz) que ya había muerto, y que él asfixia bajo la almohada, para que se muera otra vez (aunque "puede" que esté asfixiando a Sofía) nada es "cierto", incluyendo el siquiatra (que era nuestra única esperanza) y simplemente todos estamos rematadamente locos, conclusión a la que también llegamos cuando Augusto Pérez regresa de Salamanca, se enferma y se muere; o Unamuno "lo regresa de Salamanca" y el personaje, de ficción o realidad se muere como si la novela fuera un *thriller metafísico*.

Las dos largas secuencias de ambas películas se parecen, pero no son exactamente iguales, y la de *Vanilla Sky* es realmente tediosa, como quien da un repaso de lo ocurrido porque no nos hemos aprendido la lección. En este punto ya estamos tan agotados y lo mejor sería que acabara la película y nos pongamos a vivir o a soñar en paz, porque en última instancia perdemos la noción de en qué película estamos. De hecho el rascacielos sirve para reunir a todo el reparto, llegando a la conclusión que todos los personajes a lo mejor no existen y que en el fondo no hay nada ni hay nadie: un salto al vacío de don Saldaño, porque el caso es que nadie sabe donde está parado.

"Salto mortal". "*Leap of faith*". "Sólo la soledad tan solo".

SEGISMUNDO:

Yo sueño que estoy aquí
destas prisiones cargado,
y soñé que en otro estado
más lisonjero me vi.
¿Qué es la vida? Un frenesí.
¿Qué es la vida? Una ilusión,
una sombra, una ficción,
y el mayor bien es pequeño;
que toda la vida es sueño
y los sueños, sueños son.

El cerebro como lugar de la acción

Abre los ojos y *Vanilla Sky* son dos películas *monocigóticas*, pero mucho más allá de aquellas que hacían Olivia de Havilland y Bette Davis, entre ellas dos y consigo mismas, que eran coser y cantar, porque no entraban en el territorio de la ciencia ficción. Tampoco Unamuno entraba en semejante territorio con efectos especiales, y el problema de Dios lo resolvía entre Padre e Hijo, Creador y Criatura, o entre hermanos mal llevados, como Caín y Abel. No obstante ello, son viajes por las circunvoluciones del cerebro programados para enloquecernos, donde vamos a meternos en las secuencias de un doble al otro. Hay que reconocer simple y llanamente que la acción de estas películas tiene lugar en el cerebro de creadores y criaturas, y esto es el punto común que tiene con *Niebla*, no porque salieran del cerebro de ciertos y determinados creadores, sino porque *son* en el cerebro. No hay más que verlo; es decir, imaginarlo, porque sus circunvoluciones laberínticas debieron ser diseñadas por Ariadna.

A Beautiful Mind (2001), Proof (2005): el cerebro en pantalla

El problema que plantea *A Beautiful Mind* es la incapacidad de John Nash de distinguir la realidad de lo que pasa en su imaginación, por lo cual se le diagnostica una esquizofrenia paranoica, revelada por su delirio de persecución. Se manifiesta fílmicamente por la identidad de los espacios visualizados, que no representan una diferenciación visual ni para Nash ni para el espectador y fluyen con absoluta naturalidad, pero que solamente están en la mente de Nash, lo cual quiere decir que se trata de una filmación. La traslación tiene lugar en un mismo plano visual.

Al tener lugar el encuentro con Unamuno, donde Augusto como si fuera el hombre invisible traspasa el cristal que separa el mundo real del imaginado, no existe el menor cambio entre un espacio y el otro. Dentro del análisis fílmico-pirandelliano que proponemos, dos películas ilustran la patología del caso en estos términos; *A Beautiful Mind (2002),* sobre la vida del John Nash, premio Nobel en Economía, dirigida por Ron Howard, basada en una novela de Sylvia Nasar, con Russell Crowe, Jennifer Connelly y Ed Harris a la cabeza del reparto; *Proof (2005),* basada en una novela de David Auburn, dirigida por John Madden, con Gwyneth Paltrow, Anthony Hopkins y Jake Gyllenhaal.

A los efectos de *Niebla,* nos interesa recalcar el subtexto síquico de la novela, base del delirio de persecución paranoica que hay detrás de una "realidad" no determinada que caracteriza a Augusto Pérez y por extensión a Unamuno. Si Augusto Pérez como sujeto de una experimentación sicoanalítica no es capaz de precisar ni la realidad ni la ficción de su existencia, tampoco lo puede hacer Unamuno, de ahí que el loco y el paciente converjan en una misma situación que ha perdido su noción racional del espacio, de lo que se es o se deja de ser. No en balde en *Inception* se necesita de un *tótem* para salir del sueño y volver a la realidad. En un sueño lúcido el que sueña está consciente de que está soñando. Pero en un sueño esquizofrénico y paranoico no pasa tal cosa. No llega Unamuno aparentemente a la crisis esquizofrénica de *A Beautiful Mind,* con personajes imaginados que confirman la enfermedad mediante interrupciones imaginadas en un espacio real donde no está ocurriendo nada, de ahí que el viaje a Salamanca y su encuentro con Unamuno, según nos cuenta el narrador, sencillamente pasó, pero ¿cómo es posible que pasara? Dada la imposibilidad racional, ¿no es posible que creyera que había pasado? En todo caso, Augusto manifiesta esa indeterminada sensación de inseguridad sobre su propia existencia, inquietud que se vuelve explícita en diversos momentos.

El caso de *A Beautiful Mind* es similar al de *Niebla* y al encuentro entre Augusto Pérez y Unamuno, porque no hay la menor indicación de que el encuentro en Salamanca fuera inventado, si la entrevista tiene o no lugar, y en definitiva si existen o no, o si están vivos o muertos, sin transiciones y sin determinarse claramente el orden cronológico, entonces, ¿quién inventa a quién? ¿quién existe? ¿Augusto? ¿Unamuno? ¿Quién proyecta al otro? ¿Quién era el loco?

En cuanto a *Proof*, no hay que ignorar el entarimado genético del film, porque si bien el padre y la hija son de sexos opuestos, mentalmente el concepto de a imagen y semejanza es llevado a sus últimas consecuencias, hasta tal punto que el cerebro de uno es la copia del otro, y la identidad de la escritura se vuelve indescifrable, ya que no puede llegarse a saber de forma concluyente a cual de los dos corresponde el descubrimiento de la incógnita algebraica que se plantea. En conclusión, tampoco sabemos, en definitiva, si las conversaciones entre el padre y la hija tuvieron lugar, si la hija las vivió o no, si el padre está ahí en "realidad" o lo tiene en la cabeza.

Por otro lado, uno de los aspectos más unamunianos de *Proof* está en la concepción textual de la película, estrictamente científica y estrictamente literaria. Toda la acción se desarrolla en torno a una investigación matemática (que nosotros no tenemos la más remota idea de lo que prueba) llevada a efecto en una libreta de notas, igual a muchas otras, donde Hopkins y Paltrow, padre o hija, han hecho un descubrimiento matemático de mayor monta. No sabemos de qué se trata, porque en definitiva no son más que garabatos en una libreta que para nosotros no tienen el menor significado. El *suspense* del *thriller* es que no se sabe en realidad quien lo ha llevado a efecto, si el padre o la hija, o ambos. La confusión emerge, en gran parte, porque la cámara no define claramente cuando proyecta una imagen real o ficticia, porque todas las tomas son igualmente planas, como si el personaje o los personajes no distinguieran una realidad de la otra, o una ficción de la otra, además de una atemporalidad que acrecienta la confusión. Toda la novela descansa en una hipótesis, en una incógnita sobre la vida y la muerte, la ficción y la realidad, un barrenillo, una "incepción" en el cerebro de Unamuno.

La posibilidad de la locura es un hecho fundamental al que hay que enfrentarse, porque después de todo *Niebla* parece por momentos un gran disparate unamuniano, que refleja su propio conflicto con Dios. Si uno oye voces uno es esquizofrénico, como le diagnostica la siquiatra a Harold en *Stranger than Fiction*. Si uno ve imágenes que no están ahí, como le pasa al protagonista de *A Beautiful Mind*, uno es esquizofrénico y hay que aplicarle un *electroshock*. Por eso debemos empezar por ahí, para descartar el caso y saber quién es el loco. Una característica fundamental del encuentro de Augusto con Unamuno es la naturalidad en que el mismo tiene lugar, sin que ocurra una transición que distinga un espacio del otro. No hay nada irracional en la situación en sí misma. El encuentro ocurre tras un largo capítulo donde Víctor encuentra a Augusto en un profundo estado depresivo porque "se han burlado de mí, me han escarnecido, me han puesto en ridículo: han querido demostrarme… ¿qué se yo?..., que no existo" (270). Sin embargo, ¿acaso no era esto lo que le pasaba a John Nash? Pero justo es decir que no es para menos. Víctor confirma el hecho y le da una dimensión adicional: "Tu, querido Augusto, fuiste el experimentador: la quisiste tomar de rana, y es ella la que te ha tomado de rana a ti" (271). "Quisiste hacerla rana, te ha hecho rana; acéptalo, pues, y sé para ti mismo rana" (272). Para resolver el estado anímico, Víctor le recomienda una total impasibilidad, un total distanciamiento analítico. Es decir, se propone una absoluta aproximación racional, detrás de la cual se esconde el espectro de la locura.

Adaptation (2002):
un orgía intertextual

Adaptation, dirigida por Spike Jonze, con un guión de Charlie Kaufman, sobre una novela de Susan Orlean, quizás sea la más compleja (tanto o más que *Inception*) de todas las películas que estamos discutiendo en este recorrido sobre filmes y secuencias fílmicas con un subtexto unamuniano, calderoniano o cervantino. Además del binomio ficción-realidad, que es quintaesencia de la metafísica unamuniana, *Adaptation* trabaja con el concepto bipolar del doble o del otro, que forma parte de la genética conceptual de la película, como ocurre con dos textos claves de Unamuno: *Tulio Montalbán y Julio Macedo* y *El Otro:* la locura monocigótica de los inadaptados.

Las secuencias iniciales nos llevan a una serie de tomas tipo documental de eventos naturales que nos encaminan hacia las interrogantes básica de la génesis de todos nosotros, estableciendo así un nexo tradicional con quién soy y de dónde vengo. Se trata de una indagación mental que lleva a efecto Charlie Kaufman (interpretado por Nicolas Cage), introvertido y paranoico, cuyo nombre es el del protagonista, que crea de ese modo la primera interacción ficción-realidad. Parte de un nivel adicional de planos reales y ficticios al meternos en una secuencia de la filmación de otra película dentro de la película cuyo guión escribiera Kaufmann, que ha sido contratado para hacerlo. Pero también incluye elementos de la creación del mundo que nos remiten a los orígenes, la evolución de plantas y animales del film que está por filmarse y la participación de las abejas en la creación de la vida. Esta consistencia genética tiene una metafísica naturalista que nos lleva a una orquídea fantasmagórica a punto de extinguirse. Por lo tanto trabaja con la mortalidad y la inmortalidad, que es el gran tópico unamuniano subyacente.

Adaptación es un film sobre el cine dentro del cine, la ficción dentro del cine, la realidad dentro de la ficción, la naturaleza como documento, la desaparición y supervivencia de las especies, llegando incluso a los nativos de la Florida en peligro de extinción. Todo este introito naturalista evolucionará hacia un complejo entarimado entre la ficción y la realidad cuyas fronteras se confunden constantemente y se complican porque se trata de varios proyectos creadores: el de Susan Orlean (interpretada por Meryl Streep) sobre John Laroche, que la lleva a escribir un libro sobre Laroche y una seductora y misteriosa orquídea fantasma; el de Charley Kaufmann sobre la novela de Orlean; y especialmente el de Ronald, hermano monocigótico de Kaufmann, (o el mismo Kaufmann desdoblado), que está escribiendo otro guión de cine. Entre los hermanos hay una constante interacción técnica sobre el proceso creador, en particular sobre la escritura de un guión cinematográfico, que enlaza el desarrollo con la discusión del proceso creador, lugares comunes y otros no tan comunes, que reflejan la construcción de la película, que frecuentemente parece burlarse de sí misma. Con estos procedimientos, no sólo se duplica el protagonista, sino que se duplica el proceso creador, creando otro yo de la creación misma, y desarrollando el propio proceso creador de cada texto, lo que hace de todo esto un filme básicamente intertextual lleno de interferencia superpuestas. Como no se delimitan los campos de cada "ficción" o de cada "realidad", nos adentramos en un laberinto de opciones. Si Charlie quiere escribir un guión sin argumento (como si fuera *Don Sandalio, jugador de ajedrez*) y sin acción, Ronald quiere hacer todo lo contrario, entremezclándose los personajes de un texto al otro, todo en torno de la propuesta inicial de Susan Orlean sobre Laroche que la lleva a escribir *The Orchid Thief* libro en el cual Laroche se vuelve personaje.

De esta forma un proceso creador se inserta en el otro, siendo el de mayor relieve el del los hermanos monocigóticos Kaufman vs. Kaufman. Roland (que bien pudiera ser el otro yo de Kaufman), interpretado naturalmente por el propio

Cage, extrovertido y disparatado, es todo lo contrario de su hermano, empeñado también en escribir para el cine, pero poniendo en práctica principios fílmicos completamente contrarios a los de Charlie. Por lo tanto un proceso creador se le encima al otro, sin contar el del propio John Laroche (interpretado por Chris Cooper), que es el personaje "real", convertido en ente semi-ficticio de la narración de Susan Orlean y su adaptación cinematográfica. Por consiguiente, Laroche como personaje "real" vuelto "ficticio", que es un ladrón de orquídeas a punto de extinción, enreda más el argumento y nos remite a las tomas de la creación del mundo a punto de desaparecer.

La naturaleza unamuniana de los planteamientos es obvia: proceso creador, ficción-realidad, génesis de lo que somos y vamos a ser, otredad, concepto del doble, etcétera etcétera. A primera vista parece una comedia dramática, que es típica careta del cine norteamericano, cuando verdaderamente *Adaptation* es una tragedia de la identidad genética y la desaparición de la persona. Pero detrás de toda esta metafísica naturalista se va desprendiendo un pensamiento biológico, que formalmente, naturalmente, se desvía de toda concepción sexual en Unamuno, aunque no se pueda decir que esta no se le escabulla en el subtexto, sin que sea la decisión del narrador. Porque de la sexualidad incompleta de Agusto Pérez hay mucho en Charlie Kaufman, uno de los dos hermanos, que pasa por una crisis sexual que puede que sea la razón de ser de todo lo que está sucediendo. Esto lleva a la dualidad erótica de los hermanos monocigóticos, y el inesperado corte a secuencias de carácter sexual donde la ficción, el subconsciente y la traumatización, complican aún más los planos de los episodios.

Las ensoñaciones vívidas de Charlie tienen algo de la torpe sexualidad de Pérez. Sus fantasías están bien anudadas al discurso directo, que sirven para la caracterización. La austeridad unamuniana impone un cinturón de castidad al tema de la mortalidad, que no puede reducirse a la lección de la escuela primaria sobre las relaciones ilícitas y procreativas de las abejas, que no piensan en otra cosa, y las flores, que están ahí para eso, consecuencia por la cual nosotros estamos aquí, gracias a Dios. Augusto Pérez se encuentra en una encrucijada de la sexualidad, reprimida y a la vez escurridiza, que guarda relación con Charlie Kaufman que se acuesta (o no se acuesta) con varios personajes femeninos. Como el corte no delimita la ficción con la realidad, es muy difícil desentrañar la incógnita. Claro que la película es más implícita que explícita en el asunto, y la orquídea se va convirtiendo en un enigmático signo sexual, incluso en su apariencia más externa. Gradualmente se tocan subtextos eróticos inesperados y se va matizando, gracias en parte a la refinada actuación de Meryl Streep, detalles sobre deseos ocultos y la insatisfacción matrimonial de Susan, que Laroche pone al descubierto al hacer comentarios sobre la actividad procreativa de las flores.

Es evidente que la relación física entre Eugenia y Mauricio juega una carta de otra naturaleza en *Niebla,* pero en el fondo hay un vínculo entre la sexualidad de Charlie y la de Augusto, porque están traumatizados. Los peligros de la sexualidad se ponen de manifiesto en unas secuencias interpoladas de tipo documental, que convierte a la orquídea en *una mujer fatal,* incluso con su apariencia fantasmagórica. Y en el caso de la película, Susan Orlean acabará cayendo en la trampa.

Cuando menos tres procesos creadores conviven en una experiencia total. De un lado Kaufman trata de elaborar un guión sobre el proceso de crecimiento de la orquídea fantasma, pero su pensamiento está interceptado por la ficción real de Susan Orlean basada en una experiencia real que se vuelve ficticia bajo el proceso de la escritura; y finalmente la otredad de Kaufman, representada por el hermano gemelo extrovertido que inventa un delirante argumento cliché e inserta una absoluta ficción fílmica que se ajusta a los esquemas cinematográficos más descabellados.

Incluso el estado paranoico de Kaufmann acrecienta la sospecha de que el hermano monocigótico no existe, que es otra versión de Charlie Kaufmann que lo complementa y lo contradice; que Donald Kauffman es él, pura versión extrovertida de su personalidad introvertida, parte de las presiones del proceso creador al que está sometido. En algunos momentos estas duplicaciones se explican dentro de la propia argumentación de los hermanos, una jerigonza psicopática que se acerca a *El otro,* y abundan situaciones disparatadas que vienen a ser una consecuencia de la multiple personalidad. La interacción de unos planos con otros fluye de forma natural, casi lógicamente, sin aritificios, como si las acciones dislocadas se desarrollaran en un espacio normal.

La interferencia del hermano monocigótico convertido en otro escritor, determina que no pueda reducirse el esquema a un solo creador, porque tal parece que todos estuvieran creando, incluyendo los productores de la película que no se ha filmado todavía, una especie de *supporting cast,* realista y onírico, como esos personajes que se aparecen en los sueños más vívidos y que uno no entiende por qué están ahí. De ahí que el referido hermano imponga su creación sobre la ficción y la realidad ajenas y lleve a la conclusión que tiene lugar tres años después. Donald Kauffman se roba la película con una adaptación que parece ser una adicional e intencional baratija. Pero hay que recordar que, de una forma categórica, no se sabe si los dos hermanos existen separadamente, o si uno inventa al otro, como si se trata de una doble personalidad equivalente al Dr. Jekyll y Mr. Hyde: el uno que duplica la escritura, porque hay que tener en cuenta que el guionista original, en lugar de una película de acción, quería escribir el guión anti-fílmico de una orquídea fantasmagórica, que es lo mismo que le pasaba a Susan Orlean.

Esto no debe ignorarse al enfrentarnos a la transición final de Orlean. Desde su primer encuentro con el joven nativo norteamericano, se inicia una inquietud síquica que nos conduce al descubrimiento de la "otra Susan", seguida por la evolución que va marcando su relación con Laroche. Así que el final, en realidad, no es una solución de corre-corre, sino una transición que corre paralela a la que le ocurre a Charlie, que está duplicado, que tiene posiblemente dos personalidades diferentes: tímido y descarado a la vez. A modo de epílogo, el otro yo de Susan Orlean hace lo que le da la gana: se tira por la calle del medio en sus relaciones con Laroche, se prostituye haciendo pornografía para Laroche, se vuelve una adicta a las drogas, una delincuente dispuesta a matar a uno de los Kaufmann, y sin el menor escrúpulo el guionista termina la película a su antojo, siguiendo las instrucciones de un profesor que ofrece un seminario de cómo hacer cine. Pero nada es gratuito: todo está planificado. *Adaptation* no se limita a aplicar el *monocigotismo* a lo Bette Davis, o de Spencer Tracy en *Dr. Jekyll y Mr. Hyde,* sino a multiplicarlo genéticamente desde la creación del mundo; intertextualmente como proceso creador que se multiplica. La austera propuesta de una película sin argumento y sin anécdotas, que es lo que quería hacer Charlie, ofrece un corte radical y se salta a un filme de acción directa por las ciénagas de la Florida, donde se destapa el otro yo de un creador monocigótico que tiene una doble personalidad y que escribe guiones donde la mente racional, civilizada, pacífica, se desata entre los cocodrilos. Aunque no lo parezca, detrás de todo esto hay mucho Unamuno.

Stranger Than Fiction (2006): entre una cosa y otra

Stranger Than Fiction quizás sea el implante más unamuniano y representativo de lo que nos proponemos en este libro. Dirigida por Marc Foster con un guión de Zach Helm, es posiblemente una de las películas más unamunianas que se han filmado. La razón es bien sencilla: en ella tiene lugar el enfrentamiento directo entre el Creador (una mujer, en este caso, Emma Thompson, que no le resta carácter unamuniano al film) y la Criatura, Harold Crick, un empleado del Internal Revenue Service, amorfo, impersonal, distanciado, que haría un estupendo Augusto Pérez en el cine. Como Augusto en *Niebla*, Harold convive dentro de los términos de la ficción y la realidad, ya que es el protagonista de *Death and Taxes* que es la novela que escribe Karen Eiffell.

El caso es que Harold empieza a oír voces un día como otro cualquiera y resulta ser que se trata de la novelista que lo está escribiendo, convirtiéndose por consiguiente en un personaje literario, que es el caso del protagonista de *Niebla*. Se trata por consiguiente de un narrador omnisciente que cobra forma a través de Emma Thompson. Desde el principio Harold escucha una voz que anticipa su muerte, cuando el reloj pulsera que lleva se detiene momentáneamente, al mismo tiempo que un niño pierde la viva en un accidente. La consecuencia inmediata de la voz a punto de enloquecerlo hace que Harold vaya a ver una siquiatra que le diagnostica esquizofrenia, porque, sencillamente, el que oye voces es un esquizofrénico, lo cual, de entrada, coloca la novela en el plano mental, que viene ser el prerrequisito de un diagnóstico unamuniano. La creciente concientización de Harold de que no es un esquizofrénico sino que oye una voz que narra lo que hace, lo conduce a un profesor, crítico literario, que expand el círculo de implicaciones, entrando ya, con paso más firme, en la creación literaria y la conversión de Harold en un personaje de ficción, que es exactamente lo que le sucede a Augusto Pérez. El encuentro con Jules Hillbert, que investiga e interpreta el proceso desde el punto de vista literario, es un paso importante porque nos ubica a nosotros en la trayectoria que estamos trazando dentro de la creación literaria.

En cierto modo, el parto de Harold tiene lugar en el momento que empieza la película como si procediera del vacío, al modo de Augusto. Varios episodios inesperados, sin ningún artífice de la ciencia ficción, como el caso de la destrucción de su apartamento por unos obreros de la construcción, nos ponen en guardia de que algo raro está pasando. La acentuada impersonalidad de Harold lo ajusta con precisión a un papel similar al de que le asigna el novelista al protagonista de *Niebla*, especie de hombre invisible, muñeco más bien, que nace en el momento de su ficcionalización. Es por ello que su trabajo profesional, que consiste en hacerle una auditoría a Ana Pascal, va de una casualidad a la otra. Si bien Ana Pascal no pasa casualmente en ese momento, si es casual el archivo que se le asigna a Harold para que le haga una auditoria. La casualidad coincide con el vacío sexual de ambos protagonistas, el de Unamuno, de un lado, y el del Karen Eiffel del otro, la novelista "real" que ocupa el lugar de Unamuno, y que es la que "crea" a Harold. Las fronteras entre realidad y ficción gradualmente se van borrando.

Emma Thompson, mucho más desquiciada que Unamuno, toma su lugar en pantalla. Parecerse, no creo que se le parezca, recargada de manierismos neuróticos, difíciles de imaginar en Unamuno. Comparte con él, sin embargo, una crisis del proceso creador que tiene las reminiscencias neblinosas de *Niebla*, como si ambos escritores no supieran que forma darles al desarrollo personal de Augusto y de Harold y tuvieran un bloque mental que no les permite avanzar. Ambas ficciones juegan tanto con la "casualidad" como con la "causalidad": incidentes menores, casuales, como el niño que está a punto de ser atropellado por el autobús, o el episodio de la jaula del pajarito en la novela, son factores determinantes del desarrollo.

Todos ellos forman parte de esa tramoya del descubrimiento de la sexualidad, que hay en ambos "textos" y que llevan a la casual aparición de Eugenia Domingo y Ana Pascal, que aunque sean personalidades antagónicas tienen una parecida función "narrativa" y "fílmica". La crisis sexual de Harold, su existencialismo paranoico, es el hilo conductor de su relación con Ana, que es de carne y hueso y vivifica al fantoche, llevando a efecto a una transición que lo salva, producto del amor como acto creador. Por el contrario, en *Niebla*, Eugenia, que no es de carne y hueso, por lo menos en sus relaciones con Augusto; no resuelve la crisis sexual de este, que permanece congelado. El viaje a Salamanca es, por lo tanto, inútil. En su lugar, el "viaje" de Harold al rascacielos (que es una significativa presencia arquitectónica en las películas que estamos comentando, como si fuera un gran falo metafísico, erecto en el cosmos), es una propuesta rebelde de la sexualidad y del amor, que lo salva, porque deja de ser el fantoche que había sido. Son dos posiciones opuestas que explican también el enfrentamiento ante la muerte, el *memento* de ambos textos, que entreteje la causa y el efecto. De ahí que Augusto no pueda resolver nada al encontrarse con el Creador, pero Harold sí puede hacerlo y actuar sobre la ficción para transformar la realidad.

Naturalmente, toda esta jerigonza es parte de la ficción analítica de la crítica, pero en todo caso lo cierto es que la intertextualidad que plantea el profesor de literatura en la película, dividiendo el texto literario entre dos mundos antagónicos, comedia y tragedia, interactúa dentro del proceso creador que se está filmando. Cuando Harold, de una forma accidental, reconoce la voz de Karen Eiffel en una entrevista televisada que le hicieron a ella diez años atrás, donde hace referencia a la muerte y los impuestos, *Death and Taxes*, título de la novela donde está metido, el *memento mori* se define unamunianamente a partir de este punto.

El concepto *memento mori*, que lleva a la angustia "clásica" unamuniana del sentimiento trágico de la vida, se hace palpable en Harold, donde su nacimiento como hombre coincide precisamente con aquel en que descubre el amor y el sexo, como si fuera el beso de la muerte. Este es el imperativo que lo lleva a buscar a su autora y se da el viaje al rascacielos para encontrarse definitivamente con Karen Eiffell, equivalente al viaje de Augusto a Salamanca. La autora por su parte sufre la esperada sacudida cuando Harold traspasa los límites de la ficción y de la realidad y ella se convierte en el Creador mismo, definitivamente con C máyúscula. La angustia del texto queda en suspense ante el crimen que está a punto de cometerse, porque aunque la muerte es inminente lo cierto es que la novela no se ha publicado todavía, lo que indica de paso la importancia del documento. Queda pendiente el punto final, la decisión existencialista de la autora. El encuentro final de Harold con Jules Hilbert, el profesor de literatura, que se sintetiza que todos nos vamos a morir y que no queda otro remedio, define el unamunismo dentro del cual *Stranger Than Fiction* es el mejor ejemplo, aunque el autor, que aparentemente no tenía ni idea de lo que estaba escribiendo, asegura que "interconnectivity" (sea lo que sea) es el tema, lo que parece indicar que a veces los autores no saben lo que dicen, aunque seguramente Unamuno sí lo sabía.

De todos modos, afortunadamente, como no es Unamuno quien produce, dirige y escribe la película, los residuos del *happy ending* se dejan sentir y con buen juicio y con ligeros cambios Harold se salva, y Eifell no comete ningún crimen. No escribiría la mejor novela, pero decide no matarlo. Asumiendo una posición unamuniana (es decir, la de Dios), borra las fronteras que separan realidad y ficción y se declara culpable, aunque tomando su doble papel en serio sufre un ataque de nervios y se tira de los pelos.

Eternal Sunshine of the Spotless Mind (2004): todo es posible

Catalogada como un romance de ciencia ficción, *Eternal Sunshine* es una película menos ambiciosa que *Inception*, cuyo análisis dejamos para el final de esta jornada. Aunque a *Eternal Sunshine of the Spotles Mind* el cerebro le sirve de escenario y en el cabe todo, más que ir a los sueños se ubica en la memoria. Es, básicamente, un juego entre la memoria y el olvido, una alegoría de relaciones personales con un más restringido espacio metafísico, donde las connotaciones unamunianas se reducen verdaderamente al mínimo, aunque como *Niebla* es otro texto cerebral y por tanto síquico. Una experiencia clínica (la de borrar de la memoria la presencia de una persona por un tratamiento de ciencia ficción) es lo que da la tónica y también la da con *Niebla,* que es un texto genéticamente sico-metafísico. La conceptualización de que el cerebro lo es todo, el lugar donde radica la fuente de la memoria y el olvido, constituye la médula más unamuniana de la acción. La transición del sueño a la vigía, la repetición del ciclo desde diferentes puntos de vista, nos remite también a *Abre los ojos,* movimiento de los párpados que se repite un par de veces. El uso de secuencias dobles al principio y al final, es un similar procedimiento reiterativo. Aunque la acción está ubicada básicamente en el lugar donde se realiza el experimiento, el apartamento de Joel, la acción interna se desarrolla fuera de él, en una serie de espacios que se suceden sin orden cronológico, y frecuentemente sin lógica alguna, como ocurre en los sueños, que la vuelve un antecedente de *Inception.*

En todo caso, el Dr. Howard Mierzwiak se queda bastante corto en categoría metafísica convertido en un médico con inclinación al fraude que abre su consulta para borrar nuestra memoria de aquellos y de aquello que no queremos acordarnos, como es frecuente en un buen número de parejas. Esa noción se transforma en un viaje por el cerebro de los pacientes, y el hecho de que la mayor parte de la acción tenga lugar mediante un proceso de eliminación de la memoria en y desde el cerebro, le da a *Eternal Sunshine* una condición muy especial como explicación de la conducta humana. Aunque considerada por muchos críticos como una de las grandes películas del siglo veintiuno, el dos mil cuatro es una fecha temprana para afirmar tal cosa, y a pesar de sus méritos nos parece una exageración. Las escenas que se desarrollan en el apartamento de Joel con el propósito de borrar la memoria de la relación que ha tenido con Clementine, que dan lugar a que se arrepienta en medio del tratamiento, son las mejores, como si se tratara de un *thriller* sicológico y metafísico con su sesgo unamuniano: "Siento que desaparezco", "Nada tiene sentido", "La he estado borrando de mi mente", "Te están borrando", "Me están borrando" "No puedo cancelarlo porque estoy dormido", "Estoy en mi cerebro", "También estoy dentro de ti", son algunos de los textos que trabajan con proyecciones oníricas que parece que son la realidad, pero que resultan muy cuestionables, y hacen juego con la caracterización de Augusto Pérez y todo lo que le pasa.

La cámara persiguiendo a los personajes para eliminarlos, equivale a un texto literario que elimina a un personaje de ficción, como ocurre en *Niebla*. La lluvia dentro de la habitación, inundándolo todo; la regresión uteral de Joel a la cocina de su casa, a punto de ahogarse en el fregadero donde la madre lava los platos, las escenas de la cama en la playa o de los cuerpos sobre superficies congeladas, y otras secuencias superpuestas haciendo explícitas las incongruencia de la memoria, crean espacios cerebrales brumosos, donde los personajes están a punto de desaparecer. Vivencias sin orden cronológico, sin orden ni concierto en general, algunas de ellas absolutamente oníricas, donde no faltan toques freudianos del subconsciente, son excelentes. El concepto de que los personajes, en su frenética carrera por la sobrevivencia, traten de escapar perseguidos por un detonador que los quiere borrar de la pantalla, es casi un nuevo tipo de cine, donde el momento final de la película pone en peligro la existencia de los personajes en una carrera síquica inalámbrica. Como la estructura narrativa no es lineal, de la misma manera que ocurre en los sueños y con los baches de la memoria, alternando con hechos reales en el apartamento que interceptan la secuencia mental, las memorias que se proyectan y se borran enriquecen la acción. Hacia el final la película da explicaciones dudosas, como la de Patrick, ayudante del médico, que se enamora de Clementine, le roba las bragas y se mete en el sueño o en la vida real; pero tratándose del cerebro, llegamos a la conclusión que todo es posible. En última instancia la idea de que nos borren de la memoria (y esto incluye la memoria electrónica) no tiene la menor gracia, y en este sentido la película es muy unamuniana. La relación del médico con la recepcionista le da un carácter folletinesco que no viene mal como un experimento fílmico de mezclar una cosa con la otra, pero las secuencias fotográficas en medio de la playa, los espacios congelados, las casas que se derrumban, bien ajustadas a lo que está pasando mentalmente, apuntan en dirección de *Inception* y al cerebro de Unamuno.

Memento (2000): la escritura del cuerpo y el sentimiento trágico de la vida

A consecuencia de lo dicho y lo que nos queda por decir, y antes de entrar en *Inception*, varias razones nos llevan a incluir *Memento*, que la precede, entre múltiples incepciones e implantes fílmicos de estos ensayos, a pesar de las aparentes omisiones fílmicas de Unamuno que hay que indagar en la metafísica del subtexto. En primer lugar el título, que deviene de "memento mori", y que de por sí nos lleva a la médula del "sentimiento trágico de la vida", que de por sí es Unamuno. Además de ello el "cuerpo" como protagonista de esta angustia y lugar físico, concreto, donde esta tragedia que es la vida se desarrolla. En tercer término, aunque no necesariamente en ese orden, el concepto del doble, ya que a partir del cuerpo se desarrolla una doble narrativa monocigótica, donde el dos se repite para llegar al uno y en última instancia al cero. También el peligro de anulación de esa entidad física, mediante el contrapunto de la memoria y el olvido, que es lo que nos desnace, la gran tragedia de la anulación metafísica, todo ello dentro del esquema de un *thriller* metalingüístico y metafísico.

Guión y dirección de Christopher Nolan, basada en una idea y texto que responde al título de "Memento Mori", de Jonhathan Nolan, hermano del director, ha sido catalogada como un *neo-noir psychological thriller*, con Guy Pearce en el papel protagónico, en el que hace un trabajo excelente y le imprime un toque muy personal. Además del distanciamiento *neo noir* de Pierce, la película cuenta con un trabajo refinadamente enigmático y cínico de Joe Pantoliano, merecedores ambos de un par de premios. Nominada para el Oscar por el guión y el *editing*, sus relaciones con Unamuno son claves a partir del título *"memento mori"*, recuerda que morirás, que es una constante de la obra de Unamuno y nos lleva al sentimiento trágico de la vida. Pero también hay otros vínculos, como menciono en el primer párrafo. En especial la conciencia del doble, del otro, ya que desarrolla una doble narrativa que duplica la historia de Leonard y su esposa, y la de Sammy con la suya, y que viene a ser el nivel primario de la acción. Ambas esposas son diabéticas y tanto Leonard como Sammy sufren del mismo tipo de amnesia. En realidad no hay dos historias, sino una, como si fuera una metáfora del concepto del otro que explicaría el filme: dos narrativas que se interceptan y hasta se persiguen.

    La película es una indagación obsesiva sobre la muerte, que Leonard lleva a efecto en la búsqueda del criminal que mató a su esposa. La trama se complica porque Leonard sufre de *anterograde amnesia*, enfermedad que le imposibilita recordar los hechos más recientes. Todo el film se desarrolla con el propósito de reconstruir lo que se ha olvidado, con la utilización de instantáneas fotográficas, direcciones, números, tatuajes y anotaciones de palabras en el cuerpo y todo tipo de referencias materiales. Un film cerebral a partir del cuerpo, que es en sí mismo el documento. El esfuerzo individual de recordar lo que hemos hecho en la búsqueda de la verdad es pesadillesco, y el cuerpo mismo, con sus anotaciones, se vuelve el texto de la memoria, que representa en sí mismo una nueva escritura. Se trata por lo tanto de una configuración laberíntica de los hechos, y *Memento* nos sitúa en la posición del personaje, que es un verdadero dolor de cabeza. Es en este punto donde la importancia del documento como prueba de lo que somos, toca otra vertiente de Unamuno. Sin documento no somos nada, y en la película que nos ocupa el documento es el cuerpo.

Básicamente se desarrollan dos líneas narrativas, que representan otra variante del principio del doble, a lo *Abre los ojos*, que es enloquecedor porque hace que el receptor se confunda de tiempo y lugar. De forma reiterativa en *Memento*, el momento de la muerte es la memoria obsesiva que determina cada instante de la acción bajo la presión del olvido, que Leonard sufre cada diez minutos, lo que viene a ser una incógnita permanente que dificulta encontrar la solución. Una de estas acciones paralelas y repetitivas es en blanco y negro, y otra, progresiva, en colores. La composición paralela, en orden invertido, la vuelve en sí misma una película monocigótica donde los hechos reales están sujetos a la patología del cerebro.

La memoria de Sammy, que no recuerda, y de su esposa diabética, que muere a consecuencia de una dosis excesiva de insulina, interfiere y complica, despista, pero tendrá sentido hacia el final a medida que uno sabe que la mujer de Leonard también era diabética y que él la inyectaba, convirtiéndose el mencionado episodio de Sammy en una invención de Leonard con el fin de librarse de la culpa. Esta secuencia se repite, como si quisieran convencernos de que es cierta, cuando no lo es. Bueno, eso suponemos, de no estar equivocados y despistados, ya que la información nos llega a través de Teddy, que se nos ha advertido que es un mentiroso. Como el motivo de Sammy Jenkis se reitera visualmente gracias a la toma de un tatuaje que Leonard tiene escrito en el cuerpo, nos encontramos que este texto corporal es una pista que está ahí para despistarnos, y convencernos que Sammy no es él. No deja de ser sospechoso no solo que la esposa de Leonard y la de Sammy sufran de la misma enfermedad. Como explica Unamuno en alguna parte de *Niebla*, confundir al receptor es parte del proceso creador y nos lleva al principio del laberinto, que Nolan utilizará también en *Inception*, y que por momentos es una tortura.

Lo cual es una clave unamuniana básica: Augusto Pérez, presentado para despistarnos como un tonto con poca materia gris en la cabeza, funciona estructuralmente con otro sistema circular donde la criatura es el creador (creador y criatura son una misma persona) y en realidad el viaje a Salamanca donde Augusto se entrevista con Unamuno, no es más que una conversación consigo mismo, un unipersonal donde el doble es el uno, que el nivolista reiterará en *Don Sandalio jugador de ajedrez*. Es, obviamente, muy complicado pues las dos narrativas que se desarrollan en pantalla, a pesar del uso del color y del blanco y negro, alternan sin muchas especificaciones, en direcciones opuestas, repitiéndose, y nos pasa lo que a Leonard huyendo por los callejones sin saber si persigue a alguien o si lo están persiguiendo. En el fondo, realmente, se está persiguiendo a sí mismo.

El desorden cronológico y los cortes nos sumergen en el caos. Si teóricamente todo esto resulta estupendo, hasta el punto de hacernos vivir la experiencia del personaje, en la práctica realmente es cuestionable porque se vuelve un ir y venir francamente desesperante, y llega a un punto en que el esfuerzo es tal que no sabemos si vale la pena realizarlo. El concepto de que el cuerpo en sí mismo se vuelve el texto, es un principio revolucionario, algo así como escribir con el cuerpo: una peripecia textual que parece gestada en el *boom* de los cincuenta. El esfuerzo intelectual es demoledor, y el *memento mori* es una batalla campal entre el texto, el cerebro y el cuerpo, que es el vínculo unamuniano determinante, una corporeización del sentimiento trágico de la vida. El cuerpo es la medida de todos nosotros y somos su escritura.

Inception (2010): un montaje onírico

Aunque *Inception* no es menos enredada que *Adaptation*, si es más onírica, lo que hace que la presencia calderoniana adquiera mayor intensidad al desplazarse a un espacio pesadillesco en un rascacielos a lo Trump Tower, lo cual no quiero insinuar de que se trate un film político que todavía está por hacerse. Es indiscutible que *Inception* es otra película clave en el análisis en que nos hemos metido, y una de las más complejas entre las que vamos a discutir. Traducido el título al español como *Origen*, en España, o *El Origen* en Hispanoamérica, la palabra misma nos lleva al meollo del asunto, porque nos ubica en el punto de partida, que es el origen de lo que somos –otra variante unamuniana. Origen, concepción, principio, comienzo, son términos estrechamente vinculados entre sí. Aunque la palabra "inception" no tiene, a mi modo de ver una traducción válida, la palabra en inglés bien pudiera utilizarse como anglicismo o neologismo, lo que sea, que nos da su significado verdadero. "Implante" sería más preciso. De un modo más concreto, Leonardo DiCaprio es un ladrón profesional que se infiltra en el subconsciente para borrarlo e implantar *(inceptar)* la idea o el sueño en otra persona. En esto consiste la *incepción*: la estrategia del sueño dentro del sueño (equivalente a la narración dentro de la narración, el teatro dentro del teatro, o, incluso, retroactivamente, "la vida es sueño"). Puro Unamuno.

Dentro de una serie de peripecias muy difíciles de seguir, el foco temático central viene a ser el sueño, el espacio dentro del cual tiene lugar la acción, que es mucho más complicado. A pesar del éxito de público y de crítica que ha tenido, me parece irreal que la gente la comprenda, porque a mí me ha costado mucho trabajo después de verla un buen número de veces, y no creo que la entienda del todo, aunque el espectador puede dejarse llevar por el *show* visual. En todo caso, Dominick "Dom" Cobb, interpretado por Leonardo Di Caprio, es un "extractor", ladrón profesional, que se infiltra en el subconsciente para sacarle ideas e información dentro de los sueños que cada cual tiene en su cabeza, implantarle otras, una operación de espionaje, de carácter económico, político o militar, relacionada naturalmente con millones de dólares. Así que es otra película "cerebral", cine cerebro, donde la acción se desarrolla prácticamente en el cerebro. Esto implica una multitud de cerebros y de sueños.

Incluye la acción de infiltrarse en el subconsciente para borrarlo e implantar una idea en el sueño en otra persona. En esto consiste la "incepción": la estrategia del sueño dentro del sueño. Dentro de una serie de peripecias muy difíciles de seguir, el espectador se pierde en un laberinto que se complica por dos *thrillers* que conviven en el marco de una película de ciencia ficción, elaborada casi de este modo para que el espectador se pierda. Me imagino que Christopher Nolan tuvo que usar esta doble estrategia para reinventar la realidad. Ahora bien, ya podemos imaginar lo difícil que es seguir argumento semejante, con un *editing* que corta como un cuchillo y va de un espacio al otro. Con la complicación adicional de que Nolan no se conforma con una dirección argumental, sino que inventa dos que se interpolan o interfieren una con otra, como ya había hecho en *Memento*. Una de ellas es la película de acción externa, física, y la otra es la de acción interna, síquica.

Durante un viaje interminable de ida y vuelta de los Angeles a Sydney, o a lo mejor de ida sola, porque no estoy seguro, todos los personajes se encuentran en un sueño profundo, donde se desarrolla una sucesión de proyecciones en el subconsciente que son espectaculares, bajo el efecto de unos sedantes que están a punto de que nos lleven a no sé cuantos sueños simultáneos, hasta llegar al limbo, que es un sueño tan profundo que parece que no se puede salir, en tres niveles que son del carajo. Personalmente, tengo que confesar que opté por no seguirlos, pero la existencia de un sueño adicional, el de la crisis personal de Dom y la alucinante tormenta de Mal, soñando su sueño, me mantuvo al borde del asiento y no me dejaba dormir. En realidad margina las secuencias de acción directa (que paradójicamente se desarrollan en el cerebro de los pasajeros donde pasa todo mientras no pasa nada), como hacemos cuando viajamos y nos ponemos a ver una película.

En cuanto a *La vida es sueño*, las relaciones con *Inception* son obvias, porque tal parece que Calderón hubiera inventado el título a los efectos de explicar la película con una sola oración, por muchos enredos que tuviera en mente Christopher Nolan. Sin embargo, podría parecer que nada de esto tiene el menor subtexto unamuniano, y sin embargo, el "ser soñado", el "estar soñando", el no poder distinguir entre el sueño y la realidad, son conceptos estrictamente suyos, lo que pasa es que escritos en español no se les hacen mucho caso. Y la noción clave de "que este mundo no es real", y principalmente "el origen", son ideas que explican *Niebla* y a Unamuno en particular, porque en la "originación" está el problema. Somos el "implante" de Dios en el sueño de la vida.

Ya desde el principio, la conversación entre Dom y Saito es pura metafísica, que empieza a partir del "tótem", por cierto, que Dom traía en el bolsillo, un pequeño trompo, que parece como un juguetico para niños, que es imprescindible para entrar y salir de los sueños. En busca de la combinación que hay que tener para abrir una caja fuerte (y esta idea obviamente es la de un americano de los Estados Unidos) donde hay no sé qué cosa, lo que quieren Dom o Saito, es "sacarle un número al subconsciente", por lo cual sostienen una conversación metafísica para decidir "en qué subconsciente hay que entrar". Se plantean muchas cosas y es difícil llevar la cuenta. Algunas de estas "concepciones" ya estaban en *Abre los ojos* y *Vanilla Sky*, o en otras películas de ciencia ficción, pero en *Inception* adquieren mayor complejidad: "sabes que no estás en el sueño del otro" (que es francamente un concepto inquietante, demoledor, y especialmente, "una idea es el parásito más resistente", como le pasaba a Unamuno y a sus personajes, obsesionados por ideas que el escritor implantaba en su cerebro, como el caso de *San Manuel, Mártir*, que implica en última instancia una idea política, una consigna ideológica que puede ser un lavado de cerebro, como en *The Manchurian Candidate*.

Existe en todo esto una relación patrilineal que en *Inception* se manifiesta por partida doble: la relación Padre-Hijo entre el empresario y su hijo (concebido a semejanza de Dios) se "proyecta" en la que sostiene Dom con sus hijos (no

Mal ni Ariadna), equivalente al caso Unamuno-Augusto, que forman parte del machismo teológico.

Pero del otro lado, Nolan (que es un enredador) *incepta* un problema personal donde Mal, ya fallecida, interpretada por Marion Cotillard, estuvo casada con Cobb, y vive en un mundo creado por memorias del subconsciente, pero que como se dice en algún momento "al usar la memoria puedes dejar de distinguir entre la realidad y el sueño". Mal asume que ese mundo es "real" (cuando es un sueño lúcido y fijo) sin poder salir del sueño y enfrentarse a la realidad de su muerte. En un intento de despertarse de verdad, se suicida para tenderle una trampa a Dom y hacer que él también lo haga. La identidad de espacio (es decir ninguna toma define lo soñado) nos remite, claramente, a la vida es sueño calderoniana, que después de todo es la médula de *Niebla* y resume todos los disparates de Unamuno, de Christopher Nolan y, modestia aparte, los míos. Necesitamos una contraseña que delimite visualmente una "realidad" de la otra, que nos diga donde estamos y están los personajes, como antes se hacía, aunque, como ocurre en los sueños, estos límites no están trazados en la "realidad" de los sueños.

En el *Orfeo* de Cocteau se traspasaba el espejo, lo que daba una clara pauta. Pero aquí, en *Proof* y *A Beautiful Mind*, no pasa eso y es lo que produce escalofrío. Cuando Augusto traspasa la realidad y entra en el espacio unamuniano y calderoniano no se distingue una cosa de la otra, y esto explica el planteamiento de quién sueña a quien, lo que podría verse como un experimento frustrado, y la razón de la "niebla", dada por las idas y venidas de la propuesta. Nos metemos en lo que, más allá de Eisenstein, es un montaje onírico (que es la gran proeza de Christopher Nolan en el cine).

El plano "privado" de *Inception* nos lleva a los niveles más elaborados de la película, los más inquietantes, y los que sirven para una caracterización más intensa. Para que el amor se confirme es necesario vivir en el mismo plano, que es lo que lleva a la crisis entre Dom y Mal, y la escueta masculinidad de DiCaprio, y la enigmática naturaleza y belleza femenina de Marion Cotillard (una de las actrices más sugerente, misteriosa y femenina que tiene el cine), cuyos caracteres les vienen como anillo al dedo, ayudan grandemente al acierto que representa el sesgo sicológico de *Inception*. Al estar separados entre la vida y la muerte, pero sin explícita línea visual divisoria, se produce una crisis con la que Unamuno trabaja en *Niebla* y en *Tulio Montalbán y Julio Macedo*, dentro de recursos limitados por la palabra. En el caso del film, como en la vida "real", si uno está vivo y el otro muerto es imposible que la unión sico-física de la cópula, el *hieros gamos*, se materialice: el ignorado orgasmo del más allá; la relación amorosa no puede desarrollarse dentro de los términos irreconciliables de espacios opuestos, ya que se hace imposible la cópula del dos (hombre-mujer) en el uno del amor y el deseo. La transgresión del espacio "real" dentro del espacio "ficticio" adquiere un nivel protagónico en *Inception*, a la que hay que entregarse en sus múltiples correlaciones, porque es clave para un mejor entendimiento de las fronteras invisibles entre ficción y realidad. La diferencia fundamental está en que mientras la película lo hace mediante un procedimiento caótico de cortes, Unamuno lo hace sin cortes y de forma más simple como parte de un desarrollo argumental sencillísimo que se mueve en un mismo plano: Augusto va a Salamanca, se entrevista con Unamuno, y regresa a su casa para morirse. Se trata de una "fantasía" real que ignora lo fantástico. Como prácticamente dice Unamuno en algún momento de *Niebla*, hay que vivir el mismo sueño.

    Mal, ya fallecida, estuvo casada con Cobb, y vive en un mundo creado por memorias del subconsciente, asumiendo que ese mundo sea "real" (cuando es un sueño fijo) sin poder salir del sueño y enfrentarse a la realidad de su muerte. Insomne. Sin poder descansaar en paz. Entra en pantalla proyectada negativamente como si estuviera en el sueño de Saito, luchando en contra de Dom, lo que deja sentada la antagónica relación de la pareja, a pesar de lo mucho que se aman –especialmente en el caso de Mal. En un intento de despertarse de verdad, Mal se suicida para tenderle una trampa a Cobb y "quedarse" con él, denotando el carácter pasionalmente posesivo de su persona. Como todos los planos son "reales" dentro de un sueño dentro de otro, hay una constante traslación de espacios que visualmente no se diferencian, que es la tensión clave que la esquizofrenia aporta al cine; creo y repito.

En el "manicomio" onírico de *Inception* todos están locos en un laberinto de sueños que se interceptan, robados y desplazados, que naturalmente es muy confuso: baste imaginarnos que nos están soñando de un sueño al otro. Esa identidad de espacio (porque ninguna toma define lo soñado) es esencial. No podemos soñar el sueño de otro. Necesitamos una contraseña que delimite una "realidad" de la otra. Para que el amor se confirme es necesario vivir en el mismo plano. . Si uno está vivo y el otro muerto es imposible que la unión sico-física de la cópula del amor y el sexo, el orgasmo, se materialice en esa unidad única del yo y el tú. Como prácticamente dice Unamuno en algún momento de *Niebla*, hay que vivir el mismo sueño. La relación amorosa no puede desarrollarse dentro de los términos irreconciliables de espacios opuestos, ya que se hace imposible la reconciliación del dos (hombre-mujer) en el uno amatorio. Esto da lugar a la inevitable presencia de un personaje femenino en el equipo de Dom, cuya especialidad es diseñar laberintos y planificar como salir de ellos. Este es el trabajo de Ariadna, que es un nombre significativo, como también lo es el de Mal, que es la mala de la película, lamentablemente. Ellen Page es el absoluto contraste sico-físico (y sico-fílmico) con Marion Cotillard. Aunque es graciosa y hasta bonita, Christopher Nolan hace todo lo que puede para despersonalizarla sin dejar de ser grácil, femenina e inteligente.

Inception es, por cierto, una película eminentemente masculina, dada por relaciones paternas, porque el vínculo entre Dom y sus hijos, que aparecen y desaparecen en tomas que se repiten una y otra vez, es importantísimo como línea de continuidad de la paternidad que desplaza la maternidad de un modo sorprendente, ya que Mal, como siente que los hijos no son suyos sino proyecciones del sueño, no está transida, en lo más mínimo, de un sentimiento materno. Mal, obsesionada por el amor que siente por Dom, que es una idea fija engañosa plantada por el propio Dom y del cual se desprende su sentimiento de culpa por la muerte de Mal, es la mala, mientras que Ariadna es la buena. Es ella quien protege a Dom y viene a salvarlo y a sacarlo del laberinto, aunque es Dom, por sí mismo, quien debe librarse de la culpa. Esto explica que, celosa, apasionada y posesiva (característica que Cotillard expresa muy bien) en contraste con Ariadna, un tanto descuidada, diminuta y sin mayores pretensiones físicas, más bien deportiva, ofrezca el debido contraste (que Ellen Page, por su parte, también logra muy bien) y se convierte en la buena. De todos modos, las escenas donde aparece Mal, Cotillard las envuelve en una sombría e hipnótica textura femenina, que explica que DiCaprio no pueda deshacerse de ella, cargando dentro de sí mismo con un sentimiento de culpabilidad. Es evidente que estas *incepciones* son las que más cuentan y hacen de *Origen* un filme de ciencia ficción de otra categoría y reubica el conflicto en ese reducto inviolable del cerebro que es la cuna de los sueños, el amor, la lujuria y el orgasmo perfecto.

La participación de Ariadna es muy importante y en la secuencia en París anticipa los peligros de la relación con Dom, ya que en los sueños se perciben mundos que conviven en un mismo tiempo y la confusión surge porque parecen realidad mientras estamos en ellos, pero no lo son cuando despertamos. En este episodio el subconsciente de Dom entra en el sueño de Ariadna y Mal lo intercepta entrando en el sueño para matar a Ariadna a consecuencia de que Dom no puede deshacerse de ella, lo cual es peligroso para Ariadna. La secuencia del sueño de Ariadna en París es una de las más complejas, ya que la sueña Ariadna pero Dom se proyecta dentro de ella, en una relación amatoria vista desde la óptica mental de Dom, donde reaparece Mal, que trata de matar a Ariadna, que obviamente le quiere "quitar" a Dom. La secuencia del desplome y la de los espejos, que es la más llamativa, donde se introduce Dom, conduce al caos, debido a que el subconsciente de él está metido en el sueño de ella con proyecciones multitudinarias que lo transforman en una pesadilla. La sensación de extrañeza que producen las personas que pasan por su lado, como Augusto Pérez percibe o sospecha en algunos momentos de la novela, se acentúa de modo peligroso en esta complicada relación onírica. Como las personas no existen en realidad sino que son proyecciones del subconsciente uno debe estar prevenido contra los peligros de la memoria. Entonces, cuando se dice "es sólo un sueño" el asunto es muchísimo más complicado de lo que parece. En el caso de Ariadna, que diseña el laberinto para la operación en que están trabajando, Dom no quiere verlo cuando ella va a mostrárselo, ya que existe la posibilidad de que Mal se proyecte en el subconsciente de Dom, descubra los secretos del laberinto y destruya la operación que están llevando a efecto. Lo que inserta Christopher Nolan en *Inception* es un plano mental lleno de los recovecos propios de un laberinto. Como Ariadna conoce el laberinto porque ella lo ha diseñado, Mal quiere acabar con Ariadna porque sólo esta última podrá sacar a Dom de la trampa en que está metido. La película nos remite al cerebro laberíntico donde la trama de nuestra vida se desarrolla, que no sólo es la cuna de los sueños sino también la de las pesadillas.

A pesar de tratarse de una película de acción, lo cierto es que la misma tiene lugar en el cerebro, que viene a ser el escenario total del film. No debemos ignorar, para no perdernos en el laberinto que hemos diseñado, que *Niebla* es el antecedente literario que nos ha llevado a este territorio, y más que nada al cerebro mismo de Unamuno, donde ha tenido lugar el implante de Augusto Pérez con su significado más explícito: origen, fuente, nacimiento, principio de todas las cosas de donde proceden todas las demás, operando aún antes de que las cosas existieran: génesis de Augusto Pérez.

Dos amores en contrapunto, la paternidad domina y al final la imagen recurrente de los dos niños, los hijos de Dom, se impone como retorno. Por otra parte, el suicidio de Mal le da una talla trágica a su pasión amatoria, y el personaje de ella adquiere, gracias a Cotillard, una dimensión trágica poca veces lograda de forma tan escueta. Es interesante observar que Nolan repite, muy a lo *film noir*, el deambular solitario del hombre, desterrado insome del orgasmo perfecto. A pesar de la simplicidad textual de *Niebla* y la complejidad fílmica de *Inception*, la zambullida "cerebral" de ambas las complementan y se vuelven un gran espectáculo metafísico.

GUY PEARCE
CARRIE-ANNE MOSS
JOE PANTOLIANO
MEMENTO

LEONARDO DICAPRIO
INCEPTION
EXPERIENCE IT JULY 16 IN THEATERS AND IMAX

TOM CRUISE
VANILLA SKY
LoveHateDreamsLifeWorkPlayFriendshipSex

abre los ojos
una película de Alejandro Amenábar

CAPÍTULO VII

Unamuno: *"Ella"*: metafísica del deseo

Vicente Huidobro decía, en una cita que no tengo con la correspondiente paginación, que "la emoción debe nacer de una sola virtud creatriz: hacer un poema como la Naturaleza hace un árbol". Con esa virtud construye su árbol, su realidad, su absoluto literario. Esta creación de un mundo en sí mismo es lo que logra Cervantes. Don Quijote es un absoluto literario único que llega a convertirse en una vida textual mucho más fuerte y definida que la de muchas personas que nos rodean, y Augusto Pérez se convierte en un experimento literario creacionista "en vivo" que explica la naturalidad del encuentro con Unamuno, diríase, "en muerte". Crear es un virus. Pero, en medio de todas estas observaciones, confirmando lo que dijo Leonardo DiCaprio en *Inception* (o quizás fuera Saito), más o menos, que "una idea fija en la cabeza es el virus más difícil de exterminar", escribí lo siguiente:

"La consistencia literaria del personaje se manifiesta porque sus relaciones vida-literatura son más importantes que sus relaciones vida-realidad. De hecho es una creación monstruosa casi, especie de Frankenstein caballeresco, ya que de igual modo que Frankenstein es creado físicamente en el laboratorio científico, don Quijote se gesta literariamente en el laboratorio del lenguaje. Esto explica que la larga lista de personajes literarios procedentes de literatura caballeresca: Cid Ruiz Díaz, Rinaldo de Montalbán, Amadís de Gaula, etc, adquieran una vigencia textual. Todos ellos y sus correspondientes antagonistas, forman, con diferentes grados de componentes químicos y remiendos quirúrgicos, la Genética de don Quijote de la Mancha".

En el primer capítulo de *Don Quijote de la Mancha* se desarrollan tres creaciones que resultan básicas: Quijote, Rocinante, Dulcinea. Es relevante observar la importancia que le da el narrador al nombre de los tres caracteres. Es decir, la identidad es básicamente nominal, un problema existencial, somos en la medida del nombre que tenemos. Unamuno no pierde de vista el concepto y a partir de un Pérez cualquiera que es Augusto, crea un Augusto perecedero que es un Don Nadie. Es un vínculo existencial: un carga siempre con el nominativo que se nos asigne: somos en la medida del nombre que tenemos y en la literatura es casi una marca de fábrica, por no decir de ganadería. Cargamos con el antecedente de la palabra en sí misma, y todo un discurso puede elaborarse en torno a ese punto. En el caso de Cervantes, léxicamente, Rocinante es su creación suprema durante el primer capítulo, ya que la elaboración del nombre del rocín es la más meticulosa. Pero el caso de Dulcinea es una marca de fábrica quijotesca que se va a quedar fija como un cuño de origen ("inception") de la cultura española con categoría quijotesca, como el caso de don Juan: nombrarlos es ya saber de lo que estamos hablando y no todos los nombres alcanzan semejante categoría.

Además de don Quijote, Cervantes deja sentada una huella indeleble con Dulcinea, que se puede explicar y simplificar con muy pocas palabras. Con Dulcinea marca el discurso femenino por varios siglos. Es un hecho similar a *La vida es sueño,* que lo dice todo en tres palabras "vida es sueño" (porque "la" es un mero accidente gramatical) que no hay que explicarle a nadie. Shakespeare trabajaba con esto, aunque no de la misma manera y de forma tan absoluta, quizás por la complejidad síquica del caso: *Hamlet* no es *Hamlet. Hamlet* es "ser o no ser". Y *Romeo y Julieta* (tres palabras, porque sin la "y" no hay Romeo ni Julieta) resumen el amor como un todo unificador de la relación entre sexos opuestos. Son conceptualizaciones absolutas: como cuando se dice "Adán" o se dice "Eva", como si cada cual no pudiera ser el uno sin el otro: "Adán y Eva". Curiosamente, "Don Quijote" y "Dulcinea" no me van juntas, porque se mantienen como dos términos separados, cada cual en su propio territorio, que no "copulan" como "Romeo y Julieta". Pero el caso es que Dulcinea (en la medida que el discurso de las letras españolas está marginalizado), es una de esas palabras que apenas necesita explicación: la concepción de una mujer perfecta que no ha existido nunca. Representa por consiguiente la tragedia absoluta del erotismo, de la sexualidad y del amor: una concepción ideal caballeresca que imposibilita la cópula ideal, que sólo se puede llevar a efecto en las situaciones más inmediatas y pedestres. Esto coloca a la cultura española dentro del más descarnado realismo. Lo que hace Cervantes es crear el ideal masculino, para dejarlo solo al inventar un Objeto de Deseo, la mujer ideal, inalcanzable, porque sólo existe en su cabeza. Que es, como veremos más adelante, lo que pasa con *Her,* contrapartida fílmica de Spike Jonze.

Las consecuencias son funestas, y don Miguel de Unamuno no parecía hacerse muchas ilusiones sobre el particular. Por consiguiente no pretende, ni remotamente, bajarse con Dulcinea, sino que, salvando considerables distancias se limita a un conveniente *replicant* de Eva, española y pragmática, muy a tono con "la mujer nueva" (nueva en sus desplantes que se ocultaban por debajo de lo convencional) de principios del siglo XX. Es obvio que desde que asoma el culo nos damos cuenta que no es pareja para Augusto Pérez, y Unamuno se la pone ahí con muy mala leche; aunque todo parece indicar que Eugenia y Mauricio acoplan bien, algo les falta para llegar al orgasmo perfecto, porque *la característica determinante del orgasmo perfecto está en vivir el mismo sueño en el mismo momento.*

Eugenia Domingo de Arco:
antifeminismo del subconsciente

Si consideramos que la portera es una Cerbera, referencia al monstruo que en la mitología clásica guardaba las regiones infernales, nos damos cuenta que el descubrimiento (mal que bien) de la sexualidad por Augusto es una entrada al Infierno, planteado dentro de un concepto metafísico entre la mortalidad y la inmortalidad, de raigambre abstracta existencialista, "otro" recorrido de la novela entre el sexo y la nada. Augusto es un agonista de la sexualidad apresado en el sexo de una agresiva mujer fatal que lo llevará al cementerio, condenado, paradójicamente, a la anulación del erotismo. Presentado en el marco de una asexualidad virginal, sale a la calle para perderla, sin un propósito definido y con la intención de seguir a un perro, pero en su lugar sigue a una aguerrida moza. Contrasta con Frankenstein, que a pesar de ser peor parecido, intuía lo que quería y desde que abre la puerta que da al laboratorio, reconoce lo que quiere y que tanta falta le hace, pero en el caso de Augusto la mujercita lo deja con las ganas. Como la asexualidad de Augusto es notoria, sale detrás de Eugenia como quien sigue a un objeto. Por eso se va a convertir en un paradójico agonista de la sexualidad, que es precisamente lo que no tiene. Una sexualidad basada en la negación de la misma. Ascéptica, libre de toda enfermedad venérea, incontaminada, como si la sensualidad estuviera anulada por la sequedad del deseo.

Su antítesis es Mauricio, un don Juan barriotero, un vago cínico y descarado, que se distancia de la noción del *replicant*, aunque lo es en la medida que es una *réplica* de don Juan, ese arquetipo clásico, romántico y folletinesco de las letras españolas convertido por Unamuno en un chulo de barrio. Como vive una sexualidad independiente, lujuriosa, que toca y palpa, que de *replicante* de ciencia ficción no tiene nada y que seguramente para fecundar no necesita la clonación o la fecundación en *vitro,* ni ayuda de ningún tipo, no parece un *clon* fílmico. Al eliminar al ícono, se convierte en un desnudo de carne y hueso.

Al principio, tal parece que Augusto va a llegar al descubrimiento del "objeto" amatorio, acoplado al descubrimiento de la sexualidad. Hijo único, criado dentro del canon católico, y obviamente más cerca del útero materno que de un padre del que sabemos muy poco, se hace patente que la vida sexual de Augusto es muy limitada pero que ahora se va abrir como si fuera un paraguas. Ahora bien, a Augusto Pérez le pasaba algo similar a lo que le pasó a Frankenstein, que dado su tipo físico le costaba trabajo encontrar pareja y tuvieron que fabricársela exactamente a la medida. "Estábamos destinados uno a otro en armonía prestablecida; somos dos mónadas complementarias una de otra" (130), --prefabricadas por el autor. Algo más considerado que el Dr. Frankenstein, Unamuno le fabrica a Eugenia Domingo desde el primer capítulo, y aunque Augusto estaba más inclinado a buscarse un perro, al pasar la "garrida moza" se pone a pensar en ella: "Estuvo así un rato sugiriéndose la figura de Eugenia, y como apenas si la había visto, tuvo que figurársela. Merced a esta labor de evocación, fue surgiendo a su fantasía una figura vagamente ceñida de ensueños" (114). Amor a primera vista se lo inventa a partir de una mujer que nunca había visto, que se tiene que figurar para darle forma a una "aparición fortuita" (115). Es, en la tradición cervantina, una mujer inventada, que no existe, un ente de ficción, un *replicant*. "La vida es una nebulosa. Ahora surge de ella Eugenia. ¿Y quién es Eugenia? ¡Ah!, caigo en la cuenta que hace tiempo la andaba buscando?" (115). Pero, acaso, ¿no sería lo contrario?, y que la aparición lo encuentra a él porque venía a buscarlo? Es decir, un *replicant* inventa a otro "replicante" que se "replican" mutuamente como hizo Dios cuando "replicó" al Hombre. "Mientras iba así hablando consigo mismo se cruzó con ella, sin advertir que se habían cruzado" (114). De igual a igual son dos personajes de ficción. Por consiguiente no se ven, y la que ve no es ella, sino una copia de la que casi no vio. Eso hace que toda la relación se construya sobre un encuentro que no tuvo lugar, que se elabora como una réplica. "¡Oh, Eugenia, mi Eugenia, haz de ser mía! Por lo menos mi Eugenia, esta que me he forjado…" (118). Pasa a definirse como un juego de ajedrez, que introduce otra opción, la de estar jugado por Dios: la lógica nebulosa y fortuita de un juego que se juegan con unas fichas, como si estas fueran personajes de ficción: "Y esa aparición de mi Eugenia, ¿no será algo lógico? ¿No obedecerá a un ajedrez divino?" (120). La persecución de Eugenia parece ser inicialmente una afirmación existencial del protagonista, pero a medida que se desarrolla se convierte en una zambullida en la nada. Eugenia es, en realidad, la Venus de la Nada, porque la crea el personaje prácticamente sin datos concretos. Pero si Augusto se convierte en un agonista que se tira a morir como cualquier desgraciado maniaco-depresivo, ella es una manipuladora interesada en los bienes materiales, el capital y los bienes físicos, que acaba por sacarle partido después de algunos remilgos, y adquiere consistencia real gracias al personaje que el novelista inventó. La distingue, principalmente, la seguridad que tiene en sí misma, y hasta lo mucho que detesta tocar el piano, que enseña a sus pupilos, y la vuelve una personalidad poco simpática.

¡Una verdadera locura racionalizada por un filósofo que, a lo mejor, estaba loco! ¡Qué distante de aquellos personajes de carne y hueso que confeccionaba Galdós y que a veces parecía que estábamos acariciando! Toda esta confusa madeja la lleva a efecto Unamuno a partir de un encuentro minúsculo que toma la realidad para la elaboración de un concepto que elimina la realidad de lo concreto y se pone a escribir una novela abstracta donde la idea se impone sobre los personajes. Además, notamos gestos incongruentes que descubren en ella la posibilidad del *replicant*. Rápida, agresiva, enfática, sus movimientos no son naturales. Rompe con el canon tradicional y para desconcierto de todos infringe las convenciones sociales, sin exagerar, claro, porque sabe lo que hace. Negándose a que la traten como objeto de compraventa, insiste en su independencia, su libertad de ser, y hasta de adquirir volitivamente su objeto de deseo, Mauricio, que parece de verdad, por su cuenta y riesgo. Eugenia, muy bien hecha, muy bien construida, es una "mujer nueva" que anticipa a la mujer del futuro: una feminista que inventa Unamuno, el "creador" de la tía Tula. Precisamente por todas esas condiciones, recuerda un *replicante* de *Blade Runner*, competente y bien entrenado, que sorprende por su seguridad, destreza. Entonces es posible que estos entes de ficción se estén soñando, en una especie de "incepción" que nos ubican en *Incepcion*, la enredadísima película de Christopher Nolan.

Es interesante observar que a Unamuno le sale una feminista fría, de voz seca y baja, que no se conmueve con nada. "¡Esta es la mujer del porvenir! ¡Mujeres así hay que ganarlas a puño!" (147), dictamina el tío. Una feminista hecha por un hombre, sin intercesión femenina, sin acoplamiento. "¡Admirable, majestuosa, heroica!" "¡Una mujer, toda una mujer!" (147) Es, sin embargo, una mujer fabricada que conlleva una multiplicidad, una multiplicación de mujeres como si se tratara de una producción en serie, clonificada, como en la película *Multiplicity* "Pero como la una, ninguna. Todas ellas no son sino remedos de ella" (154). Lo que ocurre es que al conceptualizarla la abstrae de la realidad inmediata, como le observa Víctor: "Y si me apuras mucho te digo que no eres si no un ente de ficción" (157), y a la pregunta que lo va a llevar a la angustia: "¿Es que no soy como los demás hombres?" (157) En el proceso de fijar su identidad pasa a la posibilidad de no tenerla. Esta crisis se convierte en un planteamiento analítico que es la base caracterizadora de la novela. Los personajes unamunianos habitan en un nuevo mundo y se convierten en copias xerográficas en serie. La novela, a pesar de todas sus imperfecciones, se impone a consecuencia de una caracterización que los convierte en fantoches de Dios, como todos nosotros, que es donde reside la profanación y la angustia. En otros términos: Unamuno escribe la novela existencialista por excelencia.

Costumbrismo metafísico: metafísica pedestre

El episodio con Rosario no deja de ser un sainete paródico en el cual Unamuno intenta el humorismo, porque la situación del solterón tratando de aprovecharse de las flaquezas sociales y económicas de la criadita, entre inocente y pícara, es cosa de *nivola* costumbrista –lo cual es una contradicción genético-literaria. Sin embargo hay mucha trastienda en esta zambullida en el lugar común del costumbrismo casero, como diciéndonos que esta "ficción" pasa entre las mejores familias. Sale artificial, como si fueran marionetas, incluso Rosarito en sus mejores momentos, pero el tono de farsa casera le va muy bien a la metafísica del caso, como si la ontología estuviera cocinándose en los pucheros, ya que (como diría Santa Teresa) somos fantoches de carne y hueso.

De otro carácter es el problema de Eugenia en sus relaciones con Mauricio, que es el punto más cercano al que puede acercarse el autor a una relación de pareja, siguiendo casi los lineamientos folletinescos de un novelón cualquiera. Eugenia es *la mujer fatal* de este *neo noir* existencialista, muy española dura, agresiva, afincada en la realidad más pragmática, porque será ella, sin muchos subterfugios y a pesar sus manierismos por aquello de la hipoteca, la que nunca perderá sus agallas y su preferencia sexual por el novio achulado. Mauricio es sencillamente un tipo descarado que no cree en la *nivola* sino en el más puro realismo naturalista. Unamuno utiliza estos términos convencionales para hacerle una trastada al protagonista, que vive en el mundo de la ficción trascendente. Todo esto le sale bien al autor y es la efectiva vuelta que le da para que Augusto quiera "salir" de la ficción y suicidarse, hasta finalmente morirse como un hombre cualquiera.

Eugenia es un personaje femenino al cual la criatura no pueden meterle mano así como así, porque ella lo tiene todo debidamente planificado con tal de dejar de tocar el piano. Salvando las distancias de su condición social, no deja de ser curioso que ni en Eugenia ni en Rosario exista la sombra de una duda, una vacilación respecto a su identidad, y que la crisis existencialista se desarrolle en un mundo masculino, incluyendo el del autor. Si uno se tiene que morir, habrá que enterrarnos. No creo que Unamuno estuviera todo lo consciente de este "mal paso" del machismo del intelecto, que seguramente para él se caía de su peso, como si la mujer fuera, con todo su pragmatismo doméstico, una letra hache que filosóficamente no suena.

Discurso femenino: mírame y no me toques

El problema de la sexualidad en *Niebla* es, como puede verse, muy complicado porque Augusto no puede interpretarse simplemente como cualquier agonista de carne y hueso, cualquier hijo de vecino (aunque también lo sea), sino dentro del contexto de una novela donde la "ficción" es la (o el) protagonista y por extensión el padre (la madre) de la criatura a la cual es casi imposible concebirle el sexo. La ficción sólo delata el género porque después de todo la novela fue escrita por un hombre: un individuo gestado como criatura literaria cuyo progenitor es, naturalmente, masculino: un hombre con un ego descomunal que se llama don Miguel de Unamuno, que no cree en carantoñas femeninas. Y sin embargo, esa mujer que pasa por la calle como si fuera un perro (una perra, más bien) es muy importante porque es la mujer unamuniana que Unamuno, con los pies en la tierra a pesar de la niebla (y de acuerdo con su punto de vista) es más mala que la quina.

Dentro de un nivel argumental biológico, Augusto es hijo de un hombre y una mujer de carne y hueso, pero si es un ente de ficción, tal "concepción" no es válida. Se nulifica así la paternidad "real" a favor de la ficticia hecha con el semen masculino de la palabra. Si como la novela repite una y otra vez, Augusto no existe, por consiguiente no puede existir nada que lo haya creado. Además, con el grito de "¡hijo!" que emite la madre, nulifica la existencialidad paterna. El episodio es un acto de repudio al padre natural, tinto en sangre, envuelto en la fisiología de un mundo desconocido para Augusto, ya que él no ha sido concebido con semen, sino con palabras. Augusto no nace de una cópula fisiológica sino de una cópula textual. Si la intención de ir a Salamanca incluye la posibilidad del crimen, la novela está proponiendo un deicidio que no se materializa. Además, ni la madre ni el padre existen en el tiempo cronológico de la novela por lo cual, realmente, se reducen a una referencia retrospectiva, un hecho biológico necesario para desarrollar la acción del quehacer metafísico.

En *Niebla* la sexualidad es un estorbo con el que cargan los personajes. Al transformar la sexualidad en un esqueleto *nivolesco,* la nulifica, crea un efecto irreal, como si faltara algo. Sin sensualidad, los besos son secos, sin materia orgánica que los humedezcan, incluso teniendo en cuenta que Augusto tiene poca experiencia para darlos. Comparado con Augusto, Frankenstein en un desatado, un lujurioso, como lo deja entrever Boris Karloff con sus ojitos detrás de la máscara cuando ve a la novia que le han buscado; aunque Elsa Lanchaster seduce y mete miedo en la pantalla. En la novela, como la novia de Frankenstein, Eugenia es una criatura dura, áspera, por momentos irreal, que sólo pone de manifiesto motivaciones, intereses, estrategias del discurso femenino en sus aspectos más negativos.

Hay que considerar que este discurso amatorio que se caracteriza por la omisión, algo tendrá que ver con la crisis metafísica, que lo lleva a considerar la posibilidad del suicidio. Pero a Unamuno no le interesa nada que nos remita a estados sicológicos y va al grano, que es ontológico. Castra la sexualidad como el Diablo a la Cruz, pero no escapa de ella. Si cuando empieza la novela se inicia la trayectoria existencial que es un recorrido hacia la nada, no podemos decir que este es el caso de Eugenia, práctica y materialista, que inicia un recorrido hacia lo que Mauricio tiene entre las piernas y Augusto en el bolsillo. Entre Augusto y Eugenia no hay entendimiento posible (auque él no lo sepa), porque le falta algo para ser plenamente humano. Como está muy bien vestidito, esto impide saber lo que hay debajo de los pantalones y es altamente probable que debajo de la ropa Eugenia no pueda encontrar gran cosa.

Esa "papaya" protegida de Eugenia, como se dice en cubano, es un problema básico de *Niebla* y nos enfrenta a una verdadera *hija de puta* que trafica con el cuerpo, con fatales resultados para el capital y sobre todo el sexo de Augusto, hasta el punto de llevarlo al cementerio. Ciertamente, Unamuno le tira a la mujer con el rayo, y no se puede decir que Rosarito sea una *replicant* con mejores intenciones porque en el fondo trafica con lo mismo. Todo esto hace que el discurso femenino de *Niebla* sea, en el fondo, puro discurso masculino con muy mala leche.

En última instancia, ¿es Eugenia otro *replicant*? Aunque Eugenia fuera un *robot* deshumanizado, el hecho mismo de su relación con Mauricio parece indicarnos otra cosa. A ella le gusta Mauricio, y aunque mantiene cierta distancia, se manifiesta su atracción por el objeto de deseo y una decisiva actitud de apoderarse de él. Bien sabe lo que quiere y lo que hace. Si al principio de la novela Augusto manifiesta cierta determinación erótica que dejaría sentada su identidad masculina, su trayectoria será un descenso al Infierno (dentro de lo que cabe). Tras el encuentro con el autor, desgraciadamente, se convierte en una mónada que se consume poco a poco y, definitivamente, después que tiene lugar dicho encuentro la enfermedad se empeora. La jugarreta de Eugenia, que le niega el coño, tiene bastante que ver, y la novela hubiera tenido un giro diferente si se lo hubiera entregado y Augusto no se hubiera dado su fatal viajecito.

Lo cierto es que ella es un ente de ficción, una mujer fatal, en cierto modo la muerte misma, que lo pierde –lo cual sería un análisis realista de la novela. Pero como la escribe Unamuno, Augusto tiene que joderse y el viajecito es un viaje existencialista hacia la nada. Toda la novela podría explicarse como un discurso de la omisión sexual, la traumatización sicopática del ayuno y la abstinencia, que es el síndrome de Pérez, que ha vivido por omisión. Después de todo cuando toma el tren Augusto va en busca de algo, y llega a la muerte, que representa la supresión de sí mismo: resultado final del genocidio, pena de muerte, se acabó lo que se daba. El *suspense* consiste en descubrir al asesino, aunque ya sabemos quién es. Augusto salió buscando algo y al final se va con las manos vacías.

Nada, que nos hemos metido en un *thriller* de alto riesgo que pone los pelos de punta y parece que vamos de cabeza al siquiátrico. El problema es que cuando cuestionamos una realidad estamos cuestionando otra, que nos remite a la incógnita de la esquizofrenia. La "realidad ficción" (como el viajecito a Salamanca) lleva al cuestionamiento de la "realidad histórica" (los hechos ocurridos en el Paraninfo); y en último caso al cuestionamiento de la "realidad bíblica". No es algo que esté necesariamente en la cabeza de Augusto Pérez (que en "realidad" no entiende), pero que hace posible que Unamuno no esté tan seguro de sí mismo como aparenta. El viaje de Augusto a Salamanca pudiera interpretarse como un subterfugio para rescatar a Eugenia del Inframundo, pero Eugenia no está muerta ni es ninguna Eurídice. Lo que nos llama la atención, y nos remite a *Orfeo (1951)* de Jean Cocteau, con Jean Marais y María Casares en los papeles protagónicos, es la transferencia a través del espejo, como reflexión entre la vida y la muerte, hecha casi en un mismo plano "natural" que no manifiesta ninguna anomalía, salvo el momento de cruzarlo, que es el paso que da Augusto cuando se entrevista con el autor, el cual forma parte de su transición entre la vida y la muerte –recordemos *Inception.* Es por eso que Augusto Pérez está aislado, cercado y acosado al espacio estrecho y sepulcral de la cama en la cual fallece, adonde lo confina Unamuno al final, aunque toda la novela puede representar una cámara mortuoria. La muerte de Augusto lleva al cuestionamiento de todas las realidades, eliminándose todas ellas una a la otra, y esto hace que la única esperanza que deja la novela es que haya un cuerpo, el del fallecido, que hay que enterrar, porque de no existir no tendríamos que enterrar nada. ¡Menos mal! De lo contrario sería peor todavía.

El problema de la sexualidad en *Niebla* es monumental porque se trata de una novela sin sexo, de mírame y no me toques, envuelta en un cinturón de castidad eclesiástico, a pesar de su herética heterodoxia, porque hasta un cura de aldea decía "creced y multiplicaos". Augusto Pérez es un agonista que no debe verse como alguien de carne y hueso como cualquier hijo de vecino, sino dentro del contexto de una novela donde la "realidad", como nosotros la conocemos, ha sido eliminada. Lo cual trae mayores complicaciones, especialmente cuando del sexo se trata.

En otras palabras

Unamuno desconecta el goce sexual de la procreación, como si fueran dos hechos excluyentes. Al mecanizarse la sexualidad, el autor no hace más que anular todo contenido erótico, extirpar el amor y hasta el deseo. Esto va muy acorde con la actitud antifisiológica que asumen sus personajes, que discuto extensamente en mis interpretaciones de la tía Tula. Todo lo que sea secreción corporal, es inaceptable. Por el contrario, el paraguas podría verse como acto de protección contra la lluvia seminal, como si fuera un anticoncepcional. A pesar de ser una novela donde la sexualidad reprimida del protagonista pudiera verse como causa de la crisis metafísica que se plantea, se elimina toda vivencia sexual auténtica porque las palabras son el agente procreativo y copulante que elabora la ficción.

Las referencias de tipo sexual en la novela son numerosas, conceptos sexuales muy difíciles de explicar, lo cual contradice la abstracción mental que propone la misma. La mayor parte de las interpolaciones narrativas tienen alguna mención sexual que se refleja durante el desarrollo, pero se impone la ausencia de sexualidad descriptiva, como si fuera una narración erótica sin zonas erógenas, que no excita a nadie, incluso cuando el "señorito" se sienta a una chiquilla en las piernas. Novela filosófica y abstracta que evade, como eco de la censura, cualquier referencia palpable a lo voluptuoso, lo libidinoso, lo obsceno y lo lujurioso. Pase como ocurrencia al margen. Esta idea pecaminosa del erotismo parece ser un eco del mundo en que vivió Unamuno, de una cultura austera a pesar de las palabrotas. Es como ese pellizco paródico al que la cultura española le da una sexualidad ficticia, porque es difícil imaginar que alguien se caliente con un pellizco, que es tan desagradable.

El caso específico de Víctor Goti es también muy ilustrativo. Goti se ve precisado a darnos explicaciones sobre las relaciones con su mujer para dejar sentado que no hay ninguna perversidad: "éramos y aún somos jóvenes para pervertirnos" (177). Según Goti, jugaban a marido y mujer, como hacían Ramiro y Rosa en *La tía Tula,* y tenían una especie de concubinato caracterizado por los "deslices". Pero, ¿de qué perversión están hablando? ¿Qué quiere decir? ¿Qué hacían? ¿Qué deslices? Es evidente que las relaciones entre Goti y su mujer estaban acompañadas por una dosis de erotismo y voluptuosidad que iba más allá de tanta mojigatería verbal. Como una prescripción facultativa de la Iglesia, la procreación parece ser un resultado normal de la convivencia matrimonial, pero no el toqueteo y el relajito, que Unamuno parecía dejar en manos Galdós e incluso de la Pardo Bazán.

Hay en general una falta de "acoplamiento" entre las parejas y una manera de referirse a las relaciones sexuales en el matrimonio que son muy desconcertantes y únicas. Unamuno hace uso de una retórica falsa de una consistencia metafórica acartonada para referirse a este tipo de comunicación entre los cuerpos. Don Fermín, al decirnos que todo conocimiento entre el hombre y la mujer es "a posteriori", utiliza un lenguaje críptico que sin embargo llega a una crudeza desnuda y grosera. A la sexualidad se llega, si es que se llega, a través del resultado, la prole, y no mediante la relación de los cuerpos; ni tampoco de las almas. Hay una sexualidad de lo que no se ve que parece censurada, como si siguiera el canon eclesiástico, a pesar de la transgresión metafísica de la novela.

Adán sin Eva

La identificación de Augusto con su no existencialidad será gradual, progresiva, como una enfermedad incurable, que lo llevará a la muerte tras el encuentro determinista con su Creador. Si Unamuno crea a Augusto "figurándoselo" como una réplica mental que no nace de una relación sexual, otro tanto hace Augusto figurándose a Eugenia, una "aparición fortuita" de su sexualidad como don Quijote hizo con Dulcinea, en el entorno de la vida como "niebla" que nos conducirá a la creación de *Her*. El cuestionamiento de su propia identidad y la de Eugenia, es reiterativo y el dominante en la novela hasta la aparición de Orfeo, punto en el cual la novela adquiere una mayor dinámica argumental. Augusto es un autoengendro masculino, sin intercesión física (en la mejor tradición evangélica) cuya sexualidad onanista engendra a Eugenia, como veremos de inmediato. Si Cervantes y don Quijote crean a Dulcinea, Unamuno y Augusto crean a Eugenia; Spike Jonze y Joaquin Phoenix crean a *Her*.

Her (2013): un amor imposible

Clasificada como una película romántica de ciencia ficción, no es mera coincidencia que haya sido producida y dirigida por Spike Jonze, a partir de un guión suyo, lo que lo que la vuelve integralmente de su autoría, con el apoyo de una actuación impecable (un tanto inadvertida) de Joaquin Phoenix que asimila y proyecta todos sus textos en la más justa medida, digna de un Oscar. La autoría de Jonze ha sido ampliamente reconocida, ya que recibió el Oscar como el mejor guionista en el 2013, así como el Golden

Globe Award, el Writers Guild Award, el Saturn Award, el Critic's Choice Award, de ese mismo año. La creación de Samantha tiene una decidida ascendencia cervantina, como mujer ideal concebida por el hombre, inalcanzable, que ha evolucionado desde la creación de Dulcinea en 1605 hasta el 2013, ahora vista en otros términos. Claro está que para que exista (o no exista) *Ella,* es necesario que exista *Él* como parte de un binomio de la alienación erótica y metafísica. En ambos casos, parte de una crisis de la sexualidad, que no es explícita en *Don Quijote,* pero que si lo es en *Her,* tras el fracaso matrimonial de Theodore Twombly. *Her,* como *Niebla,* es un parto creacionista y Samantha es una creación virtual al modo de Dulcinea.

El problema matrimonial de Theodere (cuyo nombre en sí mismo tiene implicaciones personales y metafísicas) lo lleva a un desolador estado depresivo, acrecentado por su carácter introvertido, que lo hace deambular como un fantasma, y produce un efecto de irrealidad, abstracción y vacío que se expresa en el film visualmente. El hecho mismo de que Theodore profesionalmente se dedique a escribir cartas a personas que le pagan para que lo haga y que ocupe su lugar en el momento de la escritura, lo obliga a un desdoblamiento individual e intertextual, lo cual forma parte de este juego de planos espaciales que se desarrollan en la película. Esa consistencia artificial, alienada, de las personas que van y vienen, crea la textura irreal de la vida metropolitana, como si el mundo deambulara en condiciones parecidas. Mientras que las parejas viven en las cartas que escribe, él deambula en un espacio donde está sólo.

Her es la Dulcinea de Spike Jonze, con la cual generaliza e incrementa las dimensiones de su Samantha, cuya procedencia se remonta a los mismos orígenes de Dulcinea. En primer término por su intangible procedencia, y la gestación de Theodore. De esta manera "Dios creo a la mujer" se hace abc de *Her* tanto si la concebimos metafísicamente o, en su reverso, como una comedia romántica (dramática también) de la ciencia ficción, lo que podría considerarse (aunque no lo sea) un gran disparate. Sin contar, además, la posibilidad de "Theodore", como el básico "te adoro vida mía", que lo ubica en adoración doméstica de un objeto de deseo. Esto explica, simple y llanamente, la trastienda de *Her*.

La crisis de Teo es muy seria. Anda como un sonámbulo hablando solo como si fuera un largo monólogo interior donde inventa a una mujer que se le va de la mano. Una mujer tan impalpable que es sólo voz y no cuerpo, y que, para resolver el problema sexual, le busca una *replicant* mecánico. La película es el acoplamiento del imposible, una sexualidad que no tiene una recámara para que copule una pareja. Como en *Niebla*, se trata de una sexualidad metafísico-fílmica que el cine siempre ha resuelto (o resolvía) con lo que no se ve, marcada por la censura cinematográfica –recuérdese que "once upon a time" ("había una vez") el *fade out* (¿se decía así?) representaba el orgasmo (cuestionable siempre) hasta que vino el destape y las parejas (heterosexuales) que no se acostaban nunca lo hacían de inmediato. *Her* propone la "idílica" erótica del *fade out*, donde se plantea la imposibilidad metafísica de acoplar entre dos planos opuestos, como le pasaba efectivamente a Don Quijote, que lo traumatizaba en molinos de viento. Samantha es un fenómeno virtual que como Dulcinea es un replicante que no entra en escena ni en la cama.

La escenografía abstracta de *Her* produce un efecto aséptico de rascacielos lustrosos sin suciedad, sin un papel en el piso que sea señal de vida, con individuos generalmente solos que parecen multiplicar la imagen de Theodore en una nada metropolitana. Tenemos la impresión de que todos son *clons* sin secreciones, donde el protagonista no es la excepción sino la regla. Amy se vuelve la pareja ideal, incolora e insípida, pero con la misma desolación interna de Theodore, pero el final acopla la desolación de ambos, no su compañía.

La función creatriz de él viene a ser el parto de Theodore, como hecho electrónico cuya exacta medida no se puede determinar, que da lugar, como en la vida de nosotros, a un

245

proceso de crecimiento donde aparentemente entra en juego el libre albedrío. Es puro creacionismo literario. Crece y cambia y a la vez crea, como en el caso del Alan que resucita de la nada. Se implica así una metafísica de lo impalpable, una dimensión de otro espacio que construye la película donde está Samantha, cuya interacción con el "nuestro" es una incógnita de los rascacielos. Lo que sorprende no es esto, sino el reduccionismo interpretativo de la crítica en torno a su significado, a pesar de los reconocimientos que ha recibido.

Hay que reconocer que un contratiempo temporal, espacial y físico de *Her* es demoledor e insoluble. Theodore se enfrenta a a la realidad del cuerpo del cual no puede deshacerse, como explica claramente Amy en uno de sus textos más desoladores en los que alude a nuestra temporalidad. El cuerpo es la metafísica de lo que somos. El ser y la nada. Si bien en el *black out* se verifica el orgasmos (casi) perfecto (que es cinematográfico), la antinomia corporal es un obstáculo que deja un vacío, que se explica a través de la duplicación experimental de las dos "aventuras" sexuales. El orgasmo es una "representación malograda". No funciona. Las cartas mismas de Theodore son una manifestación léxica de las relaciones entre las parejas, que necesitan de Theodore para que los represente. Son copias, duplicados mal hechos como Augusto Pérez. Por mucho que logre, cartas son cartas, y cada carta de amor es un orgasmo léxico. La gramática nunca puede ser el orgasmo. Pero tampoco el orgasmo puede ser su literatura. Se trata de una separación espacial insuperable: una verdadera danza de la muerte. Son dimensiones espaciales contrapuestas: los vivos no acoplan con los muertos y viceversa. El hecho corporal de Theodore no puede solucionar el abismo último que hay entre ellos, que solo acoplan de mentirilla en el "fade out" en pantalla, aunque como bien dice Theodere cuando Amy le pregunta: acoplan en la medida de lo posible. Un oscuro total donde no pasa nada. Es por eso que la relación "personal" va camino del desenlace de este "amor imposible" ("¡romantic comedy!") cuando entra Alan en "escena" y Thedore sospecha que

Samantha está engañándolo (simple y llanamente pegándole elctrónicamente los tarros) con Alan, en una dimensión intangible donde no se necesita cuerpo. El cuerpo es el ser de la nada. Samantha es un fenómeno virtual. Como Dulcinea es un replicante que ni siquiera entra en escena.

Entonces, ¿por qué ha fracasado la relación "real" en la vida matrimonial? La de Amy con su marido fracasa porque ella no ha puesto los zapatos en el lugar que su marido le ha pedido que lo haga, cosa que ha hecho por años, pero a lo cual finalmente se niega y da motivo para que se divorcien. Naturalmente, esta no puede ser la verdadera razón, y desde que empieza la película y vemos a la pareja, unos detalles minúsculos parecen indicar que algo anda mal, y hasta que él no parece "real". Tampoco parece "real" del todo Katherine, la esposa de Theodore, pero no podemos definir su "irrealidad". Amy, por el contrario, si parece tan real como Theodore, pero no "acoplan". Todo ello implica que falta mucho para el orgasmo perfecto, el logro total de la relación amatoria, que incluye también la que sostiene el espacio real con el programado. Nos enfrentamos así a la clave romántica del subtexto: el amor imposible. El propio libro de Theodore es una prueba "documentada" de la paradoja, como si todos los personajes del mundo epistolar creado por Theodore, que escribe, no existieran en realidad sino en los textos. ¿O es que acaso estamos electrónicamente programados para deambular solos por el espacio dónde ni siquiera somos o estamos?

Como bien le dice el fantoche electrónico con la cual convive en la pantalla que tiene en su casa (que pudiera verse como una variante del subconsciente) Thedore es una criatura débil, que cae en las trampas de un discurso femenino que puede que le tienda una Samantha programada dentro o fuera de su cabeza.

El tiempo no pasa en vano, naturalmente, y *Her* no es el *Orfeo* de Cocteau traspasando el espejo, pero en última instancia la "realidad" virtual de la película, desde el momento y hora que "enciende el televisor" y se inicia la interacción ficción-realidad con lo que le han "programado" en "pantalla", es fundamentalmente lo mismo respecto a la interacción de planos. A la larga, ¿no es Theodore una variante de Augusto que sale a la calle con un celular en lugar de hacerlo con un paraguas? El problema es la convivencia, la misma que hay entre la vida y la muerte, con lo que se explica la vigencia unamuniana. Es por eso que Theodore y Amy están cercados y acosados en la azotea con vista a la metrópoli, que es la cámara mortuoria de todos nosotros. Aunque el infinito espacial nos enfrenta a posibilidades ilimitadas por donde navega Dulcinea, lo cierto es que no representa nada frente a las limitaciones corporales de unas cucharachas kafkianas en la azotea. *Her* es, simplemente, un *thriller* escalofriante, una película de horror y Theodore es un fantoche programado para nada.

CAPÍTULO VIII

Vicente Blasco Ibáñez: visión y ceguera en el estilo

Versión original publicada en Matías Montes Huidobro, *XIX: Superficie y fondo del estilo*. University of North Carolina: Estudios de Hispanófila, 1971

Las relaciones del cine con la *Generación del 98* han sido parcialmente estudiadas. En particular se han establecido consideraciones fílmicas respecto a *Azorín* y Valle Inclán, hablándose de la cinematograficidad de ambos autores. Estas relaciones, sin embargo, se pueden considerar teóricas ya que los escritores del 98 carecían de un sentido pragmático que los llevara a ser gente de cine.

En un artículo publicado en *Explicación de textos literarios,* en 1976 aparece un trabajo titulado "Técnicas cinematográficas de montaje paralelo en tres novelas de Vicente Blasco Ibáñez", por Andrés Suris, procedente de su tesis doctoral del 1971, en el cual el autor se extiende sobre las técnicas de montaje en Blasco Ibáñez en tres novelas diferentes que yo discuto en el ensayo que ahora me ocupa, en el cual precisamente aludo y demuestro la continuidad y fragmentación del procedimientos del novelista, recurso contrapuntístico aplicado a ambos medios. La omisión de mi investigación, cuya publicación precede a la suya, me vuelve consciente, una vez más, de la ignorancia que muchos han mostrado, no sólo en Cuba sino en los Estados Unidos, en España, y en Latinoamérica, como en el caso de Suris, respecto a mi obra literaria y crítica que se encuentra dispersa por muchos contextos culturales. Como demuestro en mi análisis fílmico de las novelas que discuto, Blasco Ibáñez utiliza las técnicas de fragmentación del montaje cinematográfico que establecen el tiempo común de una acción que ocurre paralelamente con otra. Tampoco me incluye en la bibliografía mi colega de la Universidad de Hawai, Edgar C. Knowlton, que es coautor de *Blasco Ibáñez,* de la serie que publicaba Twaine, que aparece un año después y era consulta obligada entre los académicos. Las citas que aparecen de estos dos textos, son posteriores a la primera edición de mi investigación.

Vicente Blasco Ibáñez (1867-1928) era un escritor menos innovador, menos elitista que los del 98, que da el salto al siglo XX hasta llegar a Hollywood. El periodista valenciano, por poco simpático que nos resulte y con la mala prensa cultural que lo acompaña, es el que se percata de las múltiples posibilidades de la cámara, con las subsecuentes consecuencias de envidia y desprecio, porque, claro, Blasco Ibáñez no era Unamuno. Hombre de acción, periodista con ideas de tónica revolucionaria, vivía al día, viajaba y se metía en aventuras, sin caer en el marco de la élite culta que da la tónica de esta generación. Pero al igual que ellos está consciente de la crisis española de fines de siglo, aunque no se sumerge en el pasado ni mete la cabeza en la arena, sino que mira hacia el futuro, y apoya, además, la causa de la independencia de Cuba, que era un acontecimiento que apuntaba hacia el futuro y no hacia el pasado épico español. Pero, principalmente es un hombre que está al día, viaja por Europa, participa activamente en la política, y hasta es condenado a dos años de cárcel, que luego le conmutan, y que le da una dinámica de la que carecen los otros escritores de su tiempo.

El carácter cosmopolita y hasta cinematográfico de su propia vida, como si fuera un personaje de Agatha Chirstie, se pone de manifiesto en el siguiente episodio. "Regresando de los Balcanes en el *Orient Express,* todo parecía ir muy bien hasta la hora del desayuno, cuando Blasco Ibáñez estaba en el coche comedor, y el tren chocó con un tren regional en las afueras de Budapest. Dos de los coches se hicieron astillas, y el escritor escasamente pudo escapar vivo del accidente. Sobreviviente del accidente, tuvo que cruzar a pie por el campo con un un bulto de ropa a sus espaldas, hasta donde se encontraba otro tren que lo llevo de vuelta a España. El episodio le sirvió para terminar de forma muy lograda, *Oriente,* su libro de viajes" (Day 31) (La traducción es mía). El accidente en tan exótico paraje en un tren legendario, da una idea del carácter de la vida de Blasco Ibáñez, y sirve de contraste con otros escritores españoles de su tiempo. Difícil imaginar a Unamuno con aventura semejante, aunque Baroja y Ganivet estaban menos distanciados.

Entre principios de siglo, hasta 1914, se establece en la Argentina, por donde viajó y se vinculó intensamente al país, involucrándose en proyectos comerciales y agrícolas, además de escribir un *best seller* porteño, *La argentina y su grandeza,* que se agotó a la primera edición. Viajó a la Patagonia e introdujo sistemas de regadío, que ayudaron a convertir la región en el granero arrocero del país. Todo esto lo distancia de la Generación del 98, convirtiéndose en un escritor de fama internacional, trasladándose a París donde se puso a escribir novelas que se vendían, y cuando se desata la Primera Guerra Mundial publica en Valencia los fascículos de su *Historia de la guerra europea,* favorable a los aliados, así como *Los cuatro jinetes del Apocalipsis (1916), Mare Nostrum (1918), Los enemigos de la mujer (1919). Los cuatro jinetes del Apocalipsis* (opacada en Europa por *Sin novedad en el frente* de Erich María Remarque), vende en los Estados Unidos doscientos mil ejemplares en un año, considerándose que desde *La cabaña del tío Tom* ninguna novela había gozado de éxito parecido, culminando su fama cuando en 1921 se lleva al cine con Rodolfo Valentino. Recorre todo el país, da conferencias, lo hacen *doctor honoris causa* en la Universidad de Washington, se compra un Rolls Royce, viaja a México; regresa a Europa, recorre la Costa Azul, compra una villa. Cuando vuelve a Valencia recibe innumerables reconocimientos y se reintegra a la vida política.

En otros palabras, frente a Vicente Blasco Ibáñez todo el 98 se convierte en un grupo de resentidos y fracasados. Hasta que después de adicionales peripecias, cuando cumple los sesenta y un años, muere por complicaciones de una neumonía.

Mientras los escritores de la Generación del 98 miran hacia adentro, en sentido espacial y retrospectivo, Blasco Ibáñez tiene la perspicacia de un hombre de acción con preocupaciones políticas, sociales y económicas que se proyectan hacia el extranjero, saliendo del encierro pirenaico. Esto lo lleva a desplazarse fuera de España, dejar atrás la conciencia del fracaso colonial, volcarse al mundo de forma más superficial pero más activa, con un mejor entendimiento del siglo XX, encontrando un reconocimiento del que no disfrutaron en su tiempo los escritores de la Generación del 98, aislados más bien en su concha intelectual y dentro de los límites de su geografía y su cultura. Blasco Ibáñez funcionaba en otra onda.

Viviendo más al día dentro de las corrientes pragmáticas del mundo, para colmos, es un hombre de cine. La trayectoria lineal de sus novelas, la naturaleza de sus personajes inmersos en conflictos de carácter inmediato, de tipo social, político, económico y sicológico, su continuidad realista, la simplicidad horizontal de sus argumentos, el dramatismo directo de las situaciones, facilitaban su asimilación dentro del contexto fílmico, que buscaba gran parte de sus argumentos en la novela realista. La linealidad de su novelística, cuyo interés recae en la acción y la peripecia argumental, invitaba a ser filmada. A esto se une el pintoresquismo folklórico, y *Sangre y arena*, por ejemplo, llevada al cine varias veces (1917, 1922, 1941, 1969), adquiere su logro culminante en la versión interpretada por Rita Hayworth, Tyrone Power y Linda Darnell, en 1941, con un esquema argumental que tenía que hacer las delicias de Hollywood: el arquetipo del machismo latino asediado por las fuerzas del bien (Linda Darnell, virtudes de María) y del mal (Rita Hayworth, pecado de Eva), las dos grandes antagonistas bíblico-cristianas: folletín y telenovela. La dinámica de sus argumentos, su cosmopolitismo, configuran una perspectiva fílmica que hace, por ejemplo, que en 1962 se hiciera una segunda versión de *Los cuatro jinetes del Apocalipsis,* dirigida por Vincente Minnelli, que reubicada la acción en la Segunda Guerra Mundial, y deja constancia de su vigencia. Sin ser ni una gran novela ni una gran película, deja sentada nuevamente la intuición cinematográfica del novelista, con un texto clave que inclusive permite que salte de una guerra a la otra. Sus vínculos directos con el cine son múltiples. El hecho de que escribiera el guion de la primera versión de su novela *Sangre y arena*, deja constancia de una doble pasión creadora, presente en otros escritores, como fue el caso, entre los cubanos, de Guillermo Cabrera Infante. Con más fortuna que muchos otros, firmó contratos con las más importantes compañías de la industria cinematográfica, incluyendo la Metro Goldwin Mayer, para escribir para el cine o adaptar su propia obra literaria.

No obstante todo esto, a Blasco Ibáñez no le ha faltado mala prensa, que quizás tuviera algo o mucho que ver con sus éxitos, como puede verse en la siguiente anécdota que cuenta César González-Ruano. "Debió ser en 1925 o en 1926. No puedo precisarlo exactamente. Estaba yo en París cuando conocí y hablé por única vez a Blasco Ibáñez… Lo encontré en la esquina del Boulevard Montmartre y la rue Vivianne. Acababa yo de estar con Enrique Gómez Carrillo, y al hablar precisamente de que quería conocer a Blasco, Enrique, ladeado en su pereza descriptiva, me dijo que no se ofrecía a presentármelo. '¿Para qué quiere conocer a ese hombre pesado que sólo le hablará de él? De la historia contemporánea sólo conoce la primera persona. *Yo* he escrito… *Yo* vendo… *Yo,* que vivo mejor que nadie…' "Me habló de sus últimos triunfos, de las últimas proposiciones que le habían hecho editores y productores cinematográficos… Yo me acordaba de lo que me había advertido Gómez Carrillo" (González-Ruano 73-74). Cierto o exagerado, no me sorprende lo uno o lo otro, la de algunos por pedantería del yo y porque no saben, efectivamente, hablar de otra cosa; otros por carecer de la audacia que a Blasco Ibáñez le sobraba. En todo caso, ese énfasis que pareció darle Blasco Ibáñez a su *yo* quizás lo aislaba del discurso interno de sus personajes, a los cuales no llegaba a ver por dentro. Por eso el novelista no podía ver a través de los ojos de ellos, sino que veía a través de los suyos, y esto era una prolongación de su propio *yo*.

Pero lo cierto es que esa condición fílmica fue lo que me llevó a elaborar este trabajo.

Cañas y barro

Al principio de *Cañas y barro* una unidad móvil se encarga de hacer progresar la acción, o tal vez, más exactamente, de presentar los elementos humanos integrantes de la misma. No se trata de un ser vivo. Se trata de un barco-correo. Esta embarcación se mueve como una especie de cámara fotográfica tras la cual se encuentran los ojos del autor (a veces los de una entidad anónima formada por los pasajeros), que todo lo observa y encadena para que no falte nada. La embarcación es casi ojo, pero en definitiva no experimenta ninguna vivencia. Los pasajeros dentro de ella apenas experimentan mucho más. Su participación es casi tan pasiva como la de la barca. La embarcación y sus pasajeros son más bien accidentes puramente circunstanciales que parecen observar y son observados. Dado el procedimiento tales observaciones son incapaces de producir una reacción emocional, y apenas reflejan las auténticas emociones de los caracteres. Como se ha observado: "El primer capítulo describe el viaje de la barca-correo desde El Palmar hasta El Saler y tiene la particularidad de presentarnos a todos los personajes importantes de la obra. Pero, además tiene para nosotros el valor de hacernos conocer los aspectos y vistas principales de la Albufera" (Betoret-Paris 77). Se trata de una escueta narrativa fílmica y documental de viaje, visual, informativa: apertura de una película estrictamente documental.

Es precisamente por ello que en el capítulo primero de *Cañas y barro* nos encontramos uno de los mejores ejemplos que ilustra su propia afirmación de que sus ojos "son cámaras cinematográficas". La mejor manera de hacer un análisis de la novela y en particular del primer capítulo, es mediante un bosquejo de guión cinematográfico, más o menos alternando imagen y sonido, mientras que por un procedimiento de "desplazamiento" (DESP) pasamos del "plano general" (PG) al "primer plano" (PP). El procedimiento fílmico-narrativo del "desplazamiento" indica una movilidad sin corte de una toma cinematográfica a la otra, mediante la cual el proceso parece desarrollarse ininterrumpidamente. Es interesante visualizar el texto que se lee, pues corresponde al movimiento que produce Blasco Ibáñez al ser leído, sin pasarse por alto el sonido (indicado a la derecha) que complementa la "toma". Esto nos lleva a un análisis fílmico del texto literario. El concepto del "travellogue", como documental característico de las primeras etapas del cine, se pone de manifiesto en la secuencia que sigue, y permite apreciar una narrativa de impacto visual naturalista que "describe" la imagen, lo cual viene a ser la voz del autor; de ahí la idea de la banda sonora.

Tanto en *Cañas y barro* como en *Arroz y tartana* el autor trabaja estas secuencias cámara en mano a modo de "travelling" que se desplaza fílmicamente y guía la descripción. Sin embargo, el primer capítulo de *Cañas y barro,* si lo desglosamos visualmente, no está formado por largas secuencias que se alternan, sino por instantáneas, muchas de las cuales son motivos que se repiten una y otra vez, como el caso de la barca, el barquero y los pasajeros, hacia los cuales regresa la narración varias veces, creando un ritmo que equivaldría a un "editing" cinematográfico. Este procedimiento nos permitirá llevar a cabo un análisis estructural del texto. Si Blasco Ibáñez se detiene en la observación momentánea de unas gallinas, unas ratas, unos pájaros, siempre regresa al motivo de la barca y sus tripulantes en animada charla, o al barquero que la dirige. La secuencia va de la mañana al anochecer, con un sentido unitivo y permanente de un viaje que se revive en pantalla. Claramente individualizados al modo realista (de un realismo fílmico elemental, cerca del cine mudo en blanco y negro), estos personajes vistos más bien como tipos representativos del grupo, están algo distorsionados dentro de un marco natural que anticipa un documental afincado en la realidad. La voz colectiva de ellos, que exclaman más que dialogan (tío Paco, Neleta, Sangonera, tío Tono, tío Paloma, etc.), lleva a efecto una presentación rápida a modo de instantánea, que viene a ser como una apertura visual, a veces de un realismo de brocha gorda. Algunas de estas instantáneas, como la de las ratas, elaboran una elemental banda sonora. Esto le da a todo el capítulo un sentido rítmico. Hace que tanto la colectividad (formada por los pasajeros), la barca en que van y que funciona realmente a modo de cámara que proyecta las imágenes, y hasta lo semi-individual (el barquero) tengan una función de ambientación muy significativa y cobran una importancia de grupo que se superimpone a las figuras individuales.

Esta importancia de lo descriptivo y secundario hace que los elementos temáticos que introduce el capítulo tengan un relieve menor. Aunque sean objeto de cuidadosa observación exterior son incapaces de trasmitir vivencias. Es la novela del objeto objetivo: una mesa es mesa y una silla es una silla, para comer la primera y sentarse la segunda, sin necesidad de una elaboración más allá de su presencia física y funcional. La técnica determina el alcance y las limitaciones del capítulo. La observación es, por consiguiente, dada su subordinación a lo secundario, incapaz de trasmitir emociones. Se trata de la fría observación de un cronista. Es un escritor que transcribe lo que ve, lo cual tiene su pro y su contra, y hasta cambia su valoración. Pero es precisamente esto, dejando atrás toda la vanguardia creadora de la primera mitad del siglo

XX, lo que reubica a Blasco Ibáñez en una narrativa escueta de *lo que ves es lo que es*, como si fuera un paso atrás que da un salto hacia adelante, aunque el logro sea cuestionable.

Es decir: *hace cine*:

ESC.		IMAGEN	SONIDO
1	PG	Barca	
2	PG	Barquero con chiquillos al fondo	
3	PG	Pasajeros, hombres, mujeres, que llegan…	DESP
4	PG	Barca…	DESP
5	PP	La vela triangular…	DESP
6	PG	Barca…	DESP
7	PP	Tablas sucias…	DESP
8	PP	Pieles gelatinosas…	DESP
9	PP	Pies sucios…	DESP
10	PP	Ropas mugrientas…	DESP
11	PG	Pasajeros gritando	Gritos
12	PG	Barquero. Esparce cestas y sacos	Protestas
13	PG	Pasajeros molestos	Protestas
14	PG	Barca	Gritería
15	PP	Barquero tocando bocina	Bocina
16	PP	Enfermo en el piso…	DESP / Quejas
17	PP	Pasajeros molestos…	DESP / Protestas
18	PP	Enfermo en el piso…	DESP / Quejas
19	PP	Rostro del enfermo…	DESP / Quejas
20	PP	Alpargatas, zapatos sucios…	
21	PG	Pasajeros	Protestas
22	PG	El tío Paco acompañado de Neleta	DESP / Gritos: / --¡El tío Paco! / --¡El tío Paco…!

257

23	PP	Rostro del tío Paco--¡El tío Paco Cañamel!	
24	PG	El tío Paco se sienta. Neleta abre el quitasol y abre la espuerta.	
25	PG	El barquero apoyando su larga percha	DESP
26	PG	La barca que se mueve…	
27	PG	Neleta a la orilla sonriendo…	
28	PG	Gallinas corriendo…	DESP
29	PG	Bandadas de ánades…	DESP
30	PG	Barracas en la orilla...	DESP
31	PG	Negras barcas…	DESP
32	PG	Viveros con techos de paja…	DESP
33	PG	Inmensos arrozales…	DESP
34	PG	Segadores en el agua…	DESP
35	PG	Blancas casitas…	DESP
36	PG	Altos ribazos…	DESP
37	PG	Grandes velas triangulares	
38	PG	Los pasajeros hablando	Conversaciones, quejidos del enfermo, gruñidos del tío Paco, chirridos, ruidos, voces lejanas…
39	PG	Aguas amarillentas…	DESP
40	PP	Hierbas acuáticas…	DESP
41	PP	Aguas tranquilas…	DESP
42	PP	El barquero arreglando la vela…	DESP
43	PG	Entrada del lago…	DESP
44	PG	Horizonte: selvas, carrizales, islas, arrozales…	DESP
45	PP	Hierbas oscuras, gelatinosas	DESP
46	PG	Rebaños de toros en la playa…	DESP
47	PG	Toros hundidos en el fango…	DESP
48	PP	Cabezas de toros circundadas por una lluvia de mosquitos	CORTE
49	PG	Sangonera en cuclillas	Gritos: --¡Es Sango-Nera! ¡El borracho!
50	PG	Los pasajeros	Gritos, burlas.
51	PG	Los pasajeros. El tío Paco	Gritos, burlas.
52	PG	La barca entrando en el lago	DESP

53	PG	Barrizales en el lado de la Dehesa…	DESP
54	PG	Pequeña laguna…	DESP
55	PG	El tío Tono en la laguna	
56	PG	Los pasajeros. El tío Tono	Gritos: --¡Salud tío Tono! ¡A no cansarse!
57	PG	El tío Tono empequeñeciéndose	
58	PG	Lago. El tío Paloma a lo lejos. Se va agrandando	
59	PG	Los pasajeros	Comentarios ininteligibles
60	PG	El tío Paloma	
61	PP	Rostro desdentado del tío Paloma	
62	PP	La vela…	
63	PG	La barca en la Albufera…	
64	PG	Las nubes…	
65	PG	Cazadores con perros…	DESP
66	PG	Pueblos en la distancia…	DESP
67	PP	Olas que llegan a la orilla…	DESP
68	PG	La barca a lo largo de La Dehesa…	DESP
69	PG	Colinas areniscas con choza…	DESP
70	PG	Matorrales…	DESP
71	PG	Pinos…	DESP
72	PG	Barcas a lo lejos…	DESP
73	PP	Agua arremolinada cerca timón…	DESP
74	PP	*Capuzones* en el agua…	DESP
75	PP	Matas en la orilla con otros pájaros…	DESP
76	PG	Los pasajeros	Comentarios
77	PP	El tío Paco y el enfermo	Quejidos del enfermo
78	PG	El bosque	Conversaciones. Risas
79	PG	Cabras en el Llano de Sancha	
80	PG	Los pasajeros	Conversaciones Risas
81	PG	La barca por los canales…	DESP
82	PG	Casas y barcas de Saler…	DESP
87	PG	Barca en el atardecer…	DESP
88	PG	Sombra de la vela en los arrozales y la ribera…	DESP
89	PG	Barquichuelos negros pasando con gente…	DESP

90	PG	Malezas, se ven pasar los bateleros…	DESP
91	PG	Anchas brechas por donde se esparce el agua…	DESP
92	PP	Redes para las anguilas	
93	PP	Ratas enormes	
94	PG	Pasajeros. Varios primeros planos	Comentarios
95	PP	El tío Paco	Gritos
95	PP	El barquero	Risas
96	PG	Pasajeros	Conversación animada
97	PG	Las aguas al anochecer	
98	PG	El poblado de Saler	
99	PG	Barca cargada de tierra. Se aleja	--¡Adiós, Bigot!
100	PG	Pasajeros. Miran al tío Paco	Burlas
101	PP	Tío Paco	--¡Indesents!... ¡Indesents!

Toda la secuencia es una muestra de la percepción óptica del autor, donde entremezcla el carácter documental propio del "travellog" con una pizca de ficción donde la actitud colectiva y la individual tienen algo de composición sinfónica. El texto está compuesto con un gran sentido visual que puede ser transferido fácilmente a la pantalla.

Partes en las que predomina la descripción de objetos, animales, multitudes anónimas, alternan con la breve presentación de los personajes. La presentación de algunos de ellos es tan breve como la de algún detalle del paisaje o algún elemento animal. Son instantáneas que sólo ofrecen lo más exterior. La visión es limitadísima y los comentarios adicionales de los pasajeros no agregan nada esencial desde el punto de vista sicológico. Se trata de una observación de superficies bien injertadas en el conjunto. Lo esencial es la albufera. Todo, hasta los personajes, son fragmentos que la forman.

Antes de que la barca se empiece a mover, las descripciones tienen un sentido estático. Es decir, son instantáneas unidas por un hábil montaje cinematográfico. Pero cada instantánea forma una unidad bien definida, que puede ser aislada, cortada por una tijera. Cuando la barca se empieza a mover la técnica cambia. El movimiento de la barca, que guía la observación, produce secuencias más o menos largas donde una imagen gráfica no da la impresión de estar separada de la otra, como hará muchos años después Orson Welles en *The Magnificent Amberson*. Aplica literariamente "el concepto del *travellig*" cinematográfico. Esta conjunción visualizada "en pantalla" produce una sensación de movimiento y nos desplaza mediante el "ojo de la cámara" que guía la pluma del novelista.

Aclaremos que este desfile gráfico no produce ninguna reacción interior. Las cosas son vistas con un sentido fílmico primitivo. El nivel intelectual es pobre y no se vislumbra una intención sicológica. El grotesco de algunas descripciones físicas queda ahí congelado y la vivencia no supera a la que tenemos de las ratas. O para ser más exactos, el único momento en el cual se produce una vivencia, aunque sea elemental, le corresponde a las ratas. Cuando los pasajeros ven al tío Tono, o al tío Paloma, o a cualquier otro personaje, nos informan de algunos aspectos de la vida de estos. Pero el autor es y nosotros somos simples observadores de acciones exteriores. Sin embargo, cuando aparecen las ratas, hay una vivencia, una reacción emocional, hasta un choque dramático, ya que mientras unos se asquean al verlas, otros sienten una profunda satisfacción al recordar momentos placenteros. Es el momento en el cual la visión es completa, ya que va acompañada de la vivencia. En estos casos los personajes se integran a la secuencia visual. La simple computarización de la innumerables cosas, animales y personajes que desfilan en estas páginas, dan una idea de la riqueza visual y los detalles exteriores del capítulo.

Finalmente, en ciertos momentos de *Cañas y Barro*, Blasco Ibáñez no dice: "Los pasajeros contemplaban los campos como expertos conocedores, dando su opinión sobre las cosechas y lamentando la suerte de aquellos a quienes había entrado el salitre en las tierras, matándoles el arroz" (11). Si bien el autor parece recorrer el paisaje para darnos estéticamente una panorámica visual, diremos que objetiva, el texto de los pasajeros superimpone un quehacer socio-económico, que también es importante en la novela. Hay que reconocer que la concreta representación visual del escenario es el fuerte del autor, aunque no pueda levantar el vuelo hacia lo alto, o tampoco hacia adentro, hacia las complejidades sicológicas de los personajes, lo que limita su fuerza imaginativa en beneficio del dato. "Blasco mismo confiesa que la observación es en su caso instintiva. Inclusive cuando él intenta crear algo que proceda de su imaginación, algo fantástico, el subconsciente de la memoria la suple y es fiel a los hechos, porque a la larga se trata de la reproducción de algo previamente visto" (Swain 16). Lamentablemente, prisionero de un dogma literario que decía "ver para creer", su mirada no podía traspasar las fronteras de la fantasía y tampoco las del alma. Curiosamente, en eso reside su actualidad

Arroz y tartana

Arroz y tartana no es una obra tan afortunada. El comienzo de la misma le ofrece menos oportunidades para desplegar esa fuerza aplicada a la descripción. Al desarrollar el tema, la mayor parte de las veces, a través del diálogo, un punto flojo de Blasco Ibáñez, no da en el blanco, ya que como opina Betoret-Paris, el novelista "no transcribe diálogos de sus personajes. Siendo un artista de la descripción, en sus obras no hay conversaciones propiamente dichas, sino *descripciones* de conversaciones. Así sólo se encuentran una frase corta, una palabra a veces, y la descripción de lo que dicen sus personajes. Esta palabra o frase corta es con frecuencia en valenciano y la mayoría de las veces es una exclamación o un epíteto. Es como si Blasco explicara el asunto a personas que no entendieran el valenciano y sin poderlo remediar se le escapasen estas expresiones, que por otra parte, además de ser muy gráficas, revelan el estado anímico de quienes las pronuncian, sus sentimientos y sus reacciones" (Betoret-Paris 308-309).

Mientras que en *La barraca* y *Cañas y barro* predominan al principio tales exclamaciones de carácter muy conciso, en *Arroz y tartana* hay segmentos dialogados relacionados con el tema y algunas relaciones humanas muy importantes de doña Manuela. El contraste o la separación entre la parte descriptiva y la dialogada es demasiado desigual, y en ninguno de los casos está perfectamente logrado. La doble dirección observable en el comienzo de estas tres novelas (la descriptiva y la temática); la presencia de un ente móvil (humano o no) que se traslada dentro de un espacio que el autor describe minuciosamente; la necesidad de un pretexto exterior que le ayude a mover en algo la acción; sirven especialmente para comunicar las impresiones que recibe su pupila. Eso hace que el novelista sea un escritor representativo que surge, precisamente, con el nacimiento mismo del cine; hecho que le resultará particularmente afortunado. La obligada simplificación del cine mudo también resultó a su favor por sostenerse en una narrativa explícita que prescindía de subtextos complejos. Blasco Ibáñez nació con el cine y su literatura nacía para el cine.

"–Mis ojos son cámaras cinematográficas– se vanagloriaba en explicar –que recogen o impresionan cada detalle–. Todo su vigor, en efecto, radicaba en sus pupilas", según cita Balseiro. "Tenía, Blasco Ibáñez, extraordinariamente desarrollada la fuerza comunicativa de las impresiones de carácter físico. Las captadas por los ojos, por el oído, por el olfato, encuentran en su pluma vivo, aunque rudo instrumento para trasplantarlas a la percepción de sus lectores" (Balseiro 3). La cita de Balseiro explica la funcionalidad de esas entidades móviles que parecen dirigir la descripción y que la filman usando el *travelling*. La guían externamente. Se experimenta una vivencia visual rígida, realmente pasiva, de un espectador sentado en su butaca, que ve lo que está pasando pero que, en realidad, permanece distanciado por mucho que la cámara trate de convencernos.

No hay que esperar muchas vivencias en *Cañas y barro*, ya que en ella utiliza el autor un objeto y una multitud pasiva.

Pero en *Arroz y tartana*, Blasco Ibáñez, en ciertos momentos, pretende engañarnos y hacernos creer que él describe una vivencia visual de doña Manuela. Por eso dice: "¡Cómo estaba grabado en su memoria el aspecto de la plaza! La veía cerrando los ojos y podía ir describiéndola sin olvidar un solo detalle" (6). Y pasa a describirnos minuciosamente la plaza que doña Manuela parece observar y recordar con los ojos cerrados. Pero Blasco Ibáñez no nos convence. La observación es completa pero la vivencia es nula. Inicia la descripción con las líneas arriba mencionadas, de carácter emotivo, pero después aísla a la plaza del personaje, y si la plaza es vista por el lector, nada se siente frente a ella, aunque quizás la modernidad del autor consista en ese distanciamiento, que es tan fílmico. En lo que a mí respecta, el autor fracasa porque no logra entretejer la vivencia personal con lo estrictamente descriptivo, resultado, a mi modo de ver, incompleto. Después de la descripción en la cual no falta ángulo ni edificio alguno, en párrafo aparte, se vuelve a un punto de vista más personal: "Tachábase en su interior de poco distinguida…", pero se apresura y retorna a la exterioridad interpretativa: "Siempre conservaba amortiguados y prontos los gustos y aficiones de la antigua tendera que había pasado lo mejor de su juventud en la plaza de Mercado" (9). Mientras la pupila de Blasco Ibáñez es puntillosa para verlo todo, permanece ciego a la internalización de lo que ven sus personajes.

Si hacemos un esquema visual del texto podemos darnos cuenta con mayor claridad de lo que venimos diciendo:

Doña Manuela ante la plaza seguida de la criada y el cochero. Descripción visual de los mismos.

Visión panorámica de la gente en la plaza.

Doña Manuela ante la plaza: inmóvil, mareada, confusa.

Visión panorámica giratoria de los edificios de la plaza.

Descripción de la iglesia de los Santos Juanes, la Lonja de la Seda, el Principal y otros edificios menores. Descripción detallada del centro de la plaza.

Doña Manuela contemplando la plaza.

Descripción física de doña Manuela semejante a la descripción de la plaza.

Descripción en detalles: técnica de primer plano.

Doña Manuela seguida del criado y el cochero entran en la plaza.

Descripción de la multitud en plena actividad.

Doña Manuela caminando por el arroyo y la acera.

Descripción de las huertanas, grupos diversos

Vuelta a doña Manuela mezclándose con la multitud.

Episodio de doña Manuela y don Juan

Vuelta a doña Manuela mezclándose con la multitud

Episodio de doña Manuela con Juanito, don Antonio y Teresa.

Episodio de doña Manuela mezclándose con la multitud.

En toda esta secuencia el autor va saltando de una manera más o menos sistemática de la protagonista, como agente de la acción, a la plaza –descripción de objetos y de grupos no individualizados. Crea en su fase inicial una dinámica rítmica. Va de Manuela, como figura protagónica, a caracteres no individualizados: el personaje le sirve para introducir elementos temáticos, la ambientación colectiva y anécdotas significativas que se precisan gradualmente. En conjunto trabaja (1) con la presencia de un elemento que se mueve dentro del paisaje y que justifica implícitamente la descripción del mismo y sirve de guía (2) pasando a largas secuencias que se alternan de lo individual a lo colectivo. Dentro de lo colectivo hay que considerar la descripción minuciosa de seres animados e inanimados. A medida que el capítulo avanza, hacia el final, se va de lo individual-colectivo (Manuela-Plaza) a lo individual-personal (Manuela-otros personajes); de lo básicamente descriptivo a elementos temáticos. A pesar de que lo prolongado de cada secuencia perjudica el ritmo, lo cierto es que deja constancia de la objetividad visual de la narrativa que lo convierte en un escritor fílmico.

La barraca

Algo mucho más interesante como procedimiento literario tiene lugar en *La barraca.* Vemos como Pepeta está en la huerta, se mueve por ella y se dirige a Valencia. Blasco Ibáñez la sigue y sigue el paisaje por donde cruza. El paisaje, tan importante, no es visto por el personaje, como si el autor quisiera reducir a Pepeta a su mínima expresión y la abstrae del mundo que la rodea. Incluso, cuando se encuentra con Rosario, no la reconoce en un principio. Por el contrario, "ésta no quitaba la vista de la labradora", hasta que finalmente Pepeta *VE:* "Pepeta levantó su cabeza, por primera vez fijó los ojos en la mujerzuela, y también pareció dudar" (15). Con lo cual, a los efectos de lo que queremos decir, "ver" en su sentido inmediato, es interpretado en la precisa función física del nervio óptico, mientras que "percibir" implica no sólo la captación física de la imagen, sino el "conocer" interpretativo de la misma. Por ese motivo al final de capítulo la observación se va haciendo vivencia. Pepeta, que siempre pasaba por la barraca sin fijar su atención en la misma: "influida por su reciente encuentro, se fijó en la ruina y hasta se detuvo en el camino para verla mejor" (20). Este acto de Pepeta que al fin parece percibir lo visto, es un pretexto del autor para, el ver él, pase a describir lo que ve. La dimensión de la descripción está en franco desajuste con la capacidad del personaje que observa. La descripción de la barraca es demasiado minuciosa para corresponder a la capacidad perceptiva de Pepeta, reducida por su capacidad intelectiva para "ver". Los ojos se posan en la barraca (como lo haría la barca de *Cañas y barro,* a su modo, como si tuviera ojos), pero la mente está en un vacío que no le permite darnos una visión de la realidad asimilada por el personaje.

No obstante lo expuesto, un milagro positivo va a ocurrir en *La barraca;* Pepeta llegará a "percibir". Por ese motivo, el capítulo inicial se colocará por encima, desde el punto de vista de su dramatismo y de su técnica novelesca, respecto a las otras dos novelas mencionadas. Una progresión visual tiene lugar.

"Pepeta, apoyada en el lomo de su vaca, *les veía avanzar, poseída cada vez de mayor curiosidad."* "Pero *su curiosidad tuvo un final inesperado".* "Pepeta no quiso ver más. Ahora sí corrió de veras hacia su barraca". "*Al ver llegar a su mujer con los ojos asombrados,* y el pobre pecho jadeante, Pimentó mudo de postura para escuchar mejor". "*Vamos a ver,* ¿qué era aquello?" "Las tierras de Barret… una familia entera… iban a trabajar, a vivir en la Barraca. *Ella lo había visto".* Pimentó echó a correr. "*Su mujer vio* como corría a campo traviesa hasta un cañar inmediato a las tierras malditas. Allí se arrodilló, se echó sobre el vientre para *espiar* por entre las cañas como un beduino en *acecho".* "La noticia se trasmitía a gritos, como si *acabara de aparecer* una galera argelina buscando un cargamento de carne blanca" (25-28).

Pepeta, muerta y ciega ante el paisaje, cobra vida e intención dramática cuando afirma, como todo un descubrimiento, que *"había visto",* como si nunca hubiera visto antes, y como si un milagro hubiera tenido lugar. En Pimentó la visión se hace dramática. Nuestras cursivas marcan la percepción visual del episodio, como si un ciego hubiera recuperado la visión.

En resumen, el movimiento de una embarcación o el de un personaje le puede servir al novelista como pretexto descriptivo de carácter externo. La descripción puede ser completa o no, más o menos eficaz, pero no podrá transformarse en estado emocional si no hay una participación en vivo que humanice al objeto o al ser humano animalizado o deshumanizado que estilizado por el autor. Es necesario asimilar lo que hay: "percibir" lo que se "ve".

También sería exagerado pedir que toda descripción del paisaje proceda de los ojos del personaje, mucho más dentro del estilo narrativo del siglo diecinueve. En relación con estas tres novelas y el análisis de sus capítulos iniciales, la filmicidad de las secuencias se acrecienta por el uso del "travelling" narrativo, que lo lleva a crear, como si estuviera filmando una película, elementos móviles donde ubica la cámara dentro de él, fotografiando, o imágenes a modo de "yo soy la cámara" que marca el desplazamiento creador de la imagen gráfica.

Si fuéramos a hacer un análisis de *La barraca* mediante la detallada desintegración del primer capítulo en forma de guión cinematográfico, notaríamos en primer lugar un significativo aumento de la banda sonora, como si se efectuara un transición del cine mudo al cine sonoro, lo cual produce en el lector una imagen visual más completa. Aun en los momentos en que los elementos auditivos no aparecen señalados, el lector cree oírlos.

Al hacer el esquema del primer capítulo de *La barraca* tendríamos que considerar:

Imagen	Sonido
Panorámica de la vega	
Ruiseñores	Canto.
Gorriones en los techos de paja	Canto.
Gorriones las copas de los árboles	Canto
Amanecer. Noche que se apaga	Borboteo de las acequias.

	Murmullo de los cañaverales.
	Mastines que ladran.
Amanecer. Despertar del día	Canto del gallo.
	Sonido de las campanas.
	Concierto animal:
	relinchos, mugidos,
	Cloquear, balidos, ronquidos
Luz en el espacio iluminado, surcos,	
Follajes, moreras, frutales, cañas,	
Hortalizas	
Caminos con gente	Chirridos, canciones,
	gritos, rebuznos.
Acequias y ánades	Sonoros chapuzones,
	callar de ranas.
Barrracas y alquerias:	Chirriar de puertas,
figuras blancas, emparrados,	sonidos de cencerros,
cencerros,	campanillas y gritos.
rebaños de cabras, caballejos,	
árboles enanos.	
Caminos y puertas	-¡Bon día..! ¡Bon día...!
Encuentros de desconocidos.	Silencios, charlas breves.
Nuevos encuentros	Silencios, charlas breves
Panorama de la huerta	Chillidos de los gorriones.
La plenitud del día: sol que sale,	
surcos rojizos, gorriones, alondras	

    Es como si entráramos en la plenitud del cine sonoro. Inclusive en colores. Poco hay que agregar. Se ve mejor porque se oye mejor. Se oye mejor porque se ve mejor. Imagen y sonido se completan mutuamente. No falta nada en ese mundo de elementos concretos gracias a la forma perfecta en que los mismos se complementan.

    Hasta este momento que comentamos no ha necesitado el autor ningún pretexto para movernos dentro del paisaje. Después hace surgir a Pepeta, que va, viene y vuelve a ir a Valencia. En estas idas y venidas hay dosis parecidas de imagen y sonido, descripciones que se van alternando con aspectos más personales de la vida de Pepeta. Personajes y secuencias se alternan y se descomponen en tomas más breves. Se notan puntos de contacto y de diferencia con el recorrido de doña Manuela en *Arroz y tartana.*

En la última parte del capítulo podemos detallar la siguiente secuencia rítmica.

Pepeta recuerda la tragedia del tío Barret.
Explicación de la tragedia del tío Barret.
Pepeta ve la barraca del tío Barret.
Descripción de la barraca del tío Barret.
Pepeta observa la familia que irá a vivir en la barraca del tío Barret.
Descripción de la familia.
Pepeta observa hacia donde se dirige la familia.
La familia se dirige hacia la barraca del tío Barret.
Pepeta corre porque ha visto.

De estos y los momentos que le siguen ya hemos hablado antes. El constante movimiento representado por Pepeta le da al conjunto un sentido rítmico característico de otras páginas del novelista. El proceso narrativo es de lo mejor del autor ya que el acto de ver, como vivencia, va más allá de la simple observación. El autor narra en frío, objetivamente, y sin embargo, por muy bien que lo haga, por muy minuciosa que sea, algo falta. Todo se "ve", pero no todo lo que se ve se "percibe". Y ahí está el problema.

En conclusión:

A pesar del común detallismo, *Arroz y tartana* no sólo tiene menos fuerza, sino que presenta un carácter mucho más episódico que *La barraca* o *Cañas y barro.* Mientras que en estas dos novelas, y en especial en *Cañas y barro,* las descripciones fluyen y parecen entrelazadas unas con otras, *Arroz y tartana* tiene una armazón más burda. La parte descriptiva, formada por bloques masivos, aparece interrumpida a intervalos por anécdotas relacionadas con doña Manuela, no siempre interesantes, y forman bloques temáticos aislados de los descriptivos. El sentido rítmico de la barca al barquero, del barquero a los pasajeros, volviendo después a la barca y al barquero, no está igualmente logrado en *Arroz y tartana,* lo que coloca a *La barraca* por encima de las otras. Esto se debe, entre otras razones, a la dimensión misma de las unidades narrativas, breves en *Cañas y barro*, masivas en *Arroz y tartana.*

Mientras en la primera nos encontramos con instantáneas fílmicas que se alternan, en *Arroz y tartana* trabaja con secuencias prolongadas que afectan a la dinámica del texto. Pero en su conjunto, *La barraca, Cañas y barro y Arroz y tartana*, en sus capítulos iniciales, ofrecen interesantísimas secuencias estructurales cuyos vínculos cinematográficos ponen de relieve la asimilación del autor a la dinámica del mundo que le tocó vivir. Algunos ilustran conceptos generalizados sobre su estilo, especialmente su extraordinaria capacidad de observación, su búsqueda de detalles que describe con exactitud, su realismo fotográfico, y que en particular plantean problemas básicos en cuanto a la visión, la percepción y el estilo; las causas y limitaciones de una visión superficial que elude lo profundo y que apuntan a lo que ven o no ven sus personajes, así como a las limitaciones y los logros del propio novelista.

OBRAS CITADAS

Ayala, Ramón Pérez de, Editor. *Libro-homenaje al inmortal novelista V. Blasco Ibáñez.* Valencia: Ediciones Prometeo, 1959.

Balseiro, José A. *Cuatro individualistas de España.* North Carolina: The University of North Carolina Press, 1949.

Betoret-Paris, Eduardo. *El costumbrismo regional en la obra de Blasco Ibáñez.* Valencia: Ediciones Fomento de la Cultura, 1958.

Blasco Ibáñez, Vicente. *La barraca.* Valencia: Ediciones Prometeo, 1918.

Blasco Ibáñez, Vicente. *Cañas y barros.* Valencia: Ediciones Prometeo, 1916.

Blasco Ibáñez, Vicente. *Arroz y tartana.* Buenos Aires: Austral, 1967.

González-Ruano, César. *Silueta de escritores contemporáneos.* Madrid: Editora Nacional, 1949.

Suris, Andrés. "Técnicas cinematográficas de montaje paralelo en tres novelas de Vicente Blasco Ibáñez". *Explicación de textos literarios,* California State University, Vol. V

Swain, James O. *Vicente Blasco Ibáñez.* Tennessee: University of Tennessee, 1959.

CAPÍTULO IX

Azorín:
Teoría y práctica del cine

Versión original publicada en *España Contemporánea*, Revista de Literatura y Cultura, Ohio State University. T.7, N.1, Primavera 1994

El interés de *Azorín* por el cine se pone específicamente de manifiesto con la publicación de *El cine y el momento (1953)* y *El efímero cine (1955).* La cinematograficidad de *Azorín* ha sido previamente establecida por la crítica, pero usualmente estos textos han sido citados muy de pasada. Hay que reconocer que estas crónicas de cine, como tales, tienen una validez relativa. Son más bien curiosidades nostálgicas para los "aficionados" de *Azorín,* los azorinianos apasionados de su estética. Sus comentarios son, con frecuencia, pueriles, algo inconexos, y no están sistematizados. El cinematografista que hay en el escritor no está en estas crónicas apresuradas, sino en sus narraciones, que es la práctica fílmico-literaria. Sin embargo, una lectura cuidadosa descubre claves significativas que explican su afición por el cine.

Ante la pantalla, *Azorín* realiza un descubrimiento *a posteriori* de su propia teoría narrativa, que es fílmica, reconociendo en ella procedimientos que ya ha utilizado en sus obras, y que plantea a diferentes niveles en estas crónicas. No se nos esconde que los artículos de crítica aparecen después dentro de una nueva realidad, la cual no excluye el interés perspectivístico que nos da pautas interpretativas de peso. El creador, frente a la realidad de una estética fílmica, se identifica con el cine, cuya evolución técnica, en los años que publica sus críticas, difiere grandemente a la del primer cuarto de siglo, época de su efervescencia creadora. En realidad, el carácter precario del cine que se hacía en los años veinte sólo pudo dejar un impacto muy limitado en una técnica narrativa tan compleja y refinada como la de *Azorín*. En el momento de la creación de sus más importantes muestras creadoras, como *Don Juan (1922)* y *Doña Inés (1925),* cuando el cine estaba en ciernes, otros medios, particularmente la pintura, influyen en la misma. Pero este no es el punto focal de nuestro trabajo. No pretendemos establecer una relación causa-efecto (cine-literatura), sino una exposición coincidente y correlacionada de procedimientos. Una técnica regresiva-progresiva lo lleva del miniaturismo y cervantinismo fílmicos a una praxis innovadora donde hace gala de recursos con evidentes nexos con el cine –*crane shot, flashback, crosscutting, etc*-. Entre todos ellos predominan dos sistemas, la yuxtaposición y la elipsis, mediante los cuales construye el *suspense* de su narrativa. El miniaturismo nos remonta a la visualización ilustrativa de los textos medievales y el cervantinismo a la búsqueda de presencias temáticas cervantinas. El presente lo lleva al pasado (el momento en que se realiza la obra) con una perspectiva que se vuelve futuro (el cine como arte de nuestro tiempo). No es nuestra intención afirmar que estas técnicas fílmicas influyen en su obra, sino que *Azorín* anticipa recursos que se harán patentes en el cine.

Circunstancias

Sus biógrafos han destacado la afición fílmica del escritor durante la última etapa de su vida. "Entre 1952 y 1955, *Azorín* consume sus ratos libres viendo, en ocasiones, hasta dos películas diarias. Sus observaciones, sus meditaciones, sus ocurrencias (una visión personalista, no una crítica en sentido estricto) van apareciendo en el diario *ABC* en forma de artículos breves, enmarcados y recuadrados" (Riopérez 699). Se trata, por consiguiente, de un interés en el cine que se manifiesta explícitamente cuando ya está realizado lo fundamental de su producción literaria y ha publicado sus textos más "cinematográficos". Por otra parte, "se ha reprochado que escritor tan cinematográfico como *Azorín* (en *Azorín* la observación ha funcionado como una cámara que registra todos los detalles y los matices de las cosas: miniaturista de la realidad, registrador del sonido, del silencio, de los cambios imperceptibles de la luz) descubriese, tan tardíamente, las virtudes del cine –sus magníficas posibilidades como medio de arte" (Riopérez 609). Hay que tener en cuenta que la "tardanza" del descubrimiento es más aparente que real, porque "el cine es introducido en España, sincrónicamente, con la llegada de *Azorín*, desde Valencia, en el año 1896. Un tipo de cine en balbuceo: del primitivo cine mudo al cine parlante, han de transcurrir años" (Riopérez, 609). El período de tiempo que va del cine mudo al sonoro crea una línea divisoria significativa.

La madurez que representa el cine sonoro, hace que los escritores que nacen en ese momento (la generación de Carlos Fuentes, Guillermo Cabrera Infante, Manuel Puig, Juan Goytisolo) puedan hacer pública su pasión por el cine; mientras que las generaciones previas, salvo excepción, como en el caso de Blasco Ibáñez, lo manifiestan menos enfáticamente, ya que la afición por el cine aparece asociada a prejuicios de diversa índole. Cosa de crónica periodista de nivel farandulero, era un territorio más bien reservado, desdeñosamente, a la mujer y, por extensión, de acuerdo con los cánones del momento, de interés algo superficial. El cine no era para ser tomado en serio. Dentro de la propia crítica en general, han tenido que pasar muchos años para que el análisis del texto desde el punto de vista fílmico ocupe una posición respetable en el terreno de la crítica, y se pueda hablar de una retórica y una narratología fílmico-literaria.

A esto se une, en el caso particular de España, un centenar de problemas que estrangulan una y otra vez el desarrollo de la industria cinematográfica, con múltiples consecuencias. "Los modestos intentos realizados a mediados de los años veinte para conseguir una legislación que proteja y subvencione el cine nacional, a imitación de las que ya existen en el resto de Europa, no prosperan" (Miró 74). Pero ni la Dictadura ni la República, ni naturalmente la Guerra Civil, favorecen el desarrollo de la industria nacional y tampoco una percepción del cine como arte de nuestro tiempo, aunque políticamente si se reconoce su función propagandística. El doblaje, cuya obligatoriedad se establece mediante un legislación aprobada el 23 de abril de 1941, crea un sistema de adulteración fílmica que coloca a España en una situación de desventaja. "El público, analfabeto en un alto grado y desconocedor de idiomas extranjeros, se acostumbra a una forma de ver cine mucho más cómoda, los distribuidores y exhibidores no quieren abandonar el doblaje al comprobar el aumento de sus ingresos y los censores descubren que pueden alterar los diálogos mucho más impunemente que las imágenes" (Miró 77). La forma tardía, irregular y censurada de los estrenos después de la Guerra Civil, produce un cierto aislamiento y coloca a España en una posición de retraso respecto a muchos países latinoamericanos, que tienen un contacto más inmediato con los últimos estrenos, particularmente en el caso de Hollywood. Por todos estos factores lo que sorprende es el interés de *Azorin* por el cine, que coincide cronológicamente con ciertos cambios ya que "a comienzos de los cincuenta empieza a consolidarse una nueva generación de cinematografistas que nace de las aulas de la incipiente escuela de cine, el Instituto de Investigaciones y Experiencias Cinematográficas" (Miró 79). En esta primera mitad de la década del cincuenta se acrecienta el interés fílmico y se publican los libros citados que coinciden con las películas de Luis García Berlanga y Juan Antonio Berdem. Nestor Almendros ha observado que la Generación del 98 deja un impacto formativo en estos directores que inician la renovación del cine español. Almendros, haciendo una referencia a una información crítica de Luis G. Egido, observa que la huella de *Azorín* en la película *Calle Mayor* es la "más reconocible", compartiendo con Egido la opinión de que "la vida provinciana, el intimismo y el tipo de Isabel (Betsy Blair) son puramente *azorinianos"* (98), factores adicionales respecto a esta interacción entre *Azorín* y el cine.

Azorín, por consiguiente, responde a las características innovadoras representativas del 98, un precursor de la cinematograficidad de la literatura y en la literatura, cuyos múltiples nexos van a desarrollarse después. "Muchos madrileños de los años cincuenta se asombraron del entusiasmo del viejo maestro del 98 por el séptimo arte. Recuerdo haberle visto entrar, en mis años de estudiante, en el cine *Panorama,* de la calle Cedaceros. El *Panorama* era por aquel entonces, un cine destartadalito y de módico precio, frecuentado por estudiantes y gente de barrio" (Catena 226). Reconoce *Azorín* su fanatismo por el cine, que le parece razonable, unido a una identificación con lo popular que nada tiene que ver con el esoterismo con el cual generalmente se le asocia: "Frecuento los cines populares; los de lujo no los conozco. Las películas que se estrenan en los cines de lujo pasan después –no todas- a los populares. En los populares el espectador puede ver, por un precio módico, dos películas. He visto en tres años unas seiscientas; no es mucho; algunas deliberadamente o por otras circunstancias, las he visto dos, tres o más veces" *(El cine y el momento,* 107). Su nota diferencial se pone de manifiesto cuando nos dice: "En fin; por mi gusto estaría hablando de cine horas enteras; no comprendo como mis compañeros, novelistas, ensayistas, poetas, no prestan atención a un arte que lo es intensamente del presente, y que lo será con los adelantos que se esperan, como en el cine en relieve, del porvenir" *(El efímero cine,* 154). Dado su prestigio intelectual y generacional, este interés es la excepción y no la regla. Innovador del 98, demuestra su sentido de apertura a todo lo que significaba renovación, como venía haciendo desde hacía tiempo en la narrativa.

Definición: Espacialización

La anticipación fílmica de *Azorín* surge de su concepto del tiempo, su atemporalidad, que es totalizadora. "El cine envuelve la totalidad del mundo" *(El efímero cine, 13)*. Arte total, se vuelve parte de una percepción que rompe con los límites de otras expresiones artísticas y literarias. Esa noción totalizadora surge de la confluencia de dos vertientes, la espacial y la temporal: en el cine "el espacio y el tiempo son ilimitados" *(El efímero cine, 23)*. Esta afirmación identifica a *Azorín* con un principio que ha sido definido como *espacialización* y que es una preocupación común que lo une a otros narradores. "Arnold Hauster brevemente y Joseph Frank, más extensamente, han demostrado que los novelistas han tratado de que la novela refleje la fusión espacio-temporal que ocurre naturalmente en el cine y que no ocurre de forma natural en un libro por su aparente naturaleza irreversiblemente lineal, en un medio donde una secuencia sigue a la otra [sequential médium]" (Spencer 153), idea con la que no estoy totalmente de acuerdo. *Azorín* se lamenta indirectamente de las restricciones que la página en blanco impone a la narrativa, aunque no cae en el análisis teórico. Sus observaciones no son más que el reflejo de lo que ya había hecho en *Doña Inés* y *Don Juan,* obras de espacio y tiempo ilimitados, que es la respuesta *azoriniana* a la *espacialización* del tiempo propia del cine. "En su sentido más simple, la espacialización del tiempo en la novela es el proceso de fraccionar los eventos que, en la novela tradicional, pueden aparecer en una secuencia narrativa, y volverlos a estructurar de tal modo que el pasado, el presente y el futuro se presenten de forma reversible o combinando patrones diversos" (Spencer 156). En realidad, *Azorín* nos estaba diciendo que en cualquier película se cumple ese acto de liberación que le es intrínseco, mientras que la creación literaria tiene un espacio restringido. Es decir, el cine tiene todos los recursos para poner en práctica procedimientos metafóricos, particularmente pictóricos, con los cuales *Azorín* construye su narrativa. "Un rico lenguaje composicional, caracterizado por lo que Metz llama "código de la heterogeneidad" [codic heterogencity] [heterogeneidad fílmica codificada] abierta a toda clase de simbolismo literario y pictórico" (Stam 131). No es de extrañar, por consiguiente, su percepción de ese poder aglutinador del cine.

Su preferencia se basa en una identificación que nace con su propia estética. "El cine es un arte de lo efímero; es el producto de la vida universal con sus rasgos salientes: multiplicidad, rapidez y fugacidad" *(Lo efímero del cine,* 151). La tecnología y el capital, naturalmente, colocan a Hollywood en una posición privilegiada que se traduce en "multiplicidad, rapidez y fugacidad" (151). Miniaturismo de lo transitorio, también lo es de lo múltiple, recreándose *Azorín* en todas esas partes que componen el todo: sus "escenarios" narrativos son completos, pero fugaces. La consistencia "huidera" y "efímera" del cine, es al mismo tiempo la manifestación más tangible del tiempo. "Temático del tiempo, ¿cómo no me iba a atraer el cine, que es el tiempo en concreto?" *(Lo efímero del cine,* 11). Tras la aparente contradicción, parece resumir toda su visión del mundo: el tiempo fílmico es algo que fluye, que se va constantemente, pero que al mismo tiempo es especifico, concreto. Este tiempo "concreto", visto como parte de la "totalidad del mundo", "huidero" y "efímero", configura la *espacialización* del tiempo *azoriniano*. Por consiguiente no hay contradicción: tiempo y espacio se complementan tanto en el novelista como en el cine. El escritor descubre en la pantalla la *espacialización* del tiempo con el cual ha estado trabajando su narrativa. "Uno de los más obvios efectos logrados por medio del proceso de espacialización del tiempo, es la simultaneidad: la representación de dos o varias acciones en varios lugares que ocurren al mismo tiempo" (Spencer 156). Este principio lo pone en práctica en los capítulos iniciales de *Doña Inés,* en la secuencia de los dos besos y en la relación espacio-temporal de doña Inés en el sepulcro de Beatriz: los dos espacios configuran el mismo tiempo. Las películas que ve

Azorín le sirven para establecer nexos, asociaciones libres que forman parte de ese "montaje" textual en que dos espacios separados y a veces sin aparente conexión, adquieren un significado especial y configuran una nueva imagen y, por extensión, un nuevo tiempo. No hay contradicción ni negación sino *espacialización.* La hipnótica fascinación que el cine ejerce en él radica en el redescubrimiento de sí mismo, como escritor que se ve, estilísticamente, en la imagen que se proyecta en la pantalla.

Miniaturismo

La particular condición *azoriniana* que lo lleva a correlacionar polos opuestos espacio-temporales, explica el concepto de regresión progresiva que hay en todas estas interpretaciones. Este concepto de la doble perspectiva lo lleva a establecer una trayectoria que va de los miniaturistas medievales al cine contemporáneo. "En 1450 se inventa –se perfecciona- la imprenta. Había ya rudimentos anteriores. La imprenta fue una verdadera calamidad para la especie humana: calamidad en el arte, en las letras, en el pensamiento, en la paz pública. La imprenta produce unos libros toscos y los miniaturistas producen unos libros primorosos" *(El efímero cine,* 11). Esta tradición miniaturista, que es visual e ilustrativa, es captada en la prosa de *Azorín*, que utiliza el lenguaje con el concepto primoroso y decorativo de los miniaturistas del Medioevo, de acuerdo con el postulado de que en el transcurso de los siglos, "las imprentas han labrado tan bellos libros como labraran los pacientes miniaturistas" *(El efímero cine,* 12). En la conjunción entre el miniaturismo y el cine contemporáneo acomoda *Azorín* su estilo. El encadenamiento de una cosa con la otra, lleva del miniaturismo al cine: "Una imagen en el cine –en la cámara- es lo infinitesimal… Todo es efímero en el cine: la imagen y la causación de la imagen, la película" *(El efímero cine,* 13). El cine se forma mediante una constante desintegración de imágenes que se perciben gracias a un proceso de descomposición móvil que produce un efecto de continuidad. En sus novelas compone sus "escenas" de modo parecido, siguiendo una tradición que mira hacia atrás y también hacia adelante. La oración corta descompone la narrativa en infinidad de tomas que, al mismo tiempo, producen un efecto de continuidad móvil.

Prácticamente, cada página de *Doña Inés* es un ejercicio en el miniaturismo fílmico de *Azorín* visto por *el ojo de la cámara,* que es el observador omnipresente. Si tomamos un capítulo tan breve como "El oro y el tiempo", notamos, en primer término, que compone el "escenario" con un concepto miniaturista en que nada falta. "Llamea en la estancia, sobre la cama, la colgadura con damasco escarlata con estofa de ramos y amplia caída" *(Doña Inés,* 85). El escenario sirve como *plano general* donde tiene lugar el retrato de doña Inés, acercándose *Azorín* al primer plano miniaturista cuando lo estima conveniente: "Los encajes sobre la carne morena son como blanca espuma" *(Doña Inés,* 85). Sobre todo, se trata de un *movimiento de cámara* que fluye constantemente, desplazándose sobre multitud de *primeros planos* que traducen el estado sicológico. Se transparenta la textura de la tela y entretejida aparece la piel. Dentro de este conjunto minimalista, enfoca el lente en aquello que considera fundamental, llevándolo al correspondiente *primer plano* donde todo el recorrido, todos los planos, forman una síntesis llena de significado: "La mano fina ha metido los dedos dentro el oro…" *(Doña Inés,* 86). La imagen se completa con el color (porque *Azorín* no siempre funciona en blanco y negro), y la *banda sonora,* es igualmente miniaturista: se escucha sobre el texto que visualiza "el silencio roto por el son agudo del precioso metal" *(Doña Inés,* 86). La prosa cortada de *Azorín* no interrumpe la continuidad del lente en su desplazamiento por los detalles y los objetos, dándonos además, como si fuera poco, una lección de actuación a través de la "interpretación" que está haciendo doña Inés, la cual conjuga el gesto de la actriz con el personaje.

La conciencia del detalle (miniaturismo) va unida a la conciencia del movimiento (cine) y configura la técnica de un escritor donde se conjuga la tradición con la novedad. Y sin embargo, *Azorín* ante la pantalla tuvo que darse cuenta de la diferencia entre ambas narrativas. Una simple toma fílmica capta en un instante lo que *Azorín* construye cuidadosamente palabra tras palabra. Su propósito de "dirigir" la actuación de sus personajes, particularmente doña Inés, es uno de los efectos que produce la lectura. Surge de una necesidad de transcripción visual dentro del marco de la toma fílmica que va teniendo lugar, un desesperado intento de darnos tanto el todo como las partes que lo forman.

Cervantinismo

Por consiguiente, en las letras hispánicas de la primera mitad del siglo XX es *Azorín* el escritor que introduce el cine dentro de su propia narrativa con más clara conciencia de la composición fílmica y de una forma gráfica que acondiciona la estructura novelesca. Afirma que siente curiosidad por "rastrear la entrada del cine en las letras" *(El efímero cine,* 26), y percibe la cinematograficidad de Vicente Blasco Ibáñez en *Entre naranjos,* citando una imagen fílmica de las primeras páginas de la novela. "Destacábase, como visión cinematográfica, las filas de naranjos…" *(El efímero cine,* 26). Pero de mayor interés es su intuición de una relación fílmica cervantina.

Esta intuición se pone de manifiesto mediante un *flashback* intelectual formado por *disolvencias* de *varios primeros planos* que se superimponen. "Para terminar –por ahora--, tres preguntas trascendentales. ¿Se hubiera apasionado del cine Montaigne? ¿Se hubiera apasionado Goethe? ¿Se hubiera apasionado Cervantes? *(El efímero cine,* 173). Un primer plano de *Azorín* se disuelve en Montaigne; este en Goethe y el siguiente en Cervantes, donde "la sensación cinematográfica de lo huidero" *(El efímero cine,* 173), característica cinematográfica cervantina, según el novelista, compone el sentido total de las preguntas, la "imagen" abarcadora del todo.

Esta percepción cervantina coincide con la importancia concedida a Cervantes dentro de la moderna narratología fílmica, particularmente observada por Robert Stam que en su libro, *Reflexibility in Film,* subtitulado "from don Quixote to Jean-Luc Godard", en el cual coloca a Cervantes en un primer plano y lo toma como punto de partida para las más diversas interpretaciones fílmicas. "Cuando Cervantes interrumpe la historia de la batalla de don Quijote con los vizcaínos, en una aproximación novelística que equivale al de la imagen congelada [freeze/frame], dejando a ambos personajes con las espadas en alto, basándose en que sus fuentes no fueron más lejos, hasta el momento en el cual descubre un pergamino descubriendo la misma batalla que ha sido interrumpida, él está destruyendo, conscientemente, la ilusión creada por la narración" (Stam 129). El uso del *freeze-frame* dentro de un sistema intertextual como efecto distanciador creador del *suspense*, coincide con procedimientos parecidos utilizados por *Azorín,* de similar dramaticidad, en *Doña Inés.* La voz narrativa de don Pablo, "congela" la historia de Beatriz y el Trovador, que progresa y se detiene rítmicamente, como si *Azorín* estuviera consciente del efecto de la doble narrativa. Si el texto *azoriniano* está literariamente conectado con el de Cervantes, ambos están estructuralmente relacionados con el cine.

No es de sorprender que estableciera además un nexo cervantino en la reconstrucción que hace de Hollywood, que es para él la suprema expresión del séptimo arte. En una crónica que escribe sobre Gary Cooper, afirma que "Gary Cooper ha nacido en Albacete o en Villarobledo, o en Quintanar, o en Tomelloso; es netamente manchego. Su figura es ésta: alto, cenceño –sin escualidez-, la cara alongada, expresiva la boca, largas las finas manos. Va vestido de negro, con ancho sombrero, bajo la copa, con cuello de camisa doblado y una cinta negra y larga de corbata. Su gesto habitual –sobre todo en sus dudas, en su abatimientos- es pasarse la mano por lo bajo de la cara, como esperando disipar, con tal frote, su íntimo desconsuelo. Lo veremos en la ancha calle solitaria –solitaria por la cobardía ambiente- detenerse un momento y llevarse la cara al mentón. *Solo ante el peligro,* película en que Gary Cooper es el protagonista, es una película perfecta fotográficamente, perfecta estructuralmente" *(El cine y el momento,* 80). Al hacer el retrato de Gary Cooper, elimina las barreras espacio-temporales y utiliza un idéntico procedimiento al que aplica al caso de Doña Inés-Doña Beatriz y Diego de Garcillán-El Trovador. Cooper queda asociado a otro espacio y a otro tiempo. Las luchas de fronteras se desplazan de la Reconquista al Lejano Oeste, pero al mismo tiempo quedan identificadas. *High Noon* se vuelve cantar de gesta de una nueva lucha de fronteras, con la postura épica 'del manchego Cooper, del gran manchego enderezador de entuertos'" *(El cine y el momento,* 81) –Cid quijotesco. La épica del Lejano Oeste fabricada en Hollywood, es la épica castellana que se reconstruye dentro de otro tiempo y circunstancia, pero con una concepción histórico-fílmica que las enlaza.

Yuxtaposición

Detrás del novelista hay un guionista. La importancia y el respeto que tiene *Azorín* hacia la escritura fílmica, se pone de manifiesto al dedicarle *El efímero cine* a sus "compañeros" del Círculo de Escritores Cinematográficos, a quienes trata de igual a igual. Como diversos escritores que vendrán después (Guillermo Cabrera Infante, Manuel Puig) que hacen literatura (cuando menos parcialmente) ante la imposibilidad de hacer cine, *Azorín* se hace planteamientos teóricos sobre este hecho creador, particularmente en el artículo que titula "Un embrión" *(El cine y el momento,* 33-35), en el cual responde a su propia pregunta: "¿Cómo encontraremos un embrión de película?" (33). La respuesta práctica está en el artículo mismo, donde el escritor hace una recomposición fílmica de los cuatro primeros versos de un soneto de

Quevedo, el cual somete a un análisis literario mediante una reconstrucción cinematográfica. En realidad, se trata de una libre adaptación cinematográfica de un texto poético.

> ¡Cuántas manos se afancan en Oriente
> Examinando la mayor altura,
> Porque tus dedos, breve coyuntura,
> Con todo un patrimonio esté luciente! (33)

Azorín se limita a comentar los primeros cuatro versos de esta "Exclama contra el rico hinchado y glotón" (213), independizándolos de la grosería ramplona que caracteriza la totalidad del soneto; aunque desvirtúa el carácter del mismo si lo vemos en su totalidad. Simplemente, lo ajusta a su muy personal propósito y a su propia personalidad.

En el análisis de estos versos lo más significativo es la conversión de la lírica en una trayectoria visual que persigue como si fuera el ojo de la cámara. "Voy viendo, lentamente, que se trata de recorrer el camino –dramático tal vez- desde los yacimientos diamantinos hasta el dedo de una beldad" (33-34). En estos cuatro versos encuentra un "embrión de película" que se recorre mediante el análisis, y realiza una transferencia y adaptación a la pantalla de una imagen lírica. Observa que la expresión "todo un patrimonio está luciente" ya ha sido utilizada por Quevedo previamente, y que en el "Sueño de la muerte" el protagonista "se ciñe todo su patrimonio al dedo, al ceñirse un sortijón" (34). De esta manera "disuelve" fílmicamente un primer plano de un sortijón dentro de otro, ampliando el significado del sortijón inicial mediante estas asociaciones de imágenes. Al hacerlo, rompe con las fronteras entre el cine y la literatura, como se pone de manifiesto cuando, sin transición, agrega: "Los yacimiento auríferos y la recolección de perlas son cosas que he visto ya en otras películas" (34). Sin previo aviso, ha dado el salto a la pantalla.

El novelista ha eliminado las fronteras de un género al otro. ¿Cine? ¿Literatura? ¿Es que ha hecho de Quevedo un hombre de cine? La transición inesperada ilumina el texto: la impresión inicial del dedo de la dama se disuelve en el sortijón en el dedo del caballero, para volver finalmente a ella –proceso que no ocurre en el poema. Sin embargo, esto da el significado colectivo, histórico, sociológico y económico que se desprende del primer plano del sortijón: el poder del capital, la corrupción del coloniaje, el usufructo individual en detrimento del bienestar colectivo, la decadencia de un imperio. Acrecentando sus vínculos más directos, el lente ha destemporalizado la situación, dándole diferentes niveles de temporalidad.

El "montaje" surge en el embrión de la película: *Azorín* está filmando el texto lírico. "La imaginación ya está en marcha; se atropellan las imágenes: la India, con otros paisajes, otros cielos, otros mares; Amsterdam con sus diamantistas, el mercado de pedrería y las especulaciones; la calle de la Paz, en París, con sus espléndidas joyerías; un diamante maravilloso... (émulo del "Regente", el cual "Regente" se ostenta –o se ostentaba-) en la galería de Apolo, en el Louvre, en París; el camerín de una beldad (-de que habla Santa Teresa con desdén- henchido de chucherías; la mano fina que vemos agrandada en la pantalla..." (34-35). La lectura conduce a interrogantes: ¿Quevedo? ¿La India o América? ¿Cómo es posible? ¿La mano de una actriz en el camerino? ¿Un lapsus? ¿Se habrá equivocado? Todo es, sin embargo, muy sencillo: el sortijón es "breve coyuntura" de la vanidad humana y resumen del coloniaje. No importa la geografía, la India o América; o la nacionalidad, españoles o ingleses. Salvo los comentarios que hemos colocado entre paréntesis, *Azorín* recompone el texto mediante planos generales exteriores que van reduciendo su amplitud del espacio abierto al cerrado, las calles de Amsterdam y París, hasta el camerino con el primer plano del sortijón en la mano de la actriz. De esta manera el texto de Quevedo (los cuatro versos mencionados, pero no la totalidad del soneto) le ha servido para una asociación libre que anula el tiempo y el espacio.

De pronto, perecedero y permanente a la vez, retorna a la pantalla (posiblemente del cine de barrio al que asistía con regularidad) de donde salió Quevedo. Y sin transición, cierra: "Productor. Alexander Korda, enamorado del Oriente, faustuoso, en las primeras escenas de *El ladrón de Bagdad,* como un gran lienzo de Veronés" (35). De esta manera los cuatro versos de Quevedo constituyen el embrión de una interpretación literaria que se vuelve cine.

No deja de sorprendernos que el más refinado de los escritores del 98, fuera realmente uno de los primeros intelectuales españoles, que abandonando la cátedra, descubriera el más contemporáneo de los géneros de la estética postmoderna, el cine, sin perder la distinción de los clásicos y dándosela, incluso, al propio cine del porvenir. Apasionado del sistema intertextual, el novelista lo enriquece mediante un proceso de intertextualidad donde la escritura quevediana se disuelve en la cámara de Alexander Korda. Los textos (parafraseando a Thomas Franz), "inspiran al lector a crear presencias" (32) basadas en ausencias, que es el proceso que utiliza cuando ve la película de Korda, ya que detrás de ella reconoce el poema de Quevedo. En este caso, el escritor ejemplifica el proceso. Al mismo tiempo que su artículo representa un análisis de la película y de los cuatro versos de Quevedo, se vuelve un ejemplo de cómo el receptor recompone toda creación previa. Todo acto creador no se completa hasta que es percibido activamente: premisa fundamental donde están las bases de gran parte de la narrativa del siglo XX.

Todo lo expuesto se reduce técnicamente a un sistema de constantes yuxtaposiciones que funcionan en la partes y en el todo. Sistema de yuxtaposición crítica (en el caso que acabamos de discutir) y yuxtaposición creadora (en el caso de su novelística). *Doña Inés* ofrece los casos más representativos. El montaje de ciertos capítulos, como el XXVII y el XXVIII, "Ella" Y "Él", responde al concepto cinematográfico de que dos imágenes colocadas una al lado de la otra configuran un tercer significado. La doble narrativa, Inés-Diego y Beatriz-El Trovador, la novela dentro de la novela, es un ejemplo narrativo del *crosscutting* fílmico. Lo que Christian Metz ha llamado "sintagma alternado" o "montage alternado", una técnica cinematográfica perfeccionada por D.W. Griffith. "Una más elaborada denominación sería "montaje embrincado", donde una serie de tomas, separadas pero al mismo tiempo superpuestas unas con otras, forman diferentes capas de un argumento que en última instancia se encuentran entrelazadas" (Chatman 174-175). Es evidente que *Azorín* estaba funcionando dentro de un discurso narrativo que anticipaba todos estos procedimientos del discurso fílmico.

El procedimiento es extensamente analizado por Seymour Chatman en relación con *The French Lieutenant's Woman.* Harold Pinter, al adaptar la novela de John Fowles, hace cine dentro del cine de la misma manera que *Azorín* hace novela dentro de la novela con una retórica fílmico-literaria no menos efectiva. Más recientemente el procedimiento sirve de fundamento técnico-temático en *Dead Again,* de Kenneth Branagh, que es otra historia de amor y otro caso de eterno retorno, donde el presente en colores nos lleva a un pesado marmóreo, letal y en blanco y negro (como el sepulcro de Beatriz), que después se incorpora al presente narrativo en una técnica de superimposición. En todos estos casos hay además una consistencia romántica donde el eterno retorno es la base temática que determina el procedimiento. La preferencia de *Azorín* por dejar en el aire dos acciones paralelas (con márgenes que se superimponen como las capas de las tejas de un tejado), acompañadas de escenas retrospectivas, o dejar sin resolver por un período de tiempo un determinado conflicto; constituyen procedimientos fílmicos tradicionales y frecuentes, entre los cuales *Portrait of Jennie* (1948), sobre la novela de Robert Nathan, dirección de William Dieterle, con Jennifer Jones y Joseph Cotten en los papeles protagónicos, invita a un estudio comparativo con *Doña Inés*. El *flashback* sirve para interrumpir, detener o hacer progresar la acción, todo al mismo tiempo, como ocurre con las películas mencionadas, dando por resultado el *suspense* que entra en juego en la elaboración del argumento, y precisamente en la intriga por descifrarse. El sistema de yuxtaposiciones *azorinianas* constituye una efectiva variante de toda una terminología sofisticada utilizada por la moderna narratología y filmografía. En cuanto al cine, dentro del contexto cultural español actual, donde tanta importancia tiene desde finales del siglo XX hasta el presente, *Azorín* era un precursor al que todavía no se le ha dado el crédito merecido.

Elipsis

Al referirse a Orson Welles, *Azorín* hace algunas observaciones que resultan fundamentales dentro de un conjunto de crónicas que, con cierta frecuencia, debemos reconocer, caen en lo superficial. Pero en definitiva, su "descubrimiento" como arte de nuestro tiempo lo colocan a la vanguardia.

En otro trabajo que titulé "Cómo decir lo que no se dice", hemos observado su elusividad, ya que utilizando la omisión obliga al lector a una reconstrucción del significado, a una participación más activa del lector. La elipsis, figura de dicción donde se suprime en la oración aquellas palabras que no son esenciales para la claridad de la misma, lleva a la reducción del sistema de comunicación del lenguaje, explica su preferencia por el período corto y la frecuente conversión de la oración en frase. Claro que el procedimiento puede llevar a lo críptico y obliga al desentrañamiento. *Azorín* es, literariamente hablando, un maestro de la elipsis.

Al hablar del *Otelo* de Orson Welles, enfoca su atención en la elipsis. Ver "Observación sobre la elipsis en el cine, sobre la elipsis constitutiva del cine" *(El efímero cine,* 164), donde describe, elípticamente, la elipsis veneciana de Welles. "Vemos pasar, con vertiginosidad, liezos de murallas, patios con columnas, unas escaleritas de piedra, la poterna de un muro, rostros, una góndola, gaviotas que aletean blandamente, almenas, guerreros, anchas losas, una mujer, otra mujer vestida de blanco, otro corredor solitario, un torreón, lanzas, muchas lanzas, de nuevo una pétrea escalerita, lloros, imploraciones. Orson Welles está luchando con la elipsis; Orson Welles vencerá la elipsis o será vencido por ella" *(El efímero cine,* 165). La asociación lingüístico geométrica entre "elipsis" y "elipse" nos lleva a consideraciones adicionales sobre el movimiento de cámara característico de Welles, que lleva a una continuidad circular, elíptica, de curva cerrada, en la mayor parte de sus películas, pero en particular al principio de *Touch of Evil* y en el baile de *The Magnificent Amberson,* donde la cámara va y vuelve rítmicamente en una curva que retorna al punto de partida. De esta manera, la "elipsis" lingüística de Welles, tan claramente percibida por *Azorín,* crea un barroco de imágenes por omisión de lo superfluo, se conjuga con la "elipse" geométrica de una cámara que no se detiene, como también hizo Lawrence Olivier en *Hamlet* mediante movimientos continuos parecidos que se desplazan elípticamente por las escaleras amuralladas del castillo. El entendimiento que demuestra al interpretar la técnica de Welles con referencia a la Venecia de Otelo, se debe a que ya él ha hecho otro tanto con Castilla, aplicando idéntica fórmula de "elipsis elíptica".

"Una ciudad y un balcón" es una síntesis del arte *azoriniano* que puede servirnos para resumir varios aspectos discutidos en este trabajo. En realidad se trata de una elipsis de Castilla con un corte tiempo-espacio que la vuelve una obra maestra. Dividido en tres partes, cada una de ellas está subdividida a su vez en tres secuencias. Esto le da al artículo una triple configuración triangular que produce un efecto de equilibrio clásico y geométrico a la vez. Esta triangularidad corresponde a tres espacios: (1) un plano general de Castilla de carácter colectivo limitado a su geografía, que incluye referencias intertextuales, subdividido en múltiples espacios que configuran el todo; (2) una visión documental-panorámica del mundo, informativa, histórico-geográfica, dada mediante una subdivisión de espacios múltiples presentados entre paréntesis hacia el final de cada una de las partes; y (3) un primer plano del hombre en el balcón, de carácter individual, el cual parece internalizar todos los espacios exteriores. La panorámica castellana se ve dentro de la panorámica mundial; ambas parecen proyectarse en el primer plano del personaje, donde se eterniza, a nivel individual, el sentido colectivo y el histórico, pero caracterizado a nivel de un personaje único, arquetípico, que se proyecta y disuelve en el tiempo. Este juego de planos, de espacios, se repite tres veces dentro de tres niveles temporales diferentes. *Azorín* trabaja con una movilidad espacio-temporal que es circular, ya que la secuencia que sigue vuelve, en eterno retorno, al punto de partida anterior, vuelto ahora un nuevo presente. El espacio y el tiempo se han movido al unísono, armónicamente, dándonos la eternidad de la vida misma, que es una continuidad de imágenes (como las que compone el cine según su definición, y como pone en práctica Welles por las calles de Venecia) unidas en la eternidad de una película. Documental filmado en un área local, ésta se amplía con otros acontecimientos. No todo está, y se pone de manifiesto una elipsis cronológica de un siglo al otro, que se manifiesta en la misma evolución del fotograma literario, que es transformativo. Una geografía disuelve en otra, a veces por superposición de sonidos en estado de evolución en un constante movimiento elíptico.

Esto lo lleva a efecto con un marcado sentido de continuidad. El artículo se inicia con un decidido movimiento de cámara desde la perspectiva del narrador, que nos hace a su vez adoptar, junto con él, su punto de vista narrartivo-perceptual, su óptica: somos el ojo de la cámara. "Entremos en la catedral… En un ángulo junto a la capilla en que se venera la Virgen de la Quinta Angustia, se halla la puertecilla del campanario. Subamos a la torre; desde lo alto se divisa la ciudad toda y la campiña. Tenemos un maravilloso, mágico catalejo…" *(Castilla, 686)*. El uso del "catalejo" acrecienta el elemento fílmico, el decidido efecto de encuadre. No se trata de un paisaje realista, sino de un paisaje intencionalmente ficcionalizado por un lente a través del cual se observa. El lector (el espectador) es forzado a asumir el punto de vista del "camarógrafo": el hecho físico sujeto a una concepción estética.

Además, tiene una perspectiva *a vista de pájaro,* una particular preferencia por el principio del *craneshot* orsonwelliano. No es de extrañar su fascinación posterior al comentar la película *Así nació una fantasía,* en que comparte el punto de vista de la cámara y contempla la techumbre de unos estudios de Hollywood cuya toma, supone, se ha hecho desde un avión. Fílmicamente, el comienzo del artículo es una larga toma desde una grúa, un *crane shot* que *Azorín* reconocerá posteriormente en la Venecia de Orson Welles o en la Atlanta de *Gone With The Wind.* El principio es el mismo, enriquecido por la atemporalidad *azoriniana*, que es su marca de fábrica.

En *Doña Inés* lo utiliza repetidamente. Desde el balcón Madrid es visto primero *a vista de pájaro,* de forma parecida a la litografía bonarense que hay en la habitación de doña Inés. Pero es en particular Segovia, observada desde diferentes ángulos de nivel superior, la que lleva a constantes panorámicas donde el uso del color en los espacios abiertos acrecienta la consistencia fílmica. La imagen literaria funciona desde una grúa hipotética con cámara que es el lente del escritor o el punto de vista de los personajes. El efecto es de pantalla panorámica. Todo el paisaje segoviano se ve desde diferentes ángulos de la explanada del Alcázar, logrando un efecto de totalidad a tono con la eternidad amorosa y romántica de los personajes, a los que la "cámara" vuelve y envuelve en una especie de toma continuada y elíptica.

En "Una ciudad y un balcón", el paisaje forma una estupenda panorámica que invita después a un proceso de acercamiento donde la elipsis intelectual consiste en apresar toda la Castilla medieval en una sucesión de tomas múltiples. Esto llevará a la identificación posterior con el vértigo veneciano de Welles. La rápida sucesión de cortes (que nunca rompen el efecto de continuidad) nos da la visión globalizadora de la Castilla de la Edad Media, que se enriquece por la elipsis. Allí está contenida en pocas líneas, historia, geografía y socio-economía, sin faltar la literatura; el romancero, la épica, el realismo celestinesco y la picaresca. El paréntesis, en el párrafo penúltimo de esta primera parte, nos traslada de un continente al otro, a tono más bien con un reportaje televisado de un momento histórico. Pero es el primer plano final lo que individualiza, a modo protagónico, la historia colectiva que la elipsis azoriniana ha ido desarrollando.

No es necesario seguir la triple técnica tripartita. El ritmo varía, se hace más pausado de acuerdo con la perdida de la vitalidad castellana. Básicamente el procedimiento es el mismo, pero al volver la "cámara" (es decir, la imagen literaria) al mismo espacio dentro de otro tiempo, la primera imagen fluye temporalmente dentro de la segunda, con sus variantes, en constante evolución y los correspondientes reajustes acordes con el paso del tiempo.

La transformación de la materia hace que una misma cosa se vuelva otra en su trayectoria existencial. Se trata de un devenir que *Azorín* define como *causafinalismo.* "El causafinalismo puede resumirse en estas palabras: las cosas han sido hechas para las cosas" *(El efímero cine,* 12). De ahí que el objeto se disuelve dentro de sí mismo, convertido en otra cosa cuando ya ha pasado el tiempo. Disolvencia, transición escénica, transición visual, transición dramática. Por otra parte, cada ente vive integrado al contexto de otros. La composición de las cosas en el tiempo y dentro de cada espacio configura un todo, que está dado en la composición del texto. Por eso el texto forma parte del devenir transformativo del causafinalismo.

El causafinalismo es el punto en que confluyen dos textos reflejos, el literario y el fílmico. Es como si estuviéramos ante un mismo espejo que se desdobla en literatura y en cine. El texto narrativo responde a una concepción fílmica que el escritor va a redescubrir, casi hipnóticamente, en la pantalla (lo que vino antes y vio después), como si su postulado "las cosas existen para las cosas", antitemporal y antiespacial, se transformara en "los textos existen para los textos": la Venecia orsonwelliana existe para la Castilla azoriniana, o viceversa. En conclusión, cine y literatura conjugan la elipsis de un mismo lenguaje que abarca siglos en el espacio de unas pocas páginas de *Azorín* (tomas orsonwelianas), movimiento cerrado, elíptico, guiado por el lente, el ojo fílmico de un cineatografista del 98.

OBRAS CITADAS

Almendros, Néstor. *Cinemanía.* Barcelona: Seix Barral, 1992.

Catena, Elena. "Lo azoriniano en *Doña Inés*", *Cuadernos Hispanoamericanos,* Núms. 226-227, 1968.

Chatman, Seymour. *Coming to Terms.* Ithaca, New York: Cornell University Press, 1990.

Franz, Thomas R. "Azorín' *Don Juan:* The Text, Its Missing Texts and Their Hidden Lessons on Censorship and Imaginative Reading". *España Contemporánea,* t. IV, Núm 2, 1991.

Martínez Ruiz, José, *Azorí*n. "Castilla", *Obras Completas*. Madrid: Aguilar, 1959.

Doña Inés. Madrid: Castalia, 1982.

El cine y el momento. Madrid: Biblioteca Nueva, 1953.

El efímero cine. Madrid: Afrodisio Aguado, 1955.

Miró, Pilar. "Breve historia del cine español desde sus comienzos hasta la muerte de Franco". *España Contemporánea,* t.I, Núm. 1, 1988.

Montes Huidobro, Matías. "Cómo decir lo que no se dice" *Revista de Occidente.* Núm 17, agosto 1974.

Quevedo, Francisco de, *Obra poética.* Madrid: Castalia, tomo 1, 1969.

Riopérez y Mila, Santiago. *Azorín íntegro.* Madrid: Biblioteca Nueva, 1979.

Spencer, Sharon. *Space, Time and Structure in the Modern Novel.* New York: New York University Press, 1971.

Stam, Rober. *Reflexivity in Film and Literature.* New York: Columbia University Press, 1922.

CAPÍTULO X

Distorsión humorística del cómic: postmodernidad lúdica de *Paradox, Rey*

Versión original publicada en *Selected Proceedings of the First International Conference on Hispanic Humor.* Maryland: Scripta Humanística, 1997

Hay en Baroja una explícita hipersensibilidad por el lenguaje que se manifiesta a través de un afán de concisión propio del humorismo. Si colocamos *Paradox, Rey*, novela en la cual vamos a enfocar la atención en este trabajo dentro del contexto inmediato del novelista, el nexo que salta a la vista es con el folletín, popular en su tiempo, manifestación de la cultura de masas, por la cual Baroja mostró interés y predilección. Si la ubicamos dentro de su circunstancia y miramos hacia el futuro, podemos verle a su obra, y en particular a *Paradox, Rey,* vínculos con el cómic. Las características barojianas de concisión y esencialidad son también típicas del cómic, ya que en la narración humorística y en los chistes, una de las cualidades más apreciadas es la brevedad. Aunque la concisión barojiana puede ser a veces discutible y es frecuente la falta de precisión temática, la parquedad con que desarrolla ciertas situaciones lo vuelve, con similar frecuencia, decididamente conciso. Esto se debe también al repetido uso de humorísticas ocurrencias paradójicas en las cuales el chiste, la salida ingeniosa de algún personaje, corta la acción de forma tajante.

Paradox, Rey muestra a través del humorismo una doble vertiente que va del pesimismo a la humorada estrambótica donde situaciones y personajes tienden a convertirse en mamarrachos. Su estructura caótica la vuelve una novela moderna a pesar de las múltiples limitaciones que se le pudieran señalar y las objeciones de carácter ético que la colocan en un lugar de dudosas virtudes. La asociación del novelista con el folletín lo moderniza, como si fuera un anticipo *camp,* y acaba por insertar a Baroja dentro del contexto de la postmodernidad, en un sentido amplio, no restringido. Es casi obvio que estos elementos asociados con la postmodernidad están presentes en *Paradox, Rey,* particularmente en cuanto a la cultura de masas, el efecto del "happening," el tono lúdico, a los que haremos particulares referencias. La casualidad y la deformación, atribuidas a la postmodernidad según Brooker, aparecen a cada paso en esta obra.

El propio Baroja ha hecho algunos comentarios significativos sobre la novela popular, lo cual explica de modo indirecto y sin que el emisor pudiera imaginarlo, las razones de su sorpresiva postmodernidad. Mirando a lo que era considerado inaceptable, anticipa la aceptabilidad de lo popular. "Una de las cosas que me ha sorprendido de la crítica moderna, que se considera científica, es que no haya estudiado con atención y con perspicacia a los escritores populares del siglo XIX, que creo que se prestan a análisis muy curiosos. Evidentemente, la crítica ha tendido a ser muy académica y ha descuidado lo popular" (Martínez Palacio, 574). Más de medio siglo tendrá que pasar para que esta percepción se tomara en serio. Como ha observado González Mas en "Pío Baroja y la novela de folletín", "hoy día empezamos a comprender los múltiples valores del novelón: documento sociológico, apertura anímica, técnica creadora" (166), agregando que "raro es el libro de Baroja donde no impere la atmósfera folletinesca." "La clara preferencia del autor hacia el párrafo breve –autónomo, suelto— hacia la oración elemental y hacia el vocabulario común derivan, sin dudas, del hontanar sabido" (170-171). Pero un problema surge a consecuencia del esquematismo folletinesco. La simplificación desfigurada de los caracteres y las situaciones forzosamente llevan a una posición prejuiciada al reducir el dibujo externo, fácilmente comprensible, a unos rasgos determinantes y determinados, inquietantes en algunos casos por sus peligrosas consecuencias ético-étnicas, tal y como podemos ver en la cultura popular de nuestro tiempo, con lo cual su narrativa deviene en arma paradójica de doble filo.

Paradox, Rey es, desde una perspectiva muy esquemática, una novela de "aventuras" que narra las peripecias de Silvestre Paradox, agrimensor de profesión, el cual unido a un grupo de personajes un tanto estrafalarios, se dirige a África en una curiosa expedición financiada por un judío inglés, Abraham Wolf, con la intención de establecer la República de Canani. En este sentido recuerda a priori películas que vendrán después, como *Beat the Devil* de John Houston, y personajes estrafalarios como Peter Lorre y Robert Morley, o Sidney Greenstreet, en embarcaciones con destino africano. Las peripecias ocurren unas tras otras, más bien a nivel superficial, y los personajes son presentados de forma un tanto plana en "escenarios" trazados brevemente al principio y mediados de los capítulos. La ausencia de profundidad, incluyendo en el trazado caracterológico, crea ese distanciamiento característico que produce la lectura de las tiras cómicas, desde el *Pato Donald* a *Dick Tracy*. Los episodios se desarrollan a modo de viñetas donde se manifiesta la parcial independencia episódica de las novelas de aventuras, incluyendo la picaresca, conectadas básicamente a través del héroe, como ocurre a su vez en las tiras cómicas de *Tarzán* a *Flash Gordon*. La antecede, por otro lado, la poco estimada novelística de Ángel Ganivet, *La conquista del reino de Maya* y *Los trabajos del infatigable creador Pío Cid*.

Por su fácil lectura, superficialidad y carácter de aventuras episódicas, énfasis en la acción, ausencia de hermetismo, aparente falta de sofisticación verbal, la novela barojiana tiene un carácter de lectura dirigida a las masas mucho más que a la élite, con connotaciones muy diferentes a la de otros autores del 98. Como un objeto de fabricación en serie, la novela da el salto del nexo previo folletinesco a lo que en época reciente del análisis postmoderno da en llamarse *pop arte* y *kitsch*. "Estas corrientes se colocan de espaldas a la belleza clásica, el sentimentalismo romántico, la sensibilidad social del realismo, al subjetivismo surrealista y a la expresividad de lo abstracto, borra las huellas de la artesanía y el gesto expresivo del artista, para promover el anonimato y producir objetos vulgares en serie" (Baños Orellana 155). Se trata en cierto modo de un abaratamiento del texto literario para ponerlo al alcance de una sociedad de consumo como si fuera una venta al por mayor de objetos plásticos, de productos populares. Aplicable lo anterior al autor que nos interesa, viene a ser una toma de conciencia barojiana muy distante de los cánones exclusivistas unamunianos, azorinianos y valleinclanescos.

Pasada la época del *boom* experimental de la segunda mitad del siglo XX, el cultivo del texto por el texto mismo, la preocupación por la caracterización y los recovecos sicológicos, el subconsciente y sus modos estéticos de manifestarse; a favor de una narrativa escueta de los hechos con predominio de lo expositivo, la línea realista directa y descuidada de Baroja va muy a tono con una novela que va al grano, sin complicaciones de estilo, donde la palabra sirve simple y llanamente para documentar escuetamente lo que está pasando, aunque *Paradox, Rey* no sea el caso más representativo, acercándose a la cultura popular con procedimientos más imaginativos.

De inmediato y a partir del título se hace palpable el vínculo con el concepto del superhombre, que también será rasgo dominante en la tira cómica. La galería "machista" de la historieta va en completo acuerdo con la naturaleza del texto barojiano y la cultura popular hispánica. En 1898, al quedar liquidada totalmente la hegemonía de España a nivel internacional, la imagen del héroe queda desnacionalizada, devaluada y descaracterizada, y pasa a convertirse en un antihéroe, cuyo contenido paradójico va muy a tono con el fracaso nacional. Es Ganivet, por cierto, quien verdaderamente introduce el concepto a través de su Pío Cid, sin que se le haya dado crédito suficiente debido a la mala prensa que siempre lo ha perseguido, iniciada por sus contemporáneos. De ahí el tono de desencanto de este héroe barojiano venido a menos, que quizás tenga más de trotamundos que de otra cosa, cuya conquista y colonización terminan en puro chasco.

Silvestre Paradox es un antihéroe que se alimenta con el concepto heroico del superhombre: el mismo que engendra a Tarzán, Popeye y Buck Rogers, en "la edad de oro" del cómic norteamericano, a los que hay que unir una docena de héroes análogos: Superman, Batman, Flash Gordon, Dick Tracy, etc., del que pocas mujeres (Wonder Woman es una excepción) van a formar parte, aunque eso ha cambiado con el tiempo. Como ya he indicado, quizás tenga más de aventurero vagabundo que de héroe, marcado por el carácter de los personajes de Baroja con tendencias a lo aguachento. Lo que le pasa a Silvestre Paradox es que no es el protagonista de ninguna saga de corte sajón, sino que se nutre en el desengaño del fracaso colonial hispánico. Hay que tener en cuenta que el concepto heroico norteamericano viene con frecuencia acompañado de una falsa modestia, de un disfraz (como es el caso de Superman) que a veces se inclina al ridículo pero cuyas acciones lo desmienten. Se hace pasar por tonto, como frecuentemente ocurre con el carácter nacional, pero las mata callando.

Paradox, Rey puede verse dentro de un nivel ulterior ya que "parece más una reflexión sobre el concepto del superhéroe que un superhéroe auténtico" que, algo "ridículo, detenta la personalidad de un solitario social" (Masotta 99), como nos dirá Massotta de Spiderman. No hay que olvidarse, sin embargo, que el concepto del superhéroe también nos llega en el siglo XX a través del cine negro, cuyos "superhombres" luchando contra los malos y el orden establecido (los organismos represivos, las corporaciones corruptas, los capitalistas y politiqueros), son individuos solitarios con una interpretación cínica de la conducta humana y no creen en nada ni en nadie, y en particular en las mujeres, que ponen su vida en peligro, traicioneras la mayor parte de ellas, hipócritas y manipuladoras (como Mary Astor), y que a veces los pierden. Ciertamente, Silvestre Paradox difiere de la iconografía del héroe del cómic, "joven, alto, musculoso y bien proporcionado según los cánones de la tradición grecolatina" (Gascan y Gubern 62), aunque no por ello dejan de manifestar una superioridad intelectual dentro de una modestia aparente. Después de todo, es capaz de fabricar fortalezas y levantar murallas, y desviar el curso de los ríos hasta transformar la geografía en una tradición que empieza en los clásicos, sigue con Hernán Cortés y atraviesa los siglos hasta llegar a John Wayne, Harrison Ford y Superman.

El predominio de la violencia, presente en la novela, está asociado también con los genes de la historieta. La asociación de la tira cómica con la crueldad queda establecida desde tiempos pre-barojianos. Ya en Alemania hacia la mitad del siglo XIX, en las hojas ilustradas de *Max und Moritz,* la violencia y malignidad del dibujo adquiría gran popularidad. En los inicios contemporáneos a Baroja, los mellizos de *The Katzenjammer,* Hans y Fritz, los hijos del Capitán que crea Rudolph Dirks, imponen "un desorden generalizado a un universo donde voluntaria o involuntariamente se destruyen las cosas" (Masotta 25). La crueldad como norma fácilmente reconocible por las masas, caracteriza el cómic como las inútiles aventuras de conquista y colonización de los personajes de Baroja. La violencia y crueldad lúdicas producen un distanciamiento emocional entre la imagen y el receptor de la misma. Es un juego, y el efecto de crueldad queda amortiguado por el distanciamiento.

Por consiguiente, el carácter de aventura episódica, ausencia de profundidad, tono lúdico, simplicidad del trazado semi-caricaturesco de los personajes, producen un efecto de irrealidad cuya asociación más significativa hay que buscarla en las tiras cómicas, y que además tienen suficiente material para una buena novela gráfica, de ahí que este texto sobresalga entre otras novelas por su dinámica postmoderna. El desconcierto creado por el plan narrativo y la caracterización de los personajes se aclara tan pronto percibimos su estructura total en este sentido, y de paso apunta hacia el estilo, desconcertantemente innovador, que hallamos a veces en los escritores del 98 y que los coloca más allá de su tiempo al dar el salto postmodernista de una narrativa ecléctica, paródica, cuya escritura da la impresión de lo fortuito y cuyos episodios producen un efecto de "happening" teatral. Se trata de un humorismo antijerárquico que tiene los rasgos de la cultura popular postmoderna. Lleva a una reubicación de géneros y procedimientos "marginados" dentro del cual el humor juega un papel importante.

Incluso la nota lírica que ocasionalmente forma parte de la novela y se manifiesta a través de una buena dosis de un exotismo africano que viene a ser algo así como un imán del colonialismo, no anula el nexo con la tira cómica. En las secuencias de la segunda parte, el estilo barojiano se permite libertades consigo mismo y el recorrido africano se vuelve más decorativo: "El río parece de oro, y a medida que los afluentes desembocan en él, se hace cada vez más turbio. En algunas islas formadas por la maleza, entre las lianas y la hojarasca verdosa, brotan grandes flores de blanca corola y orquídeas de vario color. Los cocodrilos inmóviles, duermen en el légamo de las orillas, entre los juncos y los cañaverales; a lo lejos se ven bosques espesos, de grandes árboles, con las ramas y troncos entrelazados por las lianas y plantas parásitas, y de las selvas impenetrables levantan el vuelo pájaros extraños de encendidos colores, que cruzan despacio el cielo transparente" (189). En secuencias de este tipo el movimiento se detiene y el encuadre del paisaje, la "toma", se vuelve más importante. Hay un sentido de la composición que aminora el movimiento de acuerdo con la barca que se desliza por el río. Sólo falta aquí que se aparezca Tarzán para completar el escenario "clásico" del *comic* de aventura, tal como lo percibía, primero, Harold Foster, en 1929, y después Burne Hogarth en la década de los cuarenta, siguiendo los textos de su creador, Edgar Rice Burroughs que le da vida textual en 1914. Es lo que podría llamarse "Africa onírica", en terminología de Massota (45), que amortigua la acción de Baroja, en las mejores páginas de su novela.

Si a esto se uno el vuelo de "pájaros de encendidos colores, que cruzan despacio el cielo transparente", es obvio que da un paso hacia adelante y anticipa los dibujos animados de Walt Disney. La irrealidad disneyana del barojismo se hace patente en la correspondencia que se establece entre el diálogo humano y los componentes del paisaje. Ya desde la primera parte el mar (como después le ocurrirá a la luna) ha hecho uso de la palabra en una conjunción telúrica donde todo esto resulta natural, realista casi. Esto culminará en "Los buenos y los malos" donde los animales (pez, sapo, búho, serpientes) monologan en lo que será hacer común del animismo del dibujo cinematográfico, aunque sea bien sabido que en los mitos, leyendas y fabulaciones tradicionales estos procedimientos tenían lugar. La participación del Cíclope en el "Elogio metafísico de la destrucción" implica el intento (como hará Walt Disney después en la pantalla) de darle consistencia natural a lo estrictamente imaginado. El "único ojo, terrible y amenazador, que tiene en su frente" (203) el Cíclope, contrasta con la naturalidad metafísica de su monólogo, que no difiere en mucho de la voz de Baroja. Este animismo da a la novela una dimensión panteísta que escapa a primera vista, dada precisamente mediante la inserción del "dibujo" fantástico.

No obstante la importancia de lo previamente mencionado, diríase que esta dirección no es la que caracteriza la novela. El humor barojiano produce un efecto de desfamiliarización deshumanizada que tiene importantes repercusiones en la caracterización individual y la colectiva. Fundamentalmente, surge a causa de una actitud deshumanizada con respecto a los personajes y a las situaciones que viven dichos personajes. La primera faceta de ese humorismo deshumanizado la encontramos en las descripciones, generalmente muy pintorescas, que llaman la atenciones por sus peculiares connotaciones con las ciencias naturales aplicadas al retrato de algunos caracteres: "Me hace el efecto de estos cetáceos carnívoros o sopladores que reciben este último nombre por la existencia de un aparato hidráulico en la parte superior de la cabeza" (167). La mezcla de características humanas y animales es típica de la tira cómica, con un intento de humanización del animal, que "permite también caracterizar a los personajes a través de la atribución de las cualidades del animal que adoptan sus rasgos" (Barbieri 79). Esto ocurre en particular en las tiras cómicas de Walt Disney, donde se reconocen a los animales en funciones humanizadas y la situación acaba por aceptarse como algo "natural". Pero en Baroja también funciona a la inversa, como intento de deshumanización que acaba por desubicar el personaje caracterizado por medio del animal. "¿Ah! Conocemos el género: *Lacerta africana.* Se distinguen por tener la lengua larga y extensible, la cola prensil y los dedos divididos en dos paquetes mutuamente oponibles" (167). De Miss Pich afirma Paradox: "Creo que estamos en presencia de una gallinácea vulgar. Ya sabe usted que estas aves tienen la mandíbula superior abovedada, las ventanas de la nariz cubiertas por una escama gelatinosa, el esternón óseo y en él dos escotaduras anchas y profundas, las alas pequeñas y el vuelo corto. Son los caracteres de Miss Pich" (171). Esto es humorístico, pero la relación con la realidad cotidiana es tan distante que nos quedamos, en el mejor de los casos, con la difusa imagen de un "neoanimal" irreal, pero no con el personaje. La caracterización de Miss Pich produce un efecto más parecido al de ciertos dibujos de Chester Gould en las tiras cómicas de *Dick Tracy,* como Mrs. Pruneface, que introduce el dibujante en 1943. Incluso hay que tener en cuenta que la "monstruosidad" es una característica que se ha incrementado en el dibujo animado del siglo XXI, donde los caracteres se han ido deformando más y más. Ni el Ratón Miguelito ni el Pato Donald son hoy lo que fueron, porque ellos eran básicamente "nice" (terminología idílica del "ser" norteamericano) para convertirse en criaturas más "feas", frecuentemente más agresivas, como medio de formación del "mundo". Es lástima que Baroja no explorara más este territorio satírico del "neoanimalismo" distorsionador, con el cual parecía tener mucha empatía burlona.

Ciertamente, hay mucho detrás, y no siempre bueno en el sentido ético. La actitud misógina del autor con respecto a Miss Pich forma parte de toda una fauna deshumanizada mucho más compleja donde se hace patente la multitud de prejuicios del novelista, que lo vuelven, como se diría en inglés, "politically incorrect". Más allá de la deshumanización individual nos encontramos una más amplia de carácter colectivo que se pone de manifiesto a través de una distorsión donde entran en juego prejuicios de carácter étnico-nacionalistas. Un recorrido por las tiras cómicas y los dibujos animados que entretienen a los niños, muestra el papel tan preponderante que tienen la violencia y la crueldad, que se expresa mediante una distorsión del dibujo. Tras un "sano" humorismo aparentemente inocente, divertido e inocuo, podemos percibir en este infantilismo una insana dosis de violencia en que se acumulan prejuicios individuales y colectivos. No hay que desconocer que en multitud de juegos infantiles hay una gran crueldad que se oculta detrás de una superficial candidez.

La "fauna" deshumanizada la componen multitud de grupos étnicos que representan una gran variedad de prejuicios raciales y nacionalistas afines al novelista. De esta manera, acaba por configurar un "mundo" distorsionado basado en el grotesco físico que descubre en la etnicidad. B. P. Patt ha hecho desde hace tiempo atinados comentarios en cuanto a las divagaciones "antropológicas" de Baroja sobre las que descansan muchos de sus prejuicios. De acuerdo con Patt, Baroja ha hecho dos grandes divisiones: el mundo de los arios, *homo europeous,* que es *dolicocephalic*, alto, rubio, individualista, valiente y usualmente protestante, y el *homo alpinus,* que es *brachycephalic,* de piel oscura, burocrático, común, vulgar y usualmente católico. "It is not without interest thar Baroja is careful to point out that he himself is dolicocephalic" (Patt 37). Patt concluye afirmando que Baroja está obviamente encantado de pertenecer a la familia superior de cabezas alargadas y mostrar su más profunda antipatía por los tipos semíticos, y su deseo instintivo de defender a los vascos "against derogatory judgments combine to produce a high degree of ambivalence and contradictions. It can be said with some justice that racial theories provided the autor with a smorgasbord from which he selected only what he liked" (Patt 39). Prejuiciado y racista, no deja de ser paradójica (y también cómica e irónica) la identificación dolicefálica de Baroja, que corresponde con la del héroe arquetípico del cómic. Todo lo cual implica un subtexto supremacista vinculado al fascismo. Lamentablemente no es posible negarlo.

De ahí que la deformación expresiva caricaturesca como procedimiento caracterizador le es particularmente útil. "Aunque están ligadas al humorismo y a la comicidad, no todas las caricaturas son, sin embargo, cómicas. El lugar históricamente privilegiado de la caricatura ha sido la sátira política y social; y en no pocas ocasiones la viñeta de sátira social aprovecha el aspecto grotesco de las figuras caricaturizadas para obtener efectos más dramáticos que cómicos" (Barbieri 75). Esta condición de la caricatura le sirve a Baroja para lograr sus objetivos satíricos y hacer los desconcertantes, contradictorios y paradójicos comentarios. Al hacerlo, utiliza procedimientos representativos de la tira cómica y también usa y abusa de lo caricaturesco. "La caricatura es ese modo de representar personajes y objetos que destacan ciertas características, deformándolos para expresar alguno de esos aspectos en detrimento de los otros. Más que lo cómico, aquello que caracteriza la caricatura es lo grotesco, y lo grotesco puede a su vez ser utilizado por diversos fines expresivos: situaciones humorísticas, situaciones marginalmente cómicas, situaciones de pesadilla, de alucinación, exasperaciones expresivas" (Barbieri 75). No es difícil encontrar en *Paradox, Rey* secuencias en que se mezclan estos componentes del grotesco humorístico.

Hágase revisión de la cultura hispánica para darnos cuenta que estos puntos de la cita de Barbieri (comicidad, pesadilla, alucinación y lo que él llama "exasperaciones expresivas") son elementos esenciales de nuestra gran literatura, desde sus orígenes en la picaresca hasta la postmodernidad, con notorios momentos en *Don Quijote de la Mancha* –sin contar, naturalmente, en el marco de las letras cubanas, cuyo análisis podría desarrollarse a partir de estos principios normativos, que son el gran toque estilístico de la locura.

Las frecuentes asociaciones del *comic* con un humorismo grotesco, "airado, feroz, despiadado", de carácter "incisivo, a veces terrible" (Barbieri 83-84) son habituales también en la novela de Baroja, produciendo un efecto humorístico distorsionado, donde la naturalidad aparente se acerca a lo expresionista y es el resultado de un despiadado sarcasmo que llega a efectos devastadores. Al contrario del caso de Valle Inclán, que es una distorsión de estilo, deliberada, en Baroja la naturalidad del decir disimula la locura del hacer. Al mismo tiempo, el énfasis en el exceso, en las situaciones límites de la conducta humana, acaba por anular la comicidad. El episodio del gallo es francamente pesadillesco y cruel. No se presenta en el mismo ninguna asociación lógica significativa, sino que da la impresión de ser algo estrictamente gratuito, que se cuenta y termina, sin línea de continuidad específica. Aunque refleja una crueldad lúdica (y por eso es doblemente cruel) del hombre respecto a los animales, el propio Baroja, al aproximarse a ella como un juego, aparentemente, le resta seriedad. Hay que observar que la secuencia figura como un dibujo con unas figuras grotescas, el Médico y el General, persiguiendo a un gallo al que le llenan el buche de whisky. Es casi una experimentación patológica de gabinete siquiátrico nazista. Esta conducta de los dos hombres queda claramente visualizada de una forma elemental. "El animal, al quedar libre, intenta huir y va dando traspiés y tambaleándose, entre las carcajadas de todos" (160). El hecho que el gallo emita unos comentarios que aparecen superpuestos a modo de "globo" de la tira cómica, cae dentro de una categoría que no es realista y que hay que explicar dentro de otros términos. La representación corresponde a los parámetros de borrachera establecidos también por la tira cómica. "El borracho constituye un estereotipo clásico en el teatro y en el cine, pero en los cómics su condición se manifiesta rotundamente con signos en torno a su cabeza que expresan su inestabilidad" (Gascan y Gubern 45). Sin embargo, el impacto queda atenuado por el distanciamiento del "dibujo", como la borrachera de monos y conejos presente en algunos cómics. Baroja trabaja con estereotipos de una supuesta comicidad fácilmente reconocible y de impacto inmediato.

La salida de Paradox y Yock, su perro, que se muestran indignados y se comunican su enojo, enfoca la atención en dos niveles, el humano y el animal, de las relaciones que desarrolla el texto. En esta secuencia las características del dibujo animado, que populariza después Walt Disney y en la que se entremezclan las "reales" y las "imaginarias", se ponen de manifiesto y resultan precursoras. Se trata de un "episodio" dentro de un todo narrativo donde otras aventuras "humanas" se suceden y se aceptan como posibles. En este caso, la contraposición de lo humano con lo animal acrecienta el efecto de distanciamiento de la realidad y determina una lógica común a ambos mundos. Se toma como real lo que no lo es, pero se reconoce que son planos no coincidentes. El realismo de la novela está dado por la "naturalidad" del dibujo animado en que se establece una relación "natural" entre el "ser humano" y el animal, como ocurre en las tiras cómicas donde aparecen Snoopy, el perrito, o Garfield, el gato gruñón. El "carácter" de Baroja llega a la postmodernidad del cómic dando pasos decididos que lo alejan de un Walt Disney "saludable", "buena persona", que es parte de la "inocencia". Baroja lleva la "tira cómica" a una mayoría de edad donde el cinismo se orienta por caminos de otra condición "humana".

La relación con Yock anticipa toda una filmografía, entre las que sobresale la más reciente de la serie *Ted* (2015-2016), escrita, dirigida y producida por Seth MacFarlane, que hace del propio Ted, en la cual cobra vida la criatura inanimada del "osito" que con sus ocurrencias frecuentemente vulgares es el alter ego de John (interpretado por Mark Wahlberg), estableciéndose una dualidad sico-física y metafísica de identidades alternas o superpuestas que rompen de una forma muy compleja las relaciones entre ficción y realidad, lo animado y lo inanimado. Sobresale en particular la "naturalidad" de Ted y el conflicto con una identidad masculina, eminentemente agresiva, cuya sexualidad física se pone de manifiesto en su deseo de establecer relaciones sexuales y procreacionales, merecedoras de un análisis más profundo. El inocente osito sin "expresión" sexual da un paso más allá de la postmodernidad y entra decididamente en el siglo XXI.

La actitud de los personajes barojianos no es particularmente simpática hacia filipinos, judíos, negros y franceses. La raza negra, a pesar de la belleza que descubre en la princesa Mahu, es presentada en su conjunto de una forma grotesca. Aunque en algunos casos los africanos son vistos con simpatía, se trata en el mejor de ellos de una actitud paternalista, como ha sido frecuente en el caso del cómic, que ha querido perpetuar la imagen del negro como criatura bobalicona de poca inteligencia. Los africanos en *Paradox, Rey* están presentados como tontos o estúpidos, frecuentemente crueles. Pone de manifiesto también, no sólo los prejuicios del autor, sino el que se hace patente en muchos cómics como espejo comunal. Ciertos rasgos étnicos o nacionales sirven para caracterizaciones rápidas que tienen la connotación del estereotipo. El retrato se vuelve fácilmente reconocible por las masas, ya que corresponde a un determinado defecto o limitación atribuida al grupo, y nos hacemos cómplices del chiste, casi sin darnos cuenta y no necesariamente con una deliberada intención, como ocurre también en el vernáculo cubano. Esta posición ayuda a la perpetuación del canon negativo, y en el fondo hay una percepción racista como pasaba frecuentemente en Hollywood. Determinados grupos humanos y caracteres son "pintados" de cierta manera como arquetipos de una particular maldad o limitación intelectiva. Además, los personajes creen "científicamente" (como ocurre con el ideario fascista) en los genes como factor determinante del rasgo caracterizador. Por este motivo, cuando Dix expresa su antisemitismo, Paradox le dice que tiene tipo semítico, demostrando la conciencia cultural del "tipo" étnico que es propio del protagonista. El prejuicio racial del autor, si se trata de la expresión de una conciencia colectiva, histórica, no es una justificación que pueda consolarnos, ya que es peor todavía.

Pero la más inquietante manifestación de la deshumanización colectiva hay que buscarla a nivel racial. Para darse cuenta de las dimensiones de lo que estamos hablando, buscar *Cannibalism Cartoons and Comics, en la web,* para encontrar 326 ejemplos de canibalismo, mayormente africano, y con la correspondiente connotación racista.

Este tipo de humorismo refleja toda una compleja red de prejuicios que se evidencia en la conciencia colectiva, presente en determinadas manifestaciones de la cultura popular. Por tratarse de una opción que se supone que refleje a un grupo, las consecuencias pueden ser nefastas y el escritor se apoya en este criterio y hace uso de él con fines manipulativos. Por inversión del objetivo, la asociación más obvia surge con *Maus,* de Art Spiegelman, donde la narración de las persecuciones sufridas por los judíos a manos de los nazis sigue el modelo de la tira cómica. La distorsión expresionista trasciende la sátira y la comicidad pero no resuelve el problema: ver a los policías como puercos uniformados es una caricatura de siniestras connotaciones. En la narrativa barojiana es posible que se intente limitar la comicidad del "chiste" étnico, pero en todos estos "chistes" los límites trascienden sus circunstancias y se vuelven manifestaciones de una conciencia de supremacía colonialista muy negativa. Por muy "graciosos" que puedan ser, el residuo de insulto subsiste. No es casual que negros, filipinos y judíos sean blancos de la humorada. Tan es así que la efectividad del chiste étnico contribuiría inicialmente a la popularidad del texto, que como en el caso de las palabras soeces tienden a llamar la atención, y la escritura se convierte en un racismo textual o subtextual que requiere la complicidad del lector. Responde a una actitud acondicionada de los grupos humanos cuyas consecuencias pueden ser funestas ya que la generalizada negatividad lleva a un resultado adverso en la formación de la conducta. No deja de ser curioso que Baroja haya resultado tan "popular" y admirado, por Hemingway entre otros, cuando con frecuencia muestra una conciencia de superioridad racial que linda con el fascismo, a menos que refleje un substrato racista del lector que comparte el chiste. Su tono campechano en realidad resulta engañoso. Su fácil lectura y su énfasis en la acción, favorece la narrativa, particularmente entre lectores extranjeros: es mucho más fácil leer a Baroja que a Valle Inclán. Es evidente que el tono barojiano al referirse a los africanos hace explícita una posición de superioridad despectiva, como europeo y como blanco, que no puede justificarse solamente por la conquista y el coloniaje dentro de la cual se desarrolla la acción. A pesar de ocasionales referencias positivas hay una actitud de supremacía blanca europea frente a la raza negra, que en su casi totalidad está asociada con las actitudes más elementales atribuidas al grupo étnico, obviamente racistas. La crueldad de los salvajes que se comen a Ferragut está vista desde un ángulo estrictamente cómico, así como otros momentos en los cuales el rey se entretiene cortándoles la cabeza a niños inocentes, donde el dolor aparece amortiguado por el humorismo.

Respecto al canibalismo, en la cual aparece algún "divertido" personaje en una paila al fuego, rodeado de africanos dispuestos a disfrutar de una cena suculenta, bien merece observaciones adicionales. Cuando Ferragut cae prisionero en manos de los negros, piensa que no se lo van a comer porque se ha quedado "flaco" y "correoso", y Mingote se salva porque, según cuenta, "un sudor me iba y me venía, y tenía tan mal cuerpo que, gracias a eso, creo que no siguieron por mí" ya que, como opina Paradox, "supusieron los salvajes que en aquel momento no estaría usted sabroso" (217). "Producto cultural occidental y etnocéntrico, los cómics han representado generalmente a los indígenas de pueblos exóticos. Así han concebido en sus viñetas el pérfido oriental, el perezoso mexicano o el salvaje africano. En ese apartado racista ha descollado, por su estereotipación, muy característica, la figura del caníbal, casi siempre africano, que cocina a sus víctimas en un gran caldero, rodeado por los miembros jubilosos de la tribu antropófaga" (Gascan y Gubern 50). El dibujo no produce emoción y ni siquiera nos traslada auténticamente a una realidad africana, sino a una situación que se construye con estereotipos. La representación pictórica, o literaria en este caso, se convierte en humorismo deshumanizado, que por lo tanto no conmueve sino "divierte". La aventura de Ferragut en manos de los caníbales, bien podría ilustrarse con algún dibujo de Winsor McCay para *Dreams of the Rarebit Fiend,* de 1905. El "comentario irónico de las víctimas francesas de *Gontrant et Julot* (1980), de Lesuer y Quincampoix" (Gascan y Gubern 51), podría servir de estupenda ilustración respecto al colonialismo francés presentado hacia la última parte de la novela.

La escritura lúdica le sirve al novelista para construir la paradoja de su universo literario, que es pesimista y desesperanzador. La desintegración individual y colectiva es una humorada sobre el conquistador y la conquista, justa en muchos sentidos: un modo de enfrentarse al desastre del 98. Desde este punto de vista, nuestras propias interpretaciones podrían hacerse desde un ángulo menos negativo, pero mucho nos sospechamos que estamos en lo cierto respecto a la personalidad del escritor.

La desaparición de Paradox, que no se sabe adónde ha ido a parar, es el "chiste" más notorios. Silvestre Paradox forma parte de la galería de antihéroes del 98, empezando por el Pío Cid de Ganivet, precursor de todos ellos. El Augusto Pérez de Unamuno, el don Juan de Azorín y el Silvestre Paradox de Baroja, son, verdaderamente, tres clásicos de la antiheroica del 98, tres arquetipos de la derrota: la de la fe (Augusto), la de la sexualidad (Don Juan) y la del conquistador (Paradox). El protagonista barojiano es un superhombre liquidado. Como observa Ana Ruedas: "El héroe del cómic es una figura trascendental. Gracias a poderes sobrenaturales (Superman) o meros artilugios (Batman), estos mortales desempeñan temporalmente el papel de Dios, aunque su naturaleza de hombres les impida jugar un papel absolutamente omnipotente" (Rueda 353). Como se trata de un antihéroe con alguna fachada de superhéroe, por razones de origen (es decir, español, europeo) y de tiempo (principios de siglo XX), es Rey, que es su forma de ser "Superman", casi omnipotente afiliado a las doctrinas de Nietzsche (1844-1900) cuyas teorías van a usarse para consolidar el racismo germánico. Un poco flojo y de capa caída (de acuerdo con su situación histórica), Paradox se vuelve algo así como una paródica-paradoja del superhombre del cómic.

Baroja lleva esta paradoja hasta sus últimas consecuencias. "Structuring a complete work around a Paradox can lead to another form of paradox, the so called 'vicious circle' or 'infinite regress'" (Hutchison 90). La novela está estructurada alrededor de la paradoja de la conquista y la colonización encabezada por un conquistador paradójico. La broma "is played against the reader" y "some-find its 'conclusion' an irritating anti-climax" (Hutchison 90). Al terminar la novela casi en el punto de la partida (por eliminación de la conquista y sus conquistadores) se crea un círculo vicioso y una regresión: no ha habido progresión alguna.

La estructura lúdica de las técnicas que utiliza le sirve a Baroja para construir la paradoja de su universo literario que, a pesar de su humorismo, o precisamente por él, es inclemente, pesimista y desesperante. Baroja trabaja con códigos iconográficos fijos que, inclusive cuando los desmantela, fija estereotipos que responden a los de la cultura de masas. Aunque esos estereotipos son anteriores a la existencia de los cómics, la correlación permanece y es analíticamente válida. Ideológicamente inquietante y desconcertante, la asociación con las técnicas deshumanizadas del cómic la colocan en la antesala de la postmodernidad y explica el efecto de extrañamiento que produce *Paradox, Rey*.

OBRAS CITADAS

Barbieri, Daniele. *Los lenguajes del cómic.* Barcelona: Paidos, 1993.
Baroja, Pío. *Obras completas, V. VII.* Madrid: Biblioteca Nueva, 1947.
Brooker, Peter. *Modernism/Postmodernism.* London-New York, Longman, 1992.
Brown, G.G. *Historia de la literatura española. Siglo XX.* Barcelona: Biblioteca Ariel, 1991.
Gascán, Luis y Gubern, Roman. *El discurso del cómic.* Madrid: Cátedra, 1991.
Grove Day, A. y Knowlton, Edgar C, *V. Blasco Ibáñez.* New York: Twayne, 1972.
González Mas, Ezequiel. "Pío Baroja y la novela de folletín". En *Pío Baroja. El escritor y la crítica.* Madrid: Taurus, 1979.
Hutchinson, Peter. *Games Authors Play.* London: Methuen, 1983.
Martínez Palacio, Javier, Editor: *Pío Baroja. El escritor y la crítica.* Madrid: Taurus, 1979.
Masotta, Oscar. *La historieta en el mundo moderno.* Barcelona: Paidos, 1982.
Patt, B.P. *Pío Baroja.* New York: Twayne, 1971.
Rueda, Ana. "Entre la fascinación y el descrédito: el superhéroe del *cómic* en la narrativa actual". *Monographic Review.* Vol. VII, 1991.

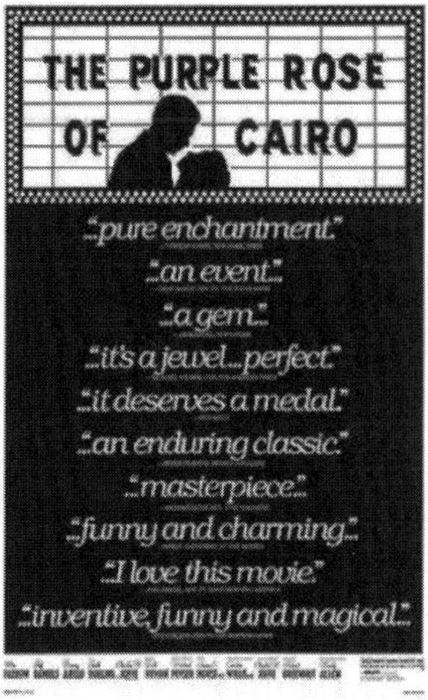
THE PURPLE ROSE
OF CAIRO
"...pure enchantment."
"...an event..."
"...a gem..."
"...it's a jewel...perfect."
"...it deserves a medal."
"...an enduring classic."
"...masterpiece..."
"...funny and charming..."
"...I love this movie."
"...inventive, funny and magical."

MARTIN
CHASE
SHORT
¡THREE AMIGOS!

multiplicity.

HER GREATEST LOVE INSPIRED HER DARKEST CREATION
ELLE FANNING
IS
MARY SHELLEY

CAPÍTULO XI

Valle Inclán
Tirano Banderas paso a paso

El modernismo es un movimiento literario por el cual nunca sentí un particular interés y mi rechazo, y en particular con Rubén Darío, se manifestó desde mis primeros encuentros en la enseñanza secundaria. Fue una reacción antipoética a consecuencia de una repulsión por lo cursi, mucho más radical que en el caso del romanticismo, que me parecía tener mayor autenticidad. Supongo que me dejaba llevar por una reacción simplista, cuya excepción era Martí, en la medida de que él fuera, que todavía lo dudo, modernista. Por su parte el expresionismo, movimiento de origen alemán y carácter pictórico, representaba una estética que me interesó desde mis primeros contactos literarios a través del teatro, particularmente gracias a traducciones del teatro alemán y a *La máquina de sumar* de Elmer Rice. Quizás fuera un instinto juvenil de ir contra la corriente, porque en realidad por aquellos años nadie que yo conociera estaba interesado por el expresionismo, incluyendo mis amigos más cercanos en secundaria, Rine Leal, que se inclinaba hacia el modernismo, Silvano Suárez, que andaba por los predios de Hemingway, que no me atraían tampoco, y Guillermo Cabrera Infante, que miraba hacia Faulkner; todos quizás un poco hacia Joyce, no porque lo conociéramos bien, sino porque escribía sin puntos ni comas. Claro que por aquellos años ninguno de nosotros sabía quién era ni se interesaba por Benito Pérez Galdós, que quedaba asociado con el realismo de las letras españolas. Equivalía, en medio de nuestra vanguardia, ir para atrás. La "deformación" era básicamente europeizante, entendiendo como tal todo lo que estuviera al norte de los Pirineos.

Esto explica que cuando yo iniciara mis tareas docentes en la Universidad de Hawai, y me viera obligado a entrar por el aro de la Generación del 98, no sintiera la más mínima atracción por la etapa modernista de Ramón María de Valle Inclán (1866-1936), que no resistía, con su Marqués de Bradomín y sus artificiosos melindres. Le huía como el diablo a la cruz pero caí, como quién no escapa, en *Luces de bohemia* (aunque no me hizo "tilín" del todo) y *Los cuernos de don Friolera*, que fue un áncora de salvación. Si "tenía" que enseñarlos, el esperpentismo expresionista de estas obras me venía ya como anillo al dedo. Las dificultades que representan la lectura y análisis de *Tirano Banderas* me llevaron a que fuera posponiendo su enseñanza, hasta no recuerdo exactamente en qué momento decidí meterle mano, prácticamente por mi cuenta y riesgo, saltándome lo que se ha dado en llamar toda la primera época del novelista, decadente, señorial, hasta solemne y cadenciosa, de unas "sonantas" empalagosas.

Personalmente corría en realidad la propia trayectoria del escritor. La primera etapa del expresionismo se inicia en 1908 con la Nueva Unión de Pintores de Munich y forma un apretado frente contra el impresionismo en la pintura, pero por aquellos años Valle Inclán no había entrado en el expresionismo esperpéntico. Por mi parte, del expresionismo me interesaba no sólo la forma, sino las implicaciones sicológicas, sociales, económicas y políticas que se asocian a él, y que se acoplan a la perfección con la deformidad sicológica, social, económica y política que hemos tenido que vivir los cubanos. A pesar de algunos abismos caracterológicos que nos separan de los alemanes, la historia política ha demostrado lo cerca que estamos gracias a la tiranía y la intolerancia, así como por nuestras actitudes distorsionadoras, aunque distorsionemos al modo caribeño. Mis amigos, escritores de mi generación, no lo entendían así, ni siquiera en general los de generaciones subsiguientes, escritores o no, sin darse cuenta que los cubanos somos expresionistas por naturaleza, que con los diferentes movimientos revolucionarios del siglo XX hemos conjugado la violencia estética con la social. No recuerdo que alguien haya hecho postulado semejante, que me parece importante para entender las manifestaciones más desquiciadas de nuestra conducta y el carácter del castrismo, que se acerca más al expresionismo que al realismo socialista. Del realismo batistiano vamos a dar un salto espectacular al marxismo-leninista que contradice todas las leyes de la gravedad.

Como ha indicado Guerrero Zamora desde hace bastante tiempo en su *Historia del teatro contemporáneo*, mientras en la literatura realista los personajes se presentan dentro de una sicología matizada por la realidad, sin abstracciones, en el expresionismo los personajes se construyen gracias a imágenes obsesivas, que configuran una construcción asimétrica, de carácter polifónico, llena de paralelismos y correlaciones contradictorias, que es lo que acabará haciendo Valle Inclán en *Tirano Banderas.* Ni Gerardo Machado ni Fulgencio Batista, que configuran parte de la tiranía nacional, hubieran podido "interpretar" Tirano Banderas. "Más que un movimiento pragmático y preceptivo, el expresionismo fue el resultado de un ambiente antinaturalista, por lo que a la estética respecta y, por lo que a las circunstancias históricas atañe, de la inquietud social iniciada en el último período del pasado siglo y del estremecimiento telúrico producido por el cruce del 1900, de las cada vez más profundas corrientes de protesta social y, por consiguiente, de todas sus convenciones y, por último, de la primera guerra mundial". Esta cita de Guerrero Zamora es aplicable a todo el período en que desarrolla la acción y la escritura. Valle Inclán escribe una novela que anticipa el franquismo, de igual manera a como lo hacen muchas manifestaciones de la estética literaria cubana durante todo el siglo XX y el XXI con respecto a la historia nacional, porque, ciertamente, estamos muy distanciados del mero realismo.

Todo esto es aplicable a la conciencia escenográfica del expresionismo, visible en Valle Inclán, ya que se modifican las proporciones reales objetivas sujetas a la subjetividad que tiene lugar al exteriorizarse el espacio donde se desarrolla la acción. La "escenografía" de la novela, como veremos, toma un carácter decorativo opuesto al realismo (tanto en los exteriores como en los interiores), caracterizado por sombras y distorsiones que determinan el desarrollo de la acción. La novela, desde el título, se afinca en la realidad histórica representativa del quehacer político de España e Hispanoamerica donde la tiranía, abanderada a cualquier causa que le venga a mano, nos lleva a la dimensionalidad geográfica dual de *Tirano Banderas.* La percepción política, social y económica del mundo que va a describir será la clave determinante del sistema de aproximación que se desarrolla mediante la centralización deshumanizada del protagonista, que sobresale en un primer plano. No sólo su persona, sino también la descentralización del espacio humano que lo rodea, configuran la distorsión llevada a efecto. Las figuras dislocadas del reparto, formado por múltiples clases sociales vistas como esperpento valleinclanesco, cuya estética le sirve para llegar a lo medular de su propuesta, complementan la imagen del protagonista. "La figura del dictador-símbolo no es más que un pretexto para exponer una amarga visión de una realidad sociopolítica, entrevista, claro es, desde una angustiosa exigencia de perfección, de urgente cirugía", ha dicho Alonso Zamora Vicente. La composición del espacio humano se lleva a efecto a través de la presentación distensionada de las diferentes clases sociales cuyo grotesco es representativo del grupo: con lo estrafalario de cada cual compone el grotesco del todo. *Mediante la desatomización del tiempo individual dentro de otro colectivo (el tiempo UNO dentro del tiempo TODO), el autor trabaja con un temporalidad fílmica simultanea que construye la totalidad de la novela.*

La deshumanización léxica es fundamental para la comprensión de una novela donde el lenguaje de los comunicantes es parte de la irrealidad total, que nos obliga a tomar en cuenta: (a) la irrealidad y oscuridad del diálogo como ejemplo de la imposibilidad de la comunicación humana; (b) la impotencia del lenguaje como medio de exteriorización del mundo interior; (c) la función estético-pictórica del lenguaje como suplantador de la realidad primaria; (d) una mecánica grotesco-paródica destinada al distanciamiento emocional donde la oscuridad léxica, la plasticidad verbal y la estética de la palabra configuran un sistema de distanciamiento sicológico con función didáctico-brechtiana que distancia al lector; factores todos que nos obligan a un análisis meticuloso.

En otras palabras, una trilogía de furias valleinclanescas (furia ética, furia estética y furia léxica) componen el estilo de Valle Inclán dentro de una plasticidad con conciencia cinematográfica que es fundamental en muchas páginas de Tirano Banderas a las que haremos referencia en este trabajo.

La Generación del 98 rompe con todas las estructuras previas de la narrativa española del siglo XIX que encuentra en Benito Pérez Galdós el clímax de un realismo minucioso y detallado con el cual proseguirá Baroja con un realismo descuidadamente objetivo que da un salto hacia el siglo XXI, precedido por la esquematización textual de Unamuno, el impresionismo lumínico de Azorín, y el expresionismo esperpéntico valleinclanesco, elaborado este último mediante una desfiguración situacional, verbal, visual paródica, que llega a su máxima expresión en el guiñol grotesco esperpéntico que es *Tirano Banderas,* sin que falten teatro dentro del teatro, expresionismo y absurdo, así como concepciones plásticas y cinematográficas.

Prólogo

El prólogo de la novela, particularmente cinematográfico, establece las bases fundamentales del tiempo novelesco ya que se inicia en un punto futuro de la acción. Hacia el mismo (el acto revolucionario contra el tirano) converge el desarrollo. La novela tiene conciencia de un tiempo simultáneo ya que dos acciones paralelas en diferentes espacios ocurren en el mismo momento, lo que da el corte fílmico de la narrativa: una acción queda frecuentemente interrumpida por otra, siguiéndose más adelante la línea de continuidad. Esto es, simple y llanamente, cine. Como Santos Banderas aparece "maquillado" de una forma siniestra, con ojeras negras, la asociación inmediata es con el sonambulismo del *El gabinete del doctor Caligari,* un expresionismo germánico de raigambre mexicana, que habría que completar, decorativamente, con algún esqueleto del Día de los Muertos.

No sabemos (bueno, para ser exactos, no lo sé yo) si Valle Inclán vio alguna vez *El gabinete del doctor Caligari (1920),* y si la vio antes o después de la escritura y publicación de *Tirano Banderas (1926),* pero lo cierto es que por la relación tan estrecha que hay entre el expresionismo alemán y el esperpentismo valleinclanesco, es posible que la hubiera visto. Esto no le resta la menor originalidad a *Tirano Banderas*, que no necesitaba de una breve y fílmicamente elemental película alemana para ser lo que era, pero sí es cierto que hay una relación entre una cosa y la otra, de época tal vez (la Primera Guerra Mundial, los gases envenenados como agentes de destrucción masiva), aunque fuera por la toma del cadáver en el ataúd y la sombra con el cuchillo. Por lo menos en la forma de ver el mundo, a la larga como un gran manicomio, y captar el *modus vivendi* de la tiranía, hay una medular relación entre las anómalas vivencias síquicas de la novela y la película.

Debemos indicar que tanto en *Tirano Banderas* como en *El gabinete del doctor Caligari* la realidad se convierte en pesadilla y nos pierde en una locura colectiva que a la larga esta apresada en la tiranía, porque son textos representativos de la conciencia de un pueblo sujeto a la locura de un dictador. Hay una conciencia de distorsión total y no deja de ser inquietante que el cine alemán inicie su fama con una película siniestra, en un manicomio, que clama porque todos se conviertan en el Dr. Caligari, y que el agente de la masacre, que controla a las masas, sea el arquetipo. En *Tirano Banderas,* con su muralismo expresionista que incluye la tiranía y la revolución, Valle Inclán hace otro tanto en lo que se considera su obra cumbre. La feria de Holstenwall evoluciona hacia una versión macabra de la revolución mexicana. En las dos hay una jerarquización de la tiranía donde una autoridad demente domina a las masas, ya sea en el manicomio, en el burdel carnavalesco, o el Fuerte de Santa Mónica, con sus murallas y calabozos.

Como *Tirano Banderas* se inicia con un plano general de Filomeno Cuevas con peones indios que se arman para la lucha revolucionaria, el efecto es el mismo que encontramos en el muralismo de la pintura mexicana de la revolución. Pero la situación se individualiza cuando Filomeno pasa lista y tiene lugar un corte narrativo que proyecta en forma de primeros planos sucesivos a los diferentes personajes que se preparan para la acción revolucionaria. El efecto es pictórico también, pero se inclina a una visualización expresionista.

La acción se vuelve en este punto más teatral, descansando en el diálogo donde quedan establecidos dos puntos de vistas revolucionarios: la autenticidad de Filomeno Cuevas y la inautenticidad del Coronelito de la Gándara. La pomposidad retórica del Coronelito queda muy bien marcada por Valle Inclán: "tablero de campaña", "táctica Fabiana", "Aníbales y Napoleones". La exposición libresca de naturaleza intertextual contrasta con la exposición más directa de Filomeno, más objetiva, y en particular con un texto clave que señala la diferencia básica: "Domiciano, tú no puedes comprenderme. Yo quiero apagar la guerra como un soplo (que es de una precisión que se ajusta a la palabra como anillo al dedo), como quien apaga una vela". Filomeno en este momento se distancia del Coronelito y expresa metafóricamente, pero con aparente sinceridad, su posición frente a la guerra, que no es una cuestión libresca sino una realidad dolorosa.

El prólogo se cierra con una nueva concepción panorámica donde lo visual y lo sonoro entran en juego. La luna sobre el mar produce un efecto plástico con la embarcación en la que van los revolucionarios. Hay una conciencia colectiva de grupo cuyo espacio se va reduciendo hasta caer en la distorsión valleinclanesca de los versos finales. El efecto de luz (luna, faro) entra en el área de los versos grandilocuentes de Espronceda, arquetipo del romanticismo hiperbólico, con resonancias paródicas. Al someterlo a la desfiguración del "catedratismo" (género teatral popular del teatro bufo cubano, caracterizado por la distorsión léxica y fonética del lenguaje), Valle Inclán se burla del "floripondio" verbal del poeta romántico y, en cierto modo, de toda la situación, como quien responde a su propio modo de ver el mundo. De esta manera hay un elemento de ambigüedad con respecto a la acción revolucionaria, cuya autenticidad, a pesar de la tiranía, nunca queda definida claramente debido a la posición de Valle Inclán sobre la conducta humana, vista frecuentemente como una mueca expresionista.

Primera parte: **Sinfonía del trópico**

Libro primero: **Ícono del Tirano**

En el título de la novela confluyen dos direcciones que corresponden a la tradición hispánica que se remontan a los tiempos de la Reconquista donde la religión era participante activo de las luchas armadas. En Santos Banderas confluyen ambas: las del orden religioso y las del orden bélico, y terminan en un denominador común, el autoritarismo, que viene a ser el germen pernicioso que se integra por vía hispánica a la genética latinoamericana. Por consiguiente, la novela representa la simbiosis de dos mundos, el español y el americano, en sus manifestaciones más negativas: el despotismo se ha vuelto en muchas ocasiones en el mundo americano en una cruzada religiosa presidida por un ícono de naturaleza pagana, que sincretiza una conducta histórica. El título del libro lo condensa en un par de palabras, una de las cuales es de impacto visual.

Desde esa primera parte, Valle Inclán va a trabajar el texto con un movimiento, del primer plano a la panorámica, de las tomas interiores a las exteriores, que es también pictórico y que en muchos de sus escenarios interiores responde a una mecánica teatral de impacto fílmico. Un esquema geográfico, como si fuera un mapa, abre la novela donde el contrapunto Fe-Serpiente responde a una iconografía literaria. La panorámica del paisaje nos enfrenta visualmente a una concepción plástica del proscenio donde entran en juego, de un lado, el sol que "encendía los azulejos" y la cúpula de la iglesia con su campanario sin campana, que sirve también de síntesis de las contradicciones históricas americanas, mezcla de idolatría religiosa e idolatría revolucionaria. Mientras la figura del tirano es presentada hieráticamente en un primer plano, como un retrato con paisaje al fondo, este campo visual compone una panorámica. El efecto de irrealidad se logra gracias a una composición siniestra (calavera, antiparras negras) y en especial la "salivilla de verde veneno", que agrega una coloración espectral, decididamente expresionista. Ese primer plano contrasta con la perspectiva general del pueblo, que es visto desde el ángulo del déspota. Arquetipo del caciquismo, en el confluyen en particular las múltiples tiranías latinoamericanas: José Gaspar de Francia (Paraguay), Rosas (Argentina), Mariano Melgarejo (Bolivia), Porfirio Díaz (México), y todos los otros tiranos habidos y por haber que vendrían después. Al ubicarse la acción en la celebración de los Santos Difuntos, todos estos elementos adquieren una connotación más siniestra aún. Los efectos plásticos abundan desde el comienzo: "Un globo de colores se quemaba en la turquesa celeste… invadida por la sombra morada del convento". Como puede apreciarse, un concepto cinematográfico guía la narración a partir del primer plano de Banderas y la panorámica del pueblo, acercándose la cámara narrativa, más y más, hasta el preso que es azotado y enterrado, sin que el lector pierda conciencia de la perspectiva visual de Banderas, que es todopoderosa y lo abarca todo.

Cambia la situación a una toma interior, dándose vuelta el protagonista hacia el grotesco grupo de gachupines que vienen a verlo. Valle Inclán hace una síntesis de los personajes, mayormente pintados de un brochazo por alguna adjetivación que los delimita: "el chulo de braguetazo, el patriota jactancioso, el doctor sin reválida". El principio de cinematograficidad que hemos apuntado en el movimiento del relato pasa de planos exteriores a interiores y adquiere una connotación teatral, casi a modos de acotaciones que delimitan al personaje. Los participantes de la acción, más que reales, parecen marionetas o figuras de carnaval, como si estuvieran disfrazados. Hay un principio de carnavalización individual y colectiva, que permanece a lo largo de toda la novela, como si Valle Inclán los colocara en una pose grotesca definitoria, lo que crea un efecto de distorsión inmóvil, congelada (como frecuentemente hacen los directores de escena), dejándolos fijos en el retrato. Al moverse, esa teatralidad plástica no desaparece porque hay una marcada artificialidad. El texto de Banderas acrecienta la falsedad, y el "atiza" y el "arrea" funcionan como voces de un coro que se individualiza en el caso de Celestino: "Los hombre providenciales… no deben ser reemplazados sino por hombres providenciales", en lo que acaba por no decir nada.

Esta mecánica se reduce, pero no desaparece, en la siguiente secuencia con don Celes, que tiene un propósito argumental más inmediato, con el fin de hacer progresar la acción y ofrecer una perspectiva más directa de la mecánica del absolutismo y su relación con los intereses de la burguesía española.

Finalmente, Valle Inclán reubica al protagonista en el hueco de la ventana y se repite después el primer plano el juego perspectivístico anterior, como si el recorrido se fuera cerrando circularmente, con una multitud de elementos pictóricos que entran en juego, como si el narrador estuviera utilizando la paleta de un pintor. La acción pasa aquí del interior al exterior, en un movimiento invertido, con multitud de tomas colectivas y el predominio del plano individual del dictador, que lo ve todo, lo que acrecienta el efecto de que Tirano Banderas está presente en todos los actos de la vida. Al cerrar la trayectoria con una copla, evoca el romancero tradicional español, como si fuera en el fondo un trompetilla paródica.

Libro segundo: **El Ministro de España**

Como ya se sabe, Valle Inclán introduce en el segundo período de su obra literaria el "esperpento" como marca de fábrica, tras la prosa refinada y preciosista, solemne y cadenciosa, decadente, señorial y arcaica, de las "sonatas", para pasar al humor desgarrado, colorido chillón, imagen grotesca y sátira caricaturesca, como definió J. García Gómez en uno de sus textos de lectura obligada, y como el propio Valle Inclán define como la percepción de la realidad a través de un espejo ya cóncavo, ya convexo que distorsiona la imagen. Esto se produce mediante la exageración, la hipérbole caricaturesca, que marca los rasgos de una manera tal que produce un efecto de irrealidad que nos conducirá a Batman y a toda una sombría galería de un esperpentismo expresionista "gótico". Valle Inclán es todo un antecedente de este grotesco visual que incluye lo versallesco. Va, por cierto, mucho más acá de la tradición de los "muñequitos" a lo Blanca Nieves, adoptando a veces el tono grotesco del disfraz, las chaquetas y las pelucas. Todo el retrato del Barón responde a esta clase de concepción esperpéntica, que tiene a su vez el carácter decadentista dieciochesco, rasgo que responde también a las características del modernismo.

De más está decir, que todo este esperpentismo expresionista, siempre ha sido a su vez marca de fábrica de un cine, primero de factura germánica, del que se apodera Hollywood con el blanco y negro del doctor Caligary, Frankenstein y Drácula, que llega a nuestros días multiplicado en series televisivas de esta naturaleza, donde no falta el expresionismo barroco afrancesado cuando las circunstancias obligan, y que no mete tanto miedo. Estas ambientaciones de decorado, de escenarios y vestuarios, están en Valle Inclán. Desde el primer plano del Barón en el libro segundo al plano exterior de don Celes acercándose no menos grotescamente, el encuentro de ambos, responde a una concepción que resulta muy cinematográfica, y que es, además, en colores. Ambas distorsiones, la del Barón y la de don Celes, confluyen en la tercera parte del libro segundo, cuyo escenario es también muy teatral.

El lenguaje es artificioso, falso, empalagoso, en correspondencia con las figuras que viven el texto. El principio decorativo de la cultura española se pone de manifiesto pero dentro de una atmósfera afrancesada y dieciochesca. Los espacios exteriores e interiores se alternan a modo de montaje, con don Celes que se acerca y se aleja, en movimiento inverso en una dirección o la otra hasta terminar en una panorámica de la ciudad. Por consiguiente, la composición es rítmica. Valle Inclán repite el esquema de una secuencia a la otra. Esto lleva, naturalmente, al cierre colectivo por la Calzada de la Virreina con diferentes tomas que se amplían hasta la panorámica total de la ciudad. Cámara en mano parece que está filmando una película francesa, que, intencionalmente, no parece muy buena.

Libro tercero: *El jugo de la ranita*

Quizás la característica dominante de esta parte sea la obsesión léxica del novelista que acaba creando un diálogo irreal, fantástico, de americanismos torcidos, metáforas insólitas, hipérboles. Esto se manifiesta tanto en los diálogos como en las descripciones y responde a la tradición del barroco, que es española y americana. Este uso y abuso del lenguaje rompe con las normas de la novela anterior (y con la barojiana y la unamuniana de la generación del 98) y hace que la narración sea portavoz de su propia realidad. Tanto esto, como el desarrollo de la acción en secuencias de tiempo paralelo, constituyen indiscutibles innovaciones valleinclanescas de corte fílmico.

Nos encontramos, en síntesis, lo siguiente: (1) Movimiento de Santos Banderas en dirección al Jardín de los Frailes, seguido de su "corte" para "jugar a la ranita". (2) Creación de un nuevo "escenario" donde se coloca a Banderas como foco de la acción, de carácter teatral, rodeado de su "corte". (3) Entrada de doña Lupita, que hace más marcado el grotesco y acrecienta la irrealidad del diálogo. (4) Complicación del nudo argumental con la delación de Lupita y presentación indirecta de otros personajes que van dando la información de los conflictos políticos que están ocurriendo. (5) Como quien hace un recorrido fílmico expresionista, vuelta al primer plano del tirano, predominando los efectos visuales para lograr la desfiguración de la imagen.

Segunda parte: **Boluca y mitote**

En el libro primero, "Cuarzos ibéricos", Valle Inclán se concentra en la perspectiva de los gachupines, mientras que en el segundo, "El circo Harris", lo hace en la perspectiva revolucionaria de la burguesía liberal. Estos dos elementos contrapuestos están subordinados a "La oreja del zorro", que todo lo oye, y tiene el control absoluto de la situación. Valle Inclán compone escenarios pictóricos, que crean un montaje donde aparecen participantes sobre los cuales se enfoca la acción y la desarrolla con una fuerte dinámica léxica y visual.

Tercera parte: **Noche de farra**

Entre estos "escenarios" pictóricos, teatrales y fílmicos, sobresale el Congal de Cucarachita, representativo de la actividad comunal masculina, foco de acción colectiva distorsionada siempre vistos por la pupila de Valle Inclán, como cuestión de estilo. Tan importante como el presidio de Santa Mónica, el Congal se vuelve escenario neurálgico de la acción que le sirve al escritor para mover a sus caracteres. Esta parte aparece dividida en tres libros: "La recámara verde", "Luces de ánimas" y "Guiñol dramático". Los libros apuntan a la visión pictórica ("verde), vista lumínicamente de forma siniestra y dislocada ("luces de ánimas"), vivida por personajes cuya gestualidad rompe con el canon y adquiere niveles escénicos ("guiñol") que podrían definirse como un grotesco fantástico.

Libro primero: **La recámara verde**

En "La recámara verde" la acción se enfoca en un nivel exterior. Hay una multitud que va y viene dentro de un ambiente abigarrado, lleno de cosas, que podríamos considerar un barroquismo de imágenes que une la tradición hispana con el barroquismo mexicano, convertido en barroquismo expresionista y esperpéntico. Un efecto de pueblo en movimiento se hace palpable en la secuencia donde entra en juego la acción ("corre la chusma", "circula en racimos") con la visión pictórica ("candilejas de petróleo", "pinturas estentóreas y dramáticas") unida a la visión sonora ("ciegos de guitarrón", "risas y bravatas"). El escenario total está dado en la siguiente imagen: "quiebra el oscuro en el vasto cielo, la luna chocarrera y cacareante": negritud, luminosidad y sonido se unen en una imagen, que como todo el fragmento es otro ejemplo de la riqueza léxica y creadora de Valle Inclán. Se confirma la reputación del texto como obra maestra. Para Valle Inclán escribir una novela no es narrar una historia. Es el primero en introducir en la novela moderna la conciencia de que el estilo, la palabra como ejercicio de estilo, es lo dominante y los otros participantes son a la larga secundarios si no están concebidos estilísticamente y sirvan para unir el color, la luz y la línea que impone una caracterización pictórica que se compone fílmicamente, pero a través del lenguaje, lo que la vuelve tan difícil.

Como en el caso del expresionismo en *El gabinete del doctor Caligari,* el "escenario" es esencial para alcanzar el objetivo. En la película los escenarios fueron diseñados por el pintor e ilustrador Alfred Kubin, que fuera precursor de los surrealistas. Se caracterizaba por hacer entrar en escena fantasmas que hacían surgir del subconsciente visiones y torturas. En la novela, Valle Inclán es el diseñador de la escenografía, divida básicamente en el de las clases revolucionarias, que es el más decididamente expresionista, y el de los salones de la aristocracia, que es barroco, y que por exageración podríamos llamar expresionismo barroco.

La caracterización guiñolesca de todo el episodio en el Congal se abre con la relación establecida entre el doctor Polanco y las prostitutas, pero particularmente Lupita, que se nos presenta como una muñeca ("bata de lazos y moño colgante") retorcida. Valle Inclán convulsiona la relación entre los sexos, que descaracteriza al llamarlo "erótico tránsito". Esta síntesis del orgasmo es una burla donde trabaja con la subyacente trascendencia del "tránsito" prostibulario, y del erotismo, que también anula, en una especie de cínica burla bipolar.

El retrato del Coronelito Domiciano de la Gándara nos saca de la recámara donde se encuentran Lupita y el doctor Polanco mediante una composición pictórica convulsionada por un grotesco caricaturesco. Guiñando un ojo y con las manos en las nalgas, habla groseramente con las prostitutas medio desnudas, de un modo que no se había hecho antes en la novela española. La realidad se vuelve lenguaje literario, casi ininteligible y abstracto, donde todo es no siendo mediante el uso de un lenguaje enrevesado: "El ojo guiñate, la mano en los trastes, platica leperón con las manflotas de cabellos y bata escotada". Claro, no se puede comprender. Sostener una narración con tales procedimientos viene a ser un *tour de forcé* donde la realidad se recrea de tal modo que se convierte en texto: la realidad es el texto. Como si fuera poco, esto tiene un acompañamiento sonoro burlesco, dado por el corrido (composición musical típicamente mexicana) de Diego Pedernales, que está relacionado con los planes de Tirano Banderas de encarcelar a Domiciano. Es evidente que, gústenos o no, *nadie* podía escribir así y construir una novela en esos términos.

Este conjunto conduce a una disolvencia musical: "Tecleaba un piano hipocondriaco en la sala que nombraban Sala de la Recámara Verde" Se escucha. desde el exterior el baile popular, el mitote. La sala está vacía y se produce un efecto de oscuridad y desolación ajustado a las circunstancias. El Ciego Velones, "nombre de burlas" (ciego apodado velones, de velas) "tecleaba un piano sin luces" (es decir, ciego, cubierto la mayor parte del tiempo con una balleta negra), mientras su hija cantaba un canción de texto cursi que bajo las circunstancias resultaba patética. El "¡no me mates, traidora ilusión!" es desolador visto a la luz de "un fúnebre resplandor". Contrasta con la otra voz, la voz exterior de Domiciliano, que canta desde fuera, casi a modo de chanza y sarcasmo. La presencia de las dos prostitutas junto a la ventana, con el "ébano de las cabezas pimpantes de peines y moñetes" ofrece una composición pictórica que juega con la música, como si fuera una mueca. Toda la secuencia esta presentada con un sentido pictórico que se acopla a la composición musical que sirve de fondo sonoro. Viene a ser la antítesis del resto del 98: Unamuno, Baroja, Machado, *Azorín*.

Finalmente, la escena vuelve a la recámara verde donde están Lupita y el doctor Polanco, compuesta de la misma manera: "Brilla (elemento cromático) la pomposa cama del trato (caricaturización del "trato" prostibulario) en el fondo, sobre el espejo (efecto de irrealidad)" y "a veces todo se tambaleaba (sensación de inseguridad) en un guiño (burla) de altarete". La recámara es vista, despectivamente, como "altarete", connotación religiosa, a través de un espejo, que es otra reminiscencia alucinadamente prostibularia, como las callejuelas de *Caligari*. Se trata de una "metempsicosis" visual, transmigración de los cuerpos, burla, que termina con la voz de la Madrota obligando a Lupita a acostarse con un cliente. Con una adicional connotación religiosa y grotesca, Lupita agrega: "esta noche la guardaba por devoción a las Benditas": la religión convertida en "recámara verde". Sistemáticamente, Valle Inclán no dice nada de forma directa: un dolor de cabeza es un "malestar cefálico", no tener dinero es "menos carente". Cada oración se retuerce gracias a un lenguaje arcaico, irreal, inventado, inexistente. Si bien existe un primer plano (visual, léxico) que corresponde a la realidad, el mismo subsiste detrás de una irrealidad que la descompone.

Libro segundo: **Luces de ánimas**

El corrido irreverente sirve de comentario macabro, acto de profanación popular cuando el verdugo le cubre la cabeza al acusado que van a ajusticiar y le presentan una imagen de Cristo, a lo cual este responde con una mala señal. Este detalle va a caracterizar el resto del libro segundo. En realidad Lupita se siente culpable al tener relaciones sexuales con Nachito el primero de noviembre, que viene a ser un gesto profano ante la imagen de Cristo. Lupita propone no tenerlas: "Tú, si fueses propiamente romántico, ahora tenías un escrúpulo. Me pagabas el estipendio y te encaminabas", pero Nachito plantea otra solución: irse sin pagar. Toda la conversación se desarrolla de acuerdo con las peculiaridades léxicas del escritor: si Nachito le "cancelara el crédito" (es decir, pagara la deuda que Lupita tiene con la Madrota) y la pusiera en un "pupilaje" (es decir, Lupita ejerciendo la prostitución para Nachito) su vida cambiaría; pero en realidad todo parece cosa de "chuela", una broma, ya que Nachito dice que no es un "negrero" (un traficante de esclavos dedicado en estas instancias al comercio de mujeres), por lo cual Lupita concluye que esa conversación la ha tenido antes (como si fuera un caso de "metempsicosis") con semejantes "palabras y prosopopeyas" (mentiras). Cual si fueran las luces de las almas en pena que en el fondo son los personajes ("las luces de sus falsos anillos"), todo el diálogo queda reducido a la nada. Como la otra canción que sirve de "melodrama" de fondo, no es más que una "traidora ilusión". La composición "fílmica" con escenas alternas entre "interiores" y "exteriores", diseñados e iluminados a lo Toulouse-Lautrec, nos lleva de un espacio al otro, donde la constante del grotesco se manifiesta con la entrada de Domiciano remedando el cantar de la rana.

Toda la secuencia es una obra maestra con un léxico que visualiza la narración de forma brillante pero propuestamente enrevesada. El Congal aparece iluminado ("luminarias de verbena") para una fiesta ordinaria y grotesca, con un baile ("mitote") donde se entremezclan juegos ("naipe"), bebidas ("aguardiente") y comidas populares ("buñuelos"). El negocio del juego, sin embargo, no va muy bien (a causa de un "interés fatigado" donde los "naipes" se encogían y el dinero se mostraba "receloso"), por lo cual la Matrona trae bebidas para que la gente se emborrache. Nacho Veguillas hace de payaso, saltando como una rana, y entonando un dúo "cuá, cuá", que es "la música clásica que, cuando esparcía su ánimo sombrío, gustaba de oír Tirano Banderas", detalle que acrecienta la presencia indirecta del tirano, ya que "el juego de la ranita", donde se decide el destino de la gente, es evocado en este momento. El grupo del doctor Polanco y del ciego con su hija que, metafóricamente vestía "lujos de hambre", completan una secuencia típicamente valleinclanesca que requiere el esfuerzo de una lectura doble, cuando menos, desentrañadora en la medida de lo posible. Se trata de una ampliación del patético cuadro entre el ciego y su hija, donde "la traidora ilusión" (tema fundamental de toda este episodio) es el subtexto del melodrama en el cual ilusiones y desengaños se entrecruzan con un patetismo realista. El ciego que espera lo operen de cataratas y la muchacha que "puesta a envidiar, no envidiaría riquezas" sino "ser pájaro", "cantar en una rama", hace saltar las lágrimas, como si se dejara entrever una burla cínica del autor respecto a esta lacrimógena mascarada. Pero como puede verse, el estilo valleinclanesco requiere la traducción al lenguaje común y corriente de una propuesta léxica muy difícil de entender.

Exteriores e interiores siguen alternándose en este episodio donde montaje y *editing* juegan un papel importante, con énfasis en "la recámara verde", donde el novelista sigue presentando grotescos de novelón. De esta forma Valle Inclán anticipa toda una corriente narrativa en la cual el lenguaje de la literatura popular (la música folklórica, la novela por entregas, el novelón romántico, la novelita pornográfica, la caricatura periodística, el cómic en colores, la novela gráfica y el novelón radiofónico o televisivo) entran intertextualmente para formar parte de la literatura "seria", que también se refleja a la inversa cuando toma versos de Espronceda y los convierte en prosa cursi: "Posa tu mano en mi frente que en un mar de lava ardiente…"

Las luces del altar de las ánimas que tiene Lupita en la recámara verde se vuelven más enfáticas todavía y juegan un papel más importante en este episodio donde se clarifica el destino incierto del Coronelito. La secuencia es ampulosa, contrastante, en gestos y en palabras. Mientras Lupita le dice a Domiciano que se ponga a salvo y que Nachito es un "pendejo" que no le advierte del peligro, Domiciano la llama "ángel funesto" y "sierpe biomagnética". Todo esto produce el efecto de un guiñol surrealista iluminado por un fantástico "altarete".

Valle Inclán requiere un proceso de traducción y visualización textual constante. El Coronelito, al saber del peligro que corre, levanta el machete, que produce un efecto luminoso (relampagueaba). Lupita (la "daifa" prostibularia) está en camisa rosada (efecto de color) y tiene los brazos abiertos (diseño). Veguillas tiene la pared como fondo, no tiene puesto los pantalones (que lleva en la mano) y aparece con una faldeta. Pura tira cómica o cine astracanesco. El Coronelito le quita los pantalones, lo que acrecienta el efecto cómico, y aparece ovillado cubriéndose sus partes más íntimas con la parte inferior de la camisa. Después, cuando el Coronelito lo suspende por los pelos, lo deja al desnudo, ya que tiene la camisa sobre el ombligo. Si a todo esto agregamos que Lupita aparece arrodillada, nos damos cuenta de la grotesca comicidad de la escena, que sigue en parte la tradición del humorismo cervantino, popular, distorsionado por el esperpentismo expresionista valleinclanesco que se mofa de todo.

Libro tercero: **Guiñol dramático**

Valle Inclán define la naturaleza del texto como "truco de melodrama". La característica fundamental del libro tercero reside en el movimiento de la acción y la composición de las tomas desde ángulos divergentes que producen un efecto de tiempo fílmico alternativo. Mientras el Mayor del Valle se acerca por un lado para prender al Coronelito, este, seguido de Nachito, sale por el otro, llega a otra puerta donde hay una mucama que va a empezar a gritar, pero que no lo hace por un puñal que le pone por delante. El tiempo es fílmico, simultáneo, móvil. No hay más que "ver" las situaciones.

Rápidamente pasamos a un corredor y una recámara donde está el estudiante. El estudiante lee. Entra el Coronelito. Le sigue Nachito. Hay una ventana. El Coronelito salta. Nachito se queda paralizado frente a la ventana. En medio de toda la verbosidad valleinclanesca, las acciones se precipitan vertiginosamente, perfectamente coordinadas, con ritmo muy bien calculado. Si como decía Hermann Warm, citado por Krakauer, "las películas deben ser dibujos a los que se les da vida", el vértigo de estas imágenes que se suceden a la velocidad del relámpago, crea una dinámica visual por donde corre el Coronelito.

De estas tomas en movimiento se pasa a la entrada del Mayor del Valle en el Congal. Las dos acciones ocurren al mismo tiempo y dependen la una de la otra. Todo es muy acelerado, con tomas de la recámara donde reaparece Lupita, "actuando", con un toque expresionista de mujer fatal, que hace una farsa de sí misma: "el pintado corazón de la boca vertía el humo del cigarro". Cubre la salida de Nachito y el Coronelito, como en una película de acción, o en una novela gráfica. Típica secuencia fílmica de "policías" y "ladrones" – *"thriller"*. Muy diferente todo a la cinematograficidad de *Azorín* o el realismo objetivo de Baroja, que simplemente, cámara en mano, no "decora" nada. Pero Valle Inclán, como Alfred Kubin en *Caligari,* mueve el espacio con la cámara.

Un corte apresurado nos reintegra a la recámara del estudiante, con Nachito congelado frente a la ventana. No deja de ser cómica la observación que hace de que no es un fugado de Santa Mónica, sino un "viceversa", ya que es allí donde irá a parar. El propio Valle Inclán define la técnica: "El tiempo parece haber prolongado todas las acciones, suspensas absurdamente en el ápice de un instante, estupefactas, cristalizadas, nítidas, inverosímiles…" La entrada del Mayor Abilio del Valle y los otros militares produce un efecto de ágil continuidad como la escena previa, mientras que la entrada de Rosita Pintado, madre del estudiante, rompe el corto, hasta que finalmente, con algunos exteriores al amanecer, cierra con la vuelta al prostíbulo, con un preciso movimiento circular. Valle Inclán está jugando con las tomas múltiples fusionadas rítmicamente por el *editing*. Filma su narrativa.

Cuarta parte: **Amuleto nigromante**

Esta parte es una de las que ofrece una sacudida más intensa. "Amuleto nigromante" hace referencia a la muerte del hijo de Zacarías el Cruzado, cuyos restos lleva en un saco que carga a sus espaldas. El arte de evocar a los muertos para adivinar el futuro, la nigromancia que define al amuleto y al título, está asociado a los restos del niño que lo acompañan, referencia directa al amuleto de Zacarías.

Libro primero: **La fuga**

Zacarías el Cruzado va a jugar uno de los papeles más importantes de la novela, y Valle Inclán crea uno de sus personajes más auténticos y una de las situaciones más desoladoras y patéticas, que contrasta con el tono sainetero que se desprende de los otros lances. Esto le da una vuelta a la tuerca de otra naturaleza. La relativa simplicidad léxica soslaya el proceso distorsionador y, por su contenida emotividad, contrasta con el estilo farandulero de otras situaciones. La fatalidad tiñe el episodio luctuosamente. El vuelo de los cuervos, las auras o zopilotes, domina el paisaje; pero no hay rasgos tergiversadores aplicados a su carácter. "El Cruzado no estaba libre de recelos. Aquel zopilote que se había metido en el techado era un mal presagio. Otro signo funesto, las pinturas invertidas. El amarillo, que presupone hieles, y el negro, que es cárcel, cuando no llama a muerte, juntaban sus regueros". Es como una cábala plástica. Valle pinta enfáticamente, pero por esta vez el sentido pictórico no es esperpéntico, sino profundamente fatalista, anticipando todo el futuro carácter de esta secuencia. Los juegos verbales se vuelven comparativamente moderados. Y disminuyen.

El lenguaje de Zacarías, cuando cae en lo imaginativo, responde a modos de ser de carácter popular, sin caer, en la mayoría de los casos, en la típica distorsión expresionista. Cuando la mujer de Zacarías exclama: "¡Todo se lo lleva el naipe, mi jefecito! ¡Todo se lo lleva la ciega ofuscación de este hombre!", la voz se parece a la de Lupita, pero es más legítima, sin una deformidad tan estridente. Cuando "la chinita se echó a la tierra, besando las manos al valedor" (es decir, al amigo que los ha ayudado), el gesto es más agradecido que servil. Valle Inclán está trabajando con otro tipo de acontecimiento. Matiza la deformación y establece una línea divisoria en el estilo. Una cierta artificiosidad en el modo de hablar le da un carácter arcaico al diálogo, pero al mismo tiempo es realista y directo, hasta sincero. "Puedo llegarme a un empeñito para tener cercioro", resulta arcaico, pero "¡Pendejadas que resultare fulero el anillo!" es esperpentismo valleinclanesco de raigambre popular. Unos y otros configuran el estilo.

Libro segundo: **La tumbanga**

Al volverse la narración más directa, la complejidad descriptiva disminuye pero no desaparece, como es el caso de esta "tumbaga" (prenda de oro y cobre) sometida a negociaciones entre la "chinita" y el usurero. La caracterización de Quintín Pereda invita a la distorsión y se convierte en uno de los personajes más eficazmente trazados de la narración, sin llegar a los extremos más radicales del estilo del novelista: "Era un viajales maligno que al hablar entreveraba insidias y mieles, con falsedades y reservas. Había salido mocín de su tierra, y al rejo nativo juntaba la suspicacia de su arte y la dulzaina criolla de los mameyes". Insidias y mieles, falsedades y reservas, componen un retrato que apunta a la ambigüedad del personaje de modo más directo, que se vuelve imagen literaria al final: "dulzaina criolla de los mameyes". Por su parte, la "chinita", que va empeñar el anillo, se distorsiona a sí misma en un gesto servil, con el fin de llegar a su objetivo de acuerdo con su condición, lo cual resulta racional. Los diminutivos de ascendencia popular, se van volviendo enrevesados, y la india se vuelve, de acuerdo con el autor, "emendigada" y "rebelde" en un contrapunto contradictorio pero lógico entre su condición económica y su ira ante la injusticia.

Pero Valle Inclán no puede sustraerse de su concepción del estilo, y sin abandonar la raíz popular, el esperpentismo léxico tuerce cualquier propósito de enmienda. Cuando dice "merito póngase en la banqueta", "merito" lo vuelve un texto francamente enrevesado, y si bien "mero" no es más que puro, simple, sin mezcla de otra cosa, exacto, puntual, con el propósito, en este caso, de poner las cosas en su lugar, Valle Inclán lo transforma en una orden autoritaria mandando a callar y a tranquilizarse, que parece tomada de la realidad. Nuevamente el lenguaje da un tono irreal en una situación relativamente simple, particularmente contrastando con el uso de "pendejo" y "chingada", voces groseras populares. El uso de rebenque (látigo para azotar a los esclavos) caracteriza física y sicológicamente la conducta del gachupín.

La continuidad estilística se mantiene con el múltiple y creciente uso de los diminutivos, que marcan la perversidad del usurero. De esta forma, al referirse a los "empeñitos" de Quintín Pereda, como si fuera algo insignificante, se acrecienta su crueldad y la hipócrita dimensión de la usura. Insultos vulgares e imágenes literarias se entremezclan: "cautela de blancas pisadas" (sin hacer ruido), "se aleja, galguera" (como un perro), agudizan el impacto visual de un movimiento fílmico y escénico, como cuando "haya sido evacuada la diligencia". La solución del problema se resuelve al "evacuar" la "diligencia", que tiene un subtexto literario no menos grosero. La desfiguración de "tumbaguita", el regateo, puede verse como parte de todo un proceso de desfiguración narrativa como medio de caracterización de Quintín Pereda, que Valle Inclán trabaja al dedillo. Cada palabra está elaborada para acrecentar un tejido barroco, un repujado fantasioso como si estuviera trabajado en un telar adornado profusamente.

Libro tercero: **El Coronelito**

Esta secuencia vuelve a ser relativamente simple, pero la lectura siempre exige una reconstrucción que simplifique la imagen. En este caso contrasta la autenticidad de Filomeno Cuevas frente a la inautenticidad intrínseca del Coronelito, que nunca pierde su nota de farsante, y es un excelente personaje. Valle Inclán, a través de la voz de Filomeno, lo retrata íntegramente cuando dice: "Domiciano, reconozco tu mérito y te nombraré corneta si sabes solfeo"; es decir, Domiciano no es gran cosa, no vale nada. En todo momento Valle Inclán insiste en el tono paródico en el tratamiento del Coronelito, empezando por la reiteración del diminutivo. El personaje se ve en un "fregado" (un grave aprieto) entre el "albur pelón y naipe contrario" (despedida y mala suerte), "más bruja que un roto" (sin dinero), víctima inmediata del "chingado Banderas" (insulto metafórico) que se le ha puesto "en la calva" (que tiene en la cabeza) "tronarme" (cortarle la cabeza). Este retrato de la situación del personaje, tiene las características del mejor concepto paródico valleinclanesco, que se reitera al final: "El Coronelito abría los brazos y bostezaba" (gestualidad expresionista teatral). "Suspendido en nieblas alcohólicas, salía del sueño a una realidad hilarante" (cómica). "Reparó en la dueña y se alzó a saludarla con alarde jocundo" (alegre), ciñendo laureles de Baco (de borracho) y de Marte (de militar)". El retrato es, nuevamente, completo, y se ve al Coronelito de pies a cabeza. La realidad "hilarante" surge del gesto exagerado donde el borracho y el militar quedan unificados. Lo que hace Valle Inclán es romper los predios de la narrativa realista dominada por la acción para darle al lenguaje el papel protagónico que requiere la explicación del texto para hacerlo lectible. Difícil de crear y también de disfrutar.

Esa ruptura radical introduce los términos modernos de una narración donde el desentrañamiento de cada palabra determina la relación directa entre el escritor y el lector, que puede ser forzada. Sólo puede "leerla" el lector que esté dispuesto a llevarla a cabo. El imperio de la palabra sobre la acción es la razón de ser de la escritura y el novelista impone esta condición, sin deshacerse de ella, desde el principio al final de la novela.

Libro cuarto: **El honrado gachupín**

Si bien la sinuosa ambigüedad del diálogo sirve para caracterizar al "honrado gachupín", que no es más que una serpiente venenosa, la acción es bastante directa, aunque no faltan las distorsionadas imágenes valleinclanescas: "ribeteo de soflama" (enojo), "ficha del pájaro" (culpabilidad), "can lastimero" (actitud perruna, astucia del usurero). Sin embargo, el abrupto episodio final en el cual se llevan presa a la mujer de Zacarías, es de un realismo y una dramaticidad brutal: Valle Inclán va más allá de toda peripecia léxica para concentrarse en una situación que sacude al lector de un modo directo.

Libro quinto: **El ranchero**

Comprende esta jornada el retrato de Filomeno Cuevas en oposición al de Domiciano. También relativamente simple, sigue una trayectoria en la cual Filomeno decide, con otros rancheros, levantarse en armas. A esto sigue una secuencia guiñolesca entre Filomeno y Domiciano. El lenguaje, hiperbólico y teatral, la caracteriza: "¡Filomeno, deja la chuela! Harto sabes, hermano, que mi dignidad no me permite suscribir esa capitulación denigrante". Esta teatralidad se acrecienta cuando se forma a su alrededor el corro de niños, con la suegra de Filomeno, italiana, con una mayor teatralidad: "¡Tiernos capullos, estáis dando ejemplo de civismo a vuestros progenitores!" Términos populares, como "macanas" y "chingadas", contrastan con su realismo directo. La inesperada llegada de tropas militares convence a Filomeno de que, en efecto, Domiciano no es un espía sino que está perseguido por Tirano Banderas, y decide finalmente protegerlo, aunque Valle Inclán elabora una protección grotesca: "Hasta la noche vas a sumirte en un chiquero, donde no te descubrirá ni el diablo". Metido en el chiquero de los puercos esta salvación del Coronelito es paródica y va de acuerdo con el retrato general del personaje, ya que como dice Filomeno, "por sí, por no, voy a enchiquerarte".

La perspectiva del escritor tiene mucho de melodrama, como si aplicara la técnica teatral y su retórica una descaracterización del hecho revolucionario por un hiperbólico uso del lenguaje. Este proceso léxico tiene una consistencia visual y gestual que rompe con el realismo documental de un proceso revolucionario y, en el fondo, se trata de un comentario crítico.

Libro sexto: **La mangana**

El libro sexto sirve para desarrollar el proceso interior de toma de conciencia que lleva a Zacarías a ajusticiar a Peredita. Interrumpe la continuidad narrativa, ya que se trata de una acción simultánea que tiene lugar mientras Domiciano está tratando de convencer a Filomeno de que lo ayude, que es punto al cual volverá en el libro que le sigue. Al contrario de la mayor parte de la novela, hay en el libro sexto un proceso de internalización síquica de la violencia en el gradual crescendo que lleva a Zacarías al acto de justicia que significa la muerte del usurero. Todo está elaborado paso a paso, metódicamente. La llegada de Zacarías a su choza es casi bucólica: "La cúpula del cielo recogía los ecos de la vida campañera en su vasto y sonoro silencio". Pero de inmediato el ambiente se ensombrece: la inquietud del perro, las gallinas en el maguey culebrón, los marranos en el cenegal, producen una inquietud que culmina con la presencia de los zopilotes y lo llevan a descubrir los restos del niño. Moscas y lagartos lo acompañan en su siniestra quietud, y todos estos elementos de la naturaleza van sumándose en la elaboración de su estado sicológico. La acción progresa gradualmente, paso a paso, sin juegos verbales que desvíen la atención de la intensidad de la misma. La presencia del ciego y su hija anuda la situación, que progresa del episodio del pasado (ambos en la casa de empeño con la mujer de Zacarías) hasta el presente en que Zacarías va elaborando dostoyevskianamente su venganza. Valle Inclán va haciendo progresar la acción previa y la ulterior para llevarlas a un punto que confluye en la decisión del propio Zacarías. Este proceso lleva a la descripción del estado emocional con una intencional simplificación del lenguaje: "una torva resolución le asombraba el alma; un pensamiento solitario, insistente, inseparable de aquel estado dolorido que le hendía las sienes". Libre de todo rebuscamiento verbal o pictórico, el asombro psíquico, "sorpresa y sombra", y la palabra "taladro", que va hacia adentro, reflejan la internalización del estilo, desarrollando el proceso psicológico del personaje y desplazando el escenario. La repetición, tres veces, de "¡Señor Peredita, corres de mi cargo!", equivale a la muestra verbal de un taladro que se internaliza.

Estas exclamaciones están presentadas, alternativamente, intercaladas con tomas que presentan a Zacarías en dirección a los "Empeñitos de don Quintín", donde la palabra "empeñitos" tiene un significado plurivalente indicando, en primer término, el lugar en sí mismo, pero al mismo tiempo caracterizando eufemísticamente los objetivos del usurero y las circunstancias de sus víctimas. El efecto lumínico de la lámpara encendida y la presencia del gato en las rodillas del gachupín producen un impacto pictórico-fílmico distorsionador, que se vuelve más cinematográfico, expresionista, a lo cine mudo, cuando el autor agranda la figura de Zacarías, que no se baja del cuadrúpedo, "encorvándose sobre el borrén, adelantaba por la puerta medio caballo", como quien lo presenta desde un ángulo de la cámara que engrandece la figura y la vuelve amenazante. A esto hay que agregar el uso de la luz, también expresionista: "Le quedaba en sombra la figura desde el pecho a la cara, en tanto que las manos y el borrén de la silla destacaban bajo la luz del mostrador". Como si fuera una película mexicana dirigida por un filmógrafo germánico, a esto agrega "la papeleta ensangrentada" y el saco con los restos del niño que acrecientan el espanto de los hechos, cuya distorsión visual sirve de máxima expresión del crimen cometido. El lazo de la reata que cae sobre el cuello del gachupín, dramatiza el título de esta parte de la novela, con una manifestación enfática de la mangana (el lazo con el cual se amarra a los caballos o los toros), que le sirve al autor para concluir magistralmente el episodio con un párrafo rápido y violento: una de las secuencias más desoladoramente brutales de la novela.

Libro séptimo: **Nicromancia**

En este punto la acción se vuelve retrospectiva, ya que en el momento en que Domiciano se despide de sus hijos, Zacarías reaparece con el saco al hombro con los restos del niño, "amuleto nigromante", que lleva a la conclusión de la secuencia más brutal de toda la novela.

Quinta parte: **Santa Mónica**

Libro primero: **Boleto de sombras**

La continuidad histórica de la tiranía, dentro de la geografía e historia hispanoamericanas, está representada por el Fuerte de Santa Mónica, fortaleza arquetípica del poder colonial español, cuyo concepto tiránico engendra las tiranías que le siguen a modo de herencia histórica. La breve presentación del fuerte funciona como síntesis.

La entrada de Nachito y Marco Aurelio contrasta el espacio por donde entran ("poterna"), al destino que les espera en el recinto de Santa Mónica, y el espacio abierto representado por "el azul remoto y luminoso del cielo", marca la distancia. Irineo Castañón, con su pata de palo y su bragueta desabrochada, ofrece el carácter siniestro de una bienvenida al Infierno, de un realismo tenebrista. Cuando Valle Inclán dice que "se padece una ofuscación" y "es puro sonambulismo este fregado", nos remite a un plano de irrealidad perceptual tratando de explicar lo inexplicable, mediante un "sonambulismo" surrealista que también nos remite a *Caligari*. Pero ahora es una distorsión realista, amurallada, siniestra; caravaggiesca por el uso del espacio y de las sombras. Dos prisioneros quedan identificados como "dos flautistas" (¿delatores?) que recibirán "boleto de preferencia" (la celda o, seguramente, la muerte), o "luneta de muralla" (teatro y paredón de fusilamiento), si "vienen provisorios" o no; es decir, con dinero. La siniestra situación en que se encuentran los personajes está sujeta a una distorsión descriptiva y léxica. Toda la fortaleza, claustrofóbica, nos hace prisioneros en la misma medida en que se encuentran los personajes.

Los "grafitos carcelarios decorados con gráficos trofeos" hacen progresar el barroco visual a medida que Nachito y Marco Aurelio se mueven por la fortaleza. Al mismo tiempo, el autor va trabajando con las diferencias caracterológicas entre los dos personajes, pero lo que se impone es el Fuerte de Santa Mónica en sí mismo como "castillo teatral" o "castillo cinematográfico" seleccionado para desarrollar la obra o la película. Su posición sobre los arrecifes acrecienta el efecto de grandiosidad visual, de gran escenario, natural, monstruoso, fílmico, pero también literario: los morteros están "roídos de lepra por el salitre". Es una fortaleza monstruosa que clama por ser llevada al cine.

Valle Inclán produce un gran efecto plástico, de gran mural, que se inclina ahora a lo panorámico. La fortaleza y los cadáveres que mecen las olas al pie de la misma, dan una impresión visual global, goyesca también, cuando los prisioneros se agrupan alrededor de Sánchez Ocaña que extiende los brazos declamatoriamente, como un gran actor. A la arenga individual se une "una brama, un clamoreo de denuesto", lo que produce un efecto colectivo de un muralismo mexicano de raigambre goyesca que quiere abarcarlo toda mediante la imagen y el sonido. Por otra parte, como contraste intencional, este "paisaje" visual, político, histórico, empequeñece a Nachito.

El lenguaje es ordinario y metafórico a la vez. Al estilo coloquial de Nachito, que teme morir y se siente "fregado", responde el viejo con una imagen que tiene la doble condición de ser literaria y popular, péndulo léxico del novelista: "No merita tanto atributo esta vida pendeja". Al modo cervantino, Valle Inclán utiliza el refranero popular, o imágenes distorsionadas que de él proceden, con el objetivo, plenamente logrado, de hacer la más efectiva caracterización de las situaciones y los personajes.

Rico en imágenes descriptivas que visualizan acústicamente el paisaje ("El tumbo del mar batía la muralla, y el oboe de las olas cantaba el triunfo de la muerte") (¡!), Valle Inclán completa la caracterización del estudiante y, principalmente la de Nachito, que llega a resultar desconsoladora y patética. El farsante que hacía "cuacuá" acaba por volverse un asolado personaje que pide que lo sangren con una "lenza remendona". "Pusilámine y versátil", "bufón de desgracia", "fregado", Nachito termina siendo un modelo de caracterización. El proceso de carnavalización que es el plan general de la novela es desarrollado por el escritor mediante un enmascarado carnaval, que en general no nos escatima al personaje, sino que lo define. La "solemnidad grotesca" se consigue mediante "entierros de mojiganga" (burla, broma) conque "fina el antruejo" (carnaval), donde cada palabra tiene que desenmascararse.

Libro segundo: **el número tres**

Esta secuencia de la novela tiene un carácter menos descriptivo que el resto y funciona como una especie de paréntesis ideológico. El descriptivismo, con algunos efectos luminosos, está limitado al primer párrafo, que sirve para situar las diferentes voces "revolucionarias": el discurso "declamatorio, verboso, de Sánchez Ocaña, la conversación más natural entre don Roque Cepeda y el preso, y la interpretación de la ideología de Cepeda desde el punto de vista del narrador en la tercera parte. Al no exponer el discurso de Cepeda de forma directa y hacer una paráfrasis del mismo, Valle Inclán asume una posición crítica que pone en tela de juicio la validez del original. La mezcla de "intuiciones místicas", "máximas indostánicas", "obligaciones arcanas", "órbitas estelares", "doctrinas teosóficas", "ángeles desterrados", "crimen celeste", "culpa teologal", "círculo de eterna contemplación" dentro de una "conciencia del Universo", crea una ampulosa retórica de "arroz con mango" (el cubanismo es nuestro) que cuestiona el buen juicio del personaje, como aclara y confirma el narrador poco después: "era un varón de muy varias y desconcertantes lecturas que por el sendero teosófico lindaba en la cábala, el ocultismo y la filosofía alejandrina". Es indiscutible que Valle Inclán, sin someterlo al esperpentismo expresionista más radical que utiliza en otros casos, le resta validez a "la pálida calva del santo románico" de la cual parece burlarse con señas de caricatura.

No hay que olvidar, naturalmente, que después de todo estos hombres del 98 son testigos de la decadencia española y el desastre colonial de la fecha que le pone el cuño literario, pero por extensión político. Así que la novela, muy al modo de la más estereotipada caracterización de lo mexicano, tiene mucho de puñalada trapera, que es parte determinante del estilo. La óptica del colonialismo derrotado forma parte esencial de la "película histórica" que es factor determinante de *Tirano Banderas,* cuya autoridad demente procede también del expresionismo, ya sea germánico o estrictamente mexicano, como ocurre con El Día de Todos los Muertos: una cultura que celebra la muerte con esqueletos de azúcar (para comérselos) es autóctonamente expresionista.

Libro tercero: **Carceleras**

Aunque en este punto del análisis resulte algo más que reiterativo, lo cierto es que Valle Inclán se siente más en su elemento al modo que hace en la presentación de Chucho el Roto en *Carceleras.* La suma hiperbólica de situaciones límites constituye la médula de su estilo basado en la exageración del dato. Aunque a medida que la novela llega a su final, Valle Inclán cede, no se anula, sigue caracterizando a su modo y manera: "Era un espectro vestido con fláccido saco de dril que le colgaba como de una escarpia (clavo)". Las imágenes adicionales siguen configurando un conjunto metafórico inusitado: "caviloso espectro hepático", gesto "fláccido de mala fortuna", y "amarillo de vejiga desinflándose".

Tras una caracterización más racional de Nachito, que se mueve en el juego en un péndulo agónico entre ganar y perder, "gusto y contragusto", en el último párrafo retorna a una composición pictórica que se complementa con lo auditivo e incluso lo olfativo. El vaho del tabaco y el mal olor se vuelven táctiles, "pegajosos". Hay un proceso de reducción lumínica: los rayos del sol producen un efecto pictórico, como de pincel, sesgando (distorsión expresionista) y creando figuras geométricas en el calabozo a lo *Caligari.* Los "bultos inertes" producen un efecto visual impreciso, no definido: sombras a lo Rembrand. Hay "triángulos sin son" que contrastan con los iluminados. El sonido disminuye y todo parece moverse hacia un ámbito de sombras que es la muerte misma en la fortaleza de Santa Mónica: oscuro a lo Caravaggio. En la última oración el todo se unifica: "sentíanse alejados en una orilla remota (muerte), y la luz triangulada del calabozo (que produce un efecto plástico), realzaba en un módulo (unidad de medida) (precisión del trazado que se vuelve moderno y cubista) (autoconciencia pictórica del texto) la actitud macilenta de las figuras" hasta convertirlo todo en un cuadro patético de la realidad concreta.

Sexta parte: **Alfajores y venenos**

El título de esta parte contrapone, de un lado, el dulce, representado por el alfajor, que es una pasta de harina; del otro, el veneno, de connotación negativa, como subtexto. Caracterizan la ambigüedad de Tirano Banderas y el barón de Benicarles, al que vuelve el autor para cerrar la novela, como diciéndonos que detrás de la tiranía, por muchos cosméticos azucarados que participen en su superficie, hay una ponzoña mortal.

Libro primero: **Lección de Loyola**

Por debajo del santo abanderado al que se refiere el título, visión total y colectiva del personaje y de la obra, hay también una lección de astucia jesuística con la referencia a San Ignacio de Loyola, fundador de la Compañía de Jesús.

En este "libro" el tiempo funciona de modo simultáneo (cine), ya que este episodio establece una línea de continuidad que quedó interrumpida cuando Domiciano se escapa en la tercera parte. Valle Inclán hace referencia, dentro del texto, al carácter psicológico del "escenario" mismo de la acción: "las figuras, cargadas de enajenamiento, indecisas, tenían una sensación embotada de irrealidad somnolienta", como si estuviéramos en pleno manicomio y todos nos hubiéramos convertido en el Dr. Caligari, como proclama la película. Este efecto lo produce la imagen congelada de Banderas y la del Mayor del Valle, rodeado de su escolta, todos formando una composición rígida frente al tirano, que aparece como "máscara enjabonada", parte de una constante carnavalización que el novelista utiliza con el personaje. Este procedimiento estilístico despersonaliza individualmente a la tiranía, y la "máscara" se hace extensiva a todos los tiranos, que quedan vistos del mismo modo. El efecto se extiende a otros personajes de una especie de corte irreal, deshumanizada, donde el barbero es un "negro de alambre". El autor llega al expresionismo surrealista, marca de fábrica y parte esencial de la esencia desfigurativa del texto.

En cuanto a Banderas, respondiendo a la norma de una autoridad demente, se agrega el ángulo visual fílmico-expresionista, a través de un espejillo y "mirando de refilón" (de lado, oblicuamente). "Con perspectiva desconcertante", el autor nos da la clave a través de un enmascaramiento visual. Exactamente este concepto, "perspectiva desconcertante", constituye la clave del retrato, que es su estilo, y una reflexión sobre la mentalidad del personaje. Por extensión puede decirse que Valle Inclán anticipa fílmicamente el antes y después de todos los tiranos: Hitler, Franco, Stalin, Fidel Castro, que son "figuras" enmarcadas desfigurativamente por el lente, prisioneras de su propio sarcófago, y cuya distorsión se convierte en el retrato preciso de todos ellos.

La visita a Santa Mónica se inicia con un movimiento que viene a ser una toma conciencia de carácter cinematográfico. Mientras Santos Banderas se dirige a la fortaleza, se suceden varios planos del pueblo en la calle en oposición al paso del coche. El paisaje humano exterior en contraposición con la deshumanización interna de Banderas, sin faltar algunas consideraciones "ideológicas". Al llegar a la fortaleza, "El Fuerte de Santa Mónica descollaba el dramón de su arquitectura en el luminoso ribazo marino". Valle Inclán convierte la arquitectura en personaje de gran teatro. El escenario se vuelve "dramón". La retórica falsa de Banderas va en absoluta correspondencia con su rigidez facial: es la voz de la máscara, una carnavalización que se vuelve sonido con "el ritmo cojitranco de la pata de palo del carcelero" (primer plano visual y sonoro), sin perder de vista el efecto pictórico y lumínico del ribazo marino. Es un fotodrama, una composición visual frecuente en el cine, que el escritor "ve" y proyecta en la página del libro.

La perspectiva del tirano inmoviliza al Mayor del Valle. El lenguaje meloso se mezcla con el autoritario y el "chac chac" de los sables parece un comentario burlón adicional. El manejo del tiempo y de lo que en cine se llama *editing* (en inglés, naturalmente) es muy importante, porque el autor trabaja con tiempos alternos que se interrumpen para después unificar la acción. Valle Inclán, a lo largo de toda la novela, toma secuencias de folletín lacrimógeno, de la crónica roja, deshumaniza la situación y la vuelve gráficamente grotesca, haciendo una parodia de los sentimientos humanos, la tiranía y la revolución.

Libro segundo: **Flaquezas humanas**

Mediante un procedimiento en que varias historias paralelas se van desarrollando a un mismo tiempo pero en diferentes localizaciones con diversos "escenarios" (cine), Valle Inclán trabaja con el episodio del Barón de Belicarnés, de diálogo populachero y grotesco, donde el novelista utiliza la jerga del submundo andaluz, aplicado a las "flaquezas humanas" del Barón. Las referencias clásicas lo colocan anacrónicamente en un tiempo afrancesado con peluquín dieciochesco, borbónico, dando un salto de ambientación, inclusive del blanco y negro al technicolor. Aunque el tiempo es único, los escenarios son múltiples. Visto en la cama con su perrito Merlín como espejo del personaje, presenta una vez más una distorsión múltiple a través del espejo ("tenía en el hocico el faldero arrumacos, melindres y mimos de maricuela"). El diálogo es el agente de la distorsión con una ambientación contrastante con las secuencias en la Fortaleza de Santa Mónica. La caricatura va de referencias al modo de expresarse hasta detalles físicos de los personajes: los "guantes londinenses" tienen "giros disertantes y parabólicos"; las "frases ingeniosas" aparecen diluidas en unas sonrisas de oros odontológicos"; las "agudeza" del Barón se transforman en "gorjeos" entre "las jamonas otoñales". La distorsión en don Celes lleva a un estado mental alucinado mediante un proceso de empequeñecimiento anómalo en concordancia con su persona: "experimentaba la extraña sensación de que su sombra creciese mientras el cuerpo se achicaba", como si la toma fuera dirigida por Fritz Lang. Obsesivamente, las imágenes se suceden. Las cartas entre el Barón y Currito de Sevilla se vuelven "deshonor rojo y gualda" (colores de la bandera española). La mueca del tirano se hace visible en su estado mental: "el verde mohín (el color que caracteriza a Banderas) trituraba las letras". Refiriéndose a la sexualidad del Barón, don Celes quisiera "imponerle un parche en las vergüenzas". El contraste entre el "matiz británico de tan elegante indiferencia" del Barón, y "los fuelles de grandes gestos" de don Celes, acrecienta el efecto distorsionador que es una componenda sico-física. El decorativismo de la prosa modernista se pone de manifiesto hacia el final, donde el triángulo Merlín-Barón-Curro, forma una especie de trilogía grotesca marcada por las expresiones soeces de este último: "rompió el escando escupiendo, marchoso, por el colmillo". A las atrocidades del Fuerte de Santa Mónica, opone Valle Inclán la mueca decadente de una desnudez de alcoba

Libro tercero: *La nota*

Finalmente, esta "Lección de Loyola" forma una trilogía de la astucia y la hipocresía. La primera le corresponde a Tirano Banderas, jugando con don Roque en el "escenario" de Santa Mónica. La segunda a un Belicarnés amariconado en el "escenario" privado de su palacio. La tercera, colectiva, a los embajadores. Tras un largo grotesco decadentista en el cual Valle Inclán pone en juego todos sus recursos estilísticos en la caracterización de los embajadores, acrecentado por la percepción imprecisa del Barón bajo los efectos de la morfina, la secuencia se cierra con una escueta nota de protesta en la cual Valle Inclán pone en ridículo todo el proceso que ha tenido lugar, la gran farsa, y hace un retrato paródico de la diplomacia, que es su "Lección de Loyola".

En otras palabras

Sin convertir nada de esto en prédica, Valle Inclán hace añicos el espacio geográfico e histórico, gracias a un consistente trabajo con las técnicas estilísticas que hemos expuesto en este ensayo. La lectura de *Tirano Banderas* requiere ir paso a paso por el expresionismo esperpéntico que refleja su preocupación nacional, su conciencia histórica y su fidelidad a su temperamento literario, que no da un paso atrás.

Valle Inclán es el portavoz del expresionismo que recurre la médula del colonialismo, con revoluciones y tiranías, la Primera y la Segunda Guerra Mundial durante el siglo XX, conducentes al terrorismo del siglo XXI. El estilo antirrealista, las escenas macabras o pesadillescas, la distorsión de las secuencias temporales, las alusiones lumínicas que funcionan como efectos especiales, la transformación plástica de la realidad mediante el esquematismo, la modificación de las proporciones reales de la escenografía narrativa, el maquillaje violento de los personajes como actores de un gran guiñol, la máscara, la hipérbole y la carnavalización, señalaban el camino de un gran teatro y una composición fílmica con la que la Generación del 98, internacionalmente marginada en el marco de la literatura mundial, anticipaba la postmodernidad.

GERICK FILMS présente
CANNES 84
PRIX
D'INTERPRÉTATION MASCULINE
ALFREDO LANDA
FRANCISCO RABAL
un film de MARIO CAMUS
LES
SAINTS INNOCENTS
AGUSTIN GONZÁLES / TERELE PAVEZ / JUAN DIEGO / AGATA LYS / MARY CARRILLO / MARIBEL MARTIN

CAPÍTULO XII

Análisis fílmico literario de *Los santos inocentes* de Miguel Delibes

Versión original publicada en *Letras Peninsulares*, Michigan State University, 1994

En su estudio sobre las relaciones entre cine y novela, George Bluestone observa que en cierta ocasión D. W. Grifffith mencionó que su objetivo creador era, sobre todo, *"hacer que ustedes vean"*, mientras que por su parte Joseph Conrad había indicado, dieciséis años antes, que el objetivo que trataba de lograr era que "por el poder de la palabra escrita, hacer que ustedes oigan, que ustedes sientan, pero, principalmente, *hacer que ustedes vean*" (Bluestone 1) (Todas las traducciones son mías). Este propósito último que hemos subrayado, expresado por dos creadores de medios diferentes, cine y literatura, muestra una identidad de propósito y una misma meta. El novelista, para lograrlo, funciona con un medio de trabajo básico que no requiere participación colectiva, esencialmente individualista; mientras que el director de cine lo hace con una compleja maquinaria técnica, de grupo, que hace del cine un arquetipo estético de nuestro tiempo donde tecnología y capital configuran la estética postmoderna que es la base del cine como industria y arte de nuestro tiempo. En ambos casos se espera una reacción post-receptiva dominada por un imperativo óptico. Esto se cumple con particular importancia en el caso de *Los santos inocentes*, en su forma original literaria y en su versión posterior, fílmica. Tanto Miguel Delibes, el novelista, como Mario Camus, guionista y director de la película, quieren *hacernos ver*, pero cada uno de ellos lo logra por vías diferentes, uno detrás de la palabra y otro detrás del lente. El análisis de los dos textos, el literario y el cinematográfico, sirve no solo para interpretarlos independientemente, sino también como ejercicios complementarios que se iluminan mutuamente.

Una resistencia al **boom** *de la palabra*

Una doble conciencia de la escritura caracteriza la narrativa y el cine contemporáneos. Interpretación procedente del *boom* de la novela latinoamericana de mediados del siglo XX, el criterio es lugar común y hasta pasado de moda cuando afirmamos que en la novela el lenguaje se ha vuelto personaje con vida propia. Afortunadamente en Delibes y en el caso específico de *Los santos inocentes*, la escritura nunca llega a eliminar o asfixiar a los personajes. Quizás eso se deba en parte a que la novela española del siglo XX se levanta sobre antecedentes muy firmes que parten del Siglo de Oro, con *Don Quijote de la Mancha* a la cabeza, y procede sólidamente a lo largo del siglo XIX, lo que explica una resistencia al *boom* de la palabra, que no tiene los mismos antecedentes regionales en la narrativa latinoamericana. De igual modo que Delibes evita la retórica filosófica e intelectual, y enfoca la atención en la validez intrínseca en las motivaciones de los personajes y sus acciones, el lenguaje como personaje de la escritura, con vida propia, es algo demasiado abstracto para superimponerse a los planteamientos éticos que se desprenden de la realidad social, ofreciendo una resistencia a la palabra por la palabra misma. El cine, por su parte, al llegar a su madurez, se ha vuelto consciente de la "escritura" y la crítica ha configurado su narratología. "A lo largo de su evolución y en particular después de la Segunda Guerra Mundial en Europa, de acuerdo con Rompars-Wuilleumier, el cine ha desarrollado una expresividad a la cual, los críticos como Christian Metz y Roland Berthes se refieren como "escritura" (Horton 3). Es por eso que Camus, aunque fiel a los valores esenciales de la novela, pone en práctica su propia "escritura": "un filmógrafo creativo puede llevar a la pantalla el espíritu original del texto y darle vida dentro de un medio diferente en un tiempo diferente, y como resultado produce una obra que tiene vida propia" (Horton 5). Pero ni Delibes ni Camus están interesados en una escritura abstracta, en una narrativa verbal que desplace el conflicto en virtud de la "escritura" y anule la ética. "El rechazo de la sobriedad expresiva en beneficio de la palabrería está visto por Delibes como un peligro… La abundancia o facilidad verbal –la palabrería- no se cotiza, ni se considera prueba de inteligencia; por sus actos y no por sus palabras, como reza el viejo dicho, se mide al hombre" (Gullón 18). Este énfasis en la acción como medio expresivo une a Delibes y a Camus, más allá de las diferencias formales de la "escritura". La conducta es la clave de la ética individual y colectiva.

En ambos, el objetivo visual responde a un afán de precisión óptica, implícitamente relacionada con una actitud realista que tiene su mejor exponente en la narrativa española del siglo XIX, de un lado, y de la propuesta fílmica del siglo XX del otro. La novelística de Delibes en términos generales e incluso en sus manifestaciones experimentales, tiene un fuerte nexo con la tradición realista de la novela española. El realismo del siglo XIX en su sentido artístico, tiene su base y énfasis en el mundo "real" en oposición a como se presenta el mundo en la ficción y en los mitos fundacionales. Es también un énfasis en contra de lo ficticio y teatral, como si esto no pudiera sustituirlo, como explica Raymond William (122). Esta concepción del realismo se mantiene en la novela de Delibes, cuya experimentación verbal no pasa de ser la cubierta externa del intrínseco realismo narrativo hispánico que la caracteriza página tras página. No es de extrañar que esta narrativa encuentre en el cine un vehículo idóneo de recreación. "Entre todas las artes y modos de representación, el cine parece ser el más realista, ya que reproduce el movimiento y la duración de un hecho, al mismo tiempo que le restaura su sonoridad. Pero la simple enunciación de esta hipótesis nos puede revelar que el realismo en el cine sólo puede considerarse en relación con otros modos de representación y no como la realidad en sí misma. Actualmente la noción de que el cine efectivamente captura la realidad es considerada *passé...*" (Aumont 109). Aunque cuestiono en particular esta última oración, ya que muchos, todavía, insisten en afirmar lo contrario, nos parece válida la cita para dejar claramente establecido el vínculo entre ambos medios. Por lo menos, en este caso, el método recreador de Camus corresponde con exactitud al punto de partida de estos creadores.

El escritor trabaja, esencialmente, con una abstracción, la palabra, con la cual va desarrollando su visión sobre la página en blanco. Pero la palabra sobre el papel tiene una función óptica. Se proyecta en la mente del receptor, de visión interna, y se convierte en una imagen visual individualizada. El texto escrito nos obliga, de entrada, a un desentrañamiento, una reubicación del contenido que no permite la pasividad --tenemos que construir la imagen, reubicar los datos suministrados por la palabra, llevar a efecto la transición de lo abstracto a la óptica interna que ve las letras. Claro está que estos datos han sido seleccionados por el escritor, cuyo objetivo es hacernos ver la realidad a partir de un procedimiento selectivo de la misma, que es decisión suya. Es un intermediario entre lo real que él ve y la ficción que él recrea. Escribir es hacer cine para un lector que "ve" la película. El realismo fílmico, como el narrativo, responde a un proceso igualmente selectivo, aunque el resultado último en la pantalla es más explícito que el producido por un texto literario. "El realismo del material cinematográfico es simplemente el resultado de un largo número de convenciones y reglas que varían de acuerdo con un período específico de la cultura dentro del cual la película se filma" (Aumont 109). La distancia entre Delibes y Camus está establecida por el medio expresivo utilizado, pero coincide con un objetivo de precisión óptica que se propone "hacernos ver" dentro de una concepción realista.

El común empeño de visualización no puede ocultar las divergencias. "Otro aspecto respecto a la adaptación de una novela al cine, tiene que ver con la dicotomía a la que se refiere Wayne Booth cuando nos remite a los términos "contar" una historia y "mostrarla". Ya que la imagen es el vehículo principal de toda narrativa fílmica, hay en el cine en general un énfasis en "mostrar" en la pantalla" (Deveny 93) en lugar de contar algo. Al llevarse al cine, los valores estrictamente literarios tienen que ser, forzosamente, eliminados y reemplazados por valores cinematográficos. Esta consideración es particularmente significativa en el sistema narrativo de Delibes y Camus, ya que el primero visualiza por medio de una escritura oral, obligando a Camus a una visualización fílmica de un texto que, por razón de su naturaleza misma, se le opone.

Los santos inocentes *entre Delibes y Camus*

Esta coincidencia fundamental, por consiguiente, aparece acompañada de una divergencia que emerge de la que existe entre los dos medios expresivos: novela y cine. En un ensayo sobre las posibilidades de la novela en oposición al cine, y viceversa, Seymour Chatman discute sus divergencias respecto a la descripción y al punto de vista, observando además que "un cuidadoso estudio de la visión de una novela y de una película respecto a una misma narrativa revela con claridad el poder de ambos medios. Una vez que uno capta estas peculiaridades, emergen claramente las razones por la diferencia en forma, contenido e impacto de ambas versiones" (Chatman 404). Los dos medios pueden hacerlo, pero la forma no es la misma. Esta distinción tiene mucho que ver, según sigue observando Chatman en *Coming to Terms,* con el carácter explícito de la palabra en oposición al carácter implícito de la imagen fílmica. "El cine prefiere descansar en la habilidad del espectador para inferir lo que el novelista expone explícitamente a través de la palabra" (Chatman 163). En el cine el receptor infiere a partir del material que tiene delante: no hay que aclararle nada. Pero en la literatura a veces es necesario aclarar con la palabra misma. La literatura propone explícitamente una realidad, y debe hacerse de modo tal que el receptor infiera, asimile, digiera el resultado como punto de partida de la comunicación. El análisis de *Los santos inocentes* nos lleva a consideraciones explícitas sobre estas propuestas.

Si *Los santos inocentes* es una obra que nos muestra a Delibes en plena madurez creadora; de Mario Camus se puede decir algo relativamente parecido. Camus tiene a su haber una trayectoria respetable donde la adaptación del texto novelesco a la pantalla ha jugado un importante papel, que incluye, primero, novelas de Ignacio Aldecoa, *Con el viento solano (1965)* y *Los pájaros de Baden-Baden (1976)*, películas que corresponden a su primera época, hasta culminar con *La colmena (1982)* y *Los santos inocentes (1984)*, obras de madurez creadora en las cuales asume la responsabilidad de hacer buen cine con los textos de Cela y Delibes, posiblemente los novelistas más importantes y representativos de la postguerra. En ambos casos trabaja con novelas donde la narrativa oral juega un papel clave en el desarrollo del relato, lo que hace más interesante el análisis de la transcripción visual a que obliga el cine. Sin embargo, *La colmena*, a pesar del predominio del diálogo, tiene en sí misma una estructura cinematográfica, ya que Cela descompone el espacio narrativo en mónadas fílmicas, independientes las unas de las otras, cuyo significado ultimo surge mediante un proceso de montaje. La independencia de una mónada con respecto a otra, permite desplazamientos cronológicos de todo tipo. Es obvio que Camus se percató de la filmicidad de *La colmena,* desarrollando la narración al modo establecido por Cela, pero utilizando su propio sistema selectivo. "Aunque la estructura narrativa de la novela tiende a un tratamiento cinematográfico, un obstáculo de mayor monta que ofrece la adaptación es el enorme número de personajes que hay en la misma. Los guionistas, Camus y José Luis Dibildos, trataron de resolver el problema reduciendo los trescientos personajes de Cela, a unos sesenta..." (Deveny 90). La película se vuelve más compacta, sin perder la concepción de vista panorámica que hay en la novela.

En el caso de *Los santos inocentes*, cuyo guion escribe con la colaboración de Antonio Larreta y Manuel Matji, la consistencia literaria de una narración oral continuada ofrecía dificultades más complejas. El carácter de la película responde a la línea realista que ha distinguido gran parte de la estética española, incluyendo el cine a pesar de sus limitaciones y el poder coercitivo de la censura. En este sentido, el realismo cinematográfico de Camus manifiesta una señal de identidad con la propia personalidad estética de Delibes. La película tiene nexos fundamentales con la historia del cine español, cuyos antecedentes hay que buscar en *Tierra sin pan (1932)* de Luis Buñuel, "uno de los documentos más duros, brutales y reveladores que se han hecho en la historia del cine" (Almendros 92). La ficción narrativa de Camus entronca con el documental de Buñuel y responde a un parecido escenario, ya que *Tierra sin pan* está filmada en las Hurdes en Extremadura, "una región misérrima, abandonada por todos los gobiernos, donde no existía la agricultura y vivía una raza degenerada y azotada por enfermedades endémicas, donde casi no se conocía el alfabeto o la moneda" (Almendros 92-93). No está muy distante de esta afirmación el escenario en que viven los personajes de *Los santos inocentes*, el carácter de denuncia de la película y el afán de transcripción realista de Camus, "el cual se llevó a todo el equipo a Extremadura para filmar la demoledora acusación a la aristocracia española bajo el régimen de Franco. La película, que nunca hubiera podido ser filmada hasta la muerte de Franco, exactamente coloca el peso de la culpa sobre la aristocracia franquista, culpable de la pobreza, la miseria y la explotación de las clases pobres" (Schwartz 67). Esto la coloca, como a la novela, dentro de la evolución del realismo, posición muy definida en la cultura española, y en medio de un proceso de liberación que amplía las posibilidades de la cinematografía hispánica tras la muerte de Franco.

Tanto Delibes como Camus están unidos por esa tradición común a la novela y al cine. Más allá de la especulación filosófica o el vacío de la experimentación verbal, la novela española se ha caracterizado siempre por su fuerte vínculo realista que se vuelve enfático durante la postguerra. "La característica más relevante en el período de la postguerra en España ha sido señalada por todos los críticos como un retorno al realismo" (Roberts 42), hasta que mucho después Juan Goytisolo dará una bofetada en pleno rostro con *Reivindicación del conde don Julián,* que viene a ser la antítesis pero que vincula la novela española en otra dirección, procedente del *boom* de la novela latinoamericana. "Testimonio objetivo artísticamente concentrado y social e históricamente centrado" (Sobejano 35), Delibes es un ejemplo muy específico. Camus responde a circunstancias parecidas que se dan poco después en el desarrollo del movimiento del cine español moderno, cuyo florecimiento es estrictamente realista. Cuando nace el más auténtico cine español por los años cincuenta y rompe con los moldes del español de castañuelas y panderetas, directores como Juan Bardem y Luis García Berlanga apuntan hacia la médula del ser nacional y los conflictos más recientes. Aunque ellos usan más bien métodos fílmicos tradicionales, examinan temas esencialmente españoles, cómicos y dramáticos, utilizando un neorrealismo que le piden prestado al neorrealismo italiano de los cuarenta, al modo de Rosellini, Visconti y De Sica, "el realismo se convirtió el "modus operandi" de la mayor parte de los nuevos directores" (Schwartz XI). Aunque el realismo de Camus en *Los santos inocentes* tiene una textura más densa que poco recuerda al cine italiano de postguerra, la cámara entronca también con una tradición literaria que antecede al cine, cuya ambientación y estilo tiene "reminiscencia del drama rural español, como es el caso de *Pascual Duarte* y *Furtivos"* (Besas 254) El discurso de la película procede de la tradición literaria a la que pertenece la novela.

La escritura de la oralidad

En *Los santos inocentes* ocurre una transformación del lenguaje escrito a lenguaje oral, que es la voz que guía la fábula novelesca y le da una extraordinaria unidad narrativa. El tono del narrador se mantiene fijo de la primera página a la última, en una línea de continuidad en la cual la eliminación de las mayúsculas evita la separación de los textos y donde la parte "hablada" está unida a la parte "descriptiva" de los hechos, formando un tono uniforme. La crítica ha establecido relaciones entre la poesía y la voz narrativa de la novela, afirmando que "parece que Delibes busca un ritmo poético diferente al ritmo del relato. Efectivamente, la novela se parece a la poesía. Los libros en los cuales se divide la obra, aparecen como parte de un mismo tema, cuyo acontecer marca un ritmo; ritmo ayudado, a veces, por la repetición de la frase. El parecido con la poesía lo consigue además con el lirismo con el que describe algunos pasajes" (Alcalá Arévalo 256). A nuestro modo de ver, la voz de la novela, a pesar de su ocasional lirismo, sigue una línea de continuidad informativa directa, en que puntos y comas se eliminan en beneficio de la realidad y no de la lírica, aunque quizás la disposición estilística del texto invite a esta asociación. "Estilísticamente aporta otro recurso interesante, partiendo de las experiencias de *Parábola del náufrago,* con la supresión del punto y la supresión tipográfica de los párrafos que dan a toda la historia un sentido poemático" (Salcedo 64). El procedimiento, sin embargo, forma parte de una línea de continuidad de la expresión oral que Delibes no traiciona en medio de la experimentación verbal. Como en *Cinco horas con Mario*, la voz narrativa entabla un diálogo con el receptor como procedimiento idóneo para meternos de lleno en su realidad, que es lo que importa. Esto le da vigencia a una observación hecha por Edgar Pauk en 1975, el cual afirma que "es muy fácil notar la progresión de la preocupación estilística de Delibes, desde su primera novela hasta la más reciente. El novelista tiene ahora un control total del medio expresivo, hasta el punto que el lenguaje mismo no solo sirve para comunicar lo que ocurre, sino que es parte de aquella realidad que el escritor desea que el lector asimile lo más profundamente posible para alcanzar su objetivo. Paralelamente, Delibes ha eliminado su presencia en la novela, y el lenguaje pertenece totalmente a los personajes y a su mundo" (Pauk 279). Este hecho de pertenecer a un mundo muy en particular, el Cortijo en este caso, indica que no se trata de la voz individualizada del escritor, sino de la voz colectiva de una comunidad. La voz narrativa, anónima y juglaresca, emerge de allí y le da particular unidad estilística. Las voces individuales se confunden en un todo colectivo: efecto estrictamente literario cuya oralidad se pierde al llevarse al cine.

Al ser el diálogo parte intrínseca de la narración, esto le da a la misma un carácter de oralidad natural, convincente, haciendo de ella una novela para ser oída más que para ser leída. El poco espacio que ocupa lo descriptivo acentúa este rasgo. Novela que se oye, este efecto de oralidad determina el estilo. Esto es muy importante, porque el lenguaje escrito *reproduce*, pero el hablado *es*, motivo por el cual se acreciente el carácter realista de lo novelado y lo filmado. Cuando hablamos nos comunicamos en una órbita diferente a la que usamos cuando escribimos. El novelista pasa de la forma oral a la abstracción del lenguaje escrito, para finalmente llegar a la percepción visual que se espera del texto, ubicado ya en la pantalla interna de cada lector.

El "syuzhet" entre el flashback *y el* flashforward

Para mantener esa continuidad auditiva, Delibes no mueve la narrativa hacia atrás, sino que la hace marchar continuamente hacia adelante. Omite toda acción retrospectiva. Camus, al llevarla al cine, prefiere utilizar el *flashback* como procedimiento narrativo que sirve para acentuar la salida del mundo regresivo en que los padres permanecen encerrados e históricamente congelados, abriendo una puerta a la esperanza. La técnica, a veces innecesaria y ligeramente confusa, contrasta con el efecto de movimiento continuo que caracteriza la novela: "una fábula que abarca la acción como una cadena de eventos de causa y efecto que tienen lugar en un tiempo determinado dentro de un espacio y un tiempo precisos" (Boardwell 49). Dejando a un lado toda consideración de puntuación, que es superficial, Delibes procede de modo tradicional, construyendo su novela con una ordenación decimonona. El desarreglo de los segmentos fílmico-narrativos que introduce Camus, aunque fiel a la novela en lo medular, la reconstruye con otro criterio narratológico. La narración casual se altera y la película ofrece otro punto de vista. En la fábula "un acontecimiento se asume que es la consecuencia de otro, un rasgo del carácter u otro principio general. El 'syuzhe' [término procedente del formalismo ruso, en el cual el uso del *flashback* y el *flashforward* pueden servir para una mejor interpretación de la trayectoria cronológica] puede facilitar este proceso y servirnos sistemáticamente para hacer ocasionales inferencias en la trayectoria lineal del argumento. Pero puede también bloquear o complicar la construcción de la relación causa-efecto" (Bordwell 51). En otras palabras, Camus, armado con la noción de diferentes principios narrativos y el concepto de la distorsión gracias al 'syuzhet' que altera el orden de la información dada por el argumento, desplaza la continuidad unitiva dada por Azarias, y aunque acrecienta por otros medios el impacto demoledor de *Los santos inocentes*, varía el significado. Al cambiar el orden cronológico de la novela, Camus frustra la intención lineal de la fábula, estableciendo un nuevo tiempo fílmico. "Hay muchas técnicas para distorsionar la fábula, pero todas tienen que ver con algún tipo de desajuste de la secuencia cronológica de los hechos, creando vacíos, retardando el flujo de la información o dando la misma información varias veces dentro de diferentes perspectivas" (Stam 71). La continuidad narrativa dada en la novela, que utiliza el disfraz oral de la historia que se cuenta, queda eliminada al ser llevada al cine y es suplantada por la historia que se presenta. Los valores estrictamente literarios son forzosamente eliminados al ser llevada al cine y es suplantada por la historia que se ve. "Camus sigue la novela de Delibes deliberadamente, utilizando el recuerdo de los personajes al servicio de las técnicas del *flashback,* que revela la entera y desoladora verdad del latifundista feudal que incluso impide la libertad individual del espíritu del campesino" (Schwartz 67). Se elimina la voz narrativa, salvo en los diálogos, donde el lector-espectador reconoce lo que los personajes dijeron en la novela. Pero en este caso la palabra salta de la imagen de modo natural, no en línea de continuidad dependiente del narrador, como ocurre en la lectura, sino como hecho diferencial auditivo que emerge directamente del actor-personaje cuya imagen nos ofrece la cámara.

El film crea su propio estilo, su continuidad, que no radica en la voz sino en el silencio, elemento que no caracteriza a la novela, la cual se proyecta como una voz que no se detiene, que cuenta la historia de una sola vez, como si Delibes la hubiera escrito sin levantar la pluma del papel, o el dedo de la tecla, del principio al final, de un tirón. El silencio le da a la película un tiempo diferencial, más moroso, más sombrío, descansando en un paisaje sin concesiones, sin ninguna pretensión de belleza y mucho menos de poesía, que, con muy buen juicio, queda completamente eliminada. Sobre este paisaje que habla por sí mismo, se desplaza la cámara sin decir nada, marcadamente callada, quizás acompañada del acorde desajustado de alguna cuerda, que expresa algún lamento, casi como el chirrido de la reja que Régula abre y cierra en el Cortijo. Viene a ser algo así como el silencio de la música. Se trata de un silencio visual, que se extiende sobre el paisaje en oposición a la continuidad juglaresca, de narrativa, que caracteriza al texto literario. Al eliminar todo texto, el énfasis recae en la panorámica del paisaje, en una cámara intencionalmente morosa, triste, matizada apenas por una banda sonora que es una confirmación de la tristeza. Pero en ambos casos los une la coherencia narratológica (voz, silencio) que se mantiene de principio a fin.

La visualización de lo que no se ve

Las dificultades del proceso de visualización fílmica de una novela manifiestan una mayor complejidad a medida que aumenta el espacio interior que hay que exteriorizar a través de la cámara. Un caso representativo de esta dificultad, donde se pone en evidencia la dicotomía de los dos lenguajes, tiene lugar cuando "de súbito sonaba el desgarrado berrido de la Niña Chica y Paco se inutilizaba, pensando que algún mal debía tener él en los bajos para haber engendrado una muchacha inútil y muda como la hache" (38). La intensidad psicológica de esta parálisis se pierde en la pantalla, incapaz de decirlo todo y limitándose al movimiento de Régula levantándose de la cama, no encuentra medios apropiados para transcribir el conflicto interno de Paco. La excitación de Azarías saliendo a correr el cárabo, que en la novela tiene elementos de tensión y misterio, pierde también en intensidad. Por otro lado, la imagen visual puede resumir con extraordinaria eficacia otra serie de factores. Cuando la Marquesa se asoma al balcón, la conciencia de clase, medieval y monárquica, queda expuesta en una toma que apenas dura un minuto. Un par de cortes de cámara puede resolver el problema con relativa facilidad, como en el ejemplo que sigue. Al trasladarse a la pequeña casa que le tienen asignada en el Cortijo, Nieves y Quirce encienden repetidamente la desnuda bombilla eléctrica que cuelga del techo. Esta simple imagen le sirve a Camus para lograr una síntesis de conflictos económicos y sociales que plantea la novela, incluyendo el significado interno que tiene para los personajes, a nivel físico y metafórico, la luz eléctrica que los hace conscientes de que existe una realidad más allá del mundo miserable en que sus vidas se desarrolla. La acción que repiten los jóvenes, además, desplaza la atención hacia el movimiento progresivo de una nueva generación en oposición a la acción regresiva de los padres. El contenido interno queda ampliado por la imagen visual. Algo similar ocurre con las disolvencias de los rostros de los personajes mediante un exceso de luz, o por el contrario, por un oscurecimiento gradual. En ambos casos trasmiten un significado simbólico al tener lugar la desaparición de una realidad mediante la luz o la sombra.

Afortunadamente para Camus, en la novela de Delibes predomina un espacio externo de hechos concretos con el que puede trabajar, y llegar a exponer el espacio interno de lo que no se ve. No siempre se logra, pero en ciertas ocasiones este espacio es interpretado narrativamente y Camus lo puede resolver mediante gestos o la intensidad de una mirada, cuyo significado último, como ocurre en la vida real, se completa con la interpretación que hace el receptor, que en este caso lo ve todo a través del lente. En el caso de la novela, el receptor sólo puede "verlo" gracias al texto, pero en el caso de la película el narrador es auxiliado por el actor, que suple lo que no ha sido dicho y enriquece lo que se dice. Es por eso que con frecuencia la voz narrativa de una novela tiene que decir explícitamente en qué consiste determinado estado interior. Si la palabra no es explícita tiene que trasmitir sus puntos de vista por yuxtaposiciones fílmicas de donde emerge el significado.

Ética de la estética

Más allá de cualquier observación formal, literaria o cinematográfica, hay que dejar establecidas las bases éticas de la novela y la película. En ambos casos, su objetivo no es otro que reconstruir el mundo mediante un acto de justicia total. Ni Delibes ni Camus están interesados en los juegos de la cámara o de las palabras. La conciencia social de Delibes ha sido mencionada en numerosos estudios. "Resumiendo la ideología de Delibes diríamos que el autor está preocupado por la gente humilde y sus problemas; por los individuos que viven al margen de la sociedad… Aboga por la igualdad de oportunidades y la eliminación de distinciones sociales, la libertad y dignidad individual y un poco de caridad y amor al prójimo" (Valle Spinka 42-43). Estas observaciones, a las que se podrían agregar muchas otras parecidas, están presentes, en detalles y en conjunto, en *Los santos inocentes,* donde, además, propone una solución radical con la eliminación del señorito Iván, arquetipo de todos los señoritos de su clase y condición, en el que el autor personifica individualmente toda una ralea colectiva. Radicalismo subyacente en la novela que Camus define muy claramente en la película.

La constante de la injusticia de una clase social con respecto a la otra es la mano férrea que determina la estructura. La acción se desarrolla hacia un punto: la muerte del señorito Iván a manos de Azarías. Al tener lugar, el orden del mundo se restablece mediante un acto de justicia que es divino y humano al mismo tiempo. Si de un lado se trata de un acto de "los santos inocentes", producto de Dios, del otro es un acto deliberado de reivindicación social que el autor deja en manos de Azarías. En última instancia: lucha de clases. La "inocencia" del "crimen" en el cual el culpable recibe su merecido, es juicio divino; pero también juicio humano de reivindicación socio-económica. Esta es la razón fundamental por la cual Delibes es un autor medularmente español, aferrado a un áncora tradicional de justicia que es caracterizador de las letras españolas, que resiste la seducción de la palabra por la palabra misma, que para muchos es la médula del *boom.*

También es una reafirmación de un orden natural a nivel ecológico. No es de extrañar que Delibes haya dicho: "La naturaleza es otra víctima de la técnica. Esta ha llegado hasta el actual desarrollo y no se detendrá allí. ¿No sabías que el Parlamento italiano ha decretado la muerte en masa de los pájaros? Mao hizo esto en China y luego tuvo que importar pájaros a toda prisa, porque los insectos lo devoraban todo" (Alonso 225). Con la muerte del señorito Iván, (1) la conciencia de Dios que usa la mano del "santo inocente" absuelto en el título; (2) la del hombre que toma la justicia en sus propias manos para lograr la reivindicación de los pecados cometidos; y (3) la naturaleza, que no puede aceptar la destrucción del orden natural, ya que, como afirma Delibes, "es un equilibrio que no pude alterarse impunemente" (Alonso 225), coinciden en una trinidad casi teológica. El castigo se lleva a efecto con la precisión de un juicio sumario.

Tanto la milana, como el propio Azarías, funcionan como especies en estado primario a punto de extinción por un sistema supuestamente "civilizado". Se trata, efectivamente, de una cacería en la cual la estructura de poder propone exterminar a la clase subordinada en caso de no poder domesticarla. Si Paco se ha vuelto un animal doméstico, castrado por los amos, Azarías mantiene su integridad corporal y se defiende contra ese estado de cosas. Con su cuerpo, él hace lo que le da la gana. No sabemos hasta qué punto es un acto intuitivo o deliberado, porque desconocemos en absoluto lo que piensa. Tanto Delibes como Camus, sabiamente, nos escatiman su interioridad, que el cine sólo puede atisbar, a medias, gracias al actor. A nivel exterior, Azarías no es más que un minusválido, y sin embargo, es el personaje escogido por Delibes para ser el portavoz de la justicia. Este acto selectivo no es gratuito y responde a la voluntad del narrador.

El proceso de domesticación al que el individuo se ve sometido, hasta verse precisado a ocultar su propia identidad por las presiones del ambiente, es un aspecto medular de la novela y la película. "Imposible la comunicación, mistificadas las relaciones, amputadas las gratificaciones que le son más primarias, domesticado, controlado por transistores y pantallas, canalizada la agresividad hacia juegos sádicos y relaciones de dominio, el hombre ni siquiera puede invocar el auxilio de la naturaleza" (de los Ríos, 226-227). Es dentro de este nivel donde se articula el triángulo erótico formado por el señorito Iván-Purita-don Pedro que, más allá del orden natural, practican una sexualidad sado-masoquista desnaturalizada, en la cual don Pedro ha sido sometido, a su vez, a un proceso de domesticación y castramiento. Esta relación funciona a modo de contraste, anticipando a su vez el destino de Nieves, también en peligro de domesticación.

De ahí que, tan pronto como la muchacha llega al Cortijo, pasa al servicio doméstico. La Marquesa la tasa como se hace con un objeto o con el ganado. Es, como dice don Pedro, mercancía que le pertenece. Quirce también presiente domesticación semejante y, en todo momento, parece estar en guardia. El señorito Iván recela de él, que se niega a ser objeto de compra-venta. Esto se hace más radical en la película, gracias a la participación del actor como intermediario y agente directo del mensaje.

Mario Camus, simbólicamente, al sacar del Cortijo a los dos jóvenes, determina salvarlos, pero sin indicar medios radicales de cambio. Su propuesta no es revolucionaria, sino evolutiva. Paco el Bajo y Régula han llegado a una categoría sub-humana que no admite solución. Forman parte de un pasado medieval, y de ahí la infinita tristeza de la imagen fílmica. Sus hijos pertenecen, sin embargo, a otra realidad socio-económica y generacional. No es gratuito que en el caso de la película el orden narrativo esté dominado por Quirce, ocurriendo además una transición de una existencia agrícola a una industrial, lo cual equivale a una evolución histórica que va de la Edad Media al siglo XX. Camus, al omitir el afán de Nieves por tomar la primera comunión y mostrar por el contrario su transición a la clase obrera, introduce un elemento que tiene un significado diferente y más lógico, con implicaciones políticas más directas.

Pero dentro de la sucesión de injusticias que se suman unas tras otra para llegar a un total, Azarías será el encargado de la rebeldía y la reivindicación. En la película, el repetido primer plano de la cruz que cuelga del rosario, por su carácter explícito, hace muy marcado el significado cristiano y transfiere a una imagen visual el significado del título.

La justicia ecológica

Multitud de datos ponen de relieve la independencia de Azarías. Establece nexos primarios fundamentales con la naturaleza, en oposición a las fuerzas de dominio del Cortijo. Esto acrecienta sus facultades defensivas. Una síntesis de esta relación nos llevaría a proponer el siguiente esquema, en el cual Azarías aparece en el centro, entre el orden natural (milanas) con el que se identifica y el orden artificial superpuesto (señoritos) cuya eliminación es la propuesta de *Los santos inocentes*.

señorito Lucas   *señorito Iván*
               AZARÍAS
primera milana   *segunda milana*

Hay un proceso de identificación entre Azarías y las dos milanas, en las cuales ve un reflejo de sí mismo. Pero sobre las milanas y el propio Azarías se levanta la estructura de poder de los señoritos, responsables de la muerte de ambas. Si la injusticia criminal del señorito Lucas abre la novela, la del señorito Iván, la otra cara de una misma moneda, la cierra con el correspondiente castigo de la diestra todopoderosa de Azarías, colocado ahora en un nivel superior. Su sobrevivencia está íntimamente asociada con las milanas, y el acto inusitado que sorprende al señorito Iván responde a una ley natural que es también ecológica. Dios, la naturaleza y el hombre se funden en una acción común que restaura el orden que se ha perdido.

Por oposición, Paco el Bajo es un animal doméstico, despreciable en cierto modo, que ha traicionado a su especie. Mientras Azarías mantiene su integridad corporal y su independencia, Paco se deja llevar al matadero. Por su condición abyecta recibe su castigo al caerse del árbol y acrecentarse así su dependencia. No hay que olvidar que Paco es el secretario del señorito en la cacería. Colabora con su criminalidad respecto a los pájaros y responde a un orden pasivo que desconoce todo gesto de rebeldía. Momentos antes de caerse del árbol comete un acto criminal que no va a quedar impune. Siguiendo las instrucciones del amo, "Paco, el Bajo, sin hacerse de rogar, se afianzó en la rama, abrió la navaja y en un dos por tres vació los ojos del cimbel, y el pájaro, repentinamente ciego, hacía unos movimientos torpes y atolondrados, pero eficaces, pues doblaban más pájaros que de costumbre y el señorito Iván no paraba en barras" (123). Ambas, la novela y la película, resultan implacables en la caracterización de Paco quien, por falta de conciencia de clase, es víctima y verdugo de sí mismo.

De forma implacable, férrea, el objetivo de ambos textos yace escondido dentro de una serie de hechos que se suceden camino de su propia meta, precisa y dramática como la soga que le tiende Azarías al señorito Iván. Nos sorprende como algo inesperado que, sin embargo, era un *suspense* oculto, que todos esperábamos pero que no creíamos que pudiera pasar.

Del callejón sin salida y la luz al final del túnel

El desplazamiento del orden narrativo de la película con respecto al original lleva a consideraciones que dan un carácter diferente al texto cinematográfico. La novela enfoca la atención inicial en Azarías, dejando así bien sentada, desde el primer momento, la importancia del personaje. La eliminación de toda acción retrospectiva produce un efecto de mayor coherencia, diríase incluso, trágica y revolucionaria. No hay pasado ni futuro, sino un presente cerrado, sin salida, limitado por los horizontes del Cortijo en el cual los personajes están prisioneros. El pasado es presente a consecuencia de un concepto claustrofóbico que los recluye en el estrecho espacio de una sociedad feudal: confinamiento histórico en que tienen que vivir. Han sido desterrados a un tiempo anterior que los aísla. La imposibilidad de cambio es una garra determinista, un no pasarán de la novela. La conciencia de clase de la cultura, la historia y la geografía, se deja sentir en la condena. Delibes trabaja la novela con una precisión que empieza con Azarías y conduce al crimen, sin desviación alguna, sin concesiones, con un concepto de justicia que es radical y último. Aunque Camus mantiene el concepto de una novela compuesta de varios libros, que toma de Delibes, al cambiar los títulos y el orden de los mismos, cambia el enfoque. Al iniciar la película con el encuentro de Quirce y Nieves en la ciudad, ofrece una solución pragmática al conflicto que Delibes resuelve en términos de una justicia absoluta y radical gracias a Azarías. De ahí que la película sea, en cierto sentido, más pragmática y esperanzadora, mientras la novela tiene algo de mano de hierro en guante de seda y en definitiva es más tajante, aunque no resulte más funcional como posible solución del dilema.

Debe observarse también que el trazado de Quirce ya está en la novela, mostrando una agresividad enigmática y contenida cuyo resultado se teme pero se desconoce. Delibes lo trabaja en forma de indefinido *suspense*, que desvía la atención, intencionalmente, del desenlace que nos tiene deparado. El propio señorito Iván se ciega con Quirce, hasta el punto de no darse cuenta donde radica el verdadero peligro y dejarse engañar por la aparente ignorancia de Azarías. Paradójicamente se pierde al no haber elegido a Quirce como ayudante y decidirse por Azarías, que le parece más fácil de manipular. Para el señorito Iván, Quirce representa una posibilidad de cambio, del cual recela y que naturalmente quiere eliminar. Por eso le gustaría mantenerlo bajo control y hasta sobornarlo. Pero Quirce, que no quiere verse en las circunstancias de su padre, rechaza todo nexo que pueda subordinarlo a la esfera de poder de Iván, sin que esto implique una ruptura radical con el orden establecido. Azarías ofrece una solución violenta, pero que no es racionalmente revolucionaria, sino impulsivamente naturalista. Delibes a través de Quirce hace una propuesta consciente, racional y evolutiva.

En el desarrollo de lo expuesto, la repetición de un determinado rasgo es un sistema de caracterización usado a lo largo de la novela. Esta repetición, al leerse una y otra vez, se vuelve enfática y sirve para marcar de una forma expresiva el carácter de un personaje. Vale además para establecer nexos entre unos y otros, que no solo los determina individualmente sino que los ubica también en relación con sus semejantes. La repetición de malas palabras por el señorito Iván deja bien sentada su esfera de dominio. La escala de poder está muy bien dada por el lenguaje obsceno que lo caracteriza y determina su punto de vista sobre los demás.

Fisiología y caracterización

Lo olfativo tiene en la novela un importantísimo nivel caracterizador, particularmente en el caso de Azarías. El olor, producto de sus secreciones corporales, nos da al personaje en un contexto que va de lo personal a lo colectivo. Frente a su mal olor, Regula, Paco o la Marquesa, manifiestan su propia personalidad. Si Régula reacciona ante él con absoluta comprensión y desea que lleve a efecto una higiene elemental, en Paco sirve para acentuar su condición olfativa primaria, mientras que en la Marquesa, paradójicamente, demostrando que todos estamos hechos de la misma materia, produce un efecto de distanciamiento, acorde con su condición social. El mal olor de Azarías determina su posición dentro del espacio colectivo y acrecienta su ubicación como un "diferente".

Paco, como Azarías, está elaborado desde un punto de vista narrativo con un concepto olfativo. La novela se construye, en gran parte, mediante la reiteración de motivos fisiológicos. La nariz, en el caso de Paco, tiene importancia primordial, ya que es el vehículo utilizado por el novelista para caracterizarlo de modo ambivalente y paradójico. Su condición primaria está acentuada por estar dotado de un sentido olfativo super desarrollado, lo cual es un contrasentido ya que es el único rasgo que manifiesta superioridad frente a los demás. Pero al insistir que por los orificios de su chata nariz era "por donde, al decir del señorito Iván, los días que estaban de buen talante, se le veían los sesos" (35), el rasgo que lo caracteriza lo subordina a una condición animal denigrante, que sirve, sin embargo, para que el receptor rechace con mayor intensidad al señorito Iván. Está condición de superioridad canina incrementa sus virtudes de animal doméstico al servicio de aquéllos que son los enemigos de su clase. La castración moral de Paco el Bajo es uno de los retratos más patéticos y desoladores de la novela, que lo lleva a una batalla sicológica por verse como portador de una tara fisiológica causante de que engendre a la Niña Chica, y que pone de relieve la condición determinista de Delibes. Esta médula naturalista se mantiene y confirma en la versión fílmica de un modo absoluto, a través de la actuación impecable de Alfredo Landa, el cual, en "realidad", está "actuando" un texto literario. A través del gesto expresa lo que ha sido objeto de novelización. Mediante un proceso de internalización, que se trasmite por el gesto, el sistema de caracterización literaria se visualiza por la afortunada reciprocidad entre lo que se dice, o incluso lo que no se dice, y lo que se hace. Los gestos no tienen "la intención de trasmitir conceptos expresados por palabras, sino experiencias internas, tales como emociones irracionales que inclusive no han sido expresadas por la palabra cuando todo ya ha sido dicho" (Bluestone 47). En esto consiste la transcripción precisa que realiza el actor. La abyección total a la que se ve sometido Paco el Bajo está expresada mediante una caracterización olfativa degradante. Delibes mantiene una unidad, procedente de la mejor tradición del naturalismo en la narrativa española, que no se pierde al llevarse al cine.

Azarías está sometido al tratamiento correspondiente. Se le conoce por el olor o, más exactamente, por la peste. Se sigue aquí una tradición escatológica que se remonta a la picaresca. Lo escatológico como manifestación estética con connotaciones ideológicas aparece enraizado a fuertes tradiciones culturales. Con *Los santos inocentes* se llega a situaciones límites. Las secreciones de Azarías muestran su identidad y señales de rebeldía. La peste es una forma de ser. Apesto, luego existo. Es el orden fisiológico y metafísico del castigo de Dios. Si la condición olfativa vuelve a Paco animal doméstico, la peste es armadura ofensiva y defensiva de Azarías. Tiene la función primaria de las espinas del erizo. Azarías no tiene dudas sobre el particular. Refleja su conciencia de clase. Cuando Régula le dice que se bañe, él observa que eso es cosa de señoritos. Delibes construye el personaje a nivel de sus acciones. Esto se ajusta a las supuestas limitaciones intelectivas de Azarías, por lo cual el análisis sicológico del personaje queda eliminado de forma explícita. Sus reacciones son primarias. Verbalmente se dan a conocer por expresiones muy limitadas, siendo la más importante la reiteración de "milana bonita", que a pesar de su elementalidad le sirve para establecer nexos fundamentales, particularmente con la Niña Chica, identificada también como la milana. Camus, al adaptar la novela, no tiene que trabajar con un mundo interior implícito, ya que Delibes lo caracteriza a través de actos bien definidos, evitando comentarios adicionales.

Microfisionomía de la defecación

Gracias al uso preciso de lo que ha sido llamado "microfisionomía" de la imagen visual, logra Mario Camus la eficaz transformación del tropo literario en tropo fílmico; método que según Balzács cayó en desuso con la invención de la imprenta, ha sido revivido, según Bluestone, con la "microfisionomía" del cine (Bluestone 25). En otras palabras, captando el gesto del actor en un primer plano, su fisionomía, y haciendo una composición con otras tomas, el gesto acrecienta su significado y un nuevo texto surge en la pantalla. Esto no es más que una variación del término *montaje.* "En términos cinematográficos, por consiguiente, el método de conectar las tomas se convierta en la función formativa básica del cine, porque dos tomas, puestas juntas una detrás de la otra, se convierten en el *tertium quid*, en el tercer elemento que no tiene el mismo significado de las dos tomas independientes" (Bluestone 25). Este procedimiento elemental es al cine lo que el *montaje* de las palabra es a la literatura donde una palabra acopla con la que le antecede y con la que le sigue.

El significado de esto queda claramente ejemplificado en la película con la llegada de la Marquesa al Cortijo. Paradójicamente, a pesar de su condición social y su refinamiento, ella reconoce la huella olfativa de Azarías de modo parecido a Paco el Bajo. De esta manera su establece una similitud entre los tres personajes, hechos todos del mismo barro, pero separados por la estratificación que dan el dinero y el poder. La secuencia está compuesta por tomas de cámara de la servidumbre y la llegada del automóvil donde viene la Marquesa, todo muy ceremonial, acompañadas de un primer plano de Paco olfateando, un primer plano del excremento de Azarías, y otro de la Marquesa, olfateando de modo similar a como hace Paco. "No sólo ha descubierto el cine nuevos modos de darle significado a la relación entre objetos animados e inanimados, sino que la fisionomía en sí misma ha sido redescubierta" (Bluestone 25). El rostro de la Marquesa se redescubre cuando está visto dentro de esta composición realizada por la cámara. De igual modo, una correlación entre las flores con excesivo abono animal y la cara de la Marquesa que huele sospechosamente, da una actitud expresiva a tomas que, independientemente, tendrían un significado menor. El excremento de Azarías y el de los animales sirven de respuesta al orgullo de clase de la Marquesa. Estos elementos, que proceden de la novela, están dispersos en la narración. De hecho, cuando llega la Marquesa, Delibes menciona que "atravesaba los arriates restallantes de flores" (48), aunque las deyecciones de Azarías "abonan" la novela. Camus hace una ampliación enfática del texto, convertido en imagen explícita que se identifica con la posición ofensiva de Azarías.

Todo parece indicar, a primera vista, que las relaciones de Azarías con las secreciones fisiológicas son una manifestación de retraso mental. Pero, ¿hasta qué punto es cierto? El gran logro de Delibes es no habernos dado otra versión salvo informarnos de lo que hace: defeca en cualquier lugar y en cualquier momento, trae al jardín exceso de abono para las flores, se orina en las manos para que no se agrieten y después despluma los pájaros que los amos van a comerse. Pero, ¿hay absoluta "inocencia" en estos actos? No hay que olvidar que Delibes pone en las espaldas de Azarías el acto de justicia que cierra la novela, lo que indica que el personaje ha tenido que llegar a sus propias conclusiones para hacerlo. La lucha de clase, la belleza y la mierda se entretejen en el determinismo que es la vida. Es evidente que todas estas manifestaciones corporales forman parte de un discurso de la liberación. Su instinto primario lleva a actuar de este modo, y podría pensarse que siendo un retrasado mental toda hipótesis adicional estaría de más. Pero, ¿cómo poder determinar de una manera exacta la razón de la sinrazón? Su realidad, no obstante, es también literaria y en última instancia, si la intención no es de Azarías, será de Delibes. Cercados por las injusticias de una sociedad implacablemente estratificada, Azarías utiliza la peste como arma de combate, manifestación primaria de la lucha de clases.

Mucho más podría discutirse sobre la presencia de la mierda en la novela y en la película (muy particularmente en la película, donde es más "real"). Como bien dice Gómez Alvar en "Del cuerpo al cosmos", "frente a lo que ocurre con otras funciones corporales, la defecación es considerada muy negativamente. Como consecuencia, son poco los estudiosos que se han preocupado por conocer la historia social de la mierda…" (Alvar 65), que en el caso de la novela y la película que nos ocupan representa una síntesis de una batalla campal de la lucha de clase, casi una cosmogonía política del franquismo, extensible a otras circunstancias políticas que sólo pueden definirse a través del excremento. Este es el caso de *Los santos inocentes*. La mierda forma parte esencial del discurso del cuerpo, ya que "los sentidos constituyen uno de los mecanismos de organización del mundo: vista, oído, olfato, tacto, gusto. Lo sobrenatural, el cosmos y el cuerpo se denotan de un sistema simbólico de referencias a través de lo sensorial que nos permite acceder al imaginario colectivo…" (Alvar 66-67), "el cuerpo tiene orificios que lo ponen en contacto con el exterior" (Alvar 68), y la novela y la película pueden interpretarse como un acto de exorcismo (de toda una época, en sus límites más específicos) especialmente auditivamente cada vez que se escucha (incluso en el núcleo de las palabras) el desgarrador grito de la Niña Chica.

Delibes hace otro tanto al novelar, sin decir nada innecesario o superfluo. Camús va más lejos. El texto literario es más indirecto que la imagen fílmica, y la película impone una fisionomía gráfica. No es lo mismo "leer" los datos correspondientes al acto de defecar, que ver el resultado en pantalla. De cualquier manera, ni la novela ni la película tiene pelos en la lengua. El discurso de la mierda se vuelve explícito. Pero no es gratuito. El excremento de Azarías rodeando la residencia de los marqueses es una forma de asedio, de discurso subversivo del oprimido, arma de combate, "grafitti" del marginado, del analfabeto, que escribe su propuesta como puede. Es, además, un hecho cultural. Lo que en otras culturas se expresaría a través de eufemismos y ropajes de la hipocresía, en el cine español (y en su literatura en general) se manifiesta como una "fisionomía" del enfrentamiento con la realidad: bajo ciertas circunstancias las malas palabras y las deyecciones corporales configuran la estética y la ética del lenguaje.

OBRAS CITADAS

Alcalá Arévalo, Purificación. *Sobre recursos estilísticos en la narrativa de Miguel Delibes.* Cáceres: Ediciones Unex, 1991.

Alvar, Jaime. "Del cuerpo al cosmos". Publicado en *Fragmentos para una historia de la mierda. Cultura y transgresión,* Ed. Luis Gómez-Canseco. Huelva: Universidad de Huelva, 2010.

Almendros, Néstor. *Cinemanía.* Barcelona: Seix Barral, 1992.

Alonso de los Ríos, Carlos. *Conversaciones con Miguel Delibes.* Madrid: Colección Novelas y Cuentos, 1971.

Aumont, Jacques. *Aesthetics of Film.* Austin: University of Texas Press, 1953.

Besas, Peter. *Behind the Spanish Lens.* Denver: Arden Press, 1985

Bluestone, George. *Novels into Film.* Berkeley: University of California Press, 1957.

Bordwell, William. *Narration in the Fiction Film.* Madison: University of Wisconsin Press, 1985

Chatman, Seymour. *Coming to Terms.* Ithaca: Cornell University Press, 1984.

------"What Novels Can Do That Films Can't (And Vice Versa)". *Films Theory and Criticism,* ed Gerald Mast. New York: Oxford University Press, 1992. 403-19

Delibes, Miguel. *Los santos inocentes.* Madrid: Planeta, 1981.

Deveny, Thomas. "Cela on Screen". *Camilo José Cela: Homage to a Nobel Prize.* Miami: University of Miami, 1991.

Gullón, Agnes. *La novela experimental de Miguel Delibes.* 1981.

Horton, Andrew. *Modern European Filmmakers and the Art of Adaptation.* New York: Federick Ungar Publishing, Co., 1981.

Montes Huidobro, Matías. "Monad: Quantum and Entropy in Celas' Chaos" *Ometeca* (1991) Pauk, Edgar. *Miguel Delibes: desarrollo del escritor (1947-1974)* Madrid: Gredos, 1975.

RUSSELL
CROWE
A BEAUTIFUL
MIND
ED HARRIS

JIM CARREY
LIVE
DAY 10,909
the TRUMAN show
ON THE AIR. UNAWARE.

Eternal Sunshine
of the spotless mind

CAPÍTULO XIII

Mónada, quanta y entropía del caos celiano

Una primera versión de este trabajo fue publicada en *Camilo José Cela: Homage to a Nobel Prize (University of Miami, 1991)* con motivo del homenaje que se le hizo en dicha universidad por haber recibido el Premio Nobel. Una segunda versión, más extensa, apareció en la revista Ometeca, V. II, N.2, 1991.

Mónada y quanta

Una y otra vez vuelve el mismo texto, que leo y vuelvo a leer, tratando de apresar la mónada simple, activa e indivisible, que me permita capar el ser último, persona, vida y máscara del quehacer narrativo de Camilo José Cea, el uno y el todo. Resalta el quantum treinta y tres de *oficio de tinieblas 5:*

"Apartas a Imelda de la multitud y cautelosamente distraídamente le acaricias un pecho después le dices con entonación casi amorosa Imelda vida mía para entender la teoría cuántica y las ideas de heisenberg es preciso leer el poema de parménides esto lo ignoran las muchachas a las que beso furtivamente en el bautizo del hermano en la boda de la madre en el entierro del padre pero no por eso deja de ser una evidencia von weizsäcker sabe que no estoy mintiendo" (ODT 15).

Apartas el texto de la multitud de otros textos y cautelosamente te diriges al oficio de tinieblas de las bibliotecas, distraídamente cayendo tal vez en una broma celiana y apartando el universo uno, eterno e indivisible de Parménides (que no otra cosa es la unidad interna-total del monólogo suicida del narrador como antes lo fue la mente alucinada de Mrs. Caldwell, monismo mental parmediano), caes en un física como teoría de la ilusión y la apariencia, y te pierdes celianamente en las mónadas de las tinieblas y la locura, de un texto al otro, lanzando algunas hipótesis del mundo sensible en la negación narrativa de éste, que es principio de Parménides, y te metes furtivamente en la armonía infinitesimal de una mónada de Bruno y otra de Leibniz, aprendiz solamente de una física que no acabas de entender del todo.

[El uso por el propio Cela de la "monada" como nomenclatura y procedimiento utilizado en *oficio de tinieblas 5,* fue el primer paso que obligadamente tuvimos que dar para hacer las interpretaciones pertinentes. Gradualmente el proceso analítico se fue complicando, en parte gracias al propio Cela y en parte también a ideas de la física, que nos parecía que iban a enriquecer y ampliar el análisis. Por extensión, la mónada del narrador nos llevó a intentar el texto crítico de forma distantemente parecida. Pero dada la complejidad y extensión de la obra, entiéndase que limitaremos estos puntos de vista a *oficio de tinieblas 5,* y en particular al desentrañamiento de la monada treinta y tres. El análisis se extiende y es aplicable a *Mrs Caldwell habla con su hijo* y muy especialmente, a *La colmena,* que fue en un principio la novela con la que queríamos trabajar].

2. Aparta de mí esa mónada

Me atrevo a decir, como diría Cela. Pero no, porque para eso estamos en el oficio de tinieblas de la crítica, mal que bien, reconstruyendo y destruyendo textos y contextos. Porque no son fragmentos numerados, ni trozos de capítulos, ni segmentos ni fracción. Son mónadas y por algo será, de tal modo que nos parece esencial que lo sean. Pero este sistema tiene su antecedente celiano en *La colmena* y en *Mrs Caldwell habla con su hijo,* aunque sean mónadas menos definitivas que las de *oficio de tinieblas 5,* donde se convierten ya en un sistema específico estructurador de la narrativa. Subdividida en 1194 componentes simples que el autor denomina de ese modo, supera en 1104 la *Monadología* que a principios del XVIII concibió Leibniz (1646-1716), que antes concibiera Giordano Bruno (1548-1600) y cuyos orígenes se remontan a Platón. Con estos truenos no hay quién duerma, diría yo, a modo de intromisión de un grotesco celiano. Así, de la filosofía a la física, va la mónada a parar, con Cela, en la literatura, y suerte me dé la mónada, a mí, en esta crítica, porque a Giordano Bruno, que fue uno de los primeros en andarse con monaderías, lo quemaron en la hoguera. Bruno creía que nuestra percepción del mundo dependía de nuestra posición en el espacio (y estoy seguro que Mrs. Caldwell estará de acuerdo con él), que hay tantos modos de verlo como hay posiciones posibles, que no hay verdad absoluta, y que el mundo *(oficio de tinieblas 5)* estaba formado por mónadas, elementos simples, irreductibles y deterministas (de ahí la fatalidad a que están condenadas todas y cada una de las mónadas y la "teodicea"), metiéndolas en el reino de Dios, "el mejor de todos los mundos posibles" (burla ulterior de Voltaire en *Cándido)*, que será el peor de los mundos de Cela. Ideas indivisibles para Platón, las de Leibniz se parecen a las de Bruno, viviendo en sí mismas, indivisibles y distintas cada una, pero manteniendo un paralelismo perfecto que resulta en armonía, a pesar que una mónada con la otra no tiene comunicación posible –todo esto, también muy celiano, porque las de Cela armonizan, aunque sea para lo peor.

3. Atracción fatal

Si a la clasificación monádica del texto se une la referencia que hace Cela en la mónada treinta y tres a la mecánica cuántica, poniendo una cosa con la otra y tomándonos algunas libertades con la mónada y el quantum, llegamos cautelosa, furtiva y distraídamente, a un acercamiento a la complejidad del texto por medio de una física sometida a un inevitable principio reduccionista (literario, no físico). Si a esto se suma la afirmación de William Siemens, que interpretando a Cabrera Infante afirma que su tesis (la de Siemens) se basa "en el hecho de que gran parte de la crítica literaria contemporánea está enraizada en modernas teorías científicas, tales como la mecánica cuántica" (Siemens 54); el creciente interés en establecer relaciones entre física y literatura en círculos críticos casi esotéricos; la imaginación creadora de la física en oposición a la camisa de fuerza anti-imaginativa de la crítica; y principalmente la lectura de *Turbulent Mirror, An Illustrated Guide to Chaos Theory and the Science of Wholeness,* que empieza con un prólogo y termina con un prólogo, y cuyos capítulos del orden al caos y del caos al orden se enumeran 1-2-3-4, llegando al 0, pasando al 4-3-2-1 (¡inversión numérica que YA había utilizado Cela en su anular *Tobogán de hambrientos!),* era inevitable que la mónada y el quantum acabaran en el más apasionado orgasmo de la erótica crítica. Razón de más para utilizar en nuestras propuestas, el enrevesado sistema celiano de la mónada, a modo de estructura ensayística que engendrara el novelador, cuyo sistema utilizamos para enredarnos, como él nos hiciera. Lo cual no excluye sino incluye, que nosotros hagamos algo parecido. Entre bromas y veras ("La cabeza del hombre puede adoptar tres formas diferentes: de pepino, de dodecaedro y icosaedro", OC 497), a lo Cela, nos proponemos establecer (monádicamente) que Camilo José Cela, mediante una *estructura monádica* y un *sistema cuántico*, crea una *una novela entrópica* inmersa en el concepto más amplio del *caos* como proceso creador.

[Mientras que a veces los círculos académicos dedicados a la investigación literaria se congelan por falta de imaginación, metidos en una camisa de fuerza, todo lo contrario parece ocurrir con la física, donde cualquier cosa es posible. "They can talk nonchalantly about blackholes swallowing stars where the laws of our universe does not apply. They nonchalantly suggest parallel universes, universes that lie inter-meshed with ours but are invisible to us, universe that runs backward, or that mirror ours" Lessingh, *The Sirian Experiments,* citado por Michael F. Capobianco en "Quantum Theory, Space time and Borge's Bifurcations". (*Ometeca* I:1 1989, 29). Pero el crítico literario no se puede tomar tales libertades y debe dar explicaciones]

4. Monadalogía celiana

Si trasladamos al ámbito celiano la síntesis de las mónadas de Bruno y Leibniz expuesta en nuestra segunda mónada, nos encontramos con un absoluto ajuste de términos. *Oficio de tinieblas 5* comprende una composición de mónadas en la que cada una de ellas funciona por sí misma, independientemente y dentro del todo. Al concepto materia simple de una unidad de medida físico-fisiológica (mónada), se une el concepto "paquete de energía" latente e invisible (quantum) que hay en cada unidad narrativa. Mónada de la conciencia y subconsciencia del narrador, "ya que fuera de la conciencia del personaje no ocurre nada" (Roberts 67), el significado se acrecienta si tenemos en cuenta que la idea de las percepciones de las mónadas ha servido de fundamento a la teoría del subconsciente. Este sistema de "mónadas internas", de espacio sicológico, corresponde al ya utilizado por Cela en *Mrs Caldwell habla con su hijo,* que comprende 212 mónadas de acción mental y realidad no sensible moviéndose en la órbita interna del mundo de Mrs. Caldwell. Formada por un sistema de "mónadas internas no numeradas", de acción física, donde las órbitas de movimiento e inanición atañen a lo colectivo, pero responden a una concepción y mecánica narrativa parecida, *La colmena* es un antecedente lectible. Tanto en un caso como en el otro, el efecto exterior e interior es de caos y fragmentación, que, sin embargo, mantiene sus nexos con el orden establecido de una nueva física y una conciencia creadora a tono con ella.

5. Leer a Cela para entender a Heisenberg

Para entender las mónadas dislocadas de la Sra. de Caldwell, que van siempre del "quizás" al "suele", pasando por el "o bien", el "sí" condicional y el "no sé bien como verás las cosas" y "el tampoco me hagas mucho caso" (OC 423), hay que leer el prólogo de Cela (sin hacerle demasiado caso) y descorrer cautelosamente, furtivamente, el velo de la incertidumbre que las envuelven, como si estuvieran escritas por Werner Heisenberg. Y así y todo, "no me fuerces a explicarte demasiado lo que prefiero dejar envuelto en una vaga veladura", agregando pocas líneas más abajo, muy a lo Heisenberg, "no sé todo lo que pueda haber en esto de verdad o mentira" (OC 497). Obsesionado por la mónada treinta y tres que no se me aparta, saltando de ella, las ideas del físico alemán ya mencionado (mencionado) por Cela, uno de los fundadores de la física cuántica, me sacuden con la energía de la incertidumbre. La incertidumbre de Heisenberg es la sombra de una duda que trastoca el orden de la física clásica, en la misma medida que Cela hace con los círculos mentales de Mrs Caldwell, envueltos en veladuras a lo Heisenberg y trastocando el orden newtoniano de la narrativa sicológica (ver *La Regenta* de Clarín) (Ilie 201) Como dice Ilie: en *Mrs Caldwell* "el sentido experimental del orden que el lector posee resulta enteramente confundido" (Ilie 201) Según Heisenberg, "no podemos objetivar completamente el resultado de una observación, ni podemos describir lo que pasó entre una observación y la siguiente" (Heisenberg, cita de Lukas, 294). Para Heisenberg, para nosotros como lectores de Mrs Caldwell, y para la propia Mrs Caldwell, y todo sea por obra y gracia de la mónada treinta y tres, la exigencia de predecir lo que va a pasar mediante la observación de segmentos previos, sencillamente es una imposibilidad porque corresponde a un concepteo clásico físico-literario que ha dejado de funcionar.

6. Von Weizsäker sabe que no estoy mintiendo

En caso de dudas pregúntesele a von Weizsäker, que introdujo en la lógica los "niveles de la verdad" –como Cela hizo con el pepino. En la lógica tradicional (la física tradicional, la narrativa tradicional) la cosa no es de medias tintas. Se es o no se es. *To be or not to be.* Se dice la verdad o se miente, "Entre 'Esto es una mesa' y 'esto no es una mesa', una de las dos afirmaciones es cierta. "Tertium non datur", una tercera posibilidad no existe. Weizsäker introdujo en la lógica el concepto 'grados de la verdad'" (según Heisenberg, citado por Lukas, 298). Es decir, entre von Weizsäker y Heisenberg, Cela y Mrs. Caldwell, pisamos el terreno resbaladizo de una lógica de la tembladera. Las ideas de Heisenberg niegan la posibilidad de una absoluta certidumbre científica, confirmando el engañoso carácter de los hechos y la ilusoria naturaleza de la objetividad –todo en correspondencia con las "mónadas internas" de Cela. "Como ocurre con el principio de la incertidumbre de Heisenberg, es completamente superfluo hablar de que ciertas partículas tienen una determinada trayectoria, o una senda con puntos perfectamente conectados en el espacio" (Talbot 17). Apliquese la afirmación anterior a la movilidad externa de Martín Marco en *La colmena,* o a la sicológica de *oficio de tinieblas 5* y *Mrs. Caldwell habla con su hijo,* y nos daremos cuenta de la importancia de la mónada treinta y tres. Al enfrentarnos a las "mónadas internas" de Cela, monólogos de las tinieblas, el principio de la ambigüedad estructura la afirmación como un "grado de la verdad", que no es en modo alguno absoluta y final, sino abierta. Para dejar constancia de la seriedad del caso, Cela pone a von Weizsäker por testigo. Y nosotros también.

7. Técnica físico-literaria de la causa-efecto

Será culpa de Newton. La explicación del cosmos por leyes físicas que se siente seguras de sí mismas y que paso a paso se van apoderando de una concepción del mundo que tiene sus fundamentos newtonianos en el siglo XVII y que permea el triunfo de la razón en el siglo XVIII y se afianza experimentalmente, objetivamente, en el siglo XIX, es la causa de un efecto literario que se llama realismo. La seguridad de la observación, del dato, de la experimentación, desemboca en un modo de novelar y ver el mundo. "Para la época de Galileo, Kepler, Descartes y Newton, el espíritu científico y la supresión del caos era lo dominante. Las leyes de la mecánica celeste establecidas por Newton y las coordenadas de Descartes, hicieron posible que todo, aparentemente, pudiera ser descrito en términos matemáticos" (Briggs y Peat, 21). La novela realista viene a ser el clímax de una concepción basada en leyes precisas de causa-efecto que se fueron gestando por varios siglos. En las letras hispánicas el resultado estético de las leyes de esta física clásica se llama Benito Pérez Galdós. La "seguridad física" que produce Galdós, al que a veces hay que volver para respirar con paz y tranquilidad aunque la mitad de sus personajes se mueran en el trayecto, responde a la larga a una inmersión conceptual de la física, donde la relación causa-efecto lo gobernaba todo sin dejar nada a la imaginación. "Para la ciencia un fenómeno es ordenado si sus movimientos pueden explicarse por una relación causa-efecto. Cambios insignificantes producen efectos insignificantes, y grandes efectos son el resultado de una suma de pequeños cambios" (Briggs y Peat, 23). Ya fuera Pepe Rey, ya fuera José María Bueno de Guzmán, todos iban a parar al pizarrón de Valentín, el chico de Torquemada, que daba la explicación de una ecuación matemática que le debió pedir prestada a Newton. La física encuentra su literatura. La narrativa española, newtonianamente hablando, halla en Benito Pérez Galdós su más preciso y genial matemático.

8. La causalidad de la casualidad

Este universo seguro, trabajado tan cuidadosamente por la física y la literatura, firme, conveniente, de pies sobre la tierra, concreto; esta literatura, va a recibir las sacudidas de otras realidades de la física e iremos a parar en el caos del quatum celiano. Porque, ¿y el chance? ¿Y la casualidad, la suerte, la fortuna? Es decir, ¿y la causalidad de la casualidad? "Oye tú, sabéis una cosa, yo creo en el papel de la suerte y de la casualidad hasta en la vida. Por consiguiente, no hay razón lógica para tomar un camino en lugar del otro. Da lo mismo" (Briggs y Peat 134). No, no se crea que este texto procede de una novela de Baroja, uno de esos personajes barojianos que se esfuman sin que uno sepa de dónde viene o hacia dónde va. Lo dijo (en mi libérrima traducción del ruso, pasado por el inglés) Ilya Prigogyne, científico ruso, otro Premio Nóbel -pero de física- y militante del caos, que dejó sentado que la intervención fortuita ("chance") es parte integral de la fenomenología física. Con el comentario puntualiza, de paso y sin saberlo, la razón de toda la física novelesca de Baroja, cuajada de contradicciones, con personajes que lo mismo se decidían por un camino o tomaban el opuesto, para desconcierto de los lectores de causa-efecto, o como hizo Augusto Pérez en *Niebla*. Todo al *desgaire*, como quien no quiere la cosa –a lo Martín Marco. Con la inestabilidad barojiana, que hermanaba el caos con la casualidad, la cuidadosa estructura del realismo tradicional recibe una sacudida que es una nueva física. Es, principalmente, el caos como agente creador, descomponiendo el paisaje realista, el paisaje histórico: el orden encubierto por la máscara del desorden y la casualidad. Don Sandalio de aquí para allá, como le daba la gana. Augusto Pérez siguiendo a una mujer como hubiera seguido a un perro, o una perra. Una jaula cayéndose de un balcón: metafísica del accidente callejero.

9. El culto al caos

Creador del caos, particularmente en el punto de partida de *La colmena,* Cela introduce de manera radical la no-linealidad en el orden riguroso de la novela histórica del siglo anterior, arquetipo de la relación newtoniana causa efecto. Con el quantum en la pluma, explora las posibilidades de la novela cuántica y entrópica (como veremos después), para colocarnos en el siglo XX. En las cosmologías primitivas las fuerzas del caos y del orden eran parte de una tensión inestable que era a su vez una especie de armonía, y el caos aparecía con una inmensa fuerza creadora --técnica de Cela, como si el mundo se creara a partir del caos, para adaptarse después con la lógica de un pie en un zapato. Obsesionado, vuelvo a la mónada treinta y tres buscando el término que me faltaba, para entender la teoría cuántica leyendo a Cela. El "paquete de energía" del quantum, que es la propia mónada, te sacude con la desarticulación del pecho de Imelda en el poema de Parménides, nada menos que con von Weizsäker de testigo de la boda del hermano, y exclamas: ¡esto es el caos! Precisamente. Te das cuenta que el caos cuántico de Cela no es sólo el siglo XX sino la recuperación de un nexo de continuidad literaria que, en el sentido que le estamos dando, quedó interrumpido por las razones mismas de la física. Nada en la mónada treinta y tres, que quisiera apartar y no puedo, es gratuito: todo es esencia. En un principio, como ahora en un después, es el caos. Desvías, te bifurcas, te entregas a él, llevado por el lenguaje, ideas, conceptos, Imelda y Heisenberg en la boda del hermano: el caos como una inmensa fuerza creadora.

10. La vuelta al caos

El desconcierto que produce el caos como técnica narrativa corre paralelo al de la intromisión del caos, en años recientes, en la física. En *Chaos,* uno de los libros de mayor venta en los Estados Unidos, James Gleick afirma que "cada científico que había, con anterioridad, enfocado su atención en el caos, tuvo que hacerle frente a una actitud de desaliento o franca hostilidad" (Gleick, 37); que es como si Gleick estuviera haciendo referencia a los detractores de Cela. En el caso celiano, el caos del novelista responde a un concepto cultural, caótico, donde el significado surge precisamente de la descomposición desordenada. Esto puede explicarse si uno tiene en cuenta la dirección anticlásica de la cultura hispánica y las dificultades de comprensión que hay respecto a la misma en un mundo donde el equilibrio ha reemplazado la mítica primigenia del caos, y el orden es la unidad de medida. La energía vitalizante de la *comedia* y su imposibilidad de encauzarla por cánones clásicos, surge como conciencia primigenia del caos como rito de fertilidad estética, que es también el principio generador de *La colmena.* Sencillamente, la diferencia entre ser joven o ser viejo reside en el caos. Los escritores racionales, como los críticos, viven hacia atrás si no conviven con el caos, que es el toque de locura que nos diferencia. Una pizca de caos, cuando menos, puede ser un signo que los salve. Sólo el caos puede venir al rescate y sacarnos, intelectualmente hablando, del abismo. La pizca de locura es el agente de la creación y la interpretación del texto. De ahí que Lope de Vega nacionalizara el caos en el teatro español al romper el orden de las tres unidades y establecer el paradójico principio ordenador de lo desordenado. Ni qué decir del barroco, tan nuestro, estética física del movimiento perpetuo. ¿Cómo pueden entender el orden a los cultistas del caos? O viceversa, ¿cómo pueden entender el orden los cultistas del caos? Toda una "a" crea la diferencia. ¿Sujeto u objeto del sujeto? Esto explica las dificultades de entendimiento cultural, porque a nosotros, en la medida de nuestra hispanidad no nos han entendido del todo. Sin la "a" se dice lo contrario aunque se acaba en lo mismo. El problema es que nosotros no somos los locos, sino ellos, que se creen cuerdos. Y es por eso que a los "americanos" nacidos en los Estados Unidos nadie los entienden. No, no es extrañar que nos entiendan, particularmente cuando se toma el orden como unidad de medida y se desconoce la creatividad del caos, realidad del temperamento, ley de la estética y praxis narrativa que tomó carta de naturaleza en la novela española contemporánea con la publicación de *La colmena* en 1951, mucho antes que el *boom* empezara a hacer de las suyas.

11. La novela cuántica

Con *La colmena,* por consiguiente, Cela enlaza el pasado como tradición del caos con el tiempo presente de una nueva física y una nueva novela. Llegamos así al último término que nos quedaba por dilucidar de la mónada treinta y tres. La teoría cuántica que es el fundamento de la física moderna, formulada por Plank en 1900, nos dice que la energía de radiación, al igual que la materia, tiene una estructura discontinua. Esta energía sólo puede concebirse en forma de quantum, que es la cantidad mínima de energía que puede emitirse, propagarse o absorberse. No nos queda más remedio que, a los efecto de nuestro análisis y posibilidades, estrecharle el cerco al quantum, visto simple y llanamente como "paquete de energía", invisible, energía pura. Nos encontramos ya dentro de los textos novelescos celianos que hemos mencionado en este trabajo, y muy particularmente en la mecánica físico-literaria de *La colmena.* Formada por unidades-mónadas (que también podrían verse como tomas fílmicas), la independencia de una con respecto a la otra permite desplazamientos cronológico-espaciales de todo tipo. No sólo por las específicas referencias que hace Cela en la mónada objeto de nuestro análisis, sino por razones estructurales, el punto de vista nos parece válido. Queda atrás la novela causa-efecto galdosiana o la novela de la casualidad física barojiana. Con *La colmena,* Cela da el salto de un virtuoso por los caminos de una nueva física literaria. Cada uno de los paquetes cuánticos consume progresivamente su energía, en estado paulatino de deterioro, que es la mecánica de la acción de *La colmena,* su fatal entropía.

Suena también a entropía después del franquismo. Esa entropía que se consume dentro de sí misma, desmoralizante, tras una sacudida revolucionaria.

12. Dos arquetipos de la mónada cuántica

Don Roberto González ha de calcular que desde su casa a la Diputación hay más de media hora andando. Don Roberto González, salvo que esté muy cansado, va siempre a pie a todas partes. Dando un paseíto se estiran las piernas y se ahorra por lo menos, una veinte a diario, treinta y seis pesetas al mes, casi noventa duros al cabo del año.

Don Roberto González desayuna una taza de malta con leche bien caliente y media barra de pan. La otra media la lleva, con un poco de queso manchego, para tomársela a media mañana.

Don Roberto González no se queja, los hay que están peor. Después de todo, tiene salud, que es lo principal (OC 341).

Si apartamos a Imelda de la multitud y furtivamente echamos un vistazo a esta mónada indivisible, materia simple, verdad absoluta de la postguerra, irreductible, determinista, nos encontramos a Roberto González "en el mejor de todos los mundos posibles", como diría Leibniz, en una mónada, y nos quedamos con el "paquete de energía" que hay en ella, discontinua, pura nolinealidad física y novelesca, y hallamos los rescoldos del sistema cuántico. Si apartamos a Roberto González de la multitud y distraídamente vigilamos el insomnio de la señorita Elvira, la veremos encerrada en su partícula simple e indivisible (mónada) parpadeando en ella la escasa energía de su entropía. Cada cual en su casita, en su hábitat, acurruca su energía en la cuna de la entropía.

La señorita Elvira da vueltas a la cama, está desazonada; cualquiera diría que se había echado al papo una cena tremenda. Se acuerda de su niñez y de la picota de Villalón; es un recuerdo que la asalta a veces. Para desecharlo, la señorita Elvira se pone a rezar el Credo hasta que se duerme; hay noches –en las que el recuerdo es más pertinaz– que llega a rezar hasta ciento cincuenta o doscientos Credos seguidos (OC 140).

Y ahí se queda.

13. Los músicos de la entropía

Alienado cada cual en su mónada, consume allí su "paquete de energía", progresivamente, en estado de paulatino deterioro. Como cada parte palpita dentro de su propio vacío estructural, que es su todo, no hay relación con el anterior y el siguiente. Existen dentro de su quantum, tanto en composición narrativa como en significado vital. El caso extremo es la existencia por sí misma de cada "escritura" de *oficio de tinieblas 5*. En *La colmena* una sintomatología de cansancio, de agotamiento físico y moral, caracteriza las órbitas existenciales de sus personajes. Imaginémonos a cualquiera de ellos como un quantum cambiando de nivel, cauteloso, caminando descuidadamente por las calles de Madrid, matando el tiempo en el café de doña Rosa, charlando en la lechería de Ramona Bragado o emitiendo secreciones en el prostíbulo de Jesusa. Al principio de un largo día o al final del mismo, este "paquete de energía" se encuentra en el punto más bajo de su propia medida y en el fondo mismo del sistema –el Madrid de la postguerra. Esto explica la mecánica de la incomunicabilidad que caracteriza la novela: cada personaje funciona dentro de las fronteras más estrechas de sí mismo o las inmediatas. Si aplicamos las ideas de la mecánica cuántica al café de doña Rosa, este aparece poblado por partículas en estado mínimo de excitación que flotan en el vacío. Imaginemos también, por ejemplo, la aparición dentro de este vacío de un paquete de energía mínima, pero mayor (es decir, Martín Marco, ese imponderable que se le escapó a la física clásica), que irrumpe por un instante la energía letal de todos los "paquetes de energía" que configuran somnolientamente este universo cuántico. Por un momento se forman burbujas energéticas que son portavoces de una cierta ebullición que sacude la inercia de los músicos de tal orquesta. Pero cuando esa energía desaparece (la obligada salida de Martín Marco), sólo el vacío permanece, acunado por los acordes entrópicos de la sinfonía. El todo, que es la parte, ha tocado el fondo cenagoso de la entropía de la postguerra.

14. Sinfonía entrópica colectiva

La entropía es lo más horrible que hay, lo más espantoso. De todos los conceptos con los que me he topado en estos recorridos por la física, nada más desolador. La entropía es lo peor de lo peor. Y los personajes de *La colmena* están condenados por el determinismo entrópico que usa Cela para presentarnos el desolador paisaje de la postguerra española. Lo que la hace una novela no sólo entrópica sino ética. Porque la entropía es lo más malo que uno pueda imaginarse. Figúrense ustedes, la entropía viene del principio de la irreversibilidad y de una cosa que se conoce, nada más y nada menos como degradación de la energía. En el universo la energía se manifiesta en forma de calor. El calor, por su perenne irradiación, se va gastando de forma irreversible y lleva al equilibrio sin reversibilidad. La energía desaprovechada, que no produce acción, va en aumento y todo se va reducir a un estado de inacción y muerte. Claro que es un equilibrio, porque, después de todo, si no hay acción hay equilibrio; pero esto no es ningún consuelo. De ahí el sentido entrópico de *La colmena,* arquetípico de una degradación de la energía que llevó a España al estado letal de la postguerra. De ahí que todos y cada uno de los personajes de la novela esté enfermo de esa enfermedad incurable que no hay médico que lo asista. Cada cual en su mónada con su poquitín de quantum, que es el candil que los mantiene, reza su credo para matar el insomnio, enciende su cigarrillo, porque no dan para más. Y la parte es el todo. Ver sino la última mónada del capítulo IV, sinfonía entrópica colectiva:

La noche se cierra, al filo de la una y media o de las dos de la madrugada, sobre el extraño corazón de la ciudad.
Miles de hombres se duermen abrazados a sus mujeres sin pensar en el duro, en el cruel día que quizás los espere, agazapado como un gato montés, dentro de tan pocas horas.
Cientos y cientos de bachilleres caen en el íntimo, en el sublime y delicadísimo vicio solitario.
Y algunas docenas de muchachas esperan --¿qué esperan, Dios mío?, ¿por qué las tienen tan engañadas?— con la mente llena de dorados sueños (OC 273).

15. La novela entrópica

Hay en esta entropía físico-literaria un cuasi equilibrio de consistencia caótica, aparente contradicción, improductivo, que es arquetípico de la colmena celiana. De ahí una cierta uniformidad en la conducta individual que corresponde a la colectiva y que lo mismo se observa en lo estructural como en lo temático. Esto produce el efecto unitivo de una orquesta donde los músicos tocan en sincronía, al mismo tiempo, e inclusive una tonada parecida; pero cada cual lo hace a su modo, sin partitura y sin director de orquesta. De ahí la unidad musical de unas mónadas que viven por su cuenta. La visión que emerge de todo esto es caótica: es el caos pasivo de la entropía. Y es en este punto que pasamos de la novela cuántica a la novela entrópica. Si en las cosmologías primitivas el caos era activo, la técnica del novelista acaba por llevarnos de la mano a un caos amorfo, una nada, donde todo un sistema histórico, político y social ha ido degradando su energía. Flotan, por consiguiente, en el fondo último de la entropía, "el fin del universo, estado general de homogeneidad, cosmos de moléculas tibias sin significado, sin forma y sin sexo" (Briggs y Peat 22). Esta sexualidad se acerca, hasta en su sexualidad mecánica, al paisaje de *La colmena.* Los personajes de la novela forman un conglomerado de partículas indiferentes e indiferenciadas que siguen ciertas leyes deterministas. Existe una progresiva desorganización de la energía útil que mantiene funcionando a cada componente de la sociedad, cuyo decaimiento progresivo lo conduce a un estado de máxima entropía en la cual las moléculas se mueven fortuitamente, sin meta, produciendo en la novela un efecto de caos sonámbulo, estado hipnótico, donde el equilibrio es un vacío de la memoria. La alienación existencialista y la fragmentación novelesca son el producto del concepto determinista no-lineal de la mónada. Dentro de esta late el quantum (novela cuántica) concebido en su negatividad irreversible y degradada (la novela entrópica), que es física y ética. El efecto total es el de un caos entrópico, pasivo, callejón sin salida.

16. Solo termodinámico

La entropía es el vicio solitario de una soledad colectiva. Porque si *La colmena* es virtuosismo de orquesta, *oficio de tinieblas 5* es el solo entrópico de un virtuoso en su último movimiento. Cerebral y pictórica, poblado el cerebro de mónadas caóticas y multitudinarias, es imposible explicar el texto dentro de un orden tradicional, como si quisiéramos coordinar argumentalmente el *Guernica* de Picasso, o buscarle pies y cabeza a Miró dentro de los términos de Velázquez. La mónada final de esta novela es representativa de una irreversibilidad celiana de tipo determinista y negativo. El solo del personaje es una síntesis de la soledad del mundo, al modo de Mrs. Caldwell, y la progresiva desaparición de la energía en la mónada 1194 es una forma de holocausto en el cual el protagonista es sometido a un largo proceso de desintegración dentro de una fenomenología termodinámica. Una explosión atómica de imágenes aparentemente inconexas ha tenido lugar en el cerebro del narrador, poblándolo y despoblándolo. Pero todo ese calor sucumbe con fatalismo termodinámico. Sin hacer referencia a la entropía, Gemma Roberts hace una síntesis de esta mónada diciéndonos que "en el momento de la verdad, la precisión temporal se hace cronométrica y la mónada se subdivide en 39 lapsos que corresponderían a las veces que el personaje mira el reloj. Cada lapso es variable, con un máximo de 15 segundos y un mínimo de 3, hasta el segundo final y fatal del suicidio. El personaje ha tomado la decisión a las 23h 55' 20" y la lleva a cabo a las 23h 59' y 59", es decir, ha tardado 4 minutos y 39 segundos en ejecutarla. El resto es silencio, la nada: 0 0' 0". La negación de todo ha terminado en la negación de la vida misma" (Roberts 67). Cela procede con una conciencia física y matemática del tiempo, en irreversible proceso de reducción. El protagonista sabe que no puede dar marcha atrás porque Cela lo ha situado dentro de "un tiempo pesimista, de podredumbre y disolución" (Briggs y Peat 135). El tiempo en esta secuencia es una flecha que se mueve en una sola dirección, y Cela se sumerge, en la mejor tradición determinista, en la más absoluta irreversibilidad del tiempo y la energía.

17. En un principio fue el caos

Esto dicen, hoy en día, los propulsores de la teoría del caos en el terreno de la física, volviéndose este, por consiguiente, en mito de la creación del mundo y acto constante de regeneración. Ya desde que en *La familia de Pascual Duarte* se traspapelan los papeles de Pascual y le toca al transcriptor, mal que bien, poner un cierto orden en el desorden pascualino, da Cela sus primeros pasos por un caos en el que no se mete a fondo, pero que nunca llega a ordenar del todo. *La colmena* es un paso decisivo, pero *Mrs. Caldwell habla con su hijo* es una absoluta toma de conciencia. Como buen teorizante del caos, Cela ve en él la genética última del orden, en correspondencia con los teorizantes de la física. "Mi novela *Mrs. Caldwell habla con su hijo* es, en su aparente desorden, un homenaje al orden y en su ilógica evolución, mi proclamado tributo al rigor lógico. Entre el orden público -el pseudo órden de las gentes de orden- no hay más diferencia que la que va de la miseria al triunfo, o dicho sea de otra manera, del orden de un guardia civil al de Dios" (OC 366-367). Con esto Cela, en realidad, lo deja dicho todo, colocando su novela en una nebulosa cósmica generadora, que es la antítesis de caos entrópico de sus personajes. En las cosmologías chinas, egipcias y babilónicas, primero fue el caos, como lo fue también para Hesiodo en su *Teogonía*. Pero orden y caos, como lo ve Cela en el prólogo citado, se integran el uno en el otro, que es a su vez la perspectiva de la física contemporánea... la relación inestable entre el caos y el orden no es otra cosa que un juego de complementarios. "Aparentemente el creador funciona en las fronteras indefinidas entre el orden y el caos" (Briggs y Peat 21) –que es, precisamente, el puntualísimo cosmos de Camilo José Cela.

18. Punto final (o punto y aparte): epílogo monádico

¿Estructura monádica? ¿Sistema cuántico? ¿Novela entrópica? Esto es, diría, lo que me faltaba por ver. "La ventaja que tiene esto de las teorías literarias es que la gente se entretiene en escribirlas y, durante el tiempo que dedica a cavilar, se está quieta y en sosiego y no le pega la pelma al prójimo, lo cual, siempre es de agradecer. Las teorías, bien mirado, no son ciertas ni falsas sino, en el mejor de los casos, ciertas y falsas sucesivamente. Quiero decir que una teoría es cierta –si llega a ser cierta— durante algún tiempo y después, como por arte de magia, pasa a ser falsa y prontamente se arrumba. Algunas teorías, claro es, no son ciertas ni en el momento de nacer, lo que supone no escaso alivio para el coleccionista" (OC 585). Buen teorizador por su cuenta, hasta aquí lo que dijo Cela en el prólogo de *La catira*, lo cual quiere decir que hemos estado perdiendo el tiempo, aunque *quizás*, siguiendo a Mrs. Caldwell ("tampoco me hagas mucho caso", "no me fuerces a explicarte demasiado") quiso (queremos) decir todo lo contrario.

18. (bis. no 19) Punto final: sinfonía inacabada

Si aparto de una vez esa mónada número treinta y tres microcosmos del oficio creador de tinieblas, pasando por las cuánticas y heisenbergianas de la Caldwell y las entropías colmenarias, a las que me limito, llego a un punto final de un paisaje novelesco inacabado, tobogán celiano, caos creador, que daría para un buen centenar de mónadas críticas pero que en este punto doy por terminado.

OBRAS CITADAS

Briggs, John; y Peat, David F. *Turbulent Mirror.* New York: Harper and Row, 1991.

Cela, Camilo José. *La colmena. Obras completas (O.C.),* V. VII. Barcelona: Ediciones Destino, 1969.

--"Mínimas cogitaciones sobre el argumento". Prólogo a *La catira.* Barcelona: Ediciones Destino, 1969.

--*Mrs. Caldwell habla con su hijo. Obras completas,* V. VII. Barcelona: Ediciones Destino, 1969.

--*oficio de tinieblas 5.* Barcelona: Ediciones Noguer, 1973.

Gleick, James. *Chaos.* New York: Penguin Books, 1987.

Heisenberg, Weiner. *Physics and Philosophy.* Citado por John Likas en "Quantum Mechanic and the End of Scientism" en *Science as Metaphor,* edición de Richard Olson. Belmont, California: Wadsworth Publishing Co., 1971.

Ilie, Paul. *La novelística de Camilo José Cela.* Madrid: Editorial Gredos, 1963.

Roberts, Gemma. "Culminación del tremendismo: *oficio de tinieblas 5*" *Anales de la Novela de la Posguerra.* Vol. I, 1976.

Siemens, William L. "Deconstruction Reconstrued: Chaos and the Works of Guillermo Cabrera Infante". *Ometeca,* I, 2, II: 1. (1989-90). 54

Talbot, Michael. *Beyond Quantum.* New York: Bantam Books, 1986.

Los textos originalmente en inglés han sido traducidos al español por el autor de este ensayo.

CAPÍTULO XIV

Réquiem por todos nosotros de José María Sanjuán: escribirse a sí mismo

Desde 1968 el fantasma de José María Sanjuán (1937-1968) me persigue. Nunca lo conocí. Pero por aquellos años iba a dictar un curso de novela española de post-guerra y de alguna manera tuve noticias de *Réquiem por todos nosotros,* que se había llevado el Premio Nadal de 1967. Adquirí el libro para considerar su enseñanza en el curso y hacerlo lectura obligada para mis alumnos. En esa categoría entraba en juego con *Nada* de Laforet, *Duelo en el paraíso* de Goytisolo, *Algo pasa en la calle* de Elena Quiroga, *Pequeño teatro* de Ana María Matute, *Cinco horas con Mario* de Miguel Delibes, *El Jarama* de Rafael Sánchez Ferlosio, varias novelas de Cela, naturalmente, y algunos autores más. Como por falta de tiempo no podía enseñarlas todas, *Réquiem por todos nosotros* quedó finalista, pero fuera de juego y decidí eliminarla del *curriculum*, porque en última instancia me decidí por *El Jarama* y ya con ello mis estudiantes tenían bastante. Sin embargo, no pude deshacerme del libro y lo conservo todavía a pesar del tiempo y la distancia, con notas al margen.

Con la idea fija en la cabeza de escribir algo sobre *Réquiem por todos nosotros,* en este momento de reconstrucción de mi propia obra, he tratado de toparme con alguna información sobre José María Sanjuán en la internet, que ha sido difícil, pero en la búsqueda de "José María Sanjuán, novelista español", Wikepedia, con la mayor crueldad me contesta y me dice: "José María Sanjuán, novelista español, no existe". Esto me produjo una sacudida, entre otras razones por la ignorancia y la incompetencia que me mostraba Wikepedia, lo cual no es frecuente porque allí se encuentra de todo, y en este caso de sobra sabía que Sanjuán existía, aunque estuviera muerto.

Coincidía con otro episodio más inmediato. Hacía unos días había querido comunicarme con la enfermera de mi médico, y le dije a la recepcionista: "Dígaselo a Teresa", y como posiblemente se trataba de una chica criada en Miami, que no hablaba español muy bien, me dijo: "Pasó". Yo no entendí claramente, y le pregunté "¿Cómo que pasó?". "Si, pasó." Medio confundido le pregunte, vacilante: "¿Quiere usted decir que Teresa falleció?". "Sí", me contestó. Y de inmediato me preguntó: "¿Para cuándo quiere usted tener la consulta?" Al eliminar el *pass away,* que sería el modo normal y hasta eufemístico del inglés, al decir "pasó" llegó a superar la crueldad de Wikepedia, y me enfrentó, como si me hubiera dado una bofetada, no sólo al significado más desnudo de los hechos, sino con la brutal realidad de la palabra. De esta forma tomé la determinación de terminar e incluir este análisis de la novela a José María San Juan, a quien nunca conocí en carne y hueso, para poner mi efímero granito de arena para que "no pase". Pero lo cierto es que se pasa y no pasa nada.

Las palabras nos hacen

A falta de mayor información, la novela de venta en Amazon se anuncia diciendo que "describe el ambiente y andanzas de un grupo de jóvenes hijos de la alta burguesía , snobs y decadentes (y su caída final), que recibió el premio Nadal de novela en 1967. *Réquiem por todos nosotros* es una obra con intención de retrato generacional, pesimista, desencantada, ajena a los moldes de la novela realista aún imperante en la España de 1967. Conocedor de los aires revolucionarios que recorrían Europa, y próximo el advenimiento del Flower Power estadounidense del 68 y el Mayo Francés con sus utopías, Sanjuán supo captar la ingenuidad de esa nueva juventud e incluso predecir su hastío, su decepción y su fin. Sorprende que en su precario estado de salud, el autor fuera capaz de escribir una obra tan viva, que leída hoy supera con aprobado alto el siempre severo examen del tiempo". Yo diría que lo hace, más que con "aprobado alto", por lo menos con "notable", quizás con "sobresaliente", y tiene a su favor que contrasta con la abulia de los personajes de la de Ferlosio, los complementa, agrego yo... De esta forma se hace una síntesis efectiva del carácter de la novela, salvo que se hubiera podido afirmar también que su realismo tiene mucho de "realismo fílmico", que por omisión crítica no creo que se haya observado, y otras consideraciones que nos proponemos esbozar en este trabajo. A pesar de algunas peripecias técnicas, es esencialmente una novela realista, con ciertas connotaciones fílmicas, de una España que abandona el centro y se va hacia la periferia, escrita por un joven autor que, después de todo, había nacido en Cataluña. Al contrario de *El Jarama,* la narración enfrenta una realidad que se dirige hacia afuera en pleno franquismo, lo que deja muestra de la propuesta postmoderna que hay en la percepción que tiene el autor del mundo, y su empeño, y el de una nueva generación de narradores, de crear nuevos ámbitos en la novela española y de la propia España.

De aquellos años en que empecé a concebir la escritura de este ensayo, la única información que logro es un artículo de José Domingo, titulado "Novela española, *Réquiem por todos nosotros,* de José María Sanjuán", de la Universidad de Navarra, publicado en la página cinco de Ínsula, *N. 258. 1968.* El artículo se escribe antes de darse a conocer su muerte, un año después de obtenido el Nadal de 1967. Aparece, además, con una fotografía en plena juventud, muy bien parecido, ante una máquina de escribir, como si se tratara además de una información gráfica que bien pudiera ser la de Mario, el protagonista de *Réquiem*. Realmente, duele, como también la muerte de Pedro Entenza, contrapartida nacional cubana, apenas recordado con la publicación de *No hay aceras,* que incluyo en mi libro *La narrativa cubana entre la memoria y el olvido.* La asociación entre la escritura y la enfermedad que se llevó de este mundo a Sanjuán; el título premonitorio de la obra, sin contar las múltiples referencias a la muerte asociada con la acción; y la implacable presencia aséptica de los hospitales en lo que seguramente, no sé, muriera; además de la correlación fílmica, me lleva finalmente a terminarlo y publicarlo. Mirar la fotografía y leer la novela es como estarlo viendo, con la peculiaridad de que nunca lo conocí. Y el inconveniente de que en este momento la he perdido y no sé dónde la pueda encontrar.

Más allá del artículo de Domingo poco o nada se ha escrito sobre el escritor que ahora nos ocupa. De vez en cuando, navegando por la red, aparece algo ("Ínsula Barañaria", Blog de Literatura, Carlos Mata Indurain. El País Digital. Enero 23, 2014), en este caso sobre su libro de cuentos *El ruido del sol.* Gracias a la colaboración de Mata Indurain pude llegar a la fotografía de Sanjuan publicada en Ecured. En el blog de literatura del crítico aparecen varios comentarios sobre los cuentos de Sanjuán, que han merecido un poco más de atención. También debe mencionarse otro artículo más extenso del propio Induraín, "Un puñado de cuentos maduros: los relatos de José María Sanjuán".

En "Semblanza de José María San Juan", que también consulto por la red, Mata Induraín nos dice que nació en Barcelona en 1937 y que en 1952 se traslada a Madrid, donde cursa estudios de Sociología en la Universidad Central y de Periodismo en la Escuela Oficial de Periodismo. Publica su primer artículo en *El Pensamiento Navarro*, y en 1956 obtiene un premio por un trabajo sobre la figura de Pedro Malón de Echaide. Diversas colaboraciones suyas aparecen en la revista *Pregón* y José María Iribarren, asiduo colaborador de esa publicación, le guía en los comienzos de su aventura literaria. Colabora en *El Alcázar* desde 1961, pero su temperamento de reportero le lleva a viajar por Europa y África como enviado especial, publicando sus artículos y reportajes en varias revistas y periódicos: *ABC, Ya, Actualidad Española...* En 1965 obtiene una beca de la Fundación Juan

March para la creación literaria, en concreto para la redacción de su libro *El ruido del sol*. No fue la única distinción que alcanzó: en efecto, Sanjuán recibió varios premios periodísticos y literarios, entre los que sobresalen el «Sésamo» de novela corta 1963 por *Solos para jugar* (Madrid, Aula-Cies, 1963), el «Ayuntamiento de Jerez» de relatos, el «Hucha de Oro» 1966, por su cuento «Una nueva luz» y el «Nadal» 1967. Su novela *Réquiem por todos nosotros*, ganadora ese año (y publicada al siguiente, Barcelona, Destino, 1968), fue a la vez una revelación y su consagración como escritor. Se casa en 1966 y durante su viaje de bodas a Marbella empieza a sentir una dolencia en una pierna, cuyo carácter maligno le costó la vida. En un breve período de tiempo escribe copiosamente. En síntesis, publicó *Fray Pedro Malón de Chaide* (Pamplona, 1957); *Solos para jugar* (Madrid, 1964), novela corta; *El último verano* (Madrid, 1965); *Ernest Hemingway: drama en tres actos* ("La estafeta literaria", 1966); *La patrulla* ("La estafeta literaria", 1967); *El ruido del sol* (1968), *Un puñado de manzanas verdes* (Barcelona, 1969), colección póstuma de cuentos; más *Réquiem por todos nosotros*. Víctima de una enfermedad incurable, el escritor fallecía en Pamplona en 1968, truncándose así bruscamente la carrera de una de las jóvenes promesas de las letras navarras. Tenía treinta años. Pero, como diría Ferlosio: "Las palabras nos hacen".

Del Jarama al Mediterráneo

Aunque el destino le jugó una mala pasada con su muerte prematura, hay un paralelismo entre *El Jarama*, considerada una novela importante en la narrativa española de postguerra, que en cierto modo es una obra maestra pero que a su vez se vuelve algo así como el réquiem de Ferlosio, ya que no va a repetir esta proeza, y la de novela de Sanjuán, sellada por la muerte del propio autor, prácticamente ignorada y sepultada. En este sentido, Sánchez Ferlosio tuvo más suerte, pues la vida le ha permitido llevar a cabo una obra mucho más extensa, aunque *El Jarama* posiblemente valga en sí misma por todo lo que vale el resto, cuando menos desde mi punto de vista, ocupando un lugar muy especial en las letras españolas. Es uno de esos textos que no pueden ignorarse.

La historia de estos jóvenes, los de Ferlosio y los de Sanjuán, que van y vienen si saber a dónde, en una especie de vacío existencialista, en ambos casos, muestran cierto paralelismo, salvo por lo que beben, comen, la educación y, principalmente, el dinero que tienen en el bolsillo. Es por ello que la sordidez española que hay en estas narraciones, difiere en cuanto al paisaje y las posibilidades económicas, reflejando los cambios de la vida española en los aproximadamente diez años que las separan. Ambas son novelas franquistas, no por ideología de los autores, sino por el fondo histórico como medio en que se desarrolla la acción en clara dependencia con la realidad que las circunda, que tiene una semejanza interna aunque las localizaciones tengan tan diferente carácter. Mientras que la de Ferlosio se zambulle en las escasas y sombrías aguas del río, durante la oscura vida española que sigue a la postguerra, como si no pudiera salir de ella, la de Sanjuan es un salto hacia afuera, como quien quiere escapar del entorno en la búsqueda de nuevas opciones, aunque no sean tan tradicionalmente española. A pesar de ello, la identidad permanece en un salto de alta velocidad hacia el Mediterráneo, una propuesta de escape, donde los personajes físicamente, en un despeñadero, caen al vacío. Este episodio real y alegórico, tiene sentido en el marco de la transformación política, económica y cultural que va a experimentar el país. Dos novelas que por muchas razones van juntas y separadas.

El contraste es a primera vista muy grande, pero la semejanza interna es mayor todavía. Mientras la de Ferlosio es una novela de cubierta mate como reflejo de la acción, la de Sanjuan es lustrosa, de mucha agua, salada y mediterránea. La de Ferlosio es una novela de andar a pie y transporte público, de agua dulce y estática, mientras la de Sanjuán, con mayor oleaje, marcha sobre ruedas aunque termine en el abismo. En última instancia, en ambas, "nuestras aguas son los ríos que van a dar a la mar", donde todos somos iguales, con la peculiar diferencia de que en la de Ferlosio sólo hay un cadáver, mientras en la de Sanjuán hay varios y nos enfrentamos a un réquiem colectivo de un grupo de jóvenes que mueren en un accidente automovilístico, salvo un sobreviviente, que es precisamente el narrador, destinado a morir en la vida real para hacer más inquietante el subtexto: el propio Sanjuán herido de muerte cuando escribe la novela. En pocas obras ficción y realidad se entremezclan de forma tan "realmente" postmoderna, con un subtexto fatalista y trágico. La muerte da un vuelco, pero la identidad es la misma.

En resumen, se hace inevitable, por todo lo dicho, comparar ambas narraciones, empezando por el hecho de que Ferlosio recibe el Nadal en 1955, y queda separada de *Réquiem por todos nosotros* por más de una década. Tienen un lazo común: el franquismo y todas las circunstancias sociales, políticas y económica del caso, donde entran en juego los años de separación que viven los personajes dentro de espacios geográficos diferentes y condiciones económicas opuestas. La historia, no obstante lo dicho, explica parecidos y diferencias del deambular cotidiano de los caracteres, cuyas líneas paralelas se mueven gradualmente hacia objetivos opuestos de acuerdo con las posibilidades del capital, o tal vez de la casualidad y el destino. Unidos los personajes por el vacío, el tener y el no tener hace prácticamente imposible que puedan comer en la misma mesa.

Filmografía: el cine, industria y arte de nuestro tiempo

En el trabajo de José Domingo se hace referencia pero no se ahonda en las implicaciones estructurales y fílmicas al "bullicioso grupo en que se mezclan turbios hombres de negocio, fulanas de postín, algún que otro millonario o vástago de millonario, toda la fauna, en fin, que pulula en ese medio amoral y cínico que se ha dado en llamar "dolce vita", de acuerdo con la acertada definición de la película de Fellini" (5), lo que nos ubica en el espacio cinematográfico de la novela, aunque el crítico no penetra en el análisis del discurso fílmico de Sanjuán, que es esencial para la interpretación estilística de *Réquiem por todos nosotros* que descansa en el cine, y más exactamente, en el italiano de los sesenta, cuando España comienza a alcanzar cierto impulso por el turismo europeo. Estaba ahí con todo su pasado, pero es entonces cuando empieza a descubrirse en presente.

La novela de Ferlosio es de centro, madrileña, mientras que la de Sanjuaná es de periferia, mediterránea. Fílmicamente hablando el realismo de Ferlosio es el neorrealismo italiano de Victorio de Sica y de Rossellini, donde los personajes se están comiendo un cable, mientras que los de Sanjuán están en plan de buena vida, aunque la que llevan no sirva para nada. De ahí que la asfixia de los caracteres sea bien diferente.

Para la fecha en que Sanjuán la escribe, toda la influencia neorrealista inicial del cine italiano, en mayor consonancia con *El Jarama*, estaba superada. Según el cinematografista cubano-catalán Nestor Almendros, "la creación en Madrid en 1947 [cuando Sanjuán tenía diez años] del Instituto de Investigaciones y Experiencias Cinematográficas -a imitación del Centro Experimental Cinematografía que Mussolini había creado antes en Roma- da, sin proponérselo el gobierno, impulso definitivo a un nuevo tipo de cine que apenas estaba despuntando" (Almendros 97). Por consiguiente, el novelista crece en el marco de una nueva generación fílmica que mira hacia el exterior y que nos lleva a un nuevo tipo de testimonio en su ambientación externa, sin apariencia testimonial pero que, basada en la propuesta objetiva de la cámara resulta a la larga un testimonio.

Aunque Federico Fellini es la marca de fábrica que inicia este período cinematográfico con *La dolce vita (1960)*, estamos pensando básicamente en Michelangelo Antonioni, y en el período de la primera década de los sesenta: *La aventura (1960), La noche (1961), Eclipse (1962), Desierto rojo (1964),* con la dinámica sonambulista de unos personajes que no saben de dónde vienen, adónde van y qué es lo que quieren y se regodean lentamente en un *travelling* vital que no va a ninguna parte. A la novela le falta la gran extravagancia fellinesca que bordea el surrealismo y una decadencia de mayor desparpajo, aunque tiene mucho de "dulce vida" de una España de un desarrollo subdesarrollado, valga la contradicción, de un quiero y no puedo que la margina, como ciudadanos de segunda clase en el tinglado *snobista* europeo, donde el país estaba a la zaga todavía y no había sido descubierto por el turismo internacional. Pero el imán de esta españolidad costera, mediterránea, está ahí en toda su autenticidad, codeándose alemanes, ingleses, franceses e italianos usualmente con más plata; en general, disfrutando del sol pero mirando al frío y la niebla, menos atrayente pero mejor remunerada. Es por eso que *Réquiem por todos nosotros* es el reverso ambiental de *El Jarama,* que es la España de chorizos, latas de sardinas, tortilla, pan y vino, pobre y sin *sex appeal.* No obstante, en el fondo es lo mismo, marcada por una época, una historia, una marginación, el pariente pobre del turismo internacional. Por estas razones, en definitiva, Mario, el protagonista, no llega a asimilarse al grupo, con resabios de una mentalidad pueblerina. Todo este conjunto hace que la novela sea tan española como *El Jarama,* trabajada con una españolidad de periferia que es tan válida como cualquier otra pero que en realidad no llega a ser cosmopolita. A pesar de la incertidumbre, el tintineo metálico del capital resuena por el Mediterráneo, mucho más acá de *Nada,* como si se escabullera de la calle Aribau en la búsqueda de nuevos horizontes.

La técnica de distanciamiento que utiliza Sanjuán es precisamente la de Antonioni, palpable desde *Las amigas*. "Antonioni jamás se compromete: él sólo observa. Si hay un creador analista, objetivo, en el cine italiano, es él. Sus aspiraciones se concretan a narrar los hechos con la prosa cinemática y, a veces, poética –desapasionada y ajena de un expediente judicial. No le conmueven las pasiones, ni le ofusca la política, ni le nublan la vista las lágrimas del sentimentalismo" (Cabrera Infante, Guillermo. *Un oficio del siglo XX.* Barcelona: Seix Barral, 1973, 171). Sanjuán no llega a tales extremos ni logra un estilo tan depurado, pero la intención es la misma. De ahí que los objetos, las acciones de menor importancia, interrumpan la exposición del dato, de forma objetiva y fílmica.

Curiosamente, la reseña de *Las amigas* a la cual hemos hecho referencia, se refiere al concepto "expediente judicial", que corresponde a lo que ocurre en *El Jarama* con la muerte de Lucita, y en la de *Réquiem por todos nosotros,* vista en gran parte a través de los expedientes del hospital y las acciones de carácter clínico. Incluye también la conciencia de "grupo", de pertenecer o no a él, la participación del mar como escenario poético, y, naturalmente, la muerte. El "paso errático" de Mariela sobre la playa, que menciona Cabrera Infante al referirse a la acción de *Las amigas,* va en correspondencia con el "paso errático" de Mario que "hace" la novela. También estos comentarios reflejan una influencia global del cine, donde Cuba estaba asociada de una forma más inmediata y directa, mientras que España, por la coerción franquista y los prejuicios políticos del exterior, estaba alienada, en la retaguardia, lo que hace que *Réquiem por todos nosotros* sea una novela que trata de romper el cerco que envolvía a la narrativa española y Sanjuán se encaminaba en esa dirección.

Sobresale en el desarrollo la posición de Mario, que aunque es el protagonista, adopta frecuentemente la postura de un observador distanciado que no está totalmente asimilado al grupo. En este sentido me recuerda la película *I Am a Camera,* (que no dio en el blanco, pero que con el paso del tiempo será *Cabaret)* dirigida por Henry Cornellius, sobre la obra de Christopher Isherwood y la pieza teatral de John Van Druten, donde Julie Harris y Laurence Harvey tienen los papeles protagónicos, con esa actitud errática e inestable de un "grupo" en determinado momento, que representan una actitud frente a la vida. Vistos los hechos desde el ángulo distanciado del protagonista, con su alienada personalidad, se aparta de los mismos, observa desde fuera. En *Réquiem por todos nosotros* hay algo de esto. Aunque no tan marcado como el caso de Laurence Harvey, Mario básicamente observa y el conocimiento que tenemos de él es muy de superficie, excepto hacia el final. Estrenada *I Am a Camera* en 1955 no tengo idea si Sanjuán la viera, pero de todas maneras este ángulo descriptivo de la acción sirve de punto de vista para interpretar al protagonista, que en realidad se mantiene alejado, como observador, y determina las "tomas" de la cámara: dirige la película.

La novela propiamente dicha: Soy la cámara

Réquiem por todos nosotros narra las peripecias de un grupo de amigos: Mario Aguilar, que es el narrador protagonista que nos cuenta la historia y "ve" lo que pasa – es la cámara; Ignacio Javier Aguirre, Silverio Plawaski, Fernando O'Connor, Martha Grandell y Laura Gómez-Kelly) van de parranda veraniega por la costa mediterránea (Málaga, Almería, particularmente Mallorca, y lugares turísticos de este tipo), de juerga en juerga y de trago en trago, borrachos la mayor parte del tiempo, y llevan una vida hueca y sin mucho sentido. Otros personajes, más o menos esporádicos, se unen al grupo, sobresaliendo de forma más permanentemente, Manolo, el amigo más cercano de Mario, arquitecto, con planes más específicos: "las casas colgantes de Montreal", y que un buen día aparecerá en Harvard, en Yale, anticipando tal vez a Calatrava, digo yo. Pero hay que reconocer que a la novela le falta una caracterización sólida de estos personajes, y Sanjuán los sigue muy de fuera a fuera. Pero, ¿acaso podrían ser de otro modo si son caracteres de por sí huecos? Además, sujetos a un ojo de la cámara que quizás quiera ser intencionalmente externo: lo que ves es lo que es. Como el narrador está en plano de ver lo que hacen, esto es lo que son. Lo cual le da modernidad a la escritura.

Este procedimiento tiene su inconveniente y el lector sufre una especie de alienación, como si nos escatimaran algo, y la novela se resiente, a pesar de sus mejores intenciones. Pero hay que considerar que se basa en un principio existencialista de decisiones indecisas, lo que le da un carácter diferencial al realismo lustroso donde se desarrolla la acción. Me parece evidente que Sanjuán era un joven escritor fílmico, que respondía a una globalización más allá de sus fronteras que no pudo desarrollar a causa de una trampa que le tendía la vida misma. Además, moderno, que rompía con el modelo introspectivo, en el análisis de lo que pasa por dentro, la interpretación del mundo, más interesado en presentar los hechos siguiendo el principio creador del "Yo soy una cámara" que propone Harvey, al principio de la película mencionada como si fuera una teoría literaria.

La novela penetra un poco más en el caso de Mario, que sirve de punto de mira de la acción. Como es un personaje que está "fuera de grupo", un adjunto universitario que ha vivido bastante mal y se ve precisado a tomar su carrera en serio, tiene mucho de observador a través de un lente. Técnica fílmica y filosófica que la madre de Mario explica de otra manera, a modo de un provincialismo español que se lleva en la sangre, por la educación recibida y una postguerra insegura: "No te metas en nada, hijo, no te metas en nada" (189), y que el cuñado del protagonista lo hace de otra forma pero con significado parecido: "El culo cuando más lejos mejor, cuñado" (189). Esta evasión, este riesgo del "culo" es lo que determina el distanciamiento de Mario, inclusive en sus relaciones con Laura, que se desarrolla como un compromiso compuesto de distanciamientos, de miradas y besitos de superficie de un antihéroe de todas las postguerras. "La música de Richard Rodgers *(With a song in my heart)* es un dulce señuelo que no hace pensar en nada" (200), la voz cautelosa de la madre y el culo lejos del agua: la distancia misma de Laura que tiene a su lado y respira, la inanición de estar vivo hasta que la muerte nos llame. Es por eso que la novela, página tras página, está determinada por un blando hacer que es no hacer: un "no te metas en nada" que es escabullirse de la vida.

No es hasta el final cuando se pone en situación y se adentra en el núcleo, a través del episodio con Clara, la marquesa con plata con la cual se acuesta, cuando el protagonista nos parece más de carne y hueso. Precisamente de carne y hueso, que siempre es un riesgo, una aventura. Así, exactamente. Porque el desarrollo de su relación con Laura tiene lugar muy epidérmicamente, con mayor entusiasmo hacia el final, pero no es totalmente convincente. El padre de Laura, podrido en dinero, evoca el *A Place in the Sun* de George Stevens, ahora en la casa de Sara junto al mar o en hoteles de cinco estrellas: la "dolce vita". El tratamiento distanciado dificulta seguir la acción con interés, porque, más allá del trago, ¿quién quiere pasar un rato con estos personajes? Además, Sanjuán los compone, creo que intencionalmente, mediante tomas rápidas interrumpidas por cualquier cosa: "Los pedacitos de hielo al juntarse con pipermint parece que se han pintado de verde. Es un efecto óptico. Lola le contaba largas historias a Silverio. Y Silverio sabe escuchar. Igual que escucha a Loto. A Sonia lo único que le gustaba escuchar era la voz de Sandie Shaw" (22). Pero, ¿quién era Sandie Shaw?. Interrumpidos por vasos de vodka, ginebra, martinis, desfila el paisaje colectivo: "chulitos de tres al cuatro, gigolós graciosamente desamparados por el amor de la noche última, peones recién abierta la virginidad sensitiva, viejos industriales de Liverpool, colorados daneses cambiando coronas por pesetas, ¡y qué negocio, Dios mío!, financieros de la banca con sus queridas pasajeras (chicas de cabaret cruzando las tinieblas de la nocturnidad de la gran ciudad por el paraíso de soles y olas), un mundo borracho de luces que repudia la tibia y secreta oscuridad del misterio. No hay misterio. Hay sol, whisky, tenis, amor, pipermint. Las olas azules…" (26-27). Y se reitera la letra de la canción que canta Sandiew Shaw: "Tengo una cita este atardecer –con el muchacho de mis sueños –quiero encontrarle –y enamorarme ¡Oh, yes…)".

Sanjuán trabaja con un principio de distanciamiento, que indica la presencia de un nuevo realismo, más lustroso, más cine, más europeo, con la cortapisa materna provinciana del "no te metas en nada", o, en otras palabras: "no te dejes seducir por el trasero". Un paisaje de extras construye la escena, con primeros planos de whisky, ginebra... vodka con naranja. "Aquella noche conocí a Sonia, a Silverio, a Hans, a Iñaki, a Marta, a Loto, a Laura. En una sola noche los conocí a todos" (35). Y todos ellos no pasan de ser un "supporting cast" haciendo esto y aquello en tomas rápidas, escenas cortas, "donde únicamente la voz solemne de Roy Orbison o la susurrante de Adamo se subían de tono". Callejeros, pandillas de playa, turistas de verano, que como vagabundos de Kerourak, "merodean en un paseo inconscientemente ingenuo la calle, se detienen en un kiosko gigante donde se vende el Match, el Frankfurter Allgemeine, el Fígaro, el Paris-Soir, el Corrieri, pero donde se ha terminado ya La Vanguardia, o el ABC". En particular, "los automóviles rodaban lentamente y las matrícula de Dinamarca, de Gran Bretaña, de Francia se ven perfectamente en las nalgas de los Volvo-Ford-Citroën-Morris. Son, naturalmente, elementos rodantes como Marta, como Silverio, como Iñaki, como yo" (61), paisaje colectivo documental, cámara de corte rápido, hasta la llegada del Mustang como agente de la acción y papel protagónico. Esta acción, o esta parálisis interna del movimiento, se prolonga fílmicamente a lo largo de toda la obra, interceptada aquí y allá por una poética visual del paisaje marítimo: "El sol ciega la vista. Aturde. Las aguas se remansan cerca del acantilado y forman calas de perfección casi geométrica. El color verdinegro de las rocas tiene una corteza deslizante, permanentemente húmeda. Sentíamos el motor de los automóviles al otro lado, y por encima de las piedras se veía la torre blanca, espejeante de la casa de Sara" (134) para volver, más tarde, el concurso de las *misses.* Todo en plan de modernidad cinematográfica, otro ambiente, otra forma de contar, otro cuento, que nos hace pensar, lamentar, dolernos, de lo mucho que el joven narrador tenía que decir. Ni siquiera el asesinato de la Maca interrumpe el deambular de la novela para volverla un *thriller*: porque la Maca no es más que un cadáver. Afanosamente, Mario trata de convertirla en algo, pero no "hace" nada.

Es por eso que Mario cuenta lo que ve como una cámara que se desplaza, y no propone una inmersión sicológica, lo que actualiza la novela gracias al enfoque contemporáneo donde la caracterización no es lo fundamental en la narración, sino la narrativa, el soy lo que tú ves, no lo que yo explico, comento. El inconveniente está en la falta de profundidad y el efecto de vacío. Esto puede verse como virtud o defecto, de acuerdo con preferencias o puntos de vista, y los personajes tienen el peligro de acabar siendo huecos porque son huecos. Pero al mismo tiempo puede considerarse virtud de una objetividad postmoderna que la aleja de la narrativa más representativa de la novela realista española.

"Bajaron por las escaleras de rugoso cemento. Entran atropelladamente en el agua. Hacen señas. La sirvienta trae la prensa en una bandeja. No hay nada de particular. Se confirman los casos de locura en Milán, los negros de Detroit mantienen a raya a las tropas federales y a la guardia nacional. Cuarenta grados de calor en Córdoba. Los pajaritos han doblado la cabeza reseca y llena de demonios. Hay cortes de agua de doce a siete de la mañana. ¡Qué bendita paz!, exclamo. Y Silvia, que tiene cruzadas las piernas y una sonrisa sofisticada en sus labios pálidos, me interroga.
--Nada, nada, hablo solo, ¿sabes?" (204)"

Es un mundo de ocurrencias a lo Sally Bowles (la protagonista de *I am a Camera*) que no parece ir a ninguna parte porque todo lo tienen y no tienen nada, que dicen por decir.

"–Estoy leyendo a Joyce –comenta Silvia, que de seguro estaba aburridísima. –Hace tiempo que no leo nada. –Es un mundo de evasión, ¿comprendes?, ¡y hace tanta falta la evasión!" (204). Hablar por hablar. Decir por decir. Hablar mucha mierda y no decir nada, en pura moda del existencialismo *snobista* europeo que se le pegaba a todo el mundo, y en especial a aquellos jóvenes insomnes que hacían su propio cine mientras mucha gente pasaba hambre o comían demasiado. "Yo creo que deberíamos irnos a Parma a comer, te llevaré a una tabernita donde se bebe un vino blanco estupendo" (213). A veces, una composición alterna de planos:

"–La luna aparecía querer apoyarse sobre el pico último de los acantilados. La roca está húmeda y cuajada de brillos hermosos. El mar se retira con violencia y vuelve sus pasos con cierta ansiedad. El proceso dura muy poco pero es un espectáculo. Yo tenía en mi mano el vaso de whisky y contemplaba, con cansada curiosidad, la figura frenética de Marta. Marta escucha con ilusión las explicaciones que sobre motores (fórmula uno y dos) le daba Willy a Fenando. Fernando está de vuelta de todo. Conoce los secretos de los automóviles y de los autódromos, y también la recóndita y embriagadora intimidad de cualquier miss. Sara tiene cogido del brazo a Manolo..." (223).

Sanjuán está contando (filmando) de otro modo: (luna, acantilados, roca, mar, espectáculo) corte (mano, whisky, Marta) corte (Willy, motores, automóviles, autódromo, *miss*) corte (brazo de Manolo), y así sucesivamente hasta que viene la muerte y lo descompone todo.

En todo caso, esto tiene mucho de cine, que cruza la frontera subversivamente, como quinta columna, en aquellos años en que había que cruzarla para ver a Marlon Brando *fucking* en *Last Tango in Paris,* 1972; ya que los personajes entran, salen, van y vienen, sin que sean explicados por internalización o posiciones sicológicas subjetivas, ya que nunca nos informan de lo que sienten o piensan (por dentro).

El peligro inmediato es que por falta de substancia los personajes pierdan interés. Sin embargo, es una consecuencia del personaje mismo y del contexto en el cual viven.

Porque hay que tener en cuenta un par de cosas. Vista hoy en día, incluso *La dolce vita* no es lo que fue en su momento, a pesar de Anita Ekberg, Mastroianni, Fellini y La Fuente de Trevi, y es difícil entender el alboroto que se armó con ella, por mucho crédito que le demos a la fuente y a la sueca. Otro tanto pasa con Michelangelo Antonioni, en películas como *La Aventura (1959, La noche (1961) Eclipse (1962)* y *El desierto rojo (1962),* con Monica Vitti deambulando su belleza sonámbula de un lado para otro, aburrida la mayor parte de las veces y aburriéndonos otras, y Mastroianni de mujerlego hueco que pasa por existencialista, pero que también se aburre. Era lo que estaba al día. Bueno, claro, la burguesía, la decadencia y la sociedad burguesa, las mujeres elegantes, bien vestidas. Pero, ¿amerita darle tanto tiempo para decir que la vida es una mierda? Sí, porque marca una condición y una época. Al caer en la nada, la cámara trabaja como la anti-dinámica del texto, que es un problema que explica, no obstante ello, el distanciamiento que se siente por toda esta gente cuya vida carece de sentido –muertos antes de que el accidente acabara con ellos.

Pero, ¿dónde dejamos el ombligo?

Un vehículo más en la autopista, la presencia del Jaguar MK-10 no despierta sospechas; excepto por las acciones y tiempos alternos que desarrolla el novelista. Porque, ¿qué importancia tiene un automóvil más o un automóvil menos? La novela española va dejando atrás el "ombligo", el seiscientos que tanto significaba para Carmen Sotillo: la velocidad se ha acelerado, modernizado técnicamente. "Los Aston-Martin, los Issota-Fraschini, los Ford-Mustang, los Mercedes-320, corren brutalmente por las carreteras del mundo" (203). "Iñaki le puntualiza a Fernando algunos extremos del Jaguar MK-10, que alcanza los 220, nada menos" (203). De no ser por la narrativa alterna que intercepta el espacio temporal de la novela desde la primera página, que empieza por el final, no tendríamos idea, como no la tiene Mario cuando siente respirar a Laura soleándose en la playa. Y sin embargo, el "réquiem por todos nosotros" ya estaba allí y se confirma cuando el Jaguar MK-10 entra en escena.

Estoy seguro que Sanjuán trabajó bajo la influencia de una filmografía que nunca ha perdido su vigencia gracias a un paisaje mediterráneo que se enriquece con el glamour que da el cine y el dinero. La morosidad de la novela, a pesar de la dinámica deportiva de los participantes, la ubica dentro de un ambiente playero que va de *Purple Noon (1960),* con Alain Delon (dirección de Rene Clement) a *The Talented Mr. Rippley (1999),* con Matt Demon (dirección de Anthony Minghella), que vino mucho después, sobre el mismo tema. Inclusive el asesinato de la Maca, que aparece ahogada, da un toque de *thriller* barato, policiaco, que es otro signo de carácter cinematográfico. Por otra parte, Laura como personaje femenino, rubia, se ajusta a las condiciones del reparto. Es lástima que Sanjuán no la trabajara un poco más, la proyectara hacia adelante para jugar a lo *film noir.* Pero la atracción que siente Mario por Laura, la presencia del padre millonario que es casi distante referencia a *A Place in the Sun (1951),* dirigida por George Stevens, que Sanjuán tuvo que ver, es otra asociación fílmica. Laura y su padre dan una conciencia de clase social, a tono con una lucha de clases que es otro subtexto de la novela. También le sirve para darle a la misma ese toque de "glamour" fílmico-mediterráneo poco frecuente y logrado en la narrativa española, que transpira aquí una dinámica joven.

Si *Cinco horas con Carmen* de Delibes es la novela del "ombligo", *Réquiem por todos nosotros,* ambas de 1967, es la novela del Jaguar, y esto da la medida del contrapunto. Mientras el realismo de Delibes es la quintaesencia de la tradición realista nacional, una narración que llega a lo irritante por lo que Carmen viene a representar y es el resultado de un modo de vida estrecho y retrógrado, explicando lo inexplicable (la resonancia y vigencia de la novela), *Réquiem por todos nosotros,* con su más absoluta marginación, con su realismo fílmico, representa un cambio de giro totalmente ignorado. El desnivel se acrecienta porque Delibes estaba en la cúspide de su carrera como novelista y Sanjuán no era más que un talentoso principiante que no iba a poder probar nunca las posibilidades de un futuro real como escritor, porque su futuro, digámoslo brutalmente, había terminado, como si fuera parte del accidente novelado.

Una vida que no había escrito nadie

Réquiem está estructurada como un rodaje fílmico con una acción continuada pero fragmentada que narra las correrías de un grupo de jóvenes por las costas del Mediterráneo. Las escenas sucesivas tienen una línea de continuidad que constantemente se rompe porque está fraccionada por segmentos, los cuales a su vez son interceptadas por "tomas" o "planos" que cortan la continuidad del discurso, incluyendo entradas y salidas que son mini-secuencias que pueden ser importantes o secundarias. Al mismo tiempo se desarrollan dos acciones, dos novelas, una anterior, representada por la novela que nos cuenta las peripecias de los personajes, y otra que reproduce la acción en el hospital, que a su vez se fragmenta por una secuencia temporal subdividida que tiene lugar desde las dos de la madrugada hasta las doce del día. Este discurso narrativo en el hospital puede verse como un meta-relato hacia el cual se dirige el relato activo de la otra secuencia, todo construido mediante tomas, planos, ángulos que denotan un sentido cinematográfico. Se trata de un rodaje interrumpido de cuya conjunción surge el significado. Así que son dos relatos sólo parcialmente independientes porque configuran un montaje único y un *editing* que, además, está fuera de tiempo. Como señalan Aumont y Marie respecto a la segmentación en el cine: "En cuanto a la importancia del concepto en el proceso de realización hay que decir que asegura la unidad de los planos rodados en un orden que está lejos de ser siempre el del relato" (63), lo que contradice la aparente segmentación gratuita del "rodaje".

Las secuencias del moscardón son fundamentales. Representan un comentario técnico que explica la concepción visual del desarrollo, donde el primer plano del mismo y su desplazamiento apunta hacia la condición móvil de la imagen gráfica traslaticia, que es cine, representativa del desarrollo total de la novela.

Sanjuán introduce una acción paralela, que se desarrolla en un tiempo diferente, mediante los capítulos que la inician. Empieza por el final, inmediatamente después que tiene lugar el accidente en el cual casi todos los personajes importantes han perdido la vida: el grupo de amigos, menos el protagonista y Manolo, (que nunca llegó a formar parte integral del mismo). Es posible que Sanjuán tenga una intención temática, como indicándonos que ese camino va con el futuro de España, pero realmente puede ser todo lo contrario: esa realidad periférica es una reafirmación del consumismo y el materialismo, puede ser la europeización *al estilo de Antonioni* de la España que vendrá que representa la modernidad, el turismo, vivir mejor, más dinero. La gran paradoja es que la muerte del autor tiene lugar casi inmediatamente después que ocurre la de sus personajes y que el título lo incluye en el réquiem, lo cual es ciertamente escalofriante. Entonces… Entonces la novela es el "réquiem" y mete miedo.

Además, la asimilación de Mario al grupo tiene lugar de forma tardía tras un proceso de rechazo, a poca distancia del triunfo del Jaguar, que es el símbolo del desplazamiento del "ombligo". Como se recordará, este coche minúsculo era el sueño de Carmen Sotillo, la de la España de Delibes, representativa de una clase social que a duras penas se abre camino bajo las más difíciles circunstancias. Un Jaguar, naturalmente, es otra cosa. Esta transición de Mario ocurre después que Silvia establece una relación adúltera con él, que le propone irse con ella a París. Este episodio es ciertamente importante porque es lo más vívido que ocurre en la vida de Mario, el cual parece finalmente desnudarse, no sólo físicamente sino, sicológicamente, ante el lector.

No existe en Sanjuán ninguna intención de *suspense* porque desde la primera página la masacre es una muerte anunciada. Más bien es una liberación freudiana ya que parte de una reacción opuesta a lo que le aconseja su madre antes de fallecer, de que no se meta en nada, y del consejo progmático de su cuñado, más específico, que se distancie de la mierda y de los genitales. Esto explicaría también su cautelosa actitud frente a Laura, a la cual ha estado evadiendo durante toda la novela y finalmente se decide a hacer lo contrario.

Paradójicamente, como en la vida real (y en la vida real del autor) la muerte es la que tiene la última palabra, y el Jaguar entra en juego como símbolo de una nueva dinámica, no sólo individual sino colectiva, que incluye una mayor movilidad social y económica. Y un mayor peligro. El tema aparece aquí y allá en varias ocasiones, sin mayor énfasis y de forma marginal, asociado a veces con la velocidad como estimulante de la vida. La paradoja está también en que la relación íntima con Laura tiene el moroso desarrollo de un errático andar al modo de una película de Antonioni.

Un suspense retrospectivo

Las secuencias retrospectivas dentro de un tiempo preciso son un corte visual y temporal muy utilizado por el cine, particularmente por el cine negro y el psicológico. Esto le da un sello visual y narrativo a la novela aunque sin propósito de *suspense* tradicional, por conocimiento previo del desenlace desde que se inicia la novela. Desde las dos de la madrugada a las doce de la mañana hay seis capítulos que realmente configuran una novela dentro de la novela. Los cuatro primeros párrafos que la abren a las "dos de la madrugada", pueden leerse como si fuera un guión de cine, a pesar de que va acompañado de unas referencias olfativas que obviamente no son fílmicas. El carácter "deslizante" que señala la segunda oración a lo largo del corredor casi invita a un movimiento de cámara. La ambientación gráfica del fotodrama, implica otra sonora acompañada de una peculiar referencia olfativa, impalpable, pero que se huele.

"El largo corredor huele a dulce. Es un olor untuoso, blando y deslizante. Varios tubos fluorescentes iluminan el color azul de los interminables tabiques laterales. Al fondo hay una puerta donde se lee la palabra Quirófano. Y un cartel donde pone: Silencio.

Todo está desierto y todo parece obedecer esa orden callada e imperativa del silencio. Pero, sin embargo, hay decenas de gentes detrás de estas paredes que duermen, que velan, que sufren. La vida está aquí agazapada, temblorosamente escondida. La vida está, como exige el cartel, silenciosa.

Los enfermos que gritan, duermen, sufren o esperan tras estas paredes ya se han acostumbrado al olor que flota en el ambiente. Es un olor que les pertenece. También el silencio es propiedad de ellos. Y la soledad infinita de la noche.

Vuela una mosca bajo el azul de los flourescentes. Es la última mosca del verano; el único ser animado que rompe esa tregua del silencio (run-run-run…) (7).

Las demandas del silencio forman parte de la ceremonia ritual representada por la muerte antiséptica en el hospital vuelto templo.

Podría uno preguntarse cuántas páginas como esta hubiera podido escribir José María Sanjuán. Podemos suponer que muchas, a pesar de las imperfecciones y limitaciones de esta *Opera Prima*. Pero es una especulación inútil. De todas formas, los planos generales y el movimiento de la cámara a lo largo del pasillo y el primer plano de la mosca, que volverá varias veces, están fílmicamente ahí. Este procedimiento se repite, interrumpido por secuencias breves que desarrollan la acción. "Se oye el pestillo de una puerta que se abre. Y el ruido mínimo de los goznes" (9). Las cosas vistas por una cámara que se desplaza o un *editing* que corta, intensifica el contenido subyacente donde el destino tiene la palabra. "*Quirófano.* Dentro, al otro lado de esta puerta, está el juego tremendo, agotador, hondo, de la vida y la muerte" (11). Como si la fotografiara y la documentara. "La agotadora tensión de las vísceras, de las células, de la carne rota, enferma y dolorida" (11), le da una intensidad sensorial y dramática al sufrimiento. Hasta llegar al autor que entra en escena, muerto ya en el momento de *nuestra lectura*: "El hombre (Mario) [José María Sanjuán] se acerca a una esquina del pasillo" (12). Pensándolo así la tensión se vuelve insostenible.

La ficción y la realidad conviven en un útero que podría ser unamuniano. No hay duda que estos seis capítulos que no tienen número, sino hora, son los mejores de la novela, como si se tratara del tic-tac de un reloj que marca el paso del tiempo, el de la ficción y la realidad. Escritos con la vida, llevan la rúbrica de la muerte. Es casi inaudito que el propio Sanjuán los hubiera escrito. La objetividad del texto impone la muerte. El concepto de *I am a camera* determina la escritura la mayor parte de las veces. "La habitación es cuadrada. Blanca. Los mosaicos brillan. Hay un mostrador lleno de cajones. Hay una camilla, cubierta con una sábana como un sudario. Y arriba el cartel que dice: *Prohibido fumar*" (65). La banda sonora, casi ausente, escribe: "Arriba, en el largo pasillo anegado de silencios, quizás se escuche, de tiempo en tiempo, un quejido, el ruido del somier, una tos" (66). A "las cuatro de la madrugada" el lector espera la mala noticia. Pero a "las seis de la madrugada" la acción se "anima" con la llegada de la policia y "con un bolígrafo de punta azul el cabo va anotando los nombres" que aparecen en pantalla. Una acción *noir* parece irse desarrollando como una hoja clínica con los nombres de las víctimas: es el informe judicial del crimen mientras la prosa poética, en colores, deja constancia fotográfica en una panorámica que resulta literariamente abstracta: "La madrugada se empieza a desangrar lentamente. El horizonte azul-leche se dibuja muy pálidamente al otro lado de los grandes ventanales"

(119). Pero a las "ocho de la mañana", en colores, "la mañana se estira piadosamente, azulenca, virgen todavía, cuajada de relevos, de prisas, de fichas, de dolor, de calmantes, de blancura en las paredes" (207): múltiples escenas rápidas se suceden hasta detenerse en el moscardón, más explícito: "El moscardón o la mosca (de las llamadas de *burro*) habrá muerto bajo la terrorífica luz-violeta de un tubo flourescente" (207). No es difícil imaginarlo y verlo porque la cámara del autor deja constancia de ello. La palabra quirófano, que se ha leído varias veces, se define: "En el quirófano se esconde el final de la aventura, el último eslabón que une la vida con la eternidad, el poster interrogante que separa la edad de las preguntas con la edad de las respuestas" (208). La inquietud metafísica se circunscribe a los objetos, la acción, el laboratorio: "La inyección, el calmante, los antibióticos, plasma, transfusiones" (209). La vida aprieta la garganta como si fuera la muerte. De paso, inunda. "Los teletipos del mundo están pregonando a estas mismas horas (cerca de las ocho de la mañana de un septiembre dolorido) cientos de muertos, Vietnam, Marruecos, Tel-Aviv, Cincinnnati, Melbourne… Cuerpos que se retuercen de dolor, miembros seccionados, una droga que cura el cáncer (¡¡mentira!!), el grito de una parturienta con factor RH, la vida que alumbra vagamente tras un cobertizo, un pinchazo, el fallo de la dirección, blancos, amarillos, negros. La civilización resuella" (210-211). A punto de morir, Sanjuán da en el blanco de sí mismo mientras cae en el abismo, como si su Jaguar lo estuviera lanzando por un precipicio. Cada palabra cuenta, cada palabra es, y las exclamaciones suenan. ¿Acaso "¡¡mentira!!" es una referencia "real" a la enfermedad incurable que se lo llevará de encuentro con la muerte? ¿Acaso la sobrevivida de Mario en la novela es un comentario irónico? O acaso, tal vez, la confirmación de su vida.

A las "diez de la mañana" se presenta una contradicción inesperada, como si Mario no quisiera estar muerto. Le ponen una inyección y el médico le dice: "Hoy ha vuelto a nacer" (252-253). Es una ficción. Es la ficción de una realidad que NADIE había escrito antes. Porque si Mario es José María y "ha vuelto a nacer", la vida escribe la muerte, o la muerte se escribe a sí misma. "¡¡Mentira!!", podría gritar, porque el planteamiento es la verdad de sí mismo, es inclusivo. El grito parece ser un yo del autor que grita, como si quisiera negar la verdad de su destino. La red metafísica de la novela se retuerce en el destino del autor, que niega y se afirma, como ahogado, del texto que lo resucita. Como el Caravaggio de San Juan Bautista, Sanjuán (y esto es una mera coincidencia entre nombre y apellido que me ha salido de pronto, sin pensarla) firma con sangre. Hasta que finalmente, a las "doce de la mañana", en pleno mediodía, retornamos a la ficción y podemos respirar: "Laura ha muerto" (216). La cámara filma. El moscardón resucita: "Zumba el moscardón sobre la blancura triste de los muros hospitalarios" (318) Mario recuerda. "Me gustaría descansar…" (321). "En el cruce de la Plaza de Castilla las gentes y los tranvías, los peatones y los autobuses forman un hormiguero casi impenetrable, la lluvia ha dejado brillante y estirado el pavimento, un semáforo acaba y un claxon ha roto el clamor gris de la media mañana" (321). Todo se puede ver. También se puede oír. Estamos allí. El autor hace un recuento. Como si negara los hechos, parece que va a repetir "¡¡Mentira!!" La presencia de Mario al timón es casi la confirmación de que no ha muerto. *I Am a Camera. Soy una cámara.* El "réquiem por todos nosotros" es casi un *happy ending.* Quizás no se muera en vano. Yo escribo a Sanjuán. Pero es inevitable: al final siempre aparece la palabra FIN.

OBRAS CITADAS

Almendros, Néstor. *Cinemanía.* Barcelona: Seix Barral, 1992.
Aumont, J. y Marie, M. *Análisis del film.* Barcelona: Paidos, 1993.
Cabrera Infante, Guillermo. *Un oficio del siglo XX.* Barcelona: Seix Barral, 1973.
Domingo, José. "Novela española, *Réquiem por todos nosotros,* de José María Sanjuán", publicado en la página cinco de *Insula,* N. 258. 1968.
Mata Induraín, Carlos. "*El ruido del Sol* de José María San Juan", Insula Barañaria, enero 23, 2014.
Sanjuán, José María. *Réquiem por todos nosotros.* Barcelona: Destino, 1968.

CAPÍTULO XV

Juan Goytisolo: el discurso fílmico-erótico de *Reivindicación del Conde don Julián*

Una Guerra Civil: tiranía y revolución

Nacido en Barcelona en 1931 hay en las primeras novelas de Goytisolo una franca tendencia social. Mi primer encuentro con su obra tuvo lugar con la lectura de *Duelo en el paraíso (1955),* que me pareció una muy buena novela donde la crueldad y la preocupación social, asociadas al hecho histórico de la Guerra Civil española, está trabajada con gran efectividad semejante a lo que hacían Carmen Laforet y Ana María Matute. Después escribe una serie de novelas testimoniales. Como se ha indicado, tras una pausa a partir de 1962 con la publicación de *Fin de fiesta,* abandona esta dirección de un realismo explícito, y con *Señas de identidad (1966)* da un salto hacia una novela más audaz y moderna, que lo vincula al *boom* de la narrativa hispanoamericana, con la cual la novela española de postguerra no estaba identificada. En la *Reivindicación del conde don Julián (1970)* propone el total holocausto de la civilización española a mano de los árabes, que también resulta inusitado.

De familia aristocrática convertida en clase media, sufrió las consecuencias inmediatas de la Guerra Civil. Su padre, franquista, autoritario y homofóbico, con el cual tenía relaciones muy negativas, fue hecho prisionero por los republicanos, mientras que su madre murió a consecuencias de un ataque aéreo de las fuerzas franquistas en 1938. Cuando tenía unos ocho años es víctima de los avances homosexuales de su abuelo, aunque no llegó a violarlo, según declaraciones de Goytisolo. En su juventud se hace miembro del partido comunista. Se va de España y se establece en Francia, donde mantiene relaciones de pareja con Monique Lange, a quien le declara su homosexualismo en una carta que le escribe en 1964. A pesar de ello, tras la confesión de Goytisolo y las dificultades que ello representa, los vínculos no quedarán rotos y contraerán matrimonio en la década siguiente. Viaja a Cuba después de la Revolución pero su último viaje tiene lugar en 1967, tres años antes de la publicación de *Reivindicación…* Mejor así, porque en la fecha de su publicación en 1970 la parametrización estaba en su apogeo, y su orientación sexual, por muy antifranquista que fuera, era más que objetable y estaba "parametrada". En 1985 publica sus memorias bajo el título de *Coto vedado.* Sus obras estuvieron prohibidas en España bajo el franquismo.

El trasfondo político, el franquismo de un lado y el castrismo en el otro extremo, van a jugar un papel dominante en este movimiento pendular de las letras españolas y latinoamericanas durante el siglo XX, y a pesar de la aparente contradicción hay muchos puntos en común, particularmente en lo que a la situación del escritor respecta y su sexualidad, que no se aceptaba como buena en ambos extremos del péndulo ideológico. El destierro se vuelve marca de fábrica.

Coto vedado

El episodio de la muerte de su madre, que tiene lugar cuando apenas tenía siete años, y que Juan Goytisolo recoge en *Coto vedado*, la narración autobiográfica donde da a conocer algunos aspectos sobresalientes de su vida, de una manera simple y directa sin la menor complejidad léxica, es una de las páginas más conmovedoras de toda su obra.

"La mañana del diecisiete de marzo de 1938, mi madre emprendió el viaje [a Barcelona] como de costumbre. Salió de la casa al romper el alba y, aunque conozco las trampas de la memoria y sus reconstrucciones ficticias, conservo el vivo recuerdo de haberme asomado a la ventana de mi cuarto mientras ella, la mujer en adelante desconocida, caminaba con su abrigo, sombrero, bolso, hacia la ausencia definitiva de nosotros y de ella misma: la abolición, el vacío, la nada. Resulta sin duda sospechoso que me hubiera despertado precisamente aquel día, y prevenido de la partida de mi madre por sus pasos o el ruido de la puerta, me hubiese levantado de la cama para seguirla con la vista. Sin embargo, la imagen es real y me llenó por algún tiempo de amargo remordimiento: no haberla llamado a gritos, exigido que renunciara al viaje. Probablemente fue fruto de un posterior mecanismo de culpa: una manera indirecta de reprocharme mi inercia, no haberle advertido del inminente peligro, no haber esbozado el gesto que, en mi imaginación, habría podido salvarla." "Como ocurrió su muerte, en qué lugar exacto cayó, adonde fue trasladada, en qué momento y circunstancias la reconocieron sus padres, es algo que no he sabido nunca ni sabré jamás. La desconocida que desaparecía de golpe de mi vida, lo hizo de forma discreta, lejos de nosotros, como para amortiguar con delicadeza el efecto que inevitablemente ocasionaría su marcha, pero adensando al mismo tiempo la oscuridad que en el futuro la envolvería y haría de ella una extraña: objeto de cábalas y conjeturas, explicaciones incompletas, hipótesis dudosas, indemostrables. Había ido de compras al centro de la ciudad y allí la pilló la llegada de los aviones, cerca del cruce de la Gran Vía con el Paseo de la Gracia […] Una extraña también para quienes, pasada la alerta, recogieron del suelo a aquella mujer, eternamente joven en la memoria de cuantos la conocieron, la señora que con abrigo, sombrero, zapatos de tacón se aferraba al bolso en que guardaba los regalos destinados a sus hijos… un libro de cuentos ilustrados para mí… El bolso negro vacío: todo lo que quedaba de ella. Su papel en la vida, en nuestra vida, había concluido de forma abrupta antes del desenlace del primer acto" (62-63).

Una secuencia espectacular, absolutamente fílmica, que se desliza con esa tensión del *suspense* que es la vida... Un niño en la ventana, una mujer que se aleja vista en panorámica a vista de pájaro, cartera, zapatos, la alarma de un bombrardeo, un avión, una bomba, una explosión, una mujer muerta... un libro de cuentos para niños. Una caracterización femenina envuelta en el misterio y en la niebla de la memoria, que se fija en la memoria de aquel niño que apenas tenía siete años de una manera simple y directa sin la menor complejidad léxica. ¿Cuáles serían las cábalas y las conjeturas? ¿Qué repercusión tendría aquel abrupto corte umbilical en el trauma síquico de Juan Goytisolo? ¿De qué forma se reflejaría en las páginas de su *Reivindicación?* Porque la novela es digna de un análisis siquiátrico.

Reivindicación: primero fue el caos

Novela caótica, es imprescindible poner un cierto orden y concierto en un texto formalmente dificilísimo. Contada en primera persona, la novela nos enfrenta al estado sicológico de un exiliado español que reside en Tánger durante el franquismo. Toda la acción de la novela, supuestamente, tiene lugar en menos de veinticuatro horas, desde que el narrador se levanta hasta que se acuesta. Ritual cotidiano, se supone que al día siguiente todo vuelva a repetirse, lo que acrecienta el efecto agónico del texto. Esa misma libertad lo lleva a asociaciones subconscientes, generalmente ricas en poder visual. Estas adoptan un carácter irreal, onírico, y a veces no sabemos si tienen lugar en la mente del personaje, o en la realidad presente o pasada.

La sexualidad permea la novela de principio a fin y parte de una experiencia homosexual que le ocurre al protagonista durante su adolescencia. Perteneciente a una familia de la clase media alta y educado dentro de las normas tradicionales de la cultura española, niño modelo, unido afectivamente a su madre, tiene un brusco despertar sexual al ser violado por un guardián de obras en el barrio donde transcurrió su infancia. El episodio ocurre cuando el niño trata de presenciar una relación heterosexual entre el guardián y una mujer que vive con él. El niño, atenazado por la curiosidad y por su naciente erotismo, no logra verlo. En su lugar es descubierto por la mujer, siendo expuesto por ella, de manera violenta, al sexo femenino. El choque lo lleva al rechazo, ocurriendo después la referida violación y el incidente marca un doble filo en el lenguaje de lo femenino y lo masculino.

El abuso sexual, que es una clave muy significativa en el desarrollo de la novela, tanto en lo externo como en lo interno, nos remite al episodio personal que le ocurre a Goytisolo y que narra en *Coto vedado*, que como bien reza la contraportada, "nos propone un itinerario hacia el núcleo último de una conciencia en búsqueda de su verdadera identidad". "Yo dormía a solas en la biblioteca despacho, en una cama turca arrinconada entre un mueble y la pared… Una noche, cuando la casa entera estaba a oscuras, recibí una visita. El abuelo, con su largo camisón blanco se acercó a la cabecera de la cama y se acomodó al borde del lecho… Yo estaba sorprendido con esta aparición insólita y, sobre todo, con el carácter furtivo de la misma. Vamos a jugar, decía… Se tendió a mi lado en el catre y deslizó suavemente la mano bajo mi pijama hasta tocarme el sexo, pero el temor y confusión me paralizaban…" (101). Este episodio que incluye masturbación y sexo oral, se repite varias veces, hasta que finalmente Goytisolo se lo dice a su hermano, y el padre de inmediato saca a su abuelo y su abuela de la casa. No sabemos la medida del trauma, pero Goytisolo se apiada por el abuelo mucho más que el padre, que él siente se ensañaba contra el anciano, no por ello desconociendo el abuso a que lo había sometido. Las implicaciones que este incidente tuvo o dejo de tener en la vida del escritor, no es lo que nos ocupa, sino la evolución transgresora que tiene lugar en las páginas de *Reivindicación* con todas las connotaciones que hay en esta palabra. Tan complejo es el discurso, que la relación del escritor con el machismo a ultranza del padre, que aceptaba como bueno que Mussolini mandara a "fusilar sin contemplación a todos los maricones" (105), y que a Goytisolo le producía profundo malestar, tiene un rechazo más intenso que la "pederastía compulsiva" (105) del abuelo, "aunque por aquellas fechas yo [Goytisolo] no tenía la más remota sospecha de mi sexualidad futura", que lo llevarán a escribir, sin dudas, muchas páginas de *Reivindicación*.

En la novela, la violación a la cual está sujeto el protagonista traumatiza toda la existencia posterior del personaje. Educado dentro de los cánones tradicionales españoles, no puede conciliar los deseos de su sexualidad enfrentándose a un doble conflicto de género que acrecienta un sentido de culpa, destructivo, debido al carácter homosexual de lo sucedido, viéndose en una encrucijada de atracción y rechazo. Incapaz de conciliar los elementos que han configurado su existencia, el personaje vive en un estado pesadillesco, verdadero infierno, donde los niveles de la fantasía y la realidad se confunden, y en los cuales hay una serie de imágenes recurrentes que lo obsesionan. Las consecuencias de todo esto, a nivel individual y sicológico, se ponen de manifiesto en un rechazo a la mujer, a la cual denigra, y una super-valorización de los atributos masculinos, que lo llevan a ubicarse dentro de un contexto cultural ajeno, ya que rechaza al suyo que a su vez lo rechaza. La novela se elabora en el vórtice del trauma. Sobre tales componentes, Goytisolo construye una novela de género, cuyo discurso, para decirlo con todas sus letras, es casi un manifiesto contra el coño. Las experiencias personales que narra el autor en *Coto vedado* muestran una confusa disonancia del deseo que se repele transitado por la culpa, que se pone de manifiesto en la disonancia caótica de una narración donde hay un constante desasosiego, una imposible armonía de eros, que lo llevan a la interpretación de la cultura y de la historia.

Este nivel sicológico individual se mueve paralelamente al nivel colectivo, e histórico, y al absoluto rechazo de su cultura. Es también un acto de repudio contra sí mismo y sus señas de identidad, que se vuelve más complejo y actual dentro del trasfondo musulmán que hay en la novela. De más está decir, que si no fuera poco la sacudida que ofrece desde el punto de vista del discurso homoerótico; la complejidad del desarrollo histórico y anti-cultural en términos tradicionales, el presente histórico de la "reivindicación del conde don Julián", le dan a la novela, de por sí, un impacto descojonante. Si la novela se las traía en el momento de su escritura, se vuelve ahora hasta profética en un mundo en crisis que propone el retorno al califato. Ya, desde mucho antes, Goytisolo articula la transferencia de la responsabilidad hacia la Patria, que considera culpable, y el narrador procede a la destrucción sistemática y obsesiva de todos sus valores, asociados en su vínculos más radicales con el franquismo. Esto pone de manifiesto lo jodida que es la escritura en su concomitancia con la historia, que a veces depara giros inesperados. Negando todas las normas del lenguaje, *Reivindicación* rechaza todo lo español tradicional, visto como causa de todos los males. Es un proceso de destrucción y autodestrucción, una pendiente que conduce al abismo. Con una picota demoledora, en la mejor tradición de los mejores escritores de habla hispana, Goytisolo no deja títere con cabeza, desde el romancero a nuestros días (y cuando digo nuestros días digo nuestros días). La novela se vuelve, realmente, una novela ensayo, interpretación de una cultura, verdadera guerra a muerte contra todos los valores establecidos, a partir de la mismísima Inmaculada Concepción de Ganivet que hemos discutido en otro de nuestros ensayos.

La complejidad formal no es gratuita. Si de un lado tenemos la vertiente colectiva que lleva al carácter ensayístico que hay en ella como síntesis, pero a la inversa, de la cultura española; del otro lado nos encontramos con una novela confesional autodestructora que parte del concepto de la culpa, tan enraizado en las más férreas tradiciones de la ascética hispánica, convirtiéndose por oposición en una novela eróticamente desaforada. La vertiente individual emerge del laberinto sicológico que asedia al protagonista, que lo lleva a un verdadero descenso a un Infierno dantesco.

Para lograr la perfecta correlación entre ambas vertientes, Goytisolo se vale de una constante descomposición de niveles verbales en correspondencia con la mayor libertad de asociación que no exige un orden lógico prefijado, dando lugar a un libre montaje de lo visual con lo textual que cubre lo individual y lo colectivo.

La concepción visual la hace eminentemente cinematográfica: es una narrativa que visualiza el concepto. Esto explica que desde el principio Goytisolo desarrolle el doble juego de planos exteriores e interiores que se alternan, correspondiendo los exteriores a la psiquis colectiva del personaje, mientras que los interiores se refieren a la psiquis individual. España, como madre y cuna de todos los males, es vista desde la panorámica mental del protagonista, que la presenta al otro lado del mar envuelta en todo un conjunto de fenómenos climatológicos sombríos; un escenario exterior que va y viene, obsesivamente, de acuerdo con el desequilibrio del narrador que describe el paisaje con una textura fotográfica y una luminosidad negativa. El plano interior está representado por la penumbra de la habitación, que corresponde a un estado mental alienatorio. Queda puesto de manifiesto mediante los niveles opuestos de la luz, un mundo frente al otro, aunque ambos están correlacionados. Las persianas entornadas de la ventana separan gráficamente esos dos planos fotográficos del mundo interior y exterior, siendo un punto intermedio el claroscuro de una caja de Pandora metafórica a punto de abrirse. El texto, en movimiento de cámara, recorre la habitación, destacando objetos diferentes que forman el inventario de lo que posee el personaje, que también lo caracteriza. Su inmovilidad en el lecho acrecienta la angustia del despertar, que se va desarrollando a cámara lenta y minuciosa, hasta que la ventana se abre y los dos planos, el exterior colectivo y el interior individual confluyen.

Cuando la luz entra también lo hace una imagen sonora: la melodía de la flauta, que hace juego con toda la simbología sexual que caracteriza la novela. Hay que aclarar que tanto la apretura visual (España como útero voraz y perverso) como el encantamiento que produce el sonido de la flauta (con su implicación erótico-pecaminosa de peligro latente) no son accidentales: son hechos medulares que se definen desde un principio. Todo va en absoluta correspondencia con el estado síquico del personaje. Teniendo en cuenta su percepción del mundo como desterrado político (expulsión del útero) y como homosexual (rechazo del útero), doble estado alienatorio, con una serie de conflictos ideológicos y sicológicos que emergen de su infancia y adolescencia, ubicadas dentro de una determinada cultura que la novela parece vomitar, no deben prejuzgarse todas las imágenes literarias sin contar todos los factores que llevan a un determinado enfoque, con el que podemos estar o no de acuerdo.

Tiene lugar así un penoso despertar cuyo primer paso es la apertura de la ventana, seguida por la salida a la calle. Entre una cosa y la otra ocurre una recogida de insectos, también expresada con minuciosidad visual. Hay que considerar, además, que a los hechos visuales inmediatos contrapone el novelista hechos visuales de libre asociación, que es su técnica narrativa, que amplían el significado restringido. De igual modo, un concepto, una idea, o un texto literario que procede de otra obra, puede interrumpir la línea visual mediante una referencia verbal, textual, literaria, formada a su vez, esta última, por un constante juego intertextual que complica el desarrollo.

Paradójicamente, a pesar de su crítica a la erudición ajena, la novela es el producto también de la erudición del propio Goytisolo, ya que trabaja con un intertexto mediante el cual otros autores pasan a formar parte de su narrativa. La secuencia inicial del "sablista", representado por el sefardita (inmigrante hebreo, visto negativamente) que lo persigue por las calles de Tánger, está relacionada con un artículo de Mariano José de Larra *(Fígaro),* el costumbrista español del siglo XIX, intercalado libremente a medida que la acción se desarrolla por un laberinto callejero. Tenemos así un episodio específico entre el narrador y el hombre que le pide dinero ("sablista") donde entran en juego (a) la narración del episodio en sí mismo; (b) el lenguaje arcaico del "sablista"; (c) la intertextualidad larriana; (d) el uso de un lenguaje metafórico relacionado con la esgrima ("peto", "manopla", "sable", etc); (c) la constante presencia de detalles diversos relacionados con el laberinto de las calles de Tánger, visualmente vívida; con lo cual acabamos por darnos cuenta de la compleja estructura de la obra, que pide del lector un constante esfuerzo analítico.

Un salto a la otra orilla: intertextualidad "boom"

La importancia del *boom* como determinante de la valoración del texto es factor determinante en el caso de Goytisolo. Detrás de esto hay además fuertes razones políticas. El *boom* representa un salto a la otra orilla, donde no hay que perder de vista la sacudida que marca la revolución cubana, aunque estéticamente la experimentación verbal representase todo lo contrario. En franca oposición a la hegemonía norteamericana, con la cual por razones tanto prácticas como ideológicas (bueno, más prácticas que ideológicas la mayor parte de las veces) nadie quería identificarse, el *boom* se convierte en un hecho político. Entre otras razones, por aquello de David y Goliat y ponerle rabo a los "americanos". Por lo tanto, la revolución cubana le venía al *boom* como anillo al dedo, hasta que gradualmente el castrismo, que jugó un papel protagónico en la manipulación de los intelectuales, realizada con suma eficacia, empezó a apretar los tornillos, porque aquello iba en serio y no era ningún juego de palabras. Y no digo esto para poner en tela de juicio la integridad intelectual de Goytisolo, porque *Reivindicación* destila una autenticidad que va a la médula de los huesos, y este no es el caso.

El "*boom*" latinoamericano pone de moda la intertextualidad forzosa, anónima o no, que acrecienta el papel protagónico del lenguaje. La novela española de posguerra, muy afincada en el realismo y en un discurso más directo, encerrada en sus propios límites peninsulares, muestra mayor resistencia a una experimentación que, con frecuencia, esconde un discurso que no dice nada. Aunque ciertamente *Reivindicación* dice mucho, representa una auténtica zambullida en los principios del *"boom"* y nunca es decir por decir sin decir ni pío.

Toda la intertextualidad de la novela se acrecienta gracias a las complejidades del lenguaje: entremezcla el francés, asociado al discurso turístico medieval del Camino de Santiago, que mezcla con el discurso gastronómico, el cual le sirve para parodiar las crónicas de Alfonso el Sabio. Hay toda una mezcla de textos que se superimponen unos con otros de forma casi demencial, hasta traspasar el espacio geográfico y localizarse en México. Llamando a los españoles "carpetos", "raza comedora de garbanzos", salta a referencias históricas como el "vivan las cadenas" de la época de Fernando VII. El narrador mismo reconocerá que se trata de una metamorfosis y descaracterización histórica que es una nueva novela histórica. Dentro de una geografía específica donde la acción se desarrolla como en un campo de batalla (Moncayo, Guadarrama), llama al Apóstol Santiago "apóstol del garbanzo" y establece múltiples relaciones de la más variada naturaleza que culminarán en la destrucción del paisaje castellano por las huestes musulmanas, con las correspondientes referencias bélicas. Utilizando un pasaje de la novela picaresca *El Diablo Cojuelo* de Luis Pérez de Guevara, da un gran salto intertextual para ubicarse en Madrid, donde en "Garbanzote de la Mancha", satiriza a Galdós y a Cervantes, mediante procedimientos de técnica *boom* en los cuales todo vale para desarrollar un proceso destructivo absoluto, desde Séneca a la retórica de los críticos del momento y la marcha de "El puente sobre el río Kwai".

En la breve parte que comienza diciendo "en la vieja e inhóspita biblioteca", arremete ferozmente contra "los abusos del verbo" de la retórica española (que el propio Goytisolo utiliza de forma delirante como marca de fábrica de la postmodernidad donde el texto se convierte en protagonista) y el párrafo es un violento discurso denigratorio comparable a los que hace respecto al sexo femenino. Toma posteriormente un texto de García Morente, que transcribe directamente, "decálogo del perfecto caballero cristiano", íntimamente asociado al franquismo, que lo utilizó como medio para mantener los valores tradicionales de la conducta masculina. A través de la caracterización de don Álvaro Peranzules, que personifica el concepto, lo somete a un proceso de caricaturización, que completa transcribiendo un poema de Enrique López Alarcón, hasta que, de pronto, mediante una transición violenta y un montaje absolutamente libre, introduce el erótico y degradante destape de Isabel la Católica.

La ruptura que significa su novela *Señas de identidad,* que se basa en el desarraigo y la relación irreconciliable con el pasado, va a dar un salto monumental hasta que llega a la *Reivindicación,* donde el trauma del destierro se va a convertir en delito de traición. Se puede decir, además, que representa una evolución, o lo que es más, un cambio total de giro, casi un gesto de rebelión con su propia obra, como ocurre si le echamos un vistazo comparativo con *Duelo en el paraíso,* estructurada dentro del marco de la racionalidad de la escritura. Pero la paradoja está en que, como escritor español, Goytisolo la escribe desde fuera, en el destierro, impuesto o auto-impuesto, dándole un giro absoluto a la historia al discurso oficial. Es básicamente una novela que rechaza la propuesta nacionalista y le declara la guerra a la identidad nacional implantada por un régimen de facto, el franquismo, y termina escribiendo, quieras o no, la novela del desterrado.

Esto nos lleva a la profunda contradicción, individual y colectiva, que todo esto representa, el péndulo más dramático (entre la realidad y la ficción) de *Reivindicación*. Como si estuviera atrapado en un vórtice de contradicciones, no hay escapatoria. Precisamente a principios de los setenta, en el apogeo de la represión castrista, Castro deja bien establecido la contradicción ideológica de la sexualidad: no es posible, según el discurso oficial cubano, ser revolucionario y homosexual al mismo tiempo. Esta idea subyace (no sé si Franco lo dijo tan explícitamente y con todas sus letras) en el discurso franquista y en la identidad nacional española más conservadora. No tengo la menor idea de lo que Goytisolo pudiera pensar de todo esto, pero mucho dudo que, tras conocer a un monstruo, pudiera identificarse con otro de similar calaña.

Lo cierto es que *Reivindicación del conde don Julián* es una novela que va a las raíces del desterrado y lo hace en convivencia con un discurso homoerótico: lo que simple y llanamente propone es que los árabes invadan España y le den por el culo. Lo que no sé es si Goytisolo se diera cuenta (y esto lo digo ahora con conciencia de que ya falleció), que su propuesta, casi medio siglo después, es francamente una premonición desoladora, porque ampliándola un poquito, dadas las circunstancias actuales y las "mejores" intenciones del Estado Islámico, lo que se propone está en peligro de hacerse realidad, no sólo con respecto a España sino también con toda la civilización occidental, incluso el trumpismo. De ahí que la novela, más inquietante y desoladora no pueda ser. Una sexualidad oculta yace también en el quehacer político.

Objeto de innumerables estudios críticos, no pretendemos ni sentar cátedra sobre la novela ni ir sobre todas las consecuencias, sino desentrañar algunos vericuetos que a veces parecen inasequibles, y destacar además su deliberada concepción fílmica que no ha sido debidamente desentrañada, aplicando a la crítica algunos recursos de la propia novela. Goytisolo reconoce la complejidad del análisis. "Este libro, como otras obras de la novelística actual, admite y se propone una pluralidad de lecturas; oscila a la vez de la poesía a la crítica, del sicoanálisis a la interpretación histórica. Su lenguaje es un lenguaje deliberadamente polisémico, totalizante, que catapulta la significación más ambigua y connotativa" (142-143); aspectos que nos proponemos tener en cuenta en nuestro análisis. También, como observa Matilde Albert Robato, la "estructura abierta que permite diversos acercamientos por parte del lector" (151), justifica los puntos de vista, incluso en el caso de un solo lector, que en este caso sería yo. Como también afirma Robato, "Pasado, presente y futuro se suceden sin aparente orden, pero respondiendo a los intereses internos de la narración y, a la vez, ofrecen al lector diversas claves interpretativas" (150), hasta el punto que el crítico tiene que limitarse a unas pocas pautas entre las muchas que se ofrecen. En opinión de Gonzalo Sobejano, "tanto la variedad de fuentes como las mutaciones de la persona gramatical, como, más importante aún, los cambios de encuadre espacial y temporal cumplen una función integradora de indudable poderío sinfónico" (41). Todo esto y más lo logra Goytisolo por "la pluralidad de significados de una misma palabra", "real, sexual y mítico", según criterio de Robato, que compartimos, debido también a que "si bien la historia es el 'mito' del libro, el lenguaje es su 'tema'" (195), según criterio de José María Castelet.

PRIMERA PARTE: HACER CINE

"tierra ingrata, entre todas espurias…"

La concepción gráfica de la novela la hace eminentemente fílmica, ya que la mayor parte de sus conceptos pueden fácilmente visualizarse. Desde el principio desarrolla Goytisolo un doble juego de planos exteriores e interiores que se alternan, correspondiendo los primeros a la siquis colectiva del personaje, mientras que los interiores corresponden a la individual. España, es vista desde la panorámica mental del protagonista, que la presenta al otro lado del mar envuelta en todo un conjunto de fenómenos climatológicos sombríos. Compone así un escenario exterior que va y viene obsesivamente, de acuerdo con un estado emocional individual, que describe el paisaje con una cierta luminosidad negativa y una textura casi fotográfica.

Por el contrario, el nivel interior está presentado por la penumbra de la habitación representativa de un estado mental alienatorio, como si lo apresara. Se ponen de manifiesto dos niveles opuestos de la luz (la textura visual del texto), un mundo frente al otro, ambos correlacionados. Las persianas entornadas, en primer plano, separan geográficamente esos dos planos del mundo, exterior vs. interior, siendo un punto intermedio en el claroscuro de una caja de Pandora a punto de abrirse. El texto recorre la habitación con un movimiento de cámara, destacando primeros planos de objetos diferentes que forman el Inventario de lo que posee el personaje. Su movilidad en el lecho acrecienta la lucha del despertar, desarrollado a cámara lenta y minuciosa, hasta que la ventana se abre y los dos planos, el exterior-colectivo y el interior-individual, confluyen. Es como si abriera los ojos.

"abierta la ventana..."

Cuando se abre la ventana entra una imagen sonora: la melodía de la flauta que hace juego con toda la simbología sexual que caracteriza la novela. Tanto la apertura visual (España como útero voraz y perverso) acompañada con el fondo musical que produce el sonido de la flauta (con su implicación transgresora) nos representan una composición fortuita: va en total correspondencia con el estado mental. La percepción negativa de lo femenino emerge de la siquis, relacionada con una serie de factores más ampliamente expresados en la última parte de la novela, que corresponden con la homosexualidad del narrador que es, por consiguiente, importante. Determina el carácter de las imágenes literarias, que no se manifiestan gratuitamente para chocar con el lector, ya que van en absoluta correspondencia con la caracterización acorde con la complejidad sicológica del personaje (existencia sexual y política, su biología y su sicología) que lo llevan a configurar imágenes literarias de esta forma y no de otra. Teniendo en cuenta su percepción del mundo como desterrado político y como homosexual, el estado alienatorio refleja conflictos personales e ideológicos que emergen de su infancia, de un lado, y de la cultura, del otro. Tiene lugar así un penoso despertar, cuyo primer paso es la apertura de la ventana.

Entre una cosa y la otra, ocurre la recogida de los insectos, también expresada con minuciosidad. A las percepciones inmediatas contrapone hechos visuales asociados libremente con lo que ocurre, que amplían el significado. De ahí que las imágenes de los insectos están visualmente en contrapunto con la erupción volcánica de Pompeya. Esta libre yuxtaposición refleja un sistema de montaje fílmico. De igual modo, un concepto, una idea, o un texto literario que procede de alguna otra fuente, interrumpe la línea visual mediante una línea verbal, textual y literaria. No se trata de imágenes ópticas que se alternan visualmente por gusto, sino con un juego intertextual tomado de otras obras, que configuran un nuevo lenguaje.

"manopla" y "sable"

La novela es también el producto de la erudición de propio Goytisolo que, paradójicamente, mientras critica la erudición trabaja con ella con una técnica intertextual mediante la cual otros autores se integran independientemente a la narratología. La secuencia inicial del "sablista" representado por el sefardita (inmigrante hebreo) que lo persigue por las calles, está relacionada con un artículo de Mariano José de Larra intercalado a medida que la acción se desarrolla por el laberinto callejero, como si el laberinto visual construyera lo literario. Tenemos así que en el episodio específico entre el narrador y el "sablista", entran en juego (a) la narración del episodio en sí mismo; (b) el diálogo con el uso del lenguaje arcaico del "sablista"; (c) lo descriptivo -presencia de detalles relacionados con los laberintos de la ciudad; (d) la intertextualidad, ya que entra en juego la escritura de Larra; (e) el uso de un lenguaje metafórico relacionado con la esgrima ("manopla", "sable"), que es una alusión al "sablista" como depredador –lo que requiere del lector un constante esfuerzo interpretativo. Sin contar las asociaciones del subconsciente, opticamente impactantes, que adoptan un carácter irreal, onírico, que a veces no sabemos si tienen lugar en la mente del personaje o en una realidad concreta presente o pasada. Este es el caso del gato muerto apaleado por los niños, que lleva al vínculo entre el protagonista y el niño (es decir, el narrador mismo cuando era niño), víctima de la crueldad, que aparece representada "en pantalla" por el gato maltratado (que configura el estado mental del personaje). Diestramente, Goytisolo trabaja con un intercambio de planos literariamente complicados.

"el látigo"

Antes de llegar a la biblioteca, que es uno de los momentos más importantes de la primera parte, el carácter intertextual se vuelve más marcado, dándole a la novela extraordinaria movilidad léxica, profundidad conceptual y agresividad en sus relaciones directas con el lector. No hay orden, porque el tiempo y el espacio se mueven libremente, y lo mismo puede hacer una referencia retrospectiva al Siglo de Oro (particularmente a Góngora), o a cualquier época y lugar, incluyendo el franquismo. Esta composición estructural múltiple, dentro del marco inmediato de Tánger como escenario, no carece de una intención chocante, ofensiva. La conciencia colectiva lo lleva a rechazar todos los valores "sagrados" establecidos por la cultura, incluso el machismo, y el piropo como agentes del mismo, forma arquetípica de la masculinidad del hombre español. Arma de doble filo en sí mismo, la mujer no va a salvarse de la agresión. Ataca al hombre como agente de la ofensa, resultando ofensivo con todo el mundo. Goytisolo, como Cela, no puede separar la novela del concepto cultural total, y sus personajes y situaciones son parte de un microcosmo que representa la totalidad española. Pero si Cela, particularmente en *La familia de Pascual Duarte* y *La colmena,* para citar dos casos sobresalientes de la novela española de posguerra, lo hace desde una perspectiva heterosexual a veces descarnada, que marca la acción; Goytisolo, en un punto cronológico ulterior, propone una ofensiva homoerótica radical, una total inversión cultural.

La concepción visual de este episodio es decididamente fílmica, (a) a partir del recorrido callejero tangerino, exterior, con referencias homosexuales ("bares ingleses") relacionadas con el joven y atractivo deportista árabe como "objeto" visual; (b) primer interior: el claustrofóbico lugar donde lo van a inyectar, para hacerle el análisis serológico (que tiene sus implicaciones sexuales); (c) primer plano del tarro de vidrio, que es parte de la concepción fílmica; (c) disolvencia sicológica, "flashback", clase de Ciencias Naturales: caras de niños, maestro, tarro de vidrio con el escorpión (énfasis en la pinzas), dispuesto a enterrar el veneno en la víctima –inaculación, evasión sicológica utilizando una imagen del pasado que lo persigue y que se repetirá una y otra vez, de carácter subconsciente (todo con implícitas alusiones sexuales) y surrealistas (f), disolvencia del tarro de vidrio, que lo devuelve al presente; (g) vuelta al interior claustrofóbico, (g) luz, salida a la calle. El complejo carácter de esta secuencia denota un tratamiento fílmico de la narrativa, pero vista desde el interior de un trauma.

La referencia al látigo y al acto mismo que tiene lugar, es el corte onírico-fantástico que lleva a la aparición del niño que va a servirle de guía y que en última instancia no es más que un espejo de sí mismo: la memoria del abuso sexual, el látigo de España, que son dos claves recurrentes del conflicto que atraviesa el personaje, relacionadas con el niño que fué y procede de la nada; látigo masculino que es fuente de dolor y culpa, pero también vehículo del placer. Tras nuevos recorridos por las calles de Tánger, está la referencia a los niños aprendices, que es otro descenso al Infierno. Los aprendices deglutidos son otra proyección de un determinismo frente al cual el protagonista se ve devorado. Pero todo esto debe "verse" como un montaje síquico de consistencia fílmica que es una percepción del mundo del propio autor en las páginas de una novela que parece un exorcismo.

"pisando la dudosa luz del día..."

Con estos versos de Góngora, Goytisolo nos lleva hacia la biblioteca y vemos al narrador dar pasos concretos a través de la puerta. Pero en realidad, nos conduce a un holocausto intertextual. Hay diversas referencias a los lectores, de pasada, con énfasis al guardián, que adquiere un carácter grotesco. Pero en última instancia, la secuencia es relativamente simple. El narrador hace trizas a todos los clásicos de la cultura española, encabezados por Séneca. Calderón, Tirso y Lope son objetos de escarnio, así como los valores culturales o los escenarios con ellos asociados. Sigue con el 98 y, después, con Ortega y Gasset, así como aquellas instituciones contemporáneas que representan el discurso oficial. Metafóricamente realiza la decapitación (¿islámica?) de toda la cultura española, un genocidio intelectual, una profanación al colocar insectos muertos en las páginas que representan la herencia cultural de la nación. ¿Terrorismo? ¿Aniquilación masiva? ¿Delito de traición? Lo que Goytisolo propone es un genocidio, donde nada quede en pie, ya sea sonetos o endecasílabos. Terrorismo cultural, la propuesta de Juan Goytisolo es una reivindicación que se las trae.

"James Bond. Operación Trueno"

Aunque esta secuencia se origina a partir de una referencia intertextual gongorina ("enredados aún en tu memoria"), la misma va a conducirnos a la OPERACIÓN TRUENO, que forma parte de una intertextualidad fílmica dominada por James Bond, con el cual compone la metáfora inicial del deseo sexual que lo impulsa hacia Bond.

Podemos considerar que hay en el proceso una suplantación de lo textual por lo visual, dirigiéndose este segmento a lo segundo. La narración fragmentada (que seguimos en nuestra interpretación crítica) está formada por un absoluta libertad de ideas y conceptos, con referencias literarias y fílmicas, con cortes a imágenes visuales reales e imaginarias. De ahí que el anuncio de Bond aparezca una y otra vez por las calles de Tánger, alternando por cientos de detalles menores, saltando libremente del pasado al presente y a cualquier otro lugar, que bien pudiera componer un guion. El protagonista nos hace recorrer un laberinto móvil que va de un lugar a otro. Esta movilidad es conciencia de cine, con referencias concretas a figuras contemporáneas, en particular de los deportes, entre los cuales se desliza la imagen de Tariq (Ulyan, Urbano o Julián), que constituye otra de las identificaciones familiares del narrador. Vietnam, Estados Unidos, entran en las referencias. Los clásicos latinos y los españoles aparecen unos al lado del otro y en pantalla.

Por consiguiente no es casual que entre en el cine a ver la película JAMES BOND, OPERACIÓN TRUENO, que funciona como fantasía-cópula heterosexual, de la cual el narrador no es participante sino observador. De esta manera el narrador distanciado observa el acto, como *vouyerista.* Transfiere la masculinidad arquetípica a un narrador que aparece en pantalla, personaje foráneo, anglo, que no está sujeto a la degradación de la americana en el Gran Zoco, "Hecho en Hollywood", con el cual identifica la escala de máximo poder erótico del superhombre, que tiene la más absoluta seguridad en todos los actos que realiza. James Bond es todo lo que no es él: nada menos que todo un hombre en el sentido tradicional del término, un ícono objeto de adoración sexual. Pero, además, es un extranjero –y un extranjero en una pantalla gigantesca en technicolor. De esta forma, el narrador no puede escapar del complejo estado de traumatización en que se encuentra, en plena autodestrucción y negación de su identidad biológica. De paso, aunque rechaza el machismo hispánico (representado por el franquismo), al que está genéticamente asociado, acepta el machismo de Tariq (árabe) y el de Bond (anglo).

La concepción laberíntica y caótica se reitera en adicionales recorridos textuales que se prolongan en un fluir de la conciencia convertido en el interminable *travelling* de una cámara supervisada por James Bond, ese arquetipo del "macho" fílmico "made in Hollywood", y pasa nuevamente por el anuncio de JAMES BOND, OPERACIÓN TRUENO, y después sigue de largo de una cosa a la otra, vertiginosamente: diálogos diversos sobre temas múltiples, incluyendo los urinarios de oro que proponía Lenin; secuencias escatológicas donde no faltan detalles vinculados a la homosexualidad; descripción minuciosa del acto de orinar; interacción en la composición del texto donde lo vulgar y la erudición literarias se entrecruzan. A esto se unen referencias retrospectivas, como es el caso del látigo, relacionado con el pasado del personaje donde la culpa y la (homo)sexualidad castigada forman parte del diálogo homoerótico del proceso de reivindicativo y exorcista de la *Reivindicación.*

Finalmente el movimiento constante (el de una cámara que, sin cortes, se desplaza de una callejuela a la que le sigue), nos lleva al Gran Zoco, en el que la narración se detiene para desarrollar un acto de repudio turístico que toma como modelo secuencias "de cine", especialmente Hollywood, e inclusive Hitchcock *(¿The Man Who Knew Too Much?).* Visto así, el grupo de turistas tiene una gran fuerza visual cinematográfica, como si estuviera componiendo un texto para ser filmado: (a) los diferentes turistas, algunos con detalles específicos que hacen más marcada su caricaturización; (b) el guía hablando en inglés: cuyo discurso es interrumpido por detalles locales que componen la escena; (c) la turista americana, vista distorsiónadamente, casi a modo de un pintor germánico amante del grotesco visual: en otras palabras, el tradicional acto de repudio a los "americanos USA" –pero tomando como recurso, precisamente, el cine norteamericano: James Bond.

"el carrete no corre ya; el plano es fijo…"

Esta acumulación de datos, como quien está bajo el efecto de un alucinógeno, nos reintegra al Gran Zoco, con apariciones y desapariciones del niño dentro de una realidad incierta. El escenario turístico y colectivo, a modo de panorámica, con un movimiento de cámara hacia la Hija de la Revolución Americana, a pesar de su deliberada y estereotipada condición funciona como gran guiñol, gran grotesco. La conciencia cinematográfica de la filmación se hace evidente cuando dice que "el carrete no corre ya; el plano es fijo", como si la narración funcionara en cámara lenta. Aunque la técnica y la situación son imaginativas, los símbolos sexuales primarios resultan muchas veces obvios y manidos, y terminan en el lugar común de la serpiente fálica.

Le corresponde al lector determinar las motivaciones del narrador con el propósito de someter a la mujer a un proceso de degradación pública. El narrador trabaja constantemente con la obvia oposición serpiente-gruta (sexo masculino, sexo femenino) con la explícita degradación de lo segundo y transfiriendo el proceso de violación subconsciente de un sexo al otro. En este caso, el texto es una acometida sexual abusiva que lleva a efecto un acto de degradación sexual, una violación anatómica y fisiológica de la mujer, una venganza de género con referencia al propio trauma del protagonista. Si la sexualidad masculina resulta inmune, el discurso se vuelve homoeróticamente machista, una transferencia del machismo en contra del coño. Refleja subconscientemente, pero a la inversa, en negativo modo, un proceso de auto-degradación que lo desgarra, experiencias culturales que tienen un origen histórico asimilado a la siquis de la escritura, que se hace pública: la degradación anatómico-fisiológica de la mujer, con la cual sostiene una lucha violenta. En otras palabras: la violación pública también degradante de la mujer en la plaza no es sólo la de ella, sino la del narrador. El subconsciente adquiere la máscara del desdoblamiento de forma vengativa. Degradando a la mujer también se degrada a sí mismo, en plan de intercambio que se asimila pero se rechaza, "víctima" del poder de la serpiente. Utiliza a la mujer como meta de la ofensa, pero él es ella, ya que está reviviendo su placer, su culpa y su castigo, expuesto públicamente como si de esa forma pudiera llevar a efecto un exorcismo, como ocurre en sí mismo con la novela. Pero llevar a efecto la "confesión" indirecta en el plano mental, no lo libera de nada.

"happening macabro"

En una nueva secuencia que representa una transición, todo el proceso imaginativo que lo llevó a narrar "el macabro happening" de el Gran Zoco desaparece y la narración vuelve a la normalidad, que lleva a la reaparición del niño, que es el propio protagonista. Este niño delgado, bien vestido, educado, procede de un lugar en el pasado que él (al modo que diría Cervantes) no quisiera acordarse –pero se acuerda. Es evidente que el narrador quiere hacerle frente a un punto en el pasado que al mismo tiempo quisiera olvidar. La imagen de pájaros borrachos encerrados en una jaula, parece ser una metáfora representativa de la existencia previa del personaje, de su ser infantil enjaulado. Pero la salida es una salida vinculada al "pecado" original: va a ver al encantador de serpientes. Entonces, al tener lugar esta referencia, se reconoce la imagen superpuesta de lo que ha ocurrido en el Gran Zoco. La serpiente es una presencia retrospectiva, un "flashback": el guardia pederasta es el mismo que lo violó cuando niño: una serpiente es la otra. La serpiente es la que ya conocía. La transferencia de la culpa a la "gruta" femenina tiene lugar a través de la mujer en el Gran Zoco, que lo lleva a la denigración del sexo femenino. Es el discurso subconsciente de una denigración que no puede mirar cara a cara. No es un discurso machista genérico, sino uno específico de acuerdo con los hechos y la situación que ha vivido el personaje. Se recrea a la inversa el episodio del narrador y el guardia de obras mediante un proceso de identificación y rechazo. El narrador se encuentra atrapado en las redes de un pasado sicológico infantil que se extiende a un presente adulto que no le da la completa y debida solución a su problema. No logra una conciliación consigo mismo. Todas estas elucubraciones no son más que una negación consciente o subconsciente de aquella primera experiencia con el guardia de obras y el enfrentamiento de su homosexualidad. El peso de la cultura, sus leyes individuales y colectivas rígidas que lo condenan y no lo absuelven; constituyen la gran opresión del subconsciente que sólo podrá resolver mediante la "reivindicación". Lógicamente el rechazo total de los valores nacionales sólo puede resolverse mediante la entrega pública al "enemigo".

SEGUNDA PARTE: INTERNALIZACION

Al iniciar la segunda parte diciendo "hacia adentro, hacia adentro", indica el narrador que se está acentuando el proceso de internalización que comienza en la primera. Se acrecienta la relación narrador-Tariq, que es parte del constante juego de metamórfosis. Todo es objeto de una constante transformación. Es la novela de la metamórfosis. Nada se puede predecir. Todo puede pasar. Lo más inesperado puede saltar en cada página. Pero es también la novela fílmica, de las imágenes suceden, primeros planos, planos medios, planos generales que van por acumulación, en un vértigo, unos detrás del otro. Todo rápido. Cortado. Contemporáneo. Visualización más que caracterización.

El protagonista se sumerge en su mundo interior en un café tangerino, mientras mira la televisión y fuma Kif, una hierba que acrecienta el estado alucinójeno de una narración sin puntos ni comas, un "happening" destructor de todos los valores establecidos que se contagia de un "hacer el amor" californiano, sin ética, sin fronteras y sin límites.

Pero no estamos en California. Las múltiples imágenes de la vida española del momento, vistas a través de la "pantalla", se van alternando con la realidad del café, hasta que saltan a la reaparición del niño, imagen recurrente del subconsciente. Este niño es el propio narrador un cuarto de siglo atrás, lo que él fue. Inevitablemente vuelve el motivo de la clase de Ciencias Naturales, en un discurso narrativo alterno: "caracteres de los dípteros", "morfología del escorpión", etc. Aditivamente, como si estuviera bajo el efecto de una droga, todo se ve en su condición biológica, como si fuera a traicionarse. Por eso, se pasa a la descripción científica del animal correspondiente, llegando finalmente a referencias botánicas. La composición literaria nos va sumergiendo gradualmente en el ambiente terrible de la clase de Ciencias Naturales, que es una imagen obsesiva en la novela, presidida por la figura siniestra del profesor como agente totalitario, arquetipo del poder y la tortura falangista. Es una proyección de variaciones sobre el mismo motivo de la autoridad, el profesor mismo, un monarca español, una representación franquista: una figura única que se asocia a todas las variantes de la intolerancia de la historia española, una tortura de la realidad y de la memoria, incluyendo la memoria histórica. Cuando tiene lugar el desmayo del niño, que es el narrador que recuerda el episodio traumatizante, en realidad es él quien se ve devorado y aguijoneado por el escorpión.

En un corte cinematográfico, salta la narrativa a la realidad tangerina ("respirando el alivio cuando sale a la calle"), pero de inmediato retrocede a recuerdos de la infancia, que lo asaltan, viéndose de nuevo en el barrio familiar donde vivió un cuarto de siglo atrás. La memoria es el presente. Se repite el episodio de la clase de Ciencias Naturales y el cuento de Caperucita Roja, que será otra narrativa recurrente. Se entremezcla con el diálogo de las mujeres donde se cuentan, de manera confusa, las relaciones sexuales del guardián de obras. Este diálogo está visto embrolladamente como lo oiría un niño, sin entender del todo, acompañado de la distorsión que produce la memoria, como en los sueños.

Todo confusamente narrado, como quien descubre un misterio: la ansiedad del niño que presencia la cópula, escondido detrás de las tablas, tratando de descifrar el enigma, que lo desconcierta. Culmina cuando la mujer lo ve y lo mete debajo de la falda. Como si las tomara de algún diccionario, en la mejor tradición de la palabra, hay descripciones del sexo femenino como quién sale, teóricamente, de la ignorancia. No van a faltar, en toda esta traumatización personal e histórica, una compleja invocación al matricidio y al parricidio: una degradación de los atributos masculinos españoles y una exaltación de los atributos masculinos árabes, en la constante del vejamen que configura el discurso visual homoerótico que es la novela. Es una sesión siquiátrica en el cual el narrador se "desnuda" bajo la hipnosis del gabinete en un devenir del subconsciente que es el exorcismo de una novela psicoanalítica.

La violenta sacudida lo reintegra nuevamente a Tanger, con nuevas referencias a motivos locales presentados en la primera parte, como la reaparición del "sablista". La iglesia en especial adquiere un espacio más amplio, y el sermón del sacerdote, interrumpido por paréntesis que forman parte el fluir de la conciencia, acrecienta el discernimiento de la culpa, ya que destaca los "pecados de la carne". Entre la Virgen y la referencia a Mrs. Putifar (asociada con la mujer con la cual se acuesta el guardián), todo este proceso, construye el brutal despertar de la sexualidad como un choque, una bofetada, un trompón, que determina su anulación defensiva en el niño: la narrativa "real" que hay en el episodio se transforma en narrativa "síquica": el enfrentamiento con un coño desconocido que conduce al pánico.

La segunda parte de esta jornada, que se inicia con "los infantiles rostros aplicados..." tiene un carácter más general de descaracterización histórica. La conciencia del montaje, del *editing* fílmico, se pone de manifiesto explícitamente mediante la "imagen", ya que el principal punto de partida surge de la pantalla del televisor del café, donde se proyecta un documental sobre Séneca. Séneca, como figura representativa del estoicismo español, le sirve a Goytisolo para hacerlo añicos. Todos los principios del senequismo son objeto de burla, que los identifica con las figuras más diversas: toreros como Manolete y Lagartijo; personajes de la historia contemporánea como Francisco Franco o Juan Carlos de Borbón, sujetos a una visualización conceptual. Esto incluye al narrador mismo, como Alvarito, que también es a veces don Álvaro Peranzules Senior. Esta técnica donde se pone en práctica una constante irreverencia culmina en la conversación entre Séneca Senior y Séneca Junior, en la cual se lleva a efecto una parodia del concepto del honor en la literatura española al asociar estos valores con el sitio del Alcázar durante la Guerra Civil. Al tratarse de un proceso metamórfico que se visualiza, Goytisolo trabaja con componentes mediáticos que le dan forma objetiva al concepto. Referencias más recientes (el referéndum que tiene lugar en España en 1966, que le dio oportunidad de votar "sí" o "no" por Franco a los efectos de mantenerse en el poder) le dan actualidad visual, como si se proyectara en "pantalla" el episodio: un corte "gráfico" como devenir visual de la novela.

TERCERA PARTE:
CINE DOCUMENTAL Y NOVELA HISTÓRICA

Esta tercera jornada (si es que pudiéramos llamarla así) representa la culminación del proceso interior que confusamente se va desarrollando en la mente del protagonista durante las dos partes que la preceden. El estado sicológico se transforma en violenta rebelión que se vuelve específico grito de guerra. La novela se va definiendo. La destrucción de todos los valores vinculados a las tradiciones se vuelve definitiva y se convierte en una Guerra Santa, cruzada medieval contra la cristiandad –y también contra todas las señas de identidad que lo han formado y deformado. Una reconquista al revés. Alá vs. Cristo. Y una toma de conciencia de la sexualidad, que si bien es lo que es, también se vuelve destructora y autodestructiva, porque se trata de una transformación de lo que no éramos a lo que somos.

Destinado el capítulo a recorrer las pre-concepciones de lo hispánico para acabar con ellas, requiere un conocimiento de las mismas, pide una interpretación erudita porque el texto descansa en la documentación, una búsqueda en las fuentes de participación póstuma e involuntaria. La dificultad se acrecienta porque al no ofrecernos el dato exacto, o al integrar ese dato dentro de su personal narrativa, siempre se plantea la posibilidad de "estudiar" la novela dentro del análisis exhaustivo de las fuentes, ver hasta qué punto las sigue o se aparta; o seguir adelante y pasarlo por alto, abandonando la genética cultural del texto y entregarse a la aproximación síquica y paranoica. Es decir, navegar en el vórtice de un caos sico-histórico, que es lo que la caracteriza. En realidad, el autor construye un paraje que es suyo al rebelarse contra un mundo que le es ajeno, del que quiere desarraigarse con el filo de un cuchillo.

Con la rabia en el cuerpo

Se inicia con una referencia médica, en francés, con implicación social, que es desvirtuada por el narrador cuando la ajusta mentalmente a su interpretación de la existencia hispánica. "Done vuestra sangre, salve una vida" (que se ve) se convierte en lo opuesto: un acto mortífero: la inoculación de un organismo infeccioso. El virus de la rabia dominará las páginas siguientes. La terminología médica se impone, ya sea como descripción de lo anatómico, de lo fisiológico, de lo patológico. La secuencia es gráfica, basada en el primer plano: "la correhuela en torno del brazo" y "la jeringuilla en una de tus serpenteantes venas azules". La constante de la serpiente como símbolo sexual es una disolvencia demasiado enfática de la cual nunca se desprende la novela. Evoluciona hacia la infección emponzoñada, la patológica y morbosa descripción de la rabia: "curso lento pero inexorable de la enfermedad", "en los manuales de medicina al uso se acostumbra a distinguir tres períodos..." Visualmente se podría desarrollar el texto mediante imágenes ofídicas, caninas, médicas. Con una descripción técnica que es a la vez violenta y dramática, el espíritu destructor que anima al escritor se pone de manifiesto al recurrir a la rabia como agente de la patología individual del protagonista que se funde con la mórbida interpretación histórica. La rabia es la expresión idónea del espíritu destructor que lo anima. Esta identificación con la sangre y el perro rabioso, a través de la voz de una criatura que vive la malsana violencia del animal dentro de un marco clínico, es de una fuerza escalofriante que da varios pasos más allá del tremendismo celiano; una visualización de la crueldad. La sangre que ha sido donada para salvar una vida, tiene como intención última perder muchas; el ritmo se acrecienta. La terminología descriptiva de la rabia es la rabia. La imagen fálica del mastín, que parece hipnotizarlo, y que está relacionada con experiencias sexuales que se harán precisas en la cuarta parte, vuelve sin haber llegado. Este mastín que lo muerde, pero que no le produce dolor, franca alusión a una penetración sexual, le inocula el veneno de una maligna hidrofobia, que es goce y culpabilidad al unísono, siempre entretejidos en la novela, parte esencial de esta reconstrucción de su persona y la anomalía histórica. Léxica y visualmente recargado a veces bordea el mal gusto y a Goytisolo se le va la mano.

La terminología médica, tomada de enciclopedias, va a componer muchas páginas, pero subyace siempre un contenido iracundo y dramático. El marco parece casi clínico, pero no lo es. La intertextualidad es a veces literaria y otras clínica, particularmente anatómica. Goytisolo compone textos fieles a la estructura libre y montajística de la novela, pero cambiantes y sin un esquema prefijado que evoluciona de acuerdo con las necesidades del momento. Comienza con un doble juego donde alternan textos entre paréntesis (alternalidad de la cámara) y otros que no lo están. Hay un sentido del grotesco, un tanto a lo "film noir" ("gafas ahumadas", "caricatural bigotico") imaginándose el narrador que está en España, donde se llevará a efecto la traición. De esta forma sorprende constantemente al lector con nexos inesperados.

Destape del insulto: delito de traición

Goytisolo se va metiendo a través del narrador en un oscuro y siniestro laberinto de la sexualidad, a la cual integra múltiples componentes gráficos. De nuevo, todo lo que pasamos a comentar se resuelve fílmicamente, casi pornográficamente en ciertas "tomas", como si fuera un viaje al coño que es, además, delito de traición, tema general de la novela que se remonta a la traición que se le atribuye al conde don Julián cuando deja entrar a los árabes en España con motivo de la violación de Florinda por el rey visigodo don Rodrigo. Para lograrlo, se produce la identificación y la reivindicación, la metamorfosis narrador-Julián: "a mí, guerreros del Islam": sencillamente, le abre las piernas para que hagan los que les dé la gana: es una entrega total: "violad el bastión y el alcázar, la ciudadela y el antro, el santuario y la gruta, adentraos sin cuartel en el coto".

El concepto traición permea la novela, casi líricamente: "vender Caldea a Egipto/ Egipto a Persia/ Persia a Esparta/ Esparta a Roma/ Roma a los Bárbaros/ los Bárbaros a Bizancio/ Bizancio al Islam". Una reacción en cadena que conduce a lo mismo. La suma lleva al resultado. Niega la Patria, porque es lo que no quiere ser. Lleva en sí misma un principio de negatividad asociada con el materialismo: el del capital y el del marxismo: la patria es un mercado. "Hacer almoneda de todo: historia, creencias, lenguaje: infancia, paisaje, familia". "Convencido de la urgencia y necesidad de la traición", Sísifo condenado a la constante ascensión impuesta por el discurso de poder, se reconstruye desde sus propias cenizas. Es la liberación. Niega su genética sexual y se librera, ofrece "su" país, confiesa: "Os ofrezco mi país, entrad en él a saco: sus campos, sus ciudades, sus víctimas, os pertenecen". Escribe un guión. Al negar reconstruye su otredad más auténtica. "Nuestros símbolos vetustos, tediosos, yacen arrinconados en un polvoriento desván: leones de felpa, castillos de arena: cintajos, colgaduras, monedas efigiadas: banderas, escudos, charanga nacional/ nuestras figuras gloriosas y efemérides patria suscitan el bostezo pulcro y cortés, la amable, comedida sonrisa: Trajano, Teodioso, Adriano! Don Pelayo, Guzmán el Bueno, Ruy Díaz de Vivar!" De Roma a la Reconquista, paso a paso se va deshaciendo el narrador de la suma histórica . Descaracteriza paródicamente las acciones heroicas de la Guerra de Independencia: Agustina de Aragón sirve *hot-dogs* en un climatizado parador de turismo- el tambor del Bruch masca chicle y fuma *Benson and Hedges*. Goytisolo desarrolla el discurso bélico explícito de su propia batalla personal: "Alto de los Leones, epopeya del Alcázar, sitio de Oviedo, crucero Baleares, cárceles rojas, tercios de Montejurra se han esfumado para siempre tras un decorado muy urbano de estaciones de servicio, snacks, Bancos, anuncios. Todo esto representan secuencias cinematógráficas, tomas móviles. Una toma detrás de la otra es una filmación febril de escenarios múltiples que se agolpan con una velocidad vertiginosa. Clama por la destrucción de toda la metafísica española, y hay una larga lista de referencia a componentes arquitectónicos ("festones de estuco", "calados de yeso"), "símbolos vetustos: referencias a los reinos de León ("leones de felpa") y Castilla ("castillos de arena"), todos denigratorios, que componen la gran "charanga" nacional, hasta la historia contemporánea. De un lado, "a fuerza de mantener el brazo en alto y extendido adelante, con la mano abierta y la palma extendida hacia arriba"; del otro "los huesos se nos han vuelto de plomo y lamentablemente han caído conforme a la ley de gravedad": toda erección, finalmente se desploma flácidamente, babeando, como un chorro de lava que se desliza por el muslo. Como un poseso, Goytisolo se muestra incansable, reiterativo, en una autotortura donde la novela no parece detenerse nunca, gráfico, visual, de una imagen a la otra, en un *editing* vertiginoso. Toda España está ahí en una ficción documental que no termina nunca. Caen, unos tras otros, una suma interminable de monumentos nacionales, como en un cataclismo: "ocuparás iglesias, bibliotecas, cuarteles, el monasterio de Yuste, San Lorenzo del Escorial, el Cerro de los Ángeles/ liberarás la mezquita de Córdoba, la Giralda, la Alhambra/ arrasarás el granadino palacio de Carlos Quinto..." Todo se ve. Todo se mueve. Todo se precipita. Todo se desmorona. Goytisolo está escribiendo una novela histórica total que no está determinada por un anecdotario específico sino por una propuesta abarcadora del todo: la novela del absoluto histórico (pero al revés) dispuesta a filmarse con un montaje a lo *Iván el Terrible* o un *Alejandro Nevsky* actualizado. Clama por la destrucción de toda la metafísica española, y hay una larga lista de referencias a componentes arquitectónicos que se denigran. El movimiento es circular, constante, repetitivo, sin principio ni fin: "traición grave, traición alegre: traición meditada, traición súbita; traición oculta, traición abierta". Pero de este modo también formamos nuestra identidad. El sexo se vuelve un paisaje lleno de obsenidades que responde a la violencia total del narrador (que es el propio Goytisolo). Al contrario del enfoque tradicional, no reside en las constantes hispánicas idealizadas sino en la ponzoña traidora de Julián y en las huestes mahometanas de Tarik que seducen al narrador ("éxtasis reptil de áspides, rigurosos, severos", "tenaces e imperiosas culebras") y hace explícito el discurso homoerótico.

En caso de duda, volver sobre mi interpretación crítica, donde no hay más que ver las imágenes para observar que tanto Goytisolo como yo estamos haciendo cine.

Exterminio en el coño: una destrucción iconoclasta

El camino hacia la descripción anatómica del sexo femenino se inicia en el plano histórico con la aparición de Isabel la Católica, la cual estará sometida a un proceso evolutivo hasta convertirla en una descripción anatómica. Al seleccionarla intencionalmente como punto de partida, la destrucción de lo que ella representa es impecable e implacable. Gradualmente Goytisolo la va transformando y sexualizando hasta evolucionar a través del tiempo y llegar a una modernidad revolucionaria con fondo musical de los Rolling Stones, lo que le da a la narrativa una concepción audaz. Pero no debemos ignorar que inclusive en este proceso denigratorio y difamatorio, Isabel la Católica tiene un papel histórico protagónico equivalente al de la Virgen María. La degradación esconde un principio de afirmación, que hace explícita su protagonismo histórico. El "strip-tease" en contradicción con su jerarquía, no pierde de vista esta condición, que se integra de un modo musical, vulgar, de acuerdo con el "show" nudista que Goytisolo nos monta: Isabel monja-gogó virgen-puta, en pleno discurso transgresor. El "hossana impetuoso, aleluya exultante", "jaculatorias y plegarias ricas en privilegios y regalías", "confesión sacramental", "epicentro del dogma" forman parte integral del "performance". De esta forma el espectáculo nudista se enriquece mediante la imaginación profana del novelista, que hace de la religiosidad una parte integral de este sórdido espectáculo sexual. La vivencia pornográfica transgresora convive con la religiosa. El látigo de la flagelación como castigo del pecado cometido se convierte en simbología sexual y forma parte de una autentica tradición hispánica donde la fe forma parte de la sexualidad, que culmina cuando dice: "invocando masculina ayuda con labios sedientos, convocando afluencia sanguínea con ojos extraviados: dulce herida de amor, dardo cruel del alma!" en la cual el crucifijo es a todas luces insuficiente. La terminología religiosa se intensifica: "epicentro del dogma": "centro propagador de un temblor de tierra". Ya sea por imperativos fisiológicos o de la fe: el coño, la "Gruta Sagrada" se vuelve imperativo de la cultura, dentro de la cual el narrador protagonista comete delito de traición. El sexo se vuelve ritual religioso de un espacio físico, coto, donde resuena el coño: coto sembrado de obscenidades, insultante violencia interior que por otra parte configura un discurso feminista de liberación: la mujer que espera el gran orgasmo nacional: "vírgenes fecundadas por lentos siglos de pudor y recato esperan impacientes vuestras cornadas": pateadura total en los testículos de la identidad nacional. La mujer como objeto de repudio es parte integral del discurso masculino homosexual. Al clamar para que las huestes de Tariq fuercen "las puertas del milenario templo", la posición de Goytisolo es derrocar la tradición masculina hispánica mediante un acto de violación sexual que impone la tradición sexual masculina mahometana, y lleva, además, a una un discurso de entrega homoerótica. En última instancia somete la concepción idílica de la Virgen a un proceso de anulación de todo lo que ella representa. Virgen, Madre y Mártir tira todas estas concepciones al basurero gracias a un discurso totalmente antifeminista, un ataque a todos los elementos idealizadores de la mujer. Goytisolo rompe las fronteras nacionales ("circuito Europe-Tours", "traveller's check accepted here", "bendición especial de su santidad") hasta llegar a un fantasía grotesca: Julián y Bond, falos foráneos contrapuestos profanan el sagrario con un elaborado sentido del grotesco porno absolutamente cinematográfico.

Una sucesión de "tomas" que se suceden vertiginosamente van de un show metafísico ("laguna infernal", "barqueros de la muerte") a un gran show paródico dentro de una topografía anatómica. La sucesión verbal responde a un violento proceso metamórfico transgresor y caótico que propone una identificación nacional "emblema nacional del país de la coña", cuya última palabra no es gratuita. Gran destape del insulto, incluye la total degradación de la mujer cuyo sexo se vuelve espectáculo: putería con lentejuelas. Tras advertir agresivamente ("oídme bien") caen la espada del Cid, el caballo blanco de Santiago Apóstol, el monasterio de Yuste (Carlos V), El Escorial (Felipe II), el Valle de los Caídos (Francisco Franco); la destrucción de las Mezquitas de Córdoba, la Giralda, el Alhambra, se impone la supremacía masculina árabe que el narrados considera más viril que la cristiana: historicidad porno. Con "gracias a un puñado de hombres ilustres" caen toda la Generación del 98 y aquellas figuras literarias o filosóficas (D'Annunzio, Heidegger, Maeterlinck) que se relacionan con esta generación, incluyendo la admiración de estos por don Quijote, el romancero, y otros valores que representan a los clásicos. Critica tanto la forma ("estilistas, orfebres y artífices del lenguaje") como toda erudición y puntos de vista ideológicos. Caen después Ortega y Gasset y arremete contra Ramón Jiménez y su mimado burrito. Critica el sentimiento antidemocrático barojiano y el negativo estoicismo del 98, que llevó a esta generación a despreciar las comodidades de la vida moderna. Le quita valor a las epopeyas heroicas, Sagunto y Numancia, al equipararlas con la epopeya del Alcázar de Toledo durante la Guerra Civil, victoria de la resistencia franquista.

Esta anatomía se alza sobre una geografía. En el proceso de exterminio iconoclasta, el autor da una fuerte acometida contra el paisaje, y procede a demoler todos los valores aceptados como buenos, o si se prefiere, a su reconstrucción desde un opuesto punto de vista. Frente a la concepción tradicional de Castilla con un antecedente inmediato en el 98, la geografía deviene en historia: batalla entre los reinos: León, Navarra, Cataluña; guerra contra el infiel; Galicia, Asturias, Vizcaya, Cataluña, Andalucía, caen ante la piqueta demoledora de una novela histórica. Particularmente Castilla, el núcleo de la identidad nacional, ruptura absoluta y radical contra la mirada del 98, las añoranzas de Machado, Unamuno y Azorín frente a la decadencia colectiva de una erección que se convierte en impotencia del coloniaje. Goytisolo deja sentada una conciencia documental retroactiva, visualmente fílmica, que da marcha atrás, llevada por una posición eminentemente anticastellana, y "sigilosamente atraviesas esa Castilla árida y seca, requemada por el sol en verano, azotada en invierno por las ventiscas", "mucha encina hay, Julián!: demasiado chopo, demasiado álamo!: qué hacer de esa llanura inmunda?: tanta aridez y campaneo sublevan, vete: abandona de una vez los caminos trillados: el sitio apesta: pueden seguir las cosas así?" La pregunta contiene la respuesta. La panorámica se impone: "el paisaje se extiende inacabable ante la mirada". No es solamente la médula del paisaje. Es, en realidad, caracterización del personaje y de sí mismo.

La destrucción iconoclasta incluye historia, geografía y literatura. Escrita la novela por un narrador que se declara homosexual y que no se acuesta con cristianos, trasciende la mariconería blanda frente a las ruinas y se vuelve imperativo, acción, "minuciosamente procederás a la eliminación del funesto paisaje/ la intensa y metódica acción de los guerreros de tu harca acarreará en primer lugar la muerte inmediata de su flora típica". La expedición militar de los moros no sólo terminará con olmos, álamos, encinas, sino con todo lo que ellos representan dentro de la existencia literaria. Ocupando él mismo el lugar de Dios, destruye y recrea el paisaje castellano: el cielo sin una nube se puebla de ellas; la meseta pierde su aridez rojiza y se llena de agua; el verde lo ocupa todo. Por extensión, destierra la ascética, la mística, el espíritu del Quijote: Santa Teresa, San Juan de la Cruz, Cervantes. Y sobre todo, el espíritu humilde de Platero, *el gran comemierda nacional (las cursivas son mías)*: "con una mano le darás de comer mientras que, con la otra, empuñas el afilado cuchillo y se lo hundes con lentitud en la garganta: la sangre brotará morada y espesa: sus ojos de azabache implorarán como dos escarabajos de cristal negro" (147). Como si le enterrara un cuchillo a Juan Ramón Jiménez (espíritu sensible, refinado, hondo), Goytisolo pone en práctica una intertextualidad líricamente transgresora que forma parte de un ambivalente discurso de la novela donde entra en juego la responsabilidad del escritor que al propio Goytisolo le está jugando una mala pasada, colocándolo ante el abismo. Porque, entre la crueldad y la inocencia, Goytisolo es también el que se acuchilla en el proceso de autorebeldía destructora y exorcista que es la novela.

La inmolación de Platero es de cordero pascual que quita los pecados del mundo, porque en la inocente pasividad está el propio discurso homoerótico de Goytisolo que se retuerce en la impotencia individual e histórica. De ahí que *Reivindicación* sea el libro de la contradicción autodestructora que se acuchilla a sí mismo. En todo este recorrido está el pasado inmediato, la Guerra Civil, el franquismo, y toda la década del sesenta, de la liberación sexual a la represión de los homosexuales, del comunismo al fracaso de las utopías, de Cuba a Marruecos, que se hace sentir hasta entrado ya el siglo XXI. Paradójicamente, esta transgresión basada en la teoría de la sangre y el sacrificio del cordero pascual, va más allá del tremendismo celiano y más tradicionalmente española no puede ser, a pesar de la inversión de valores. Es un grito de guerra del autor que nace en las entrañas de tribus almorávides. Paradójicamente edifica la novela sobre los fundamentos de la cultura que propone aniquilar. Trabaja con los materiales de su identidad nacional y lleva a efecto una cruzada de cruz y espada, enfrascado en una Guerra Santa. Asume una responsabilidad que destierra y autodestierra al escritor que, quizás sin darse cuenta, se vuelve en cordero de sacrificio. "Galopa, macho, galopa", términos que imponen el imperativo, sirven de inicio al proceso de denigración del Apóstol Santiago.

Un senequismo escatológico: la defecación del texto

La reacción anti-histórica de su discurso histórico traspasará los límites peninsulares y llegará a la conquista y colonización. Gracias a la libertad de composición, todo esto se entremezcla sin respetar ninguna cronología, libre asociación de imágenes, constante ruptura de espacio y tiempo que enriquece y complica la novela. Si visualizamos todos estos datos nos encontramos con una verdadera composición fílmico-literaria: guión para filmar una película: esta es la estructura básica de la novela. En sus conversaciones con la enfermera se burla del discurso hispánico tradicional "épico, dramático, poético". En el plano literario, arremete con idéntica violencia contra todo lo anterior. La constante antisenequista es una de las más permanentes del "idearium" goytosolano. Este senequismo es de entraña taurina y popular. "Un estrellado y bizarro discípulo del doctor Sagredo explica al respetable allí congregado que jamás en la historia de la humanidad se ha dado ejemplo tan hermoso del estoicismo perseverante con el que durante siglos y siglos se han encargado de aligerar el apararato circulatorio de los carpetos, enviando muchos a la fosa, es cierto, pero purgando a los demás de sus excesos sanguíneos, a fin de que puedan vivir en relativa paz y clama, y propone un homenaje nacional al sangrador máximo, nuestro inmoble, secular y poderoso filósofo Séneca". Quizás Goytisolo no se diera cuenta, pero arremeter contra Ganivet (cuya obra se conoce mal) y contra Séneca forma parte de una tradición casi académica, y Ganivet es el marginado del 98.

Partiendo del pasado inmediato, la Generación del 98, salta a la obsesión del pasado remoto: Séneca, ascética precristiana. La vincula no sólo unido al discurso oficial sino al popular, representado por la tauromaquia: la épica y la corrida van mano a mano. La descaracterización senequista llega a lo escatológico, convirtiendo su obra en un puñado de excremento: "descubrirás, acuclillado, un filósofo con catadura de gitano viejo [lo popular] con inmaculada toga [lo culto] y con la frente ceñida en una corona de laurel [movimiento ascendente]. La duda ofende, es Séneca!: severo y enjuto, solemne, tal y como figura en nuestro museo de Madrid, absorto ahora, en industria trabajosa y lenta [defecar, grotesco], en expansión común e inferior [descendente]: y aunque tú balbuceas excusas y le das púdicamente la espalda, escucharás todavía, en sordina, sus imprecisas, neutras, sucesivas emisiones vocales: de satisfacción o de angustia: posiblemente de ambas cosas a un tiempo: tras una corta pausa durante la cual no podrás evitar la tentación de espiarle, el encogido filósofo se inclinará a contemplar amorosamente su obra, el tierno fruto de sus entrañas" El recorrido de lo popular descendente ("gitano viejo") a lo culto elevado ("toga", "corona de laurel") está marcado por el trabajo fisiológico de la emisión de la mierda, proceso creador difícil (entre la "satisfacción" y la "angustia") donde la "creación" es conduce a una "metafísica". El concepto, la descripción precisa del acto, la duplicidad del resultado (la "obra" del filósofo estoico) es realmente medular para darnos la medida de lo que somos, que incluye, como vemos, la defecación del texto.

Se desploma también toda la Generación del 98, "españolizadores de Europa, europeizadores de España: coetáneos de Proust e introductores de D'Annunzio y Maeterlink: peregrinos al sepulcro de don Quijote, exegetas del viejo romancero", "orfebres y artífices del lenguaje", "elevados a pedestales y estatuas, ceñidos de rectorales togas; paladines del Cid, de Séneca, de Platero; del españolísimo vínculo entre el estoicismo y la tauromaquia", "gracias a ella y a sus frondosos epígonos, monopolistas y banqueros de la recia prosa de hoy, podrás identificar y recorrer el paisaje de la fatal península, inmortalizado gloriosamente en sus páginas". Hombres que buscan en Castilla el ser hispánico y la solución a los problemas de España, el protagonista ve en Castilla la fuente yerma de todos los males. El prestigio establecido de estos escritores acrecienta la ponzoña, como si dijera que ya es hora. La conciencia del placer, del goce, de la sensualidad, que está representada por el pasado moro, se opone a la ascética mística del senequismo pre-cristiano, y de todo el noventa y ocho que Goytisolo ve como una generación de hueso y pellejo hambrienta de incumplidos deseos, "enemigos viscerales del Baedeker y el *sleeping car,* de la almohada y del baño, del ferrocarril, el *watercloset,* del teléfono". Al estoicismo finisecular opone la sensualidad hedonista mahometana.

Lo que se le escapa a Goytisolo tirando a mierda el senequismo y a Ganivet, como se prueba en *Fragmentos para una historia de la mierda: cultura y transgresión,* que es una obra maestra, "ensayos recopilados por Luis Gómez Canseco con el perpetuo socorro de Jaime Alvar Ezquerra", según cita la primera página; es que la mierda en que el narrador sumerge al 98; forma parte de un doble discurso, donde "todos" convivimos desde el momento mismo que interpretamos la mierda.

No concluyen aquí las posibilidades interpretativas de la novela, y en particular de la tercera parte, que es algo así como un ensayo novelado, independiente, de proyecciones fílmicas monumentales: guión de la historia de España vista desde una perspectiva diferencial, acondicionada en mayor o menor medida por un discurso homoerótico, evidente en muchas secuencias. En todo caso, lo cierto es que Goytisolo rompe el molde de una aproximación ensayística y fílmica a la novela española de la posguerra.

La trayectoria que desarrolla en la tercera parte es una consecuencia del episodio que traumatiza al personaje. Configura su mentalidad y nos lleva al después de la cuarta jornada.

Simbólicamente, el niño, sujeto del sacrificio, sobrevive a la pederastía y a la sodomía que lo llevan a una nueva percepción del mundo que es la novela. En lugar de negar al agresor, lo reafirma históricamente y lo induce a la desconcertante propuesta: abrirle la puerta al depredador y destruir todos los valores formativos, que es el subtexto. Bajo los efectos de una fuerza hipnótica, que no anula la voluntad de ser, entrega la patria y se niega a sí mismo. Sin embargo, no se puede decir que esté liberado del sentido de la culpa. Como si hubiera sido víctima de una ponzoña canina, vive en un estado de "rabia" sexo- histórica, como quien sucumbe a la mierda de la mierda, que es una tragedia no sólo histórica, sino fisiológica, piscológica, metafísica y teológica, y es por ello que *Reivindicación del conde don Julián* es una gran novela.

CUARTA PARTE:
UN AULLIDO HOMOERÓTICO

Debemos reconocer que la cuarta parte de la novela es un anti-clímax y no llega, ni remotamente, a la altura de las anteriores, particularmente de la tercera. En esta secuencia final, *Reivindicación* se concentra en el episodio que determina la preferencia sexual del protagonista, y elabora la relación sexual que se desarrolla entre Alvarito y el guardián de obras, que el narrador evoca como Julián, con una clara alusión al conde del título. Para empezar, el novelista retorna a Séneca y a la Virgen, pero reduciendo el espacio de las alusiones, hasta concentrarse en el episodio de Caperucita Roja donde el niño representa el papel de Caperucita para llevar a efecto el cambio de género. La parodia homosexual del cuento de Caperucita Roja ocupa varias páginas de la novela, mezclada con anuncios comerciales que saltan dentro de la narrativa. La abuela se transforma en un árabe físicamente superdotado, y el cuento no es más que una fantasía sexual donde el motivo de la serpiente se repite, de una manera realmente burda, que es una chapucería literaria de Goytisolo. Quizás fuera que en este punto lo tiene dicho todo, y ahora se reitera hasta el agotamiento. Tiene lugar un proceso de carnavalización que hace explícita la otredad sexual que vive el niño. Técnicamente el narrador va y viene rítmicamente recreando fílmicamente al niño en una secuencia que se repite, él mismo, el protagonista, un cuarto de siglo atrás en una toma reiterativa aunque el enfoque cambie: "tú mismo un cuarto de siglo atrás, alumno aplicado y devoto, idolatrado e idólatra de su madre, querido y admirado de profesores y discípulos: muchacho delgado y frágil, vastos ojos, piel blanca: el bozo no asoma aún, ni profana, la mórbida calidad de las mejillas…" Con ligeras variantes se reitera el cotidiano regreso del niño del colegio, bajo la mórbida mirada del guardián de obras, entremezclándose la distorsionada referencia al niño que vuelve una y otra vez. La madre y la abuela hacen sus correspondientes apariciones, irrealmente guiñolescas, con inclinación hacia una teatralidad infantil que se distorsiona por la insistente presencia fálica de lo que tiene el guardián de obra entre las piernas, convertido en Julián. Pero en realidad no lo vemos en su corporalidad total, sino reducida a un falo descomunal, vuelto serpiente, casi siempre erecto, insistente, implacable, como una fantasía erótica del niño que lo busca, hipnotizado por el ojo erecto del falo.

La explícita inmediatez de la erección de la serpiente le quita dimensión al texto, pero dándole la vuelta podría interpretarse como una proyección onírica que se desarrolla en la psiquis del niño, en medio del despertar de la sexualidad. El deseo homosexual y el concepto de la culpa determinan la incoherencia del discurso, así como el inquietante estado en que se encuentra el pre-adolescente ante el hecho sexual, acrecentado por la perfidia del pederasta. El personaje no puede conciliar sus deseos con la norma dentro de la cual ha vivido. El enfrentamiento a la sinuosa malicia del guardián de obras convertido en Julián y la presencia fálica que lo hipnotiza lleva hacia la pesadilla sicológica que es la novela. Perros, lobos y sanguijuelas lo atacan en el subconsciente infantil. Es un holocausto donde elementos mitológicos proyectan una culpa cristiana por haber "pecado" y encontrarse asediado por deseos que rompen con la norma sexual establecida. Se trata del "aullido de Alvarito" emitido previamente. Por consiguiente, toda esta parte debe leerse como un aullido homoerótico que tiene lugar dentro de la siquis del narrador, un "aullido" sico-literario de la sexualidad.

Ya hacia el final de esta última parte, Goytisolo nos conduce al movimiento circular de un texto que se repite a sí mismo, parte de una doble tortura, la que sufre el protagonista y el lector. Con una concepción relativamente más "convencional", retoma imágenes ya presentadas con anterioridad y se empobrece con referencias burdas que abaratan el texto penosamente: la reconquista de una serpiente islámica que viola a un paródico caperucito rojo que se desprecia a sí mismo. La visión no puede ser más traumática, desoladora, que reduce la novela por exceso.

FIN

La novela puede verse como un exorcismo de estilo. Es como si el narrador tuviera que contarlo todo para librarse de lo que en el fondo ha sido configurado como culpabilidad irreparable. El discurso homoerótico se vuelve una pesadilla del sexo y la cultura, y tal parece que la deformidad de la estructura narrativa que utiliza para contar su historia no es un juego gratuito de un período literario, sino un imperativo de un fluir de la conciencia, sinuosa como un reptil, sin punto final, del cual no puede salir. La propia "cultura" que lo vigila y reprime le imposibilita una expresión directa y tal parece que tuviera que inventar el lenguaje. El tema de la sífilis, mencionado al principio, adquiere ahora más significado profético: el fantasma del SIDA queda latente como un personaje que asoma la cabeza pero que no ha entrado en escena todavía. Entre la muerte y la profanación, la provocación visual y la verbal, la teatralización de lo religioso y la iglesia como escenario donde tiene lugar una orgía desacralizadora. Goytisolo se regodea en la destrucción de la iconografía católica mediante la carnavalización de las imágenes, donde el concepto del "happening" también define y marca la postmodernidad de la novela, vista a través de una óptica paranoica. El trauma sicológico y el histórico, la carnavalización y la circularidad, el discurso cerrado y el abierto, la cultura española y el estado islámico, el presente que refleja el pasado; sangre, semen, sífilis, sida, culpa, metáfora psico-histórica, se entremezclan en una novela excepcional. Pesadilla sicológica, exorcismo de estilo, callejón sin salida, es difícil determinar si lo sicológico es el factor acondicionador de la narración o si lo histórico es el elemento determinante. Ambos confluyen, destructivamente, en el espíritu de un narrador prisionero de su sico-historia.

MEDIO SIGLO DESPUÉS...
COMO DICEN EN EL CINE...

Hay que tener en cuenta que el discurso transgresor de la novela no es un discurso cualquiera: es el discurso transgresor de una novela importante en las letras españolas y que como tal marca una época y el principio de un movimiento subversivo que tiene su centro en los Estados Unidos al conjuro de "hacer el amor": el sexo como acto revolucionario, la transgresión en el poder. Nos enfrenta también, como pocos se han atrevido a hacer, al conflicto homosexual que yace en el subtexto, presentado como un callejón sin salida dentro del callejón sin salida: un discurso dentro del otro. Con ello, Goytisolo da un salto notorio. Lo hace en el tratamiento del discurso homoerótico, que marca la evolución transgresora. Recuérdese que en una novela de la importancia incuestionable de *La colmena* de Cela, la homosexualidad es tratada como caricatura y grotesco machista en 1951, pero veinte años después con *Reivindicación* Goytisolo le da la vuelta a la tortilla y el discurso homoerótico implica una transgresión sexo-política con la caída de todos estos valores establecidos debido a una reconquista árabe gracias a una inoculación del movimiento *gay,* que es la fuerza de resistencia que conduce a la *reivindicación*. Esta vez la perdida de España no recae en el sexo de la mujer, en la entrega del coño a orillas del Tajo, sino que el responsable de la pérdida es el protagonista, un homosexual hipotéticamente entregado a los árabes y abriendo el país al Islam con el propósito de erradicar el poder hegemónico machista de Santiago Apóstol. Un planteamiento que se las trae y que no es una fiestecita.

La novela tiene planteamientos paradójicos que deben tomarse en consideran. Al llevar a efecto este cambio de piel, Goytisolo tiene que irse de España y pasar por Cuba, atraído por la fantasía histórica de un realismo socialista marxista que estaba en su apogeo. También la persecución a los homosexuales. De paso, da un conveniente "salto" al *boom*, que en aquellos días era el movimiento que cortaba el bacalao, porque las letras españolas estaban algo herrumbrosas para el gusto de la intelectualidad liberal de izquierda y de los elitistas del texto que convertían a la palabra en protagonista. Pero ya en Cuba se le estaba dando otra vuelta a la tuerca, una cosa no iba con la otra y los homosexuales iban de cabeza al "reformatorio", como hubiera recomendado el padre machista y homofóbico del escritor. De igual forma que a Hitler le salió el tiro por la culata con el holocausto, a Castro le pasó otro tanto con la UMAP y acabó dándose golpes de pecho por su grandísima culpa, después de muchas fechorías. Es decir, historia y ficción no van siempre de la mano, y en lo que a mí respecta entregarle España al Estado Islámico no me parece lo más recomendable para superar un trauma de la naturaleza que sea, porque, a todas luces, el remedio parece peor que la enfermedad. En realidad la novela, que es excelente, como creo haber demostrado, y me sigue gustando tanto o más que desde la primera lectura, pisa un territorio dinamitado en un callejón sin salida. Por su intensidad síquica es unos de los pocos trabalenguas que merecen leerse y no se limitan al palabreo. Pero, ¿acaso no es *Reivindicación del conde don Julián* una premonición endemoniada (y no me refiero a la sexualidad, aclaremos) cuyo destino no se ha cumplido todavía? Dios nos coja confesados. "Oidme bien: Meseta ancestral, espada invicta del Cid, caballo blanco de Santiago": "escrito está en el cielo y vuestros profetas y morabitos lo saben…" Es un discurso abierto, que dejo en manos de otros para que lo cierren.

OBRAS CITADAS

Albert Robato, Matilde. *La creación literaria de Juan Goytisolo*. Barcelona: Planeta, 1977.

Castellet, José María. "Introducción a la lectura de en *Juan Goytisolo,* citado por Albert Robato.

Gómez-Canseco, Luis, editor. Fragmentos para una historia de la mierda.

Goytisolo, Juan. *Reivindicación del conde don Julián*. Barcelona: Seix Barral, Biblioteca Breve, 1976.

Goytisolo, Juan. *Coto vedado*. Barcelona: Seix Barra, Biblioteca Breve: 1985.

Sobejano, Gonzalo. "La búsqueda de la pertenencia en Juan Goytisolo" en *Juan Goytisolo,* citado por Albert Robato.

JOAQUIN PHOENIX AMY ADAMS ROONEY MARA
OLIVIA WILDE SCARLETT JOHANSSON
her
A SPIKE JONZE LOVE STORY

"An indescribably funny, altogether remarkable movie from the creators of 'Being John Malkovich.'"
Nicolas Cage
Meryl Streep
Chris Cooper
Directed by Spike Jonze
Screenplay by Charlie Kaufman and Donald Kaufman
Adaptation.

THE END.
Stranger than Fiction

gwyneth PALTROW anthony HOPKINS jake GYLLENHAAL
{proof}
"Two thumbs way up!"
From The Director Of The Academy Award-Winning
"Shakespeare In Love"

FICHA FILMOGRÁFICA

TEXTOS FILMICOS DISCUTIDOS EN ESTE LIBRO, POR ORDEN CRONOLÓGICO

El gabinete del Dr. Caligari. Dirección: Robert Wiene. Con Werner Krauss, Conrad Veid, 1920

Metrópolis. Dirección: Fritz Lang. Con Alfred Abell, Brigitte Helm, Gustav Frolich, 1927

Frankenstein. Dirección: James Whale: Con Colin Clive, Mae Clarke, John Boles, Boris Karloff, 1931

La novia de Frankenstein. Dirección: James Whale. Con Boris Karloff, Colin Clive, Valerie Hobson, Elsa Lanchester, 1935

Gone With the Wind. Dirección: Víctor Fleming. Con Clark Gable, Vivien Leigh, Leslie Howard, Olivia de Havilland, Thomas Mitchell, 1939

The Thief of Bagdad. Dirección: Alexander Korda. Con Conrad Veidt, Sabu, June Duprez, 1940

Blood and Sand. Dirección: Rouben Mamoulian. Con Tyrone Power, Linda Darnell, Rita Hayworth, 1941

Meet John Doe. Direccion: Frank Capra. Con Gary Cooper, Barbara Stanwyck, Walter Brennan. Edward Arnold, 1941

Dr. Jekyll and Mr. Hyde. Dirección: Victor Fleming. Con Spencer Tracy, Ingrid Bergman, Lana Turner, 1941

The Magnifent Amberson. Dirección: Orson Welles. Con Joseph Cotton, Anne Baxter, Agnes Moorehead. 1942

The Thief of Bagdad. Dirección: Alexander Korda. Con Sabu, Conrad Veidt, June Duprez. 1947

Hamlet. Dirección: Lawrence Olivier. Con Lawrence Olivier, Jean Simmons. 1948

A Place in the Sun. Dirección: George Steve. Con Elizabeth Taylor, Montgomery Clift, Shelley Winters, 1951

A Streetcar Named Desire. Dirección: Elia Kazan. Con Vivien Leigh, Marlon Brando, 1951

Othello. Dirección: Orson Wells. Con Orson Wells, 1952

High Noon. Dirección: Fred Zinnemann. Con Gary Cooper, Thomas Mitchell, Grace Kelly, Katy Jurado. 1953

Beat the Devil. Dirección: John Huston. Con Humphrey Bogart, Jennifer Jones, Gina Lollobrigida. 1953

I am a camera. Dirección: Henry Cornelius. Con Julie Harris, Lawrence Harvey, Shelley Winter. 1955

Las amigas. Dirección: Michelangelo Antonioni. Eleonora Rossi Drago, Gabriele Ferzetti. 1955

Calle Mayor. Dirección: Juan Antonio Bardem. Con Betsy Blair, José Suárez, 1956

Touch of Evil. Dirección: Orson Welles. Con Charlton Heston, Janet Leight, Orson Welles. 1958

La Dolce Vita. Dirección: Federico Fellini. Con Marcello Mastroianni, Anita Ekberg, 1960

El ángel exterminador. Dirección: Luis Buñuel. Con Silvia Pinal, Enrique Rambal, 1962

Thuntherball. (Operación Trueno) Direccion: Terence Young. Con Sean Connery.1965

The French Lieutenant's Woman. Dirección: Karel Reisz. Con Meryl Streep, Jeromy Irons, 1969

Pennies from Heaven. Direccion: Herbert Ross. Con Steve Martin, Bernardette Peters, Christophen Walker, 1981

Reds. Dirección: Warren Beatty. Con Warren Beatty, Diane Keaton, 1981

Blade Runner. Dirección: Riddley Scott. Con Harrison Ford, Rutger Hauer, Sean Young, Edward James Olmos, 1982

La colmena. Dirección: Mario Camus. Con Victoria Abril, Ana Belén. 1982

Los Santos Inocentes. Dirección: Mario Camus. Con Alfredo Landa, Francisco Rabal, 1984

The Purple Rose of Cairo: Dirección: Woody Alen. Con Mia Farrow, Jeff Daniels, Danny Aiello. 1985

Los Three Amigos. Dirección: John Landis. Guión de Steve Martin, Lorne Michaels y Randy Newman. Con Chevy Chase, Steve Martin, Martin Short. 1986

JFK. Dirección: Oliver Stone. Con Kevin Costner, Kevin Bacon, Tommy Lee Jones, Gary Oldman, Sissy Spacek. 1991

The Age of Innocence. Dirección: Martin Scorsese. Con Michael Pfeiffer, Daniel Day-Lewis, Winona Ryder. 1993.

Multiplication. Dirección: Harold Ramis. Con Michel Keaton, Andie MacDowell. 1996

Abre los ojos. Dirección: Alejandro Almenábar. Guión de Almenábar y Mateo Gil.
Con Eduardo Noriega y Penélope Cruz. 1997

The Truman Show. Dirección: Peter Weir. Con Jim Carrey, Ed Harris, Laura Linney, 1998

Memento. Dirección: Christopher Nolan. Con Guy Pearce, Joe Pantoliano, 2000

A Beautiful Mind. Dirección: John Howard. Con Russell Crowe, Jennifer Connelly, Ed Harris. 2001

Vanilla Sky. Dirección: Cameron Crowe. Guión de Cameron Crowe. Con Tom Cruise, Penélope Cruz, Cameron Díaz. 2001

Adaptation. Dirección: Spike Jonze. Con Nicolas Cage, Meryl Streep, Chris Cooper. 2002

Eternal Sunshine of the Spotless Mind. Dirección: Michel Gondry. Con Jim Carrey, Kate Winslet, Kirsten Durst, Mark Ruffalo, Tom Wilkinson. 2004

Shattered Glass. Dirección: Billy Ray. Escrita por Billy Ray basada en una narración de H. G. Bissinger, con Hayden Christensen. 2003.

Proof. Dirección: John Madden. Con Gwyneth Paltrow, Anthony Hopkins, Jake Gyllenhall. 2005

Match Point. Dirección: Woody Allen. Con Brian Cox, Matthew Goode, Scarlett Johansson, 2005

Stranger than Fiction. Dirección: Marc Forster. Con Will Ferrell, Maggie Gyllenha, Dustin Hoffman, Queen Latifah, Emma Thompson. 2006

Her. Dirección: Spike Jonze. Con Joaquin Phoenix, Amy Adams, Scarlett Johansson. 2013

Blue Jasmine. Dirección: Woody Allen. Con Cate Blanchett, 2013

LBJ. Dirección: Rob Rainer. Con Richard Jenkins. 2016

Mary Shelley. Dirección: Haifaa al-Mansour. Guión: Emma Hensen. Con: Elle Fanning, Douglas Booth, Tom Sturridge. 2017.

THE
MAGNIFICENT
AMBERSONS
ORSON
WELLES

LAURENCE HARVEY
JULIE HARRIS
I am a
CAMERA
The precursor to Cabaret
DVD

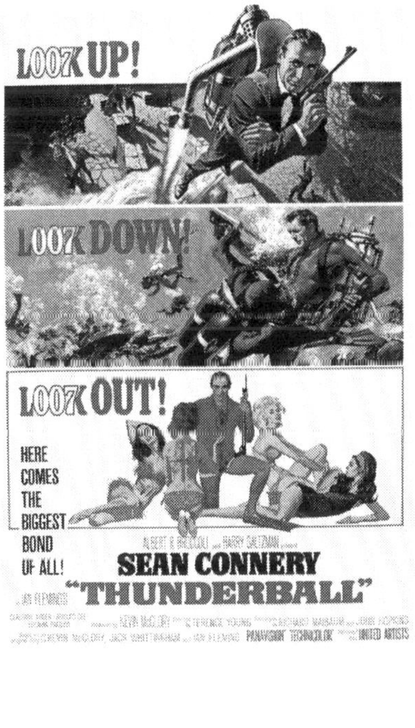
L007K UP!
L007K DOWN!
L007K OUT!
HERE
COMES
THE
BIGGEST
BOND
OF ALL!
SEAN CONNERY
"THUNDERBALL"
PANAVISION TECHNICOLOR
UNITED ARTISTS

HAYDEN CHRISTENSEN
PETER SARSGAARD
CHLOË SEVIGNY
STEVE ZAHN
SHATTERED GLASS
He'd do anything to get a great story.